나폴레옹 세계사

THE NAPOLEONIC WARS

나폴레옹 세계사

알렉산더 미카베리즈 지음

최파일 옮김

책과함께

차례

지도 목록

조제프 보나파르트, 에스파냐 국왕. (19세기 독일
그라비어 판화, 제임스 S. 노엘 컬렉션)

카를로스 4세, 마리아 루이자 왕비와 에스파냐 왕실 일가. (19세기 에스파냐 그라비어 판화, 제임스 S. 노엘 컬렉션)

러시아 원정 당시 나폴레옹과 수행원들. (19세기 프랑스 복제화, 저자 소장)

나폴레옹 전쟁이 야기한 격변을 이용해 이집트에서 정권을 잡은 메메트 알리. (루이-샤를-오귀스트 쿠데르 그림)

프로이센 국왕 프리드리히 빌헬름 3세. 내성적이고 과묵한 인물인 그는 1806년 프로이센이 패배한 뒤에 조심스러운 정치 노선을 추구했다. (19세기 독일 그라비어 판화, 제임스 S. 노엘 컬렉션)

시몬 볼리바르. '해방자'라는 별명이 붙은 그는 에스파냐 식민지들의 독립을 위해 오랫동안 열심히 싸웠다. (19세기 에스파냐 복제화, 제임스 S. 노엘 컬렉션)

에드워드 펠류 제독, 제1대 엑스머스
자작. 동인도 해군기지 사령관으로서
인도양에서 프랑스에 맞서 싸우며
4년을 보냈다. 그의 아들 플리트우드
펠류는 1808년 나가사키 습격에
참가한 프리깃함 페이튼호를 지휘했다.
(제임스 노스코트, 런던 국립초상화
미술관)

THOMAS JEFFERSON

토머스 제퍼슨. 미국 제3대 대통령. 해외에서 최초로 미국의 군사력 행사를 허락하고 루이지애나 매입을 재가했으며,
1807년 통상금지법을 시행하는 등 나폴레옹 전쟁 동안 자국의 이익을 수호했다. (19세기 미국 복제화, 저자 소장)

Kaiser Franz I. von Österreich.
Nach Stich von Longhi.

오스트리아 황제 프란츠 1세. (19세기 독일 그라비어 판화, 제임스 S. 노엘 컬렉션)

오스만 제국 술탄 셀림 3세. 개혁 성향의 군주인 그는
나폴레옹 전쟁에 휘말리는 것을 피할 수 없었고 결국
쿠데타로 무너지게 된다. (요제프 바르니아-자르제 작,
페라박물관)

제1대 민토 백작 길버트 엘리엇-머리-키닌마운드. 1807~1813년 나폴레옹 전쟁의 절정기에 영국 동인도회사 총독
으로 재직했다. (제임스 앳킨슨 작, 런던 국립초상화미술관)

이란의 파트 알리 샤. 나폴레옹 전쟁은 그의 치세에
심대한 영향을 미쳤고, 그는 프랑스 및 영국과 동맹을 맺어
러시아의 제국적 야심을 저지하고자 했다. (미르 알리의
작품으로 추정, 프랑스 루브르-랑스 박물관)

The R! Honble WILLIAM PITT.

영국 총리 소小 윌리엄 피트. 그의 재임 기간은 프랑스 혁명과 나폴레옹 전쟁으로 점철되어 있다. (19세기 영국 그라비어 판화, 제임스 S. 노엘 컬렉션)

제1대 웰즐리 후작 리처드 콜리 웰즐리. 영국 동인도회사 총독. 그가 "부임할 때 동인도회사는 무역회사였지만 그가 떠날 때는 제국적 세력이 되었다." (토머스 로런스 작, 영국 정부 미술 컬렉션)

제임스 소마레즈 제독. 제1대 소마레즈 후작.
나폴레옹 전쟁 동안 발트 지역에서 영국의
이해관계를 보호하는 데 중요한 역할을 했다.
(에드윈 윌리엄스 작)

Der Marsch auf Paris.
Nach Gemälde von F. Dietz.

〈파리로의 진군〉. '전진 원수'라는 별명이 붙은 블뤼허가 프랑스 국경을 향해 진군하고 있는 병사들에게 앞으로 나
아갈 것을 독려하고 있다. (19세기 독일 복제화, 제임스 S. 노엘 컬렉션)

이란 사절 미르자 모하메드 레자-카즈비니가 1807년 4월 프랑스-이란 동맹을 협상하기 위해 핑켄슈타인 성에서 나폴레옹 1세를 접견 중이다. (프랑수아 뮐라르의 회화를 바탕으로 제작한 19세기 그라비어 판화. 제임스 S. 노엘 컬렉션)

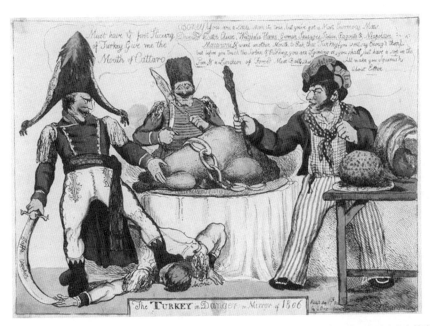

〈위험에 빠진 칠면조〉. 1806년 5월 영국 풍자만화. 오스트리아는 이미 짓밟힌 가운데 프랑스와 러시아가 칠면조 Turkey[즉 터키]를 조각내려고 준비 중이며 자랑스러운 '트라팔가르'와 '나일' 리본을 단 영국 선원이 둘을 막으려 한다. (저자 소장)

그랑포르 해전은 나폴레옹 전쟁 동안 영국 해군이 겪은 최악의 패배 중 하나다. 이 그림에서 영국 전함 이피게니아 호는 해군기를 내리고 있고, 마지시엔호와 시리우스호는 화재로 침몰 중이며, 네레이드호는 막 항복하려는 참이다. 영국군은 고작 넉 달 만에 되돌아와 프랑스군을 격파하고 일드프랑스를 함락해 패배를 확실하게 되갚았다. (피에르-쥘리앙 질베르 작, 파리 프랑스국립해양박물관)

피라미드 전투 동안 프랑스 병사들이 맘루크 기병들의 돌격을 격퇴하고 있다. 프랑스의 침공은 이집트에서 맘루크 정권을 박살냈고 다른 중동 지역에도 커다란 지정학적 파급을 낳았다. (폴 도미니크 필리포퇴 작)

1808년 가을, 마드리드의 항복을 수락하는 나폴레옹. 프랑스의 침공은 에스파냐뿐만 아니라, 에스파냐가 남북아메리카 대륙에 걸쳐 지배하던 광대한 제국에 전환점이 되었다. (앙투안-장 그로의 회화를 바탕으로 제작한 19세기 석판화, 제임스 S. 노엘 컬렉션)

1815년 3월, 황급히 왕궁을 떠나고 있는 루이 18세. 단 몇 시간 뒤에 나폴레옹은 역사상 가장 대담하고 있을 법하지 않은 침공을 통해 제위를 되찾았다. (앙투안-장 그로의 회화를 바탕으로 제작한 19세기 석판화, 제임스 S. 노엘 컬렉션)

런던 앱슬리하우스에 모인 워털루의 영웅들. (19세기 영국 복제화, 앤 S. K. 브라운 군사 컬렉션)

1807년 마드리드 마르티네스의 눈에 비친 영국의 부에노스아이레스 공격. (카사로사다박물관)

나폴레옹 시대 복제화 가운데 가장 알아보기 쉬운 작품인 이 풍자만화는 나폴레옹과 영국 총리 윌리엄 피트가 세계를 분할하고 있는 모습을 보여준다. 키가 작은 나폴레옹이 자리에서 일어나 식탁으로 몸을 뻗어 유럽을 잘라내고 있는 사이, 피트는 지구의 절반과 대양을 큰 덩어리로 자르고 있다. 영국과 프랑스 간 계속되는 전쟁에서 각자의 세력권이 어디인지를 보여주는 그림이다. (제임스 길레이 작, 저자 소장)

'보편군주' 나폴레옹. 1813년에 출판된 이 풍자만화에서 나폴레옹은 외교 문서 더미에 발을 뻗은 채 해골 무더기 위에 앉아 있다. 알렉상드르 베르티에 원수가 엎드려 그를 떠받들고 있고 그의 오른편에는 궁정 관리가 '눈물'이라고 적힌 물병에 담긴 술을 잔에 따르고 있다. 나폴레옹 옆에는 방종을 의인화한 '우둔'이 병사들에게 상을 내리고 있는 가운데 멀리서는 도시들이 불타고 있다. 전경에는 '헤센의 국고', '오스트리아의 부담금', '영지의 돈' 등이 새겨진 자루들이 놓여 있다. 하늘에서는 프로이센, 오스트리아, 러시아 독수리들이 나폴레옹에게 번개를 쏘고 있다. (조사이아 보이들 작, 저자 소장)

나폴레옹 시대의 가장 상징적인 순간 가운데 하나. 1807년 네만강 뗏목 위에서 두 황제 나폴레옹과 알렉산드르가 만나고 있다. 틸지트는 유럽 내 나폴레옹 권력이 최고조에 달한 순간이었다. (19세기 프랑스 복제화, 제임스 S. 노엘 컬렉션)

1806년 프로이센의 파국적인 참패 이후 대육군의 선두에 서서 베를린에 입성하는 나폴레옹. (샤를 메니에르 작)

1812년 전쟁의 결정적 순간 가운데 하나인 뉴올리언스 전투는 영미 간 강화조약이 체결되었다는 소식이 아직 미국에 닿기 전에 벌어졌다. 이 전투에는 치명상을 입은 에드워드 페이큰햄(왼쪽) 소장을 비롯해 반도전쟁에서 활약했던 노련한 영국 병사들이 많이 참전했다. (1840년 존 랜디스 작, 앤 S. K. 브라운 군사 컬렉션)

역사상 가장 유명한 해전 가운데 하나인 트라팔가르 해전은 영국이 프랑스-에스파냐 연합 함대를 격파하면서 해상 패권을 확고히 했다. 하지만 대중적 인식과는 다르게 프랑스의 해군력은 거기서 끝난 게 아니었다. 다음 몇 년 동안에도 영국은 제해권과 관련해 프랑스로 인한 걱정거리가 적지 않았다. (클락슨 스탠필드 작)

15장

북방문제

1807-1811

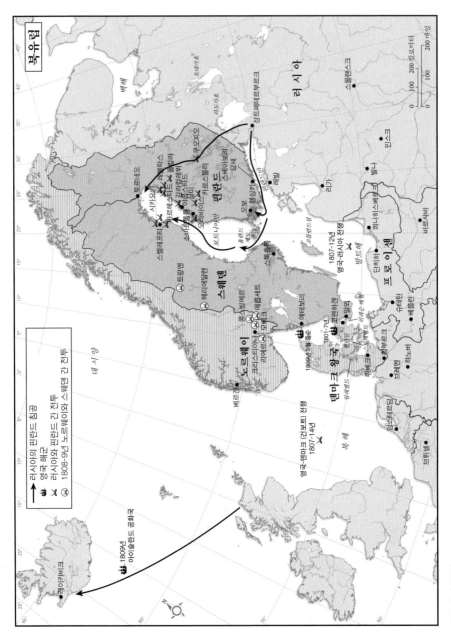

지도 16 북유럽

3차, 4차 대불동맹전쟁은 나폴레옹이 오스트리아와 프로이센, 러시아를 격파하는 데 초점을 맞춘 전통적인 서사가 제시하는 것보다 훨씬 더 복잡한 사건이었다. 중유럽에 미친 심대한 영향과 더불어 이 무력 분쟁들은 스칸디나비아 국가들에 광범위한 파문을 불러일으키며 발트 지역에서 세력 균형을 결정적으로 변화시켰다.

19세기 초에 스칸디나비아는 단 두 국가로만 이루어져 있었다. 슐레스비히, 홀슈타인, 그린란드, 아이슬란드, 노르웨이까지 영토가 뻗어 있는 덴마크와, 역대 국왕들이 핀란드와 포메른 일부, 비스마르를 다스려온 스웨덴이었다. 스칸디나비아 민족들을 단합시킨 1397년의 이른바 칼마르 연합의 지배적 파트너였던 덴마크는 스웨덴 이웃들에게 점차 밀려났고, 특히 구스타부스 아돌푸스(구스타브 2세 아돌프의 라틴식 이름) 국왕의 개입이 지배적인 지역 강국으로서 스웨덴의 부상을 알린 30년 전쟁 이후로는 특히 국력이 기울었다. 두 나라는 수시로 전쟁을 벌였고 17세기 내내 스웨덴이 우세했다. 하지만 18세기는 스웨덴 통치자에게 친절하지 않았으니, 그들은 러시아 제국의 부상으로 발트 지역에서 자신들의 영향력이 점진적으로 축소되는 것을 목도해야 했다. 대북방전쟁(1700~1721)에서 스웨덴의 패배는 덴마크가 한동안 경제 성장을 누렸음을 뜻하는데, 덴마크 농업의 성장은 해상 활동의 증대를 자극했고, 이는 나폴레옹 전쟁에 덴마크가 결국 휘말리게 되는 중요한 요인이 된다. 그와 대조적으로 대북방전쟁 이후 스웨덴은 군사적, 경제적으로 허약했지만 과거의 영화를 되찾고 싶은 욕망은 그다지 줄어들지 않았다. 스웨덴 군주들은 1536년 이래로 덴마크와 공동의 왕위로 연결된 노르웨이를 획득할 희망을 여전히 품고 있었다.[1]

이미 복잡하기 짝이 없는 발트 지역의 정치적 상황은 프랑스 혁명이 발발해 덴마크 해협 양안에서 상반된 반응을 낳으며 더욱 복잡해졌다. 덴마크 왕국에서는 자애로운 절대주의의 후원 아래 일련의 개혁들이 진행 중이었기에 중간계급이 프랑스에서 벌어지는 혁명적 변화들에 대체로 동조적이었다. 덴마크 작가 크누트 라베크는 자신을 반쯤 농담으로 "프랑스에서는 자코뱅, 덴마크에서는 왕당파"라고 묘사하길 좋아했는데, 많은 동포 덴마크인들이 받아들였을 묘사다.[2] 덴마크는 혁명 이데올로기의 전파보다는 영국의 해군력에 관해 더 걱정하면서 혁명전쟁 기간 내내 중립을 유지했다. 영국은 발트 지역과 교역을 유지하고 그곳에 영국 해군이 자유롭게 접근할 수 있는 것이 영국의 해군력에 결정적 요소였으므로 당연히 그 문제에 관심이 많았다. 덴마크가 프랑스의 세력권 아래 들어가게 된다면, 영국 해운이 발트 해역으로 진입하는 유일한 통로인 좁은 외레순 해협이 폐쇄돼 영국의 무역과 접근권은 위협을 받게 될 터였다. 더욱이 덴마크 해군은 그 규모와 우수성에서 주요 위협이 될 수도 있었는데, 덴마크, 프랑스-네덜란드, 에스파냐 해군력이 연합할 경우 대서양은 아니라도 해도 영국의 북해 지배를 위험에 빠뜨릴 터였기 때문이다. 바로 이러한 긴장관계가 결국에는 1801년 영국의 덴마크 공격으로 이어졌다. 흥미롭게도 영국의 침공은 프랑스-덴마크 동맹을 낳지는 않았는데 어느 정도는 덴마크의 섭정 왕세자 프레데리크가 보나파르트와 프랑스 일반을 싫어한 탓이었다. 덴마크 정부는 그 대신 중립을 유지하려 애썼고, 이 정책은 덴마크 경제가 중립국 무역과 운송에 의존하는 현실로 강화되었다.

귀족층과 독재의 기미가 보이는 군주정 사이에서 갈등이 깊어지고 있던 스웨덴에서는 구스타브 4세 아돌프가 프랑스 혁명을 질색해 대불동맹에 스웨덴이 직접 참여하게 되었지만 상당한 비용이 들어갔음에도 구체적인 혜택은 보지 못했다.[3] 1805년 3차 대불동맹에 가담하기로 한 구스타브의 결정은 그해 10월 스웨덴의 대對프랑스 선전포고와 함께 프랑스-스웨덴 전쟁으로 이어졌다. 한 달 뒤 영국-러시아-스웨덴 원정군이 스웨덴령 포메른에 상륙했지만 하노버에 주둔한 프랑스 병력을 상대로 진격하지는 못했다. 12월에 아우스터리츠에서 나폴레옹이 승리를 거두자 동맹국들은 포메른을 방어하도록 스웨덴 병력만 남겨둔 채 병력을 철수시켜야 했다.[4] 1806년 4차 대불동맹전쟁 동안 스웨덴은 프로이센의 돌연한 붕괴로 허를 찔렸고 병력을 철수시키려고 필사적으로 애썼지만 신속하게 진격해오는 프랑스군에게 무방비로 붙들리고 말았다. 1806년 11월 6일, 뤼베크에서 프랑스군은 달아나고 있던 블뤼허 장군 휘하 프로이센군을 완파하고 얼마 남아 있지 않던 스웨덴 병사들을 궁지에 빠뜨렸다.[5] 이 사건은 군사적 중요성은 미미하지만 정치적 파급효과를 낳았다. 장-바티스트 베르나도트 원수는 포로가 된 스웨덴 장교들을 정중하게 대우해 스웨덴 사람들에게 호의를 샀고, 4년 뒤에 그 프랑스 원수가 스웨덴 왕위 계승자로 물망에 올랐을 때 사람들은 그의 인정人情을 기억했다.

1807년 초에 나폴레옹은 병사들에게 스웨덴령 포메른을 침공해 주요 항구 도시인 슈트랄준트를 점령하라고 지시했다. 에두아르모르티에 원수는 한스 헨리크 폰 에센 휘하 스웨덴 수비대에 의해 함락 시도가 좌절되자 슈트랄준트를 봉쇄했다. 포위전은 1807년 봄 내내 이어졌고, 에센은 3월 후반에 잠시 동안 성공을 거두었다. 나폴레옹이 모르티에 군단의 태반을 프로이센령 포메른의 콜베르크 요새로 돌리기로 결정함에 따라 남아 있던 프랑스 병력을 슈트랄준트에서 몰아내고 잠시 포위를 풀 수 있었던 것이다. 스웨덴이 1500명이 넘는 프랑스 포로들을 사로잡고 여러 소도시들을 손에 넣자, 구스타브 국왕은 프랑스 강적〔나폴레옹〕에 맞선 성공적인 전역에 대한 희망을 품기도 했다. 그러나 스웨덴이 거둔 뜻밖의 성공은 프랑스가 이 새로운 위협에 재빨리 대응하면서 결과적으로 파멸의 원인이 되고 만다. 모르티에는 다수의 병력을 이끌고 포메른으로 돌아와 4월 16일 벨링에서 스웨덴군을 격파했고, 이틀 뒤에 휴전을 요청하게 만들었다. 폴란드에서 러시아와 프로이센을 상대로 한 군사작전에 열중하고 있던 나폴레옹은 슐라트코 정전 조건들을 수용하는 데 동의했고, 이에 따라 (오데르강 어귀에 있는) 우제돔과 볼린섬은 프랑스에 이전되고 페네강 이북의 포메른에서만 스웨덴 병력의 주둔이 허용되었다.[6]

슐라트코 정전은 영국-스웨덴 관계를 약화시킬 조짐을 보였다.

영국 정부는 정전을 수치스러운 항복으로 지탄하고 프랑스와 강화 논의를 진행하지 말 것을 스웨덴 군주정에 경고했다. 정전이 스웨덴 외교정책에서 변화를 알리는 신호일 수도 있다는 영국의 불안은, 스웨덴 정부와 군대 내 많은 인사들이 긴 세월에 걸친 영국-스웨덴의 "공통의 대의"는 사실 스웨덴의 이해관계에 유해하다고 믿었던 점을 고려할 때 전혀 근거가 없지 않았다.[7] 비록 두 나라는 1805년 동맹을 맺었지만 당대의 관찰자들은 스웨덴이 고작 4년 전에 영국에 맞서 무장중립동맹에 가담했었으며 덴마크보다 훨씬 더 열성적인 회원국이었다는 사실을 뚜렷이 기억하고 있었다. 더욱이 많은 스웨덴 장교들은 3차 대불동맹 가담에 반대했으며 국왕이 거듭해 노르웨이와 맞교환하려고 했던 포메른에서 군사 활동을 수행하는 것이 무슨 가치가 있는지 이해할 수 없었다. 하지만 포메른-노르웨이 교환에 대한 프랑스의 지지 부재와 나폴레옹의 독일 사안 간섭, 제국의회 결의에 여전히 불만이 많았던 구스타브 국왕은 그럼에도 결연하게 반프랑스 입장을 고수했다. 그가 확고한 반프랑스 편에 서게 된 마지막 결정타는 당기앵 공작 살해에 관한 그의 거리낌 없는 비난의 여파로, 프랑스 관보 《르모니퇴르》에 실린 스웨덴 국왕에 관한 가차 없는 발언이었다. 구스타브에게 봄의 정전은 프랑스에 대한 합동 공격과 관련해 프로이센 및 러시아와 협상할 시간을 버는 잠깐의 휴지에 불과했다. 4월 20일 정전이 합의된 지 이틀 만에 스웨덴은 바르텐슈타인 협약으로 러시아와 프로이센 편에 가담했다. 협약에서 3국은 나폴레옹과 개별 강화를 하지 않기로 약속하고 프로이센 군대가 포메른에서 프랑스를 몰아낼 목적으로 뤼겐에서 스웨덴 군대와 손을 잡는 데 합의했다.[8] 협약을 비준한 뒤에 스웨덴 국왕은 슈트랄준트로 가서 스웨덴 군대를 직접 통솔하고 7월 3일의 정전을 공개적으로 파기했다. 그의 결정은 영국과 두 협약의 체결(6월 17일과 23일)에 힘입은 것이었는데, 협약을 통해 영국은 통상적인 보조금 지급 외에도 포메른 전쟁에 병력을 투입하기로 약속했다.[9]

영국과의 동맹을 갱신한 구스타브의 결정 타이밍은 이보다 더 나쁠 수 없었다. 군사적으로 패배하고 힘이 바닥난 프로이센과 러시아가 틸지트 조약을 체결하기 직전이었고 그 소식이 정전을 파기한 지 고작 며칠 뒤에 구스타브에게 도착한 것이다. 프로이센 병력은 철수했고 비록 캐스카트 경 휘하 영국 원정군이 7월 중순에 슈트랄준트에 도착했으나 틸지트 조약에 관한 소식과 함께 북유럽에서 나폴레옹이 얼마나 큰 승리를 거두었는지가 자명해지자 곧장 본국으로 소환되었다. 프랑스를 홀로 상대해야 하는 스웨덴은 무너졌다. 나폴레옹은 기욤 브륀 원수를 스웨덴령 포메른으로 파견해 스웨덴의 큰소리에 대응했고, 독일, 이탈리아, 에스파냐 병력까지 등에 업은 프랑스군은 재빨리 스웨덴의 방어를 격파하고 다시금 슈트랄준트에 포위전을 개시했다. 구스타브는 프랑스와 대적하는 임무를 불운한 장군들에게 맡겨둔 채 8월 말에 황급히 도시를 떠났다. 스웨덴군 지도부는 저항이 무익하다는 결론을 재빨리 내리고 대다수 대포의 화문을 막아 못 쓰게 한 다음 도시에서 철수했다. 뤼겐에서 그들을 쉽사리 전멸시킬 수도 있었으나 떠나게 놔둔 브륀의 결정도 스웨덴군의 소개를 도왔다. 9월이 되자 슈트랄준트와 인근의 뤼겐섬은 프랑스 수중에 들어온 반면, 스웨덴은 독일 지방에서 완전히 밀려났다.[10]

포메른에서 스웨덴의 패배와 틸지트에서 프랑스-러시아 화해의 여파로 영국은 덴마크에 초점을 맞췄는데, 덴마크는 19세기가 시작될 때 두 가지 주요 도전에 직면해 있었다. 첫째는 영국으로부터 위협을 받아온 덴마크 해상무역의 보호였고, 둘째는 대륙에서 흥기하는 프랑스 세력에 직면한 자국의 안보였다. 덴마크 상선을 비롯해 중립국 상선을 정지시켜 수색하는 영국의 관행에 덴마크가 얼마나 분개했는지는 앞서 본 적이 있고, 결국 덴마크는 1800~1801년에 무장중립동맹을 지지하기에 이른다. 영국의 코펜하겐 공격으로 덴마크 군주정은 동맹에서 빠져나올 수밖에 없었지만 이 사건은 영국에 대한 덴마크의 정서를 굳히게 되었다. 3차, 4차 대불동맹전쟁 동안 덴마크 역시 전쟁의 엄혹한 현실을 피할 수는 없었지만 그래도 신중하게 중립을 채택했다.

1806년 말 예나-아우어슈테트의 여파로 나폴레옹의 병사들은 후퇴하는 프로이센 병사들을 추격하는 과정에서 덴마크 국경에 접근했다. 11월에 뤼베크에서 싸우는 동안 뮈라 원수 휘하 프랑스 병력은 덴마크의 홀슈타인주로 잘못 들어섰다가 곧 덴마크 국경 수비대와 교전을 벌였다.[11] 정신적인 문제로 통치 능력을 상실한 아버지 크리스티안 7세를 대신해 섭정이 된 덴마크 왕세자 프레데리크는 중립국 영토 침범에 항의했고, 뮈라는 덴마크 영토의 "중립성을 존중하기 위한 극도의 조치"를 취할 것을 약속하며 즉시 병력을 철수했다.[12] 하지만 이런 말이 오고 간 지 열흘밖에 지나지 않았을 때 섭정 왕세자는 아이더강을 따라 새로운 방어선에 병력을 재배치할 것을 지시했다. 이는 덴마크가 홀슈타인주를 사실상 포기한다는 뜻이었다. 이런 결정은 중립에 대한 덴마크의 확고한 태도를 보여줌과 동시에 프랑스군의 연락선을 보호하고 싶어 하는 나폴레옹의 호의를 사기 위한 것이었다. 하지만 4차 대불동맹으로 뭉친 열강은 나폴레옹에 대한 덴마크의 이러한 "동조"에 기분이 상했는데, 러시아와 프로이센, 영국 어느 나라도 프레데리크 왕세자가 프랑스 황제의 비위를 맞추기 위해서 과연 어디까지 갈 생각인지 짐작할 수 없었기 때문이다. 1806년 12월에 영국은 북유럽을 지키기 위해 스웨덴 및 덴마크와 동맹을 결성하는 것을 고려했다. 영국 해군이 나폴리의 부르봉 왕가를 보호했던 시칠리아에서의 경험에 고무된 영국 정부는 만일 덴마크 왕가가 코펜하겐을 떠나, 영국 해군 전대의 보호를 받을 수 있는 노르웨이로 피신하기로 결정한다면 지원하겠다고 제의했다. 덴마크는 제의를 거절했다. 그것은 자신들이 천명한 중립 정책에 반할뿐더러 프랑스가 덴마크 전 영토를 점령하거나 설상가상으로 나라가 스웨덴 군대에 점령되는 결과를 가져올 터였기 때문이다.[13] 덴마크의 협조 거부에 동맹 파트너들의 계획은 틀어졌고, 그들은 덴마크를 끌어들이기 위해 필요한 조치는 무엇이든 취하려고 작정했다. 그러므로 1807년 4월 바르텐슈타인 협약은 비록 대륙 열강들이 실행에 옮길 기회는 없었지만 덴마크의 대불동맹 가담을 강요하는 단서 조항을 담고 있었다.

그러나 영국은 실행에 옮길 능력이 있었고, 1807년 여름에 실제로 그렇게 했다. 중립국(그 중립이 아무리 불확실하다고 해도)에 해상 공격을 감행하기로 한 영국의 결정은 격렬한 공개적 비난을 야기했고, 본국에서도 다수의 정치 지도자들과 공적 인사들로부터 지탄을 받았다. 포틀랜드 정부의 외무장관 조지 캐닝은 공격 결정이 틸지트에서 프랑스-러시아 협상 과정에서 나온 결정적 첩보—나폴레옹이 영국에 맞서는 프랑스-러시아 해상 동맹, 그것도 덴마크와 포르투갈, 스웨덴의 가입이 강제될 동맹의 결성 가능성을 논의했다는 정보—때문에 내려진 것이라고 주장했다.[14] 하지만 의회 질의에서 야당이 이의를 제기했을 때 캐닝은 아무런 확정적 증거도 제시하지 못했고, 덴마크가 자국 함대를 나폴레옹이 마음대로 이용할 수 있게 했으리라는 점도 입증할 수 없었다.[15] 수년 뒤에 프랑스-러시아의 논의에 대한 세부 사항들이 영국의 첩자 콜린 알렉산더 매켄지로부터 나왔다는 사실이 밝혀졌다. 그의 가족의 주장에 따르면 황제들이 뗏목 위에서 회동할 때 그가 신분을 감추고 들어가 얻어낸 정보라고 했지만 이런 터무니없는 활약상은 무시해도 될 것이다.[16] 영국에 맞설 가능성이 있는 해상 동맹에 관한 첩보는 실제로는 당시 러시아 정부에 속해 있던 프랑스 왕당파 망명 귀족 당트레그 백작한테서 나왔고, 백작은 그 정보를 알렉산드르 1세의 어느 부관으로부터 들었다. 근래의 연구는 당트레그의 편지가 부정확한 정보투성이이며 영국에 영구적인 도피처와 연금을 받아낼 속셈으로 쓴 것이 거의 확실하다고 보고 있다.[17] 하지만 캐닝은 자신이 틸지트에서 진짜 기밀 정보를 받았다고 믿었고, 그의 확신은 다른 각료들에게 깊은 인상을 주었을 것이다.

당트레그의 편지는 코펜하겐 원정의 즉각적 이유를 제공했겠지만 그 밑바탕에 깔린 이유들은 더 복잡했다. 포틀랜드 정부가 덴마크의 상황을 열쇠로 여겼다는 사실은 자국의 안보와 무역에 관한 영국의 사고에서 발트 지역의 중요성을 반영한다. 영국의 안녕은 영국 함대의 전력과 우수성을 기반으로 했다. 하지만 18세기 말에 이르러 영국의 숲이 거의 다 황폐해지자 해군은 대체로 외국의 목재 공급에 의존했다. 발트 지역은 러시아산 목재―돛대와 갑판, 물에 잠기는 선체의 측면 널을 만드는 데 들어가는 오크나무와 전나무―의 공급처였다. 영국은 다른 지역들(독일이나 북아메리카)에서도 목재를 구할 수 있었지만 러시아산보다 품질이 떨어져 영국 해군은 자주 다른 지역의 목재에 퇴짜를 놨다.[18] 영국 해군에 그만큼 중요한 것은 러시아산 대마大麻로서, 영국의 수요의 90퍼센트 이상을 차지했다. 비록 역대 영국 정부는 북아메리카와 여타 지역에 대마를 재배함으로써 공급처를 다각화하려고 했지만 그런 시도는 보잘것없는 결과만 낳아, 계속해서 러시아와 발트 무역에 크게 의존해야 했다.[19] 발트 지역은 중요한 무역 집산지 역할도 했고, 거기서 영국의 수출액은 1793년과 1803년 사이에 일곱 배 증가했다. 이는 명백히 대륙의 다른 항구들에 영국이 접근하지 못하게 차단한 프랑스의 정책이 낳은 결과였다.[20]

런던은 무역과 해군 물자 공급을 안전하게 지키는 문제 외에도 트라팔가르 이후 나폴레옹이 해군력을 재건하지 못하게 막는 문제에도 관심이 많았다. 덴마크와의 동맹은 나폴레옹에게 외레순 해협을 폐쇄할 수단을 제공했다. 이는 영국이 해군을 유지하기 위해 불가결한 원자재에 접근하지 못하게 막을 수 있는 한편, 덴마크 함대—20척의 전열함(과 건조 중인 3척도 있었다)과 27척의 프리깃함, 60척의 소형 선박을 갖춘 세계에서 다섯 번째로 큰 함대—는 나폴레옹의 해군 자원과 합쳐져 영국의 북해 제해권에 심각한 위협을 제기할 수 있을 터였다.[21]

그러므로 영국의 시각에서 볼 때 1807년의 전반적 상황은 1800년의 상황보다 훨씬 좋지 않았는데, 나폴레옹이 프로이센과 러시아에 승리를 거둬 발트해 연안까지 프랑스의 지배력을 확대한 직후였기 때문이다. 덴마크의 홀슈타인 철수, 영국의 엘베강 봉쇄(나폴레옹의 베를린 칙령에 대한 대응으로 실시된)에 대한 불만 제기, 덴마크 해안 방어 시설 신축, 그리고 가장 중요하게도 덴마크 함대가 한 달 안에 출항할 준비를 하고 있다는 보고들(매우 부정확했던)은 덴마크가 영국에 적대적이며 본심을 드러낼 알맞은 순간을 기다리고 있을 뿐이라는 영국 정부의 견해를 강화했다.[22] 이 위협은 영국의 가장 민감한 부위를 건드렸고, 반응은 즉각적이었다. 캐닝과 영국 대다수의 고위 정치가들에게는 해군이 코펜하겐을 또 한 차례 '방문'해야 할 때가 왔고, 나폴레옹에 맞서 덴마크가 자국을 방어하지 못할 거라는 추측은 영국에 자신들의 행위를 자기 보존 행위로 내세울 수 있는 변명거리를 제공했다.[23] 덴마크 역사가들은 대륙에서 덴마크를 상대로 한 군사행동이 나폴레옹의 연전연승 직후에, 영국 국민과 전 세계에 영국은 아직 나폴레옹에게 패배하지 않았다는 사실을 과시할 정치적 목적에도 들어맞았다는 일리 있는 주장을 할 수도 있을 것이다.[24]

영국 정부는 나폴레옹에게 저항하려는 덴마크의 노력을 (의도적이든 아니든) 간과하는 편을 택했다. 아이러니하게도 영국군의 원정이 연기되었더라도 덴마크 궁정은 여전히 영국과 한편이 되거나 적이 되거나 양자택일을 했어야 했을 텐데, 어차피 나폴레옹이 덴마크가 행동에 나서도록 강요하려던 참이었기 때문이다. 7월 31일, 그는 외무대신에게 덴마크 정부에 영국의 발트해 침입에 맞서 조치를 취하고 "영국과 전쟁을 벌이든지 나와 전쟁을 벌이든지 양자택일을 하라"고 경고하도록 지시했다.[25] 9일 뒤에 사임하는 탈레랑은 파리의 덴마크 대사와 만난 자리에서 주인의 최후통첩을 전달하지 않고 그 대신 나폴레옹은 기꺼이 덴마크가 기존의 중립 정책을 유지하도록 봐둘 것이라고 안심시켰다. 탈레랑의 불복종의 이유는 밝혀지지 않았지만 그와 같이 유능한 외교관이라면 나폴레옹이 흔히 선호하는 더 공격적인 접근법이 낳을 파급효과를 쉽게 예상할 수 있었을 것이다.

그는 영국 선박에 대해 자국 항구를 폐쇄하도록 프랑스가 요구한다면 덴마크는 영국을 "자연스러운 맹방"으로 간주할 것이라는 덴마크 정부의 발표를 잘 알고 있었을 것이다. 불가해하게도 영국 정부는 그러한 선언에 주의를 기울이지 않았고 마찬가지로 덴마크가 자국을 통과하는 영국의 우편로를 폐쇄하라는 프랑스의 요구에 응하지 않은 점도 간과했다.[26]

어쨌든 간에 영국은 공격을 진행했다. 7월 26일 제임스 갬비어 제독은 25척의 전열함과 40척의 프리깃함 및 여타 선박을 이끌고 코펜하겐을 향해 야머스 정박지에서 출정했다. 그의 곁에는 중장 캐스카트 경이 377척의 수송선에 승선한 2만 5천 명이 넘는 원정군을 이끌고 있었다. 영국 함대는 8월 3일 헬싱어 앞바다에 정박한 뒤 코펜하겐을 봉쇄하기 위해 재빨리 스토레벨트(대大벨트) 해협을 확보하려고 움직였다. 이 시점에서 1801년의 원정이 결정적인 역할을 했다. 원래 대벨트는 1801년 침공 당시 영국 해군이 그곳의 해도를 그리기 전까지는 덴마크인들을 제외하고는 항행이 불가능했던 곳이다. 영국발 아르마다의 도착에 허를 찔린 덴마크는 자국의 전 함대를 넘기고 방위동맹을 맺으라는 영국의 요구를 거절했다.[27] 덴마크로서는 도저히 다른 대답을 내놓을 수 없었을 것이다. 1806~1807년 내내 덴마크 군주정은 공공연한 적대행위를 피하고 중립을 주장함으로써 영국과 프랑스 사이를 헤쳐 나갈 수 있기를 바랐다.[28] 갬비어 함대의 도착은 덴마크에 선택의 여지를 주지 않았다. 덴마크 외교관 요아힘 베른슈토르프는 "영국과의 전쟁은 우리에게 재앙이 될 것이다. 하지만 영국의 요구를 따르면 프랑스와 관계 결렬이 불가피하다"[29]라고 한탄했다. 그의 판단은 옳았다. 영국과의 전쟁은 덴마크에 재정적 붕괴와 해군력의 파멸을 가져왔지만 프랑스와의 충돌은 유틀란트반도는 아니라고 해도 확실히 프랑스군의 홀슈타인과 슐레스비히 점령, 다시 말해 덴마크 최대 인구 밀집 지역 상당 부분의 점령으로 이어졌을 것이다.

8월 15일, 외교 협상이 결렬되자 갬비어는 코펜하겐 공격을 개시했다. 영국군은 코펜하겐에서 북쪽으로 수 킬로미터 떨어진 베드 벡과 스코즈보리에 상륙해 덴마크 수도로 향했다. 16일, 덴마크는 영국에 정식으로 선전포고를 했고 뒤이어 몇 차례 산발적인 교전이 벌어졌다. 육상 공격으로 항복을 받아내는 데 실패하자 9월 2일 영국 함대는 코펜하겐 포격을 개시했는데, 합법적인 군사적 목표물인 도시 방어 시설만이 아니라 도시 자체도 겨냥한 포격이었다. 영국군은 6년 전에 배운 귀중한 교훈을 적용해 19세기를 통틀어 가장 집중적인 포격 가운데 하나를 기획해 수백 발의 폭탄과 척탄擲彈, 소이燒夷 로켓을 발사했다. 포격은 도시에 상당한 피해를 입히고 라틴 구역을 비롯해 코펜하겐 중심 지구에 불을 냈으나 인명 손실은 놀랍도록 적었다.[30] 9월 6일, 덴마크는 항복을 선언하고, 헬골란트와 서인도제도의 덴마크 식민지 점령을 비롯한 영국의 요구에 동의하고 덴마크의 전 함대를 넘기기로 했다. 함대 못지않게 귀중한 것은 덴마크 해군 선거에 비축되어 있던 물자를 압수한 것이었는데, 여기에는 수천 톤의 해군 비축품과 목재, 삼밧줄, 돛, 돛대 등이 포함되어 있었다.[31] 영국까지 덴마크 전함을 가능한 한 많이 끌고 가려고 준비하는 데 6주간의 고된 작업 ─ 앞선 영국의 약속들이 얼마나 오판이었는지를 보여주는 증거 ─ 이 소요되었다. 그때까지 출항 준비가 안 된 전함들은 파괴되었다. 10월 21일 갬비어 제독은 나폴레옹의 해군 전력 증강을 성공적으로 방지한 데 흡족해하며 귀환 길에 올랐다.

코펜하겐 원정은 잠재적 해군 위협을 제거한 영국의 대대적인 성공이었다. 이는 단 몇 주 뒤에 영국과 프랑스 각각의 요구에 직면한 포르투갈 군주정에 미친 영향 측면에서도 중요했다. 코펜하겐에서 벌어진 사건에 대한 기억이 생생한 가운데 포르투갈 국왕은 브라질로의 소개를 돕겠다는 영국의 제의를 수용하는 쪽을 택했다. 그럼에도 불구하고 코펜하겐에서의 성공으로 영국도 무거운 대가를 치렀다. 영국군이 출발한 지 고작 열흘 뒤에 덴마크는 나폴레옹과 동맹조약을 맺었고, 11월 4일 영국을 상대로 선전포고를 했다. 더 약한 중립국을 상대로 한 강대국의 정당한 이유 없는 공격 행위는 나폴레옹에 맞선 투쟁에서 영국이 기대고 있던 일체의 도덕적 우위를 앗아가 버렸으니, 그때까지 영국 정부는 나폴레옹이 국제법을 위반했다고 수시로 규탄해왔던 것이다. "우리는 이제부터 상점주들의 나라가 아니라 사라센들의 나라로 불리게 될 것"이라고 한 영국군 장군은 한마디 했다.[32] 동맹 파트너들이 영국은 신의 없다고 느끼고 있던 차에 코펜하겐 포격은 그러한 원망을 더욱 키웠다. 러시아, 스웨덴, 프로이센의 외교관들은 덴마크 원정을 준비할 때 영국 정부가 보여준 신속함 및 효율성과, 동맹국들이 영국의 지원을 필요로 할 때 영국이 보인 굼뜬 행동을 대비시켰다.

코펜하겐은 상트페테르부르크에서 특히 강한 반향을 불러일으켰다. 알렉산드르 황제는 이미 틸지트에서 자신의 중재 노력이 실패한다면 영국과 전쟁에 나서겠다고 약속했었다. 8월, 영국 함대가 덴마크 해안으로 출항한 바로 그때, 런던으로 파견된 새로운 러시아 대사 막시밀리안 폰 알로페우스는 영국 정부에 러시아의 중재를 제의했다가 영국은 관심이 없다는 단호한 답변을 들었다. 전면적 강화를 논의하자는 프로이센과 오스트리아의 대화 시도에도 유사한 답변이 돌아갔다. 영국의 완강한 태도는 코펜하겐 포격이라는 배경에 비춰 볼 때 유럽 열강이 영국으로부터 멀어지게 하는 데 큰 역할을 했고, 특히 러시아에서는 영국과의 동맹이 더 이상 자신들의 이해관계에 도움이 되지 않는다는 믿음이 커져가고 있었다.[33] 그러므로 1807년 11월 5일의 선언에서 러시아 정부는 영국과의 모든 연락을 단절하고, 영국이 전 세계에 걸친 제국적 야심을 드러냈으며(영국의 리오데라플라타와 이집트 침공에서 드러나듯이), 맹방들을 적절히 지원하지 않았다고 힐난했다.[34] 영국은 이제 3개국(스웨덴, 포르투갈, 시칠리아)을 제외하고 유럽 내 모든 국가와 전쟁 상태였다.

코펜하겐 공격은 또한 스칸디나비아 국가들에게도 지대한 결과를 가져왔다. 덴마크 내에서는 영국에 맞서 온 국민이 똘똘 뭉치는 데 보탬이 되고 다음 7년 동안 전쟁 수행 노력을 지탱해준 애국주의의 분출을 불러왔다. 정부는 독일어, 프랑스어, 영어로 쓰인 무수한 논설과 소책자 출판을 지원하고 특별한 선전 책자를 의뢰하는 등 영국에 반대하는 여론을 부채질하기 위해 최선을 다했다.[35] 코펜하겐 공격은 덴마크를 중립국에서 나폴레옹 전쟁 내내 프랑스의 믿음직한 맹방으로 탈바꿈시켰다.[36] 또한 코펜하겐 공격은 정반대 방향으로 가고 있는 두 국가가 양분하고 있는 스칸디나비아에 새로운 갈등을 촉발하는 한편, 이제는 유럽 해안선을 경계 지대로 여기는 막강한 육상 강국들(프랑스, 러시아)과 탁월한 해상 강국(영국) 간 더 폭넓은 세력 투쟁 속에 양국을 끌어들였다.

덴마크는 함대를 잃었을지 몰라도 맞서 싸울 의지마저 상실한 것은 아니었다. 전쟁의 즉각적인 여파로 수천 명의 덴마크와 노르웨이 선원들이 '건보트 전쟁'으로 알려지게 되는 영국-덴마크 적대행위에 가담해, 경흘수선(흘수가 낮은 배, 즉 배 밑바닥이 평평해 얕은 여울에서 운항이 편리한 배)들이 북해와 발트 해안을 따라 영국 상선들을 추격하는 소규모 해상 작전에 관여했다. 비록 영국 해군에 지속적인 골칫거리이긴 했어도 덴마크 건보트들은 영국의 제해권에 도전하는 것 근처에도 가지 못했다.[37] 싸움은 북해만이 아니라 카리브해와 인도에서도 벌어졌다. 1807년 12월 알렉산더 코크런 제독이 이끄는 영국 해군 전대가 덴마크령 상크트토마스섬(12월 22일)과 상크트크루아섬(12월 25일)을 점령했고, 두 섬은 나폴레옹 전쟁이 끝날 때까지 줄곧 영국의 수중에 있게 된다. 한편 1808년 2월에 영국은 트란케바르(인도 남부의 타랑감바디)와 세람포르(인도 북동부)에 있는 덴마크령을 점령했다. 이로써 식민지 물품을 취급하는 덴마크의 고수익 무역은 갑작스레 끝이 났다. 덴마크의 재정은 전쟁에 돈을 대야 하는 무거운 부담과 영국과의 무역 및 해운업의 와해로 어려움에 처했다. 1811년에 이르자 왕국은 외채에 대한 자본금 지급을 유예할 수밖에 없었다.

덴마크 섭정 왕세자는 진퇴양난에 빠졌다. 그는 반대했음에도 불구하고 스웨덴에 맞선 전쟁은 프랑스-덴마크 동맹의 핵심 단서 조항 중 하나가 되었다. 비록 전쟁 결의는 그의 결정이 아니었지만 덴마크 대중, 특히 노르웨이인들에게는 그렇게 비쳤다. 전쟁 결정은 덴마크와 노르웨이의 사이를 틀어지게 했는데, 노르웨이는 무역과 식량 공급을 위해 바다에 크게 의존했고, 노르웨이산 목재와 철, 여타 상품들을 소비해온 브리튼제도와 전통적으로 긴밀한 유대를 누렸다. 덴마크가 참전하면서 노르웨이도 덩달아 영국의 해상 봉쇄의 대상이 되었다. 해상 봉쇄와 1807~1808년의 흉년이 겹치면서 노르웨이 주민들은 심한 곤경에 빠졌고, 일부 주민들은 굶어 죽지 않기 위해 나무껍질 빵[곡물 가루에 식물 줄기를 갈아 넣은 기근 식량의 일종]을 먹어야 하는 지경에 이르렀다.[38] 14세기 후반 이래로 덴마크의 속령이었던 아이슬란드도 전쟁을 피해갈 수는 없었다. 나폴레옹 전쟁이 발발했을 때 아이슬란드는 유럽에서 워낙 멀리 떨어져 있어서 이곳까지 혁명과 전쟁이 할퀴고 가지는 못할 거라 여기는, 인구가 매우 희박한 (레이캬비크는 1801년에 인구가 307명에 불과했다) 섬이었다.[39] 영국의 코펜하겐 포격은 그런 믿음이 틀렸다는 것을 입증했다. 포격 이후에 한동안 영국 해군은 아이슬란드 선박을 가로막기 시작해 적잖은 괴로움을 야기했다.

그와 동시에 영국은 덴마크로부터 아이슬란드를 빼앗아 오스트레일리아의 악명 높은 보터니만 식민지처럼 유형지로 삼거나 그곳의 이름 난 대구 어장들을 이용한다는 이전의 계획들을 부활시켰다.[40] 영국 정부는 영국의 위대한 식물학자이자 왕립학회 회장으로서, 아이슬란드로 최초의 과학 탐사를 이끌었고 그곳에 관한 직접적인 지식을 가진 조지프 뱅크스 경의 자문을 구했다. 뱅크스는 병합 방안을 지지하지만—그는 아이슬란드는 단연코 "영국 제국의 일부가 되어야 한다"고 주장했다—그곳의 주민들은 화기火器가 없으므로 군사 원정을 만류하는 장문의 보고서를 내놓았다. 뱅크스는 대對아이슬란드 정책을 바꾸도록 내각을 설득하고, 억류된 아이슬란드 선박들을 풀어주는 데 중요한 역할을 했다. 억류에서 풀려난 아이슬란드 선박들은 대륙과의 무역을 재개하는 것을 허락받았고, 그 대가로 영국 상선들도 아이슬란드와 무역할 수 있는 면허를 얻었다.[41]

비누 상인 새뮤얼 펠프스가 이끈 영국의 첫 무역 선단은 양모와 생선, 수지獸脂를 거래하고자 했는데, 모두 아이슬란드에서 쉽게 구할 수 있는 것이었다. 하지만 선단은 정치적 파란을 불러일으켰다. 영국과 덴마크는 전쟁 상태였으니 선단은 아이슬란드의 덴마크 총독 프레데리크 크리스토퍼 트람프 백작의 지지를 기대할 수 없었다. 본국에 여전히 충성하는 총독은 어떠한 교류도 사형으로 다스려질 것이라는 공지를 내걸어서 영국과의 무역을 방해하기 위해 최선을 다했다. 굶주리는 아이슬란드 주민들의 곤경을 덜어주기 위한 제의를 트람프가 어떻게 거부할 수 있는지 도저히 이해할 수 없던 펠프스는 섬 주민들에게 "자유무역"을 부과하기로 하고, 영국 전함을 한 척 파견해주도록 조지프 뱅크스에게 도움을 구했다. 1809년 6월에 섬으로 돌아온 펠프스는 트람프가 여전히 고집불통임을 알고서 그를 억류하고 직위에서 쫓아냄으로써 문제를 해결했다. 그러나 이런 조치는 선을 넘은 것이었기에 펠프스는 그 축출 사건과 거리를 두려 했고, 스물아홉 살의 통역관 요르겐 요르겐센, 펠프스가 표현한 바로는 "꼬마 나폴레옹의 돈키호테주의를 잔뜩 흡수한" 덴마크인에게 통치를 떠넘겼다.[42] 1809년 6월 26일, 요르겐센은 아이슬란드 총독의 역할을 떠맡았다.[43]

1780년 코펜하겐에서 태어난 요르겐센은 혁명가와 거리가 먼 사람이었던 것 같다.[44] 그는 뉴질랜드와 태즈메이니아, 남아프리카로 대양을 오가며 성인으로서의 삶 대부분을 영국 해군에서 보냈다. 1807년 그는 영국의 코펜하겐 포격을 목격한 뒤, 영국 선박을 공격하는 사략선장이 되었다. 하지만 이 경력은 6개월을 채 못 갔다. 그가 탄 배가 영국 전함에 붙들렸기 때문이다. 1809년 그는 포로 선서를 깨고 영국에서 도주해 펠프스의 무역 선단의 통역관으로 일하다가 아이슬란드에서 현지 정부 총독을 떠맡게 되었다. 요르겐센은 알고 보니 그 자리에 타고난 사람이었다. 그는 아이슬란드가 덴마크로부터 자유로운 독립국이라고 선언했다.[45]

국왕이 임명한 총독의 타도에 섬 주민들이 차분한 반응을 보이자, 요르겐센은 자코뱅 같은 정치, 사회 개혁 조치를 도입하기 시작했다. 기본적 권리와 자유의 부여, 법 앞에서의 평등, 투표권, 교육 개혁, 빈민 구호 등이 그 내용이었다. 덴마크의 정부나 상인들에게 갚아야 할 채무를 모두 탕감하고 세금은 절반으로 삭감했다. 요르겐센이 공언한 계획은 섬 전역에서 민주적으로 선출된 입법부를 갖춘 아이슬란드 공화국의 수립이었다. 섬 내 지역사회의 특정 집단들의 반발에 부딪히자 그는 자신을 '수호자'로 선언하고 1810년 7월로 예정된 입법부가 소집될 때까지 절대적 권한을 차지했다. 그는 개혁 조치를 실시하기 위해 주로 경범죄자들로 충원된 민병대를 설립해 반대자들을 잡아들이는 데 이용했다. 체불 임금 1만 릭스달러(덴마크 은화)를 실은 덴마크 배의 도착은 새 정부에게 커다란 선물이었으니, 정부는 은화를 즉각 몰수해 개혁 조치를 추진하는 데 썼다.

아이슬란드 공화국은 딱 9주 동안 존속하다가 펠프스 무역 선단의 성공의 후속 조치로 파견된 영국 전함 탤벗호의 도착으로 단명했다. 알렉산더 존스 함장은 무역 선단 대신 전직 덴마크 전쟁포로가 다스리는 신생 공화국을 발견하고는 깜짝 놀랐다. 요르겐센의 정적들은 이 기회를 놓치지 않고 그를 고발했고, 존스 함장은 신속히 요르겐센을 체포하고 새 정부가 발효한 모든 법령은 무효라고 선언했다. 1809년 8월 25일, 정권을 잡은 지 두 달 만에 요르겐센은 다시금

영국군의 포로가 되어 아이슬란드를 떠났다.[46]

아이슬란드 공화국의 짤막한 생애는 유럽의 외진 구석까지 미친 나폴레옹 전쟁의 영향을 극명하게 보여주지만 많은 지역들에서 정치적 민족주의나 민주적 관념들이 부재했음도 분명하게 드러낸다. 민주적이고 평등한 아이슬란드라는 요르겐센의 비전은 훌륭하지만 하루살이 같은 단명은 새로 얻은 권리와 자유를 수호하지 않은 평범한 섬 주민들의 수동성에서 기인했다. 부유한 섬 주민들은 무엇보다도 아이슬란드와 유럽 본토 사이 항해를 영국이 금지시킬까 봐 걱정했는데, 만약 그랬다면 섬의 해상경제에 끔찍한 결과를 가져왔을 것이다. 실제로 일부 영국 관리들은 아이슬란드에서 혁명 정신의 확산에 경각심을 느끼고 그곳의 사안에 개입해야 한다고 주장했다. 1810년 2월 영국 정부는 아이슬란드에 대한 덴마크의 주권을 인정한다고 재확인했으나 남은 전쟁 기간 내내 섬은 (영국의) 속령으로 남게 된다.[47]

스웨덴은 영국의 코펜하겐 공격 계획에 관해 아는 바가 없었지만 영국과의 동맹으로 인해 공모자라는 혐의를 받았다. 스웨덴의 고위 관리들은 영국이 코펜하겐에 전념하는 바람에 포메른에서 스웨덴의 전역이 실패했다고 공공연하게 불만을 토로했고, 지난 2년 동안 친영국 정책을 지지해온 사람들조차도 맹방의 행동에 환멸을 느끼게 되었다. 그들은 코펜하겐 공격이 영국과 프랑스-러시아 동맹 간에 정면 대치를 촉발하지 않을까 걱정했는데, 그렇게 되면 불가피하게 스웨덴 왕국도 파멸적인 전쟁에 휘말려 들어갈 수밖에 없고 국제적 위상이 더욱 악화될 터였다.[48] 스웨덴은 물론 포메른을 상실했을 때 이미 북유럽에서의 야심에 크나큰 타격을 받았다. 충격을 완화하고 외레순 해협의 통제권을 보유하기 위해 영국은 구스타브 국왕에게 셀란섬 점령에 동참할 것을 요청했는데, 셀란섬을 점령하면 외레순 해협을 오가는 선박에 통행세를 징수해 스웨덴 경제에 혜택이 될 터였다. 하지만 포메른에서 영국이 지원해주지 않은 데 실망한 구스타브는 코펜하겐 공격에 스웨덴의 연루 의혹을 증폭시키고 덴마크 및 노르웨이와의 전쟁에 말려들게 할 모험에 가담하길 거절했다. 그 대신 그는 덴마크가 중립으로 남아 스웨덴의 완충지대 역할을 할 수 있게 해달라고 영국에 촉구했다. 이것은 코펜하겐 이후(그리고 틸지트 이후) 국제 환경에서 완전히 비현실적인 소리였다. 덴마크는 대기 중이던 나폴레옹 편으로 넘어갔고, 나폴레옹은 1807년 10월 31일에 퐁텐블로 조약을 타결했다. 덴마크와 프랑스는 전쟁 동안 공동 전선을 펼치고 영국과 단독으로 강화하지 않기로 합의했다. 더욱이 나폴레옹은 덴마크의 영토 보전을 보장하고 전쟁 동안 덴마크의 손실을 보상해주기로 약속했다. 프레데리크 섭정 왕세자는 영국에 맞선 프랑스의 계속되는 싸움에 가담하고 대륙 봉쇄 체제에 가입하며, 영국에 맞선 무역전쟁에 스웨덴을 합류시키기 위한 모든 시도에 힘을 보태기로 동의했다. 그러므로 두 스칸디나비아 국가는 유례없는 상황에 처하게 되었다. 어느 쪽도 상대방과 문제를 일으키는 것을, 무엇보다도 전쟁을 하길 정말로 원치 않았지만 그럼에도 불구하고 편을 정하도록 (영국이냐 프랑스냐) 강요하고 서로를 전쟁 상태에 빠뜨리는 국제관계의 소용돌이 속으로 빨려 들어갔다.

덴마크가 머뭇머뭇 프랑스 쪽으로 이동하자 영국은 전략적으로 중요한 덴마크 해협을 확보하고자 했다. 영국은 해협을 보호하기 위해, 최소 두 차례 더 스웨덴에 제의했다. 셀란섬을 점령하거나 스웨덴 남단의 스코네주에 영국군을 배치하는 방안이었다. 거래에 구미가 당기게 하려고 캐닝은 심지어 네덜란드 식민지 수리남을 스웨덴으로 양도하겠다고 제의했다. 그래도 스웨덴 궁정은 미적지근한 반응을 보였는데, 영국군의 존재가 스웨덴 주권을 손상시키고 왕국의 곡창지대를 위험에 빠뜨릴 수도 있다고 걱정했기 때문이다. 수리남 제안은 유혹적이긴 해도 스웨덴 신료들은 먼 곳의 식민지를 다스리고 보호하는 것이 얼마나 어려운 일인지를 알고 있었다. 영국의 제의는 스웨덴 왕국의 향배를 둘러싸고 국왕과 신료들 간 의견 대립이 갈수록 심해지던 스웨덴 정부 내 분열을 심화할 뿐이었다. 구스타브 국왕은 영국-스웨덴 동맹이 프랑스나 러시아의 침략을 억지하는 역할을 할 수 있다고 믿은 반면, 신료들은 이 동맹관계가 스웨덴이 이웃 나라들과 마찰을 빚고 있는 주요 이유 중 하나라고 인식했다.

스웨덴과 영국의 동맹관계는 발트해에서 영국의 존재감이 커지는 것을 우려하던 러시아를 안절부절못하게 만들었다. 부동항에 대한 접근이 제한적이고 그 결과 수익성 높은 해외무역에 참여할 수 없었던 러시아에게 발트해는 특히 중요했다. 발트해는 서유럽으로 통하는 최단거리 경로를 제공했다. 발트해로 접근할 수 없다면 러시아는 경제를 발전시키거나 유럽에서 강대국이 될 수 없었다. 발트해에서 러시아의 존재는 그 제국적 정체성과 밀접하게 엮여 있었다. 17세기에 표트르 대제는 발트해를 통해 "유럽으로 창을 내는" 데 치세의 많은 기간을 쏟았다. 러시아와 스웨덴 간 대북방전쟁은 러시아가 핀란드 동부와 발트해 남부 연안을 병합하는 결과를 낳았다. 제국의 새 수도 상트페테르부르크는 핀란드만 동쪽 해안에 건설되었고, 러시아 제국의 정치 중심지는 북서쪽으로 이동했다.

하지만 스웨덴과 러시아 간 대립은 계속되었다. 1741년 프랑스와 오스만튀르크의 지원을 받은 스웨덴은 러시아에 전쟁을 선언했다가 2년 안으로 패배하고 더 불리한 새 강화조약을 오보(투르쿠)에서 수용할 수밖에 없었다.[49] 45년 뒤에 스웨덴은 다시금 영토 수복을 시도했지만 2년에 걸친 러시아와의 분쟁(1788~1790)은 무승부로 끝났고, 베렐뢰 강화는 러시아가 이전에 획득한 영토를 확인했다. 다음 10년 동안 러시아는 발트 해안선을 따라 입지를 굳히며, 서유럽으로 가는 통상 경로들을 확보하고 제국의 수도 상트페테르부르크를 보호하고자 했다. 이는 당시 스웨덴의 속령이었던 핀란드를 정복함으로써 어느 정도 달성될 수 있었겠지만 폴란드 분할 문제와, 혁명전쟁과 나폴레옹 전쟁의 발발로 인해 러시아가 품었을 수도 있는 그런 구상은 후일로 미뤄졌다. 나폴레옹에게 패배하자 맹방들에 대한 러시아의 환멸은 커져갔고, 특히 영국의 경우는 러시아인들이 생각하는 한 ─앞서 논의한 대로─ 약속에 부응하지 못했다.

1807년 틸지트에서 알렉산드르 황제는 고작 몇 달 전에 상트페테르부르크와 스톡홀름이 프랑스에 맞선 동맹을 결성했음에도 불구하고 영국에 얼마 남지 않은 동맹국 가운데 하나인 스웨덴을 공격함으로써 영국에 다소간 "복수"(한 스웨덴 외교관의 표현)를 하는 데 동의했다.[50] 이 외교적 반전은 실행에 옮기기가 쉽지 않았으니, 러시아 군주는 궁정에서 상당한 반대에 직면했다. 다시금 바로 여기서 영국의 코펜하겐 공격이 결정적이었다. 알렉산드르는 러시아의 맹방 덴마크가 영국의 공격을 받자 격노했고, 영국의 행위는 영국 선박에 대한 발트해 폐쇄와 관련해 "발트해의 평화 유지를 위해 세 노르딕 국가를 단결시키는" 1780년과 1800년의 러시아-스웨덴 협정에 위배된다고 믿었다.[51] 영국 해군의 전대가 핀란드만으로 진입해 크론슈타트에 주둔한 러시아의 발트 함대를 위협할 수도 있을 거라고 걱정한 알렉산드르는 1807년 가을에 해안선을 따라 방어 시설의 보수를 직접 감독했다. 러시아 외교관들은 무장중립동맹의 부활에 관심을 표명했고 동맹에 가담하지 않는다면 상트페테르부르크는 스톡홀름과의 관계를 재검토할 수밖에 없을 것이라고 스웨덴에 분명한 어조로 경고했다.

구스타브는 스웨덴을 약화시키고 발트해와 핀란드로 팽창하려는 의도가 담겨 있다며 러시아의 제안을 거절했다.[52] 국왕은 핀란드 국경 근처에 러시아 병력이 집결하고 있는 것에 대해 불만을 표명했고, 러시아와의 전쟁이 불가피하다고 믿었다. 그는 심지어 크론슈타트의 러시아 기지를 선제공격하는 것도 고려했지만, 경악한 신료들이 그 방안을 재빨리 거부하고 그 대신 동쪽 이웃과의 더 평화로운 노선을 요구했다. 스웨덴의 외상이자 영국-스웨덴 동맹의 반대자인 에렌하임 남작은 국왕에게 영국을 버리고, 영국과의 교역 통로로서 스웨덴에 의존하는 러시아와 화해할 것을 촉구했다. 에렌하임과 그의 지지자들은 스웨덴이 러시아와 정면 대결할 처지가 아니며 그 대신 더 엄격한 중립을 채택해야 한다고 믿었다. 러시아와의 전쟁 전망에 국왕과 영국과의 동맹에 대한 대중의 반감은 커져갔다. 1807년 가을에 스톡홀름을 방문한 한 영국인 여행객은 "스웨덴에 반영 감정이 워낙 팽배해 독일인으로 행세하며 여행하라는 충고를 받고" 깜짝 놀랐다.[53] 아닌 게 아니라 스웨덴 릭스다그(의회)에서는 감정이 너무 가열되어 일부는 이미 러시아와의 전쟁을 피하기 위해 국왕을 타도하고 영국과의 동맹을 끝내는 방안을 고려하고 있었다.

1807년 11월 10일 알렉산드르 황제는 영국 선박이 러시아 항구에 입항하는 것을 금지하고 러시아에 거주하고 있는 영국 국민의 소유권을 유예시켰다.[54] 그다음 스웨덴에게 모든 외국(즉 영국) 전함에 대해 발트해를 폐쇄할 것을 요구했다. 스웨덴 군주정이 응답하기까지는 두 달이 걸렸고, 1807년 12월 30일 러시아는 스웨덴이 계속 답변을 회피한다면 행동에 나설 수밖에 없을 것이라고 위협했다. 마침내 1808년 1월, 구스타브는 프랑스 병력이 발트해에 존재하고 나폴레옹이 독일 항구를 영국에 폐쇄하는 한, 이전의 합의 내용을 지킬 수 없다며 러시아의 요구를 거절했다. 러시아는 이 거절을 개전 사유로 여겼다.

러시아의 전쟁 준비 작업은 핀란드 국경 근처에서 보병 사단 3개로 군단 하나를 편성한 두 달 전부터 시작되었다.[55] 표도르 북스회브덴 장군이 지휘권을 맡았지만 그의 사단들은 정원을 채우지 못했고 폴란드에서의 전역으로 지쳐 있었다. 군단은 다 합쳐도 2만 4천 명에 불과했다. 러시아의 초기 전략은 협상을 개시하기 전에 영토를 최대한 점령하는 것이었다.[56] 러시아의 병력 동원에도 불구하고 스웨덴은 전역에 대비하지 않았다. 이는 어느 정도는 러시아의 선전포고를 촉발할 수 있는 어떤 조치도 자제하기로 구스타브와 그의 자문들이 이전에 내린 정치적 결정 탓이었다. 그들은 모두 러시아와의 전쟁이 불가피하다고 여긴 반면, 영국 해군이 지원을 제공할 수 있는 시점인 1808년 늦봄까지는 적대행위가 발생하지 않을 것이라고 전제했다. 러시아가 핀란드에서 혹독한 겨울 전쟁을 감수하지는 않을 것이라고 생각한 국왕과 신료들에게도 정상참작의 여지는 있다. 하지만 그것이 바로 러시아의 행동 계획이었고, 상트페테르부르크 주재 스웨덴 대사 쿠르트 폰 스테딩크가 보낸 각종 경고들로 가득한 전문들은 모두 무시되었다.[57] 그러므로 스웨덴 군대는 총동원되지 않은 채 겨울 숙영지 곳곳에 흩어져 있었다.[58] 전쟁 자금을 둘러싸고 구스타브가 릭스다그와 반목하면서 사안은 더욱 복잡해졌고, 이 때문에 국왕은 영국의 보조금에 크게 의지해야 했다. 1808년 2월 8일, 전쟁 개시 2주 전에 스웨덴과 영국은 보조금 조약을 갱신해 런던은 연간 120만 파운드를 지불하기로 약속했다.[59] 2월 초에 구스타브는 육군 원수 마우리츠 클링스포르에게 스베아보리와 스바르톨름에 강력한 수비대를 남겨두고 남은 병력을 오스트로보트니아(동부 보트니아)로 철수시킬 것을 명령했다. 스웨덴 본토에서 온 병력들로 증원된 스웨덴 군대는 정면 전투를 피하고 영국 해군의 지원을 받아 반격을 개시할 수 있는 적절한 시기를 기다리기로 했다.[60]

1808년 2월 21일, 정식 선전포고나 통보, 최후통첩 없이(스웨덴이 국제법 위반으로 규탄한 누락 행위) 러시아군은 핀란드를 침공했다.[61] 러시아군은 현지 주민들에게 점령에 맞서지 말 것을 촉구하고 물자 징발에는 정당한 값을 치르겠다고 약속하는 포고문을 곳곳에 뿌렸다. 스웨덴 병사들은 싸우지 말고 투항하라는 부추김을 받았다.[62] 러시아의 초기 전략에 따르면 협상을 개시해 전쟁을 끝내기 전에 영토를 최대한 점령하는 것이 중요했다. 그러므로 러시아 군대는 재빨리 진격해 쿠오피오, 타바스테우스, 탐메르포르스, 오보와 더불어 3월에는 오보와 바사 사이 연안을 손에 넣었다. 게다가 러시아군의 전위대는 올란드제도와 고틀란드섬을 점령했는데, 특히 고틀란드 점령은 영국이 그곳에 해군기지를 수립해 러시아 해안선을 직접 위협할 수도 있어 특히 만족스러운 것이었다.[63] 스웨덴 병력이 북쪽으로 퇴각하면서 러시아는 점령지에 야콥스타드와 감라칼레뷔, 브라헤스타드를 추가했다.[64] 무혈로 남부 핀란드를 점령하자 러시아는 전역이 거의 끝났다고 확신했다. 4월에 이르자 알렉산드르 황제는 새로운 핀란드 신민들에게 자신에게 충성 맹세를 하도록 요구하는 성명서를 냈는데, 이는 또 다른 국제법 위반이었다.

하지만 전쟁은 결코 끝난 게 아니었다. 전역은 수많은 개울과 호수, 피오르가 가로지르는 척박한 핀란드 지형에서 진행되었다. 거대한 늪지들이 가로막고 있어 많은 지역들이 통과가 불가능했다. 핀란드의 지형은 공세보다 수세에 유리했다. 스웨덴 군대에는 이런 지형에 익숙하고 이를 어떻게 활용해야 할지 아는 핀란드 병사들이 있었다. 핀란드 기후는 러시아군에 또 다른 문제를 안겼다. 춥고 긴 겨울은 군대에 식량과 따뜻한 옷가지를 제공할 효과적인 보급 체계를 요구했지만 부분적으로 얼어붙은 핀란드만은 러시아 함대의 활동을 제한했다. 봄이 와서 추위가 풀리자 비와 진눈깨비가 내려 병력의 이동을 더욱 어렵게 했다. 스웨덴은 북부에 병력을 집중시켰는데 거기서는 본토로부터 보급과 증원이 더 용이했다. 반면에 러시아군의 행렬은 연락선을 따라 길게 뻗어 있었고 적잖은 수는 그 지역에서 러시아 세력의 존재에 갈수록 불만을 내비치는 핀란드 주민들을 평정하기 위해 스베아보리 요새에 발이 묶여 있었다.

스웨덴 지휘부는 이러한 이점들을 제대로 활용하지 못했다. 구스타브는 노르웨이 전선으로부터 증원군을 데려오길 거부하고, 그 대신 핀란드에서 대대적인 봉기가 일어나고, 스바르톨름과 스베아보리 대★요새들이 임박한 반격에 앞서 러시아 병력을 소모시켜줄 것을 기대했다. 하지만 그러한 희망은 곧 찬물을 뒤집어썼다. 우선 3월 17일, 스바르톨름 요새가 항복했고 러시아군은 이제 스베아보리로 눈길을 돌렸다. 스베아보리 요새는 해군 전대로 보급과 지원을 받고, 6700명가량의 막강한 수비대와 칼 올로프 크론스테트 부제독 휘하 1천 문이 넘는 포로 방어되는, 핀란드에서 가장 크고 난공불락인 요새였다. 러시아군은 3월 19일 요새를 봉쇄한 다음 공격했지만 심각한 피해를 주지 못했다. 대대적인 정면 공격으로 병력을 위험에 빠뜨리고 싶지 않은 러시아군은 그 대신 스웨덴 장교 집단 내 반구스타브 정서를 이용했는데, 좌천당한 것에 분개한 크론스테트가 가장 눈에 띄는 실례였다. 각종 미끼와 뇌물을 통해 러시아 대표 얀 피터르 반쉬흐텔런 장군과 예란 망누스 스프렝트포르텐은 그 스웨덴 지휘관이 항복하도록 설득했다. 5월 6일 크론스테트는 창고와 군사 설비를 고스란히 놔둔 채 스베아보리 요새를 넘겨주어, 러시아군은 100척이 넘는 건보트와 1200문가량의 포를 손에 넣을 수 있었다.[65] 스웨덴의 핀란드 방어에서 핵심인 스베아보리가 함락되자 상트페테르부르크는 환호작약했다.[66] 당연히 이 소식에 스웨덴 진영은 충격에 빠졌고 사기가 떨어졌다. 스베아보리 함락은 스웨덴이 이 전쟁을 성공적으로 수행할 수 있을지에 대한 영국의 신뢰에도 심각한 영향을 미쳤다.

한편 스웨덴은 새로운 국제적 도전에 직면했다. 1808년 3월 13일, 러시아가 핀란드를 침공하고 있을 때 정신 이상인 덴마크의 크리스티안 7세가 사망하고 스웨덴에 더 강경한 태도를 취하는 프레데리크 6세로 교체되었다. 며칠 뒤에 덴마크 사절은 스웨덴 정부에 선전포고문을 전달했다.[67] 나폴레옹은 스웨덴의 취약한 입지를 이용해 지난 세기에 상실한 영토를 수복하려는 덴마크의 야심을 부추겼고, 덴마크는 퐁텐블로 조약에서 프랑스가 한 약속, 즉 스웨덴을 침공하는 데 베르나도트 원수 휘하에 3만 명가량의 프랑스-에스파냐 병력을 제공하겠다는 약속에 기대를 걸었다.[68] 나폴레옹과 프레데리크 6세 둘 다 핀란드를 통한 러시아의 공격과 예테보리를 겨냥한 노르웨이 방면 공격, 그리고 셀란섬에서 스웨덴 남부로 덴마크의 침공으로 이루어질 전쟁에서 스웨덴은 쉽게 패배할 것으로 예상했다.

덴마크의 선전포고라는 뜻밖의 소식은 이제 거의 모든 방면에서 위협받게 된 스웨덴에게 당연히 커다란 불안을 야기했다.[69] 스웨덴 대중은 핀란드 영토 상실과 전쟁 대비 태세의 명백한 부족, 강력한 군사적 지도력의 부재에 불만을 표출했다. 스웨덴 고위 관리들조차도 나라의 상황에 불안감을 감출 수 없었다. "왕국은 노르웨이와의 국경선에서 완전히 노출되어 있고 심란한 소문들이 이미 퍼지고 있다"라고 1808년 3월 외무대신 에렌하임은 한탄했다. "하지만 여기 (스톡홀름) 누구도, 심지어 최고위 군 관계자도 우리가 어떻게 항전할 수 있는지 알지 못한다."[70] 구스타브 국왕은 처음에는 덴마크 침공을 단행할 생각이었지만 핀란드에서 스웨덴군의 패배와 프랑스와의 전투 전망으로 인해 이 방안은 밀쳐둘 수밖에 없었다. 그 대신 예탈란드의 스웨덴 병력은 수세적 자세를 취하고 초점을 노르웨이로 옮겼다. 눈앞의 상대들 가운데 가장 약하다고 간주한 노르웨이에서 핀란드 상실을 만회할 기회를 바랐던 것이다. 국왕은 노르웨이를 침공하기 위해 병력을 재조직해 구스타프 마우리츠 아름펠트 장군 휘하에 새로운 군대를 편성할 것을 명령하고 영국에 군사적 지원을 호소했다. "스웨덴이 지금보다 더 위태로운 처지에 놓인 적도 없으니 지금이야말로 반드시 영국을 압박해야 하며, 영국은 (그러므로) 대규모 원조를, 병력과 배 둘 다를, 그리고 물론 더 많은 돈도 재빨리 보내줘야 한다. 스웨덴이 살아남으려면 이 원조가 절대적이다."[71]

영국 정부는 발트해에서 임박한 전쟁에 무엇이 걸려 있는지를 잘 이해했다. 러시아와 프랑스의 합동 적대행위에 직면한 스웨덴은 이길 가능성이 거의 없었고, 영국은 스웨덴을 지원함으로써 자신들의 전쟁 수행 노력을 위태롭게 하고 싶은 마음이 없었다. 영국 정부는 약정한 보조금의 두 배 이상인 280만 파운드를 지급해달라는 스웨덴의 요구를 도저히 받아들일 수 없다고 여겼고, 코펜하겐 원정과 같은 또 다른 발트해 연안 원정을 조직하는 것도 내키지 않았다. 이러한 군사적 자원들은 차라리 다른 지역들에서 더 유용하게 쓰일 수 있으리라. 1808년 3월과 4월 내내, 스웨덴은 노르웨이에 병력을 상륙시켜 덴마크를 상대로 합동작전을 펼치도록 동맹국 영국을 설득하려고 노력했지만 소용이 없었다.[72] 영국 외무장관 캐닝은 그러한 계획들의 실행 가능성에 줄곧 회의적이었고 그 대신 해군에 의한 해안선 봉쇄 유지를 제의했는데, 이는 적극적인 영국의 개입과는 한참 거리가 멀었다. 영국은 결국 스웨덴에 원정군을 파견하기로 동의했을 때조차도 원정군이 영국군의 지휘를 받아야 하고, 활동은 해안 작전들에만 제한될 것이며, 언제든지 본국으로 소환될 수 있다고 강조했다.

3월 말에 이르자 덴마크와 스웨덴 둘 다 군사작전에 나설 준비가 되었지만 스웨덴 항구 도시들에서 겨울을 보낸 하이드 파커 휘하 영국 해군 전대의 존재는 프랑스-덴마크의 군사행동을 저해했다. 발트해의 거대한 부빙에도 불구하고 파커는 덴마크 연안을 따라서 무력을 과시해 영국의 제해권을 부각시켰고, 스웨덴 바로 건너편 셸란섬에 배치된 병력을 거느리고 있던 베르나도트는 결국 외레순 해협을 건너 스웨덴으로 진격하려던 계획을 중지할 수밖에 없었다. 게다가 에스파냐 반란의 확산 소식은 프랑스-덴마크 작전을 더욱 꼬이게 했다. 베르나도트의 군단에 포함된 1만 4천 명가량의 에스파냐 병사들의 충성심을 더 이상 신뢰할 수 없게 된 것이다. 영국 해군이 외레순 해협에 버티고 있으니 프랑스-덴마크 연합 침공 작전은 취소되어야 했다. 현지 주민들에게는 무척 유감스럽게도 베르나도트의 병력은 셸란섬에 계속 머무른 반면, 덴마크 정부는 영국의 덴마크 공격의 여파로 구성된 집행부 노르웨이 통치위원회Regjeringskommisjon의 수장인 아우구스텐부르크 공 크리스티안 아우구스트 휘하 약 1만 명의 노르웨이 병력에 희망을 걸었다. 이로써 코펜하겐에서 노르웨이 사안을 관장하기는 매우 어려워졌다. 그럼에도 불구하고 위원회의 설립은 노르웨이 역사에서 중요한 순간인데, 노르웨이가 제한적일지언정 자치를 얻게 된 것은 270년이 넘는 세월 가운데 이번이 딱 두 번째였기 때문이다.[73]

아우구스텐부르크는 원래 서부 스웨덴을 침공할 생각이었지만 느린 병력 동원, 물자와 장비의 부족, 스코네 침공 계획의 취소로 계획을 폐기해야 했다. 이로써 반대로 스웨덴이 공세를 취할 수 있게 되었다. 이 전쟁의 첫 대규모 군사작전에서 스웨덴군은 에우르스코그-휠란으로 진격했지만 격퇴당했다. 스웨덴 지휘관 아름펠트 장군은 그다음 8천 명의 병력을 이끌고 콩스빙에르 요새로 향해 리에르에서 노르웨이군을 무찌르고(4월 18일) 요새를 포위했다.[74] 이 같은 성공에 스웨덴은 의기양양했지만 전황이 곧 급격하게 바뀌면서 오래가지 못했다. 노르웨이군은 트랑엔(4월 25일)과 모베크(5월 18일), 예릅세트(5월 24일)에서 작지만 의미 있는 승리를 거두어 아름펠트가 더 멀리 진격하는 것을 막고 궁극적으로는 그가 병참상의 난관으로 콩스빙에르 봉쇄를 풀고 스웨덴 접경지대로 물러나게 하는 데 기여했다.[75] 영국 원정군의 도착(뒤에 가서 설명하겠다)에도 불구하고 스웨덴은 전력을 다시 끌어 모아 반격에 나서지 못했다. 스웨덴 지휘부는 일관된 전략을 발전시키지 못했고, 국왕과 장군들은 서로의 의도를 자주 오해했다. 더욱이 스웨덴의 자원 대부분은 그들이 주도권을 잡으려고 애써온 핀란드 전역에 투입된 상태였다. 4월 초에 젊고 에너지 넘치는 스웨덴 장군 칼 요한 아들러크로이츠가 핀란드에서 클링스포르 원수의 부사령관으로 임명되었다. 그는 흩어져 있는 러시아군을 상대로 즉각 역공에 들어가자고 촉구했다. 감라칼레뷔, 브라헤스타드, 시카요키, 레볼락스에서 그가 거둔 승리로 스웨덴군의 사기가 진작되고 동부와 북부 핀란드에서 새로운 전면적 공세가 이어졌다. 스웨덴은 풀킬라에서 또 한 번 승리를 거둬(5월 2일) 쿠오피오를 손에 넣고, 러시아 해군이 육상 병력을 지원하는 데 실패하자 고틀란드와 올란드제도를 수복했다.[76]

스웨덴의 공세는 핀란드 곳곳에서 민중 봉기를 촉발해, 현지 주민들은 러시아 군주에게 충성 맹세를 하길 거부하고 그 대신 게릴라전을 개시해 고립된 러시아 분견대와 연락선을 공격했다.[77] 비록 핀란드 게릴라전은 그 강도에서 에스파냐의 게릴라전에 비할 수 없었지만 러시아 군부에 심각한 난제를 제기했기에 러시아 당국자들은 타협적으로 나올 수밖에 없었다.[78] 1808년 6월, 핀란드에서 게릴라전의 장기화 전망과 유럽에서 정치적 상황의 불확실성에 직면한 알렉산드르는 모든 신분의 핀란드인들의 기존 자유들을 일체 인정한다고 약속하는 선언서를 발표했고, 나중에는 포르보 의회Diet of Porvoo(보르고 란트다그Borgå Landtgdag)를 소집하라는 명령을 내렸다.[79]

알렉산드르의 결정은 단순히 핀란드 게릴라들에 대한 양보로만 인식되어서는 안 된다. 사실 그것은 러시아의 유서 깊은 정책에 뿌리를 두었다. 18세기 동안 스웨덴-핀란드 관리 계급과 엘리트층 다수는 스웨덴과 러시아 간의 계속되는 전쟁이 핀란드를 제대로 방어하지 못하는 스톡홀름의 무능력을 입증하고 그 지역에 많은 참상을 야기할 뿐이었기에 불만이 쌓여갔다. 러시아는 1741~1743년에 핀란드가 스웨덴에서 떨어져 나간다면 지원하겠다고 제의하며, 그러한 정서를 이용하려고 여러 차례 시도했다. 당시 이런 시도는 아무런 성과가 없었지만 그 방안은 대략 40년 뒤인 1788~1790년의 러시아-스웨덴 전쟁 동안 되살아났다. 러시아는 불만에 찬 핀란드 장교들을 환영했는데, 가장 눈에 띄는 인물은 스웨덴군을 떠나서 러시아가 지원하는 핀란드 자치를 지지할 용의를 밝힌 예란 망누스 스프렝트포르텐 대령이었다. 1788년에 이르자 113명의 장교들이 아니알라 연맹Anjalaförbundet을 결성했는데, 이 연맹은 핀란드의 미래는 쇠락하고 있는 스웨덴이 아니라 흥기하는 세력인 러시아에 있다는 생각을 옹호했다. 이 장교들은 러시아의 팽창은 장기적으로 불가피하며, 전쟁과 강제 병합을 감수하느니 가능한 최상의 조건에서 핀란드를 러시아에 이전하는, 평화적인 타협을 추구하는 것이 낫다고 믿었다.[80] 1790년 러시아-스웨덴 전쟁의 종결은 아니알라 연맹의 염원을 좌절시켰지만 18년 뒤, 아직 생존한 연맹 회원들은 스프렝트포르텐의 주도로 활동을 재개할 둘도 없는 기회를 만났다. 스프렝트포르텐은 러시아 제국 내 핀란드 자치를 위한 자신의 계획을 적극 도모하고, 비록 핀란드 의회의 조기 소집이라는 그의 제안은 1809년까지 연기되었지만 그의 주장들은 알렉산드르 황제가 핀란드를 근래에 획득한

영토들(예를 들어, 폴란드나 조지아)과 다르게 취급하도록 설득했다.[81]

러시아 군주는 유럽의 정치적 상황이 고도로 불안정해 보이는 시기에 발트해에서 러시아의 위태로운 입지를 안전하게 다지는 데 핀란드의 협력이 불가결하다고 믿었다. 프랑스는 독일에서 러시아의 이해관계를 밀어내고 있었고 오스만 제국은 도나우 공국에서 러시아에 맞서 적대행위를 재개할 준비를 하는 가운데, 러시아는 이제 발트해에서 영국-스웨덴 동맹의 위협에 직면하고 있었던 것이다. 영국은 이미 프랑스에 맞서 스웨덴을 지원하는 데 100만 파운드가 넘는 보조금을 투입했지만 이 돈은 러시아에 맞선 스웨덴의 전쟁 수행 노력도 지탱할 터였다. 스웨덴과의 동맹에 대한 영국의 두 번째 책무 이행의 일환으로서 제임스 소마레즈 제독 휘하 해군 전대가 2월에 발트해로 파견되었다. 하지만 존 무어 경 휘하 1만 전력의 원정군을 추가하느라 4월 후반까지 출발이 늦춰졌다.[82] 원정군이 남부 스웨덴을 보호하도록 배치되면, 그곳에 있던 스웨덴 병사들은 풀려나 러시아군에 맞서 자유롭게 작전을 수행할 예정이었다. 놀랍게도 무어는 영국-러시아 간 군사 충돌을 피하기 위해 스웨덴의 지휘 아래 활동하지 말라는 명령을 명시적으로 받았지만, 소마레즈는 프랑스가 러시아 발트 함대를 이용할 수 없도록 크론슈타트의 러시아 해군기지를 공격할 수 있을지 가능성을 탐색하라는 지시를 받았다.[83]

영국 원정군은 5월 중순에 예테보리에 도착했다. 무어는 스웨덴 우군으로부터 다소 냉랭한 대접을 받아서 놀랐는데, 영국의 의도를 불신하던 스웨덴 지도부는 앞선 약속에도 불구하고 향후 영국군의 운용에 대해 합의가 이루어질 때까지 상륙을 허락하지 않았다.[84] 게다가 핀란드와 노르웨이에서 겪은 군사적 좌절에 관한 보고들과 구스타브에게 등을 돌린 민심을 고려할 때 스웨덴으로부터 오는 소식은 결코 마음을 놓이게 하는 것이 아니었다. 무어는 특히 스웨덴 주변 영토들에 대한 지배를 공고히 하는 데 영국군을 이용해야 한다는 구스타브의 고집에 갈수록 짜증이 났다. 만약 국왕이 영국군의 스코네 상륙을 수락했다면 최소 1만 명의 병사를 핀란드 전장으로 이동시킬 수 있었을 테고, 거기서 그들은 커다란 영향을 미칠 수 있었을 것이다. 국왕이 향후 행동 노선을 놓고 영국인들과 줄다리기를 벌이는 동안 공교롭게도 가장 뛰어난 부대들을 비롯해 스웨덴 군대의 상당 부분은 핀란드 전쟁에서 배제되어 있었다. 일련의 면담에서 구스타브는 덴마크와 노르웨이에 맞선 전역이나 핀란드에서 또는 발트해 러시아 해안선에서 러시아를 직접 공격하는 여러 계획들을 제안했다. 하지만 그런 계획들은 스웨덴 장군들마저도 실현 가능성이 없다고 여겼다. 그래도 국왕이 고집을 꺾지 않자, 그 계획들이 모두 자신이 받은 지침에 반한다고 여긴 무어의 반감은 더욱 강해졌다. 6월에 이르자 그는 "우리가 무엇이든 착수하거나 일단 (구스타브의) 명령을 받기 시작한다면 어떤 어처구니없는 상황에 처할지 알 수 없다"라고 결론 내렸다.[85] 하지만 그러한 원정들의 무익함을 지적하려는 무어의 시도는 국왕과의 파열만 낳아서 국왕은 무어를 가택 연금시키라고 지시했고, 이 조치는 양국 간에 외교적 불화를 야기했다.[86] 무어는 결국 가택 연금에서 빠져나와 예테보리에 있는 병사들에게 돌아가서 영국 전쟁부로부터 일단의 새로운 명령을 받았다. 발트해에서 아무런 진전이 없는 데 조바심이 난 전쟁부는 프랑스에 맞선 민중 소요의 물결이 승리의 전망을 더 높이는 이베리아반도로 이미 관심을 옮겨갔다. 1808년 7월 3일, 영국 원정군은 예테보리를 떠났다.[87]

스웨덴에서 무어의 출발은 나폴레옹 전쟁에서 가장 극적인 에피소드 가운데 하나와 마침 시기적으로 일치했는데 바로 영국 해군이 에스파냐 일개 사단 전체를 빼돌린 사건이었다. 12장에서 본 대로 1807년 후반에 나폴레옹은 에스파냐 국왕 카를로스 4세와 수상 고도이에게 압력을 넣고 협박해 가장 뛰어난 에스파냐 병사 일부를 독일에 주둔하고 있는 프랑스군에 제공하게 했다. 이 요구는 또한 에스파냐의 충성을 계속 확보하고 나폴레옹이 에스파냐를 점령해야 할 경우 현지의 저항을 약화시키기 위한 것이었다. 델 노르테 사단으로 편성된 1만 5천 명가량의 에스파냐 병사들은 미국 혁명전쟁에 참전한 바 있고, 1781년 영국이 점령한 메노르카섬 정복 당시 두각을 나타낸 로마나 후작 페드로 카로 이 수레다 휘하에 있었다. 로마나는 북독일로 군단을 이끌고 가서 함부르크와 메클렌부르크, 옛 한자동맹 도시들의 수비대 임무를 수행하며 1808년 겨울을 보낸 뒤 스웨덴 침공 계획에 따라 덴마크로 파견될 예정인 베르나도트 원수의 군단에 배속되었다. 비록 침공은 현실화되지 않았지만 에스파냐 병사들은 덴마크에 머물며, 유틀란트와 푸넨섬에 주둔했다. 1808년 봄 에스파냐와의 연락을 차단하려는 프랑스의 갖은 노력에도 불구하고 로마나와 휘하 장교들은 프랑스의 에스파냐 점령과 마드리드의 5월 봉기, 그리고 이베리아반도에서 전쟁이 시작되었음을 알게 되었다. 이 소식에 분노한 장교들은 에스파냐로 돌아갈 계획을 세웠으나 프랑스가 귀환을 허용하지 않을 것임을 깨달았다. 프랑스 당국자들은 장교들의 봉급을 인상하고 일정한 특권을 부여함으로써—베르나도트는 에스파냐 병사들을 자신의 호위대로 기용했다—에스파냐인들을 진정시키려 했지만 한 에스파냐 장교가 지적한 대로 "에스파냐는 평온하며 행복의 시대를 누리도록 나폴레옹 치하에 잘 자리 잡았다고 프랑스인들이 우리를 설득하려고 할수록 우리 눈앞에는 이렇게 믿을 수 없는 사건들에 뒤따를 유혈과 분쟁, 재난의 광경이 분명하게 그려졌다."[88]

1808년 여름에 영국이 에스파냐에서 프랑스에 대한 저항을 북돋을 길을 모색하면서 로마나 사단은 정부의 논의에서 현저히 부각되기 시작했다.[89] 이국적 상품을 파는 객상客商으로 위장한 한 영국인 첩자가 프랑스의 방첩망을 성공적으로 피해 뉘보르에서 로마나를 만나 영국 정부의 상세한 계획을 전달했다. 만약 에스파냐인들이 해안에 닿을 수만 있다면 영국 해군이 그들을 태워서 에스파냐 제국의 어디로든 데려가 줄 수 있다는 내용이었다. 처음에 품었던 의구심을 접은 로마나는 휘하 장교들과 상의한 뒤 계획에 동의했다.[90] 7월 후반에 이르자 발트 함대 지휘관인 리처드 굿윈 키츠 제독은 대담한 소개 작전을 준비하며 영국에서 발트해로 갈 수송선을 모으느라 분주했다.

계획이 성공하려면 로마나는 흩어진 병력을 집결시키고 인근 항구들을 장악할 필요가 있었다. 그는 원래 성대한 열병식을 한다는 구실로 병력을 집결시키고 싶었지만, 에스파냐 병사는 전원 조제프 보나파르트 국왕에게 충성 맹세를 해야 한다는 새로운 명령이 프랑스에서 도착했을 때 그 계획은 거의 와해될 뻔했다. 유틀란트와 푸넨에 주둔한 에스파냐 병사들은 조제프보다는 페르난도 왕자에게 충성을 맹세하며, "다소 우스꽝스러운 방식으로" 선서를 했다. 하지만 대다수가 탈출 계획을 모르고 있던 셸란섬에 주둔한 병사들은 7월 31일 군사반란을 일으켰다가 수적으로 더 우세한 덴마크 병사들에게 금방 포위되어 항복할 수밖에 없었다. 이 사건은 자연히 프랑스인들을 긴장시켰다. 하지만 그들이 미처 손을 쓰기 전에 로마나는 영국 함대가 이곳으로 오는 중임을 알고 행동에 나서기로 했다. 8월 7일, 에스파냐인들은 푸넨섬 뉘보르 항구를 장악했고, 유틀란트반도에 주둔하고 있던 인판테, 레이, 사모라 연대 병사들도 소형 선박을 징발해 푸넨섬으로 건너와 그들에게 합류했다. 그러나 알가르브 연대는 연대장의 우유부단함 때문에 빠져나오는 데 실패했다. 8월 9일과 11일 사이, 푸넨섬에 있던 9천 명 상당의 에스파냐 병사들은 랑엘란섬으로 건너와 그곳을 지키고 있던 덴마크 수비대를 제압하고 열흘 동안 영국 함대가 도착하기를 기다렸다. 키츠 제독은 에스파냐 사단을 소개시켜 에스파냐 북부 산탄데르로 수송했고 로마나의 병사들은 10월 중순에 상륙했다. 델 노르테 사단은 상륙하자마자 프랑스를 상대로 한 전쟁에 합류했다. 프랑스군과 덴마크군에게 붙잡힌 에스파냐 병사들은 조제프 나폴레옹 연대로 재편성되어 이탈리아, 네덜란드, 독일, 프랑스 곳곳으로 흩어졌다가 나폴레옹의 러시아 침공에 소집되어 거기서 다수가 목숨을 잃었다.[91]

발트해 사안에서 영국의 개입은 무어 원정군의 낭패로 끝나지 않았다. 사실 저강도 영국-러시아 전쟁—한 러시아 역사학자가 인상적으로 표현한 대로 "연기 없는 전쟁"—이 그 뒤로도 오래 이어졌다.[92] 이 갈등은 나폴레옹 전쟁의 전통적인 역사 서술에서 잊히는 경향이 있는데, 대체로 그것이 대규모 전투로 이어지지 않았고 주로 지중해와 바렌츠해, 발트해에서 러시아와 영국 전함 간 국지적인 교전을 수반했기 때문이다. 연기가 났든 안 났든 그것은 나폴레옹 전쟁의 더 큰 이야기의 또 다른 측면을 드러내기 위해 살펴볼 만한 가치가 있다.[93]

러시아는 해군 자원이 유럽 해역 곳곳에 흩어져 있었던 탓에 약화된 상태에서 이 전쟁에 참전했다. 러시아 함대의 꽃인 발트 함대는 다수의 전함(8척의 전열함을 비롯해)이 드미트리 세니야빈 부제독 휘하에 이오니아제도 원정의 일환으로 그 군도에 배치되어 있었다.[94] 1807년 러시아로 호출된 세니야빈은 두 전대로 나뉜 함대 중 더 큰 전대(5척의 전열함을 포함)를 이끌고 발트해로 향했지만 악천후로 리스본에 닻을 내려야 했다. 1807년 10월 프랑스군이 막 포르투갈을 침공해 포르투갈 궁정이 도망치던 바로 그때에 말이다. 러시아는 영국과 전쟁 상태였기 때문에, 세니야빈은 리스본을 해상 봉쇄 중인 영국 해군과 도시를 점령하고 있는 프랑스군 사이에 끼인 꼴이 되었다. 1808년 8월에 비메이로에서 프랑스군이 영국군에게 패배한 뒤에 세니야빈의 전대는 이제 바다와 해안선 둘 다를 장악한 영국군으로부터 더 큰 압력을 받게 되었다. 영국군은 러시아인들에 대한 직접적인 공격을 회피하고―세니야빈은 자기 배를 파괴하고 리스본에 불을 지르겠다고 위협했다―러시아 제독에게 함대를 영국의 통제 아래 넘기도록 압박했다. 1808년 8월에 세니야빈은 휘하 전함들이 영국으로 호위되도록(러시아 깃발을 내리지 않고서) 하는 데 동의했다. 9월에 포츠머스에 도착한 그에게 영국 정부는 다양한 구실을 들어 떠나는 것을 허락하지 않았고, 나중에는 기상 문제로 인해 러시아로 귀환하는 것이 불가능해졌다. 사실상 억류 상태로 1년을 더 보낸 끝에 러시아 제독은 영국을 떠나는 것이 허락되었고, 수척해진 그의 선원들

은 영국 선박에 실려 리가에 내려졌지만 러시아 전함들은 1813년까지 영국에 남게 된다.[95]

러시아 함대는 발트해에서 더 만만찮은 도전에 직면했는데, 그곳에서 1808년 봄에 소마레즈가 재편성된 발트 전대를 떠맡은 것이다.[96] 그는 스웨덴을 지원해 러시아에 맞선 작전을 수행하고 통상 활동을 하는 선박들을 보호하라는 명령을 받았다. 비록 발트해는 대체로 영국 해운에는 폐쇄되어 있었지만 영국 해군은 영국 화물을 취급하는 중립 무역을(그와 더불어 밀수도) 촉진했다. 소마레즈의 전대가 예테보리에 막 도착했을 때 러시아군의 스베아보리 함락 소식이 영국인과 스웨덴인들을 경악시켰다. 스웨덴 관리들과 만난 자리에서 (스웨덴 주재 영국 대사 에드워드 손턴도 동석했다) 소마레즈는 스웨덴 해안선을 보호하고 외레순 해협과 발트해 진입로가 통상에 열려 있게 하는 데 활동의 초점을 맞추겠다고 동의했다.

러시아와 영국 선박 간 첫 대형 교전은 6월 23일 러시아 커터선 오피트호가 영국 전함 살셋호와 맞닥뜨려 용감하게 방어했음에도 불구하고 레발 근처 노르겐섬 앞바다에서 포획되었을 때 일어났다. 2주 뒤에 표트르 카니코프 제독 휘하 20척의 전함(그 가운데 9척은 전열함)으로 구성된 러시아 발트 함대가 루돌프 세데르스트룀 제독 휘하 스웨덴 해군과 맞붙기 위해 크론슈타트에서 출항했다. 소마레즈는 맹방 스웨덴을 지원하기 위해 74문포 전열함 센토어호와 임플래커블호를 급파했다. 8월 후반에 이르러 양측은 핀란드 남단 인근 항오와 외뢰 사이에 함대를 배치했다. 1808년 8월 25일에 영국–스웨덴 함대는 러시아 함대와 맞붙기 위해 출동했고, 러시아 해군은 교전을 회피했다. 러시아 전함들이 후퇴할 때 영국 전열함들이 나머지 연

합 함대보다 더 앞서 나가 러시아 전함 브세볼로드호를 공격했고, 브세볼로드호는 포획되어 불탔다.[97]

해전은 다음 2년 동안 유사한 방식으로 계속되었다. 1809년 7월 여러 척의 러시아 건보트들이 항오곶과 아스푀곶(프레드릭스함 근처) 앞바다에서 포획되거나 파괴되었다. 바렌츠해에서 영국-러시아 간 적대행위는 영국-덴마크 "건보트 전쟁"과 나란히 전개되어, 영국은 노르웨이 해안선에 광범위한 해상 봉쇄를 실시하고, 멀리 북쪽의 함메르페스트와 무르만스크까지 급습을 단행해 러시아 북서부와 북부 노르웨이 사이 교역을 교란했다. 영국 전함 나이아든호(과거 덴마크 프리깃함 나이아덴호)는 이 작전들에서 특히 활약해 1809~1810년에 러시아 상선들을 나포하고 콜라 지구의 러시아 정착지들을 습격했다.[98] 이 해역에서 영국의 제해권은 스웨덴을 상대로 한 러시아의 작전들에는 제한적인 영향만 미쳤는데 보트니아만과 핀란드만 상당 부분이 겨울에 얼어붙어 해군의 움직임을 제약하는 동안 러시아 군대의 보급선은 육상으로 중단 없이 유지되었기 때문이다.

영국-러시아 전쟁은 양측이 대규모 교전을 피하고자 한 측면에서 독특했다. 러시아 함대는 공공연한 대결을 지속적으로 회피한 한편, 프랑스와 전쟁을 벌이고 있는 영국 정부는 러시아와 합의점을 찾고 싶다는 바람을 거듭 내비쳤다. 1810년 후반에 이르자 러시아가 대륙 봉쇄 체제로부터 점차 발을 빼고 있는 가운데, 양국 간 전쟁은 대체로 잦아들었고 영국과 러시아 간 교역은 늘어났다. 사실 프랑스-러시아 관계가 점차 악화되면서 영국은 가능성 있는 동맹의 기초 작업에 나섰다. 1812년 6월 나폴레옹이 러시아를 침공한 뒤에 영국-러시아 동맹이 드디어 외레브로 조약(7월 18일)으로 현실화됐으니, 이

조약은 영국-러시아 전쟁을 정식으로 종결시키고 6차 대불동맹 수립의 토대를 놓았다.[99]

✦

무어 원정군의 출발과 로마나 사단의 소개로 영국-스웨덴 "공동의 전선"은 누더기가 되었다. 스웨덴인들은 영국을 의지할 수 없는 파트너로 인식하고 영국이 스웨덴의 이해관계를 희생시켜가며 이베리아 반도에만 초점을 맞춘다고 한탄했다. 앞서 묘사한 세니야빈 사건은 영국-스웨덴 관계를 더욱 멀어지게 할 뿐이었는데 스웨덴 궁정이 억류된 러시아 선원들을 풀어주기로 한 영국의 결정에 불만을 표시했던 것이다. 선원들은 러시아로 귀환하는 대로 발트 함대에 합류할 것이 예상되었으므로 스웨덴에는 불리하게 작용할 일이었다. 러시아인들의 출발을 늦출 것이라고(앞서 설명한 대로 꼬박 1년을 붙잡아두었다) 캐닝이 안심시켰음에도 불구하고 영국이 자국의 이익을 지키기 위해 동맹의 이익을 희생시킬 것이라는 스웨덴의 의혹은 쉽게 가라앉지 않았다. 에스파냐에서는 무어 장군 휘하에서 영국 원정군이 이미 진척 중이었는데 실제로 구스타브는 에스파냐에 대한 영국의 집착으로 발트해에서 러시아 함대를 물리칠 결정적인 기회를 놓쳤고 그 탓에 핀란드에서 스웨덴의 전쟁 수행 노력이 저해되었다고 (잘못) 믿고 있었다. 에렌하임 재상은 에스파냐에서 유리한 고지를 차지하기를 바랐기 때문에 영국이 스웨덴을 "버렸다"는 견해를 공공연하게 표명했다. 에스파냐에는 "차지할 만한 함대, 되살릴 무역, 수립할 식민지들, 러시아와 덴마크보다 보나파르트에게 훨씬 더 민감한 지점들을 겨냥할 만한 산적한 힘"이 있지 않은가?[100]

1809년에 이르자 영국-스웨덴 관계는 상호 의혹과 비난으로 얼룩졌다.[101] 보조금을 인상해달라는 스웨덴의 요구는 영국으로부터 계속 거절당했고, 결국 구스타브가 보조금을 받지 못하면 영국의 통상에 스웨덴 항구들을 폐쇄하겠다고 위협하는 지경에 이르렀다. 1809년 2월 후반 영국 사절과의 면담에서 구스타브는 영국이 자신에 대한 전폭적인 지지를 계속해서 거절한다고 여겨 분노를 쏟아냈다. "발트 지역에 대한 무역과 스웨덴을 통한 대륙과의 교역이 당신들에게는 조금도 중요하지 않은가? 외레순이 당신들에게 닫히고 있다는 생각은 들지 않은가? 아니면 에스파냐 식민지들과의 통상이 유럽 통상에서의 손실을 보상해줄 거라고 생각하는 건가? 내가 동원할 수 있는 수단은 크게 줄어들었지만 마음만 먹으면 여전히 타격을 입힐 수 있고, 당신들도 곧 그걸 느끼게 될 거네."[102] 그냥 해보는 협박이 아니었다. 구스타브는 자신의 말이 진심이라는 것을 금방 드러냈다. 면담을 하고 얼마 지나지 않아 그는 영국 무역에 대해 예테보리 항구를 폐쇄하도록 명령하고 영국 선박들에 48시간 통상 금지를 부과했다. 이 악의적인 갈취 시도에 캐닝과 영국 각료들은 격분했고, 그들은 스웨덴이 그동안 영국으로부터 받은 지지에 고마운 줄 알아야 한다고 믿었다. 그들은 보조금 쟁점을 두고 물러서길 거부했고, 1809년 3월 1일 구스타브는 예전의 조건에 따른 새로운 보조금 합의서에 서명해야 했다.

영국-스웨덴 관계를 더욱 어둡게 한 것은 상대방이 양국 공통의 적들과 거래를 할지도 모른다는 두려움이었다. 런던은 스웨덴 궁정이 프랑스와 러시아하고 비밀 강화를 논의하고 있다고 걱정했다.

반면 스웨덴은 영국이 나폴레옹과 단독 강화를 맺을 수도 있다고 걱정했는데, 1808년 10월 프랑스가 영국에 제시한 새로운 강화 조건들에 관해 알게 된 뒤로 불안감이 더욱 커졌다. 새로운 강화 조건은 영국이 프랑스의 에스파냐 지배와 러시아의 핀란드 지배를 수용한다면 적대행위를 종식할 수 있다는 내용이었다. 런던은 즉시 제의를 거절했고 캐닝은 스웨덴 대사에게 영국은 스웨덴의 안보에 의무를 지고 있다고 안심시켰다. 그럼에도 캐닝은 향후의 강화 협상을 위한 선결 조건에서 핀란드의 복귀를 빠뜨리면서 다시 수면 위로 떠오른 스웨덴의 의심을 잠재울 수 없었다. 스톡홀름에서 이것은 영국이 러시아의 지지를 얻어내기 위해 기꺼이 스웨덴의 영토 보전을 희생시키려 한다는 또 다른 신호로 해석되었다.[103]

그 사이 전쟁은 여전히 핀란드에서 격렬히 진행 중이었다. 1808년 여름, 스웨덴이 우물쭈물하는 사이에 러시아는 전력을 다시 끌어 모으고 전황을 역전시키는 새로운 공세를 개시했다. 러시아 병사들이 쿠오피오와 토이볼라로 밀고 들어오면서, 니콜라이 카멘스키 소장은 8월 21일 카르스툴라에서 오토 폰 피안트 중령 휘하 스웨덴군을 격파하고 랍피예르드(8월 29일), 루오나와 살미(9월 1~2일), 오라바이스(9월 14일)에서 신속히 연승을 거두었다. 이러한 패배에 격분한 구스타브는 보트니아만 남동부 바닷가에 몸소 상륙군을 이끌었지만 9월 후반에 바그라티온 장군이 이끄는 러시아군에 격퇴되었다.[104] 결국 스웨덴은 휴전을 요청할 수밖에 없었고 때마침 러시아군도 보급품과 탄약, 증원군의 부재로 고생하고 있었기 때문에 러시아 지휘관들은 이를 환영했다. 비록 정전 협정은 1808년 9월 29일에 체결되었지만 에르푸르트로 나폴레옹을 만나러 가는 길이었던 알렉산드르 황제는 재가를 거부하고 즉각적인 적대행위 재개를 요구했다. 그러므로 정전은 10월 27일에 끝이 났고, 러시아군은 북쪽으로 진격해 그해 말에 사실상 핀란드 전체를 점령했다. 12월 1일, 전면적인 핀란드의 병합을 요구한 막강한 전쟁 대신 알렉세이 아락체예프의 충고를 무시하고 알렉산드르 황제는 스프렝트포르텐을 신임 핀란드 총독으로 임명했다. 스프렝트포르텐은 제정 원로원에 종속되지 않고 오로지 황제에게만 책임을 지는 러시아 내 유일한 총독이었기 때문에 이 같은 결정은 러시아 제국 내에서 핀란드의 특수한 지위를 강조했다.[105] 1809년 알렉산드르는 포르보 의회 개원을 주재해, 핀란드인들이 전통적으로 누리던 권리와 특권을 확인하고 스웨덴은 결코 허용한 적 없고 러시아 제국의 다른 지역들은 누리지 못하는 일정 정도의 자치를 부여했다.[106] 의회는 러시아의 양보를 환영했고, 핀란드 민병대를 해체하고 러시아 당국과의 협력을 요청함으로써 현지 주민들을 평정하는 것을 도왔다.

핀란드에서의 좌절로 스웨덴은 노르웨이에서도 주도권을 잃었다. 덴마크-노르웨이 병사들은 9월 중순에 기습공격을 감행해 베르뷔에서 스웨덴 분견대를 궤멸했다. 이 패배에 스웨덴에서는 여론의 질타가 쏟아져 나왔고 스웨덴 군주정은 전선을 떠받치도록 증원군을 파견해야 했다. 하지만 스웨덴의 작전들은 성과를 내지 못했고, 그리하여 그해 말에 이르러 스웨덴 병력은 남부 노르웨이에서 전부 철수했으며 전쟁은 교착상태에 빠졌다. 12월에 양측은 다음 6개월간 이어질 정전에 합의했다.[107]

1809년 봄 중유럽에서 프랑스-오스트리아 분쟁에 사로잡혀 있는 알렉산드르 황제는 스웨덴과의 전쟁을 하루빨리 매듭짓기 위해 스웨덴 본토를 침공하라는 지시와 함께 보그단 폰 크노링 장군을 핀란드의 러시아군 사령관으로 임명했다. 러시아 침공 소식이 전해지자 스웨덴 해안 도시들은 혼란에 빠졌다. 한편 수도 스톡홀름에서는 연극 같은 사건들이 펼쳐졌다. 구스타브는 덴마크, 러시아와 전쟁이 시작되기 전에도 인기가 없었지만 대체로 그의 무능한 지휘와 제멋대로인 정책 탓으로 돌릴 수 있는 군사적 패배는 그의 평판을 더욱 깎아내렸다. 러시아군이 보트니아만을 건너려고 할 때 일단의 스웨덴 육군 장교들—핀란드에서 가을 공세의 실패에 대한 국왕의 처벌의 여파가 여전히 가시지 않은—이 쿠데타를 기획했다.[108] 서부군 사령관 대리 예오리 아들레스파레 중령은 노르웨이와의 정전을 이용해, 노르웨이 전선을 지키도록 고작 800명만 남겨둔 채 나머지 병력을 이끌고 스톡홀름으로 진군했다.[109] 구스타브는 이 반란을 진압하기 위해 영국에 군사적 지원을 요청하려 했지만 영국인들이 그를 향해 품고 있었을지도 모르는 일체의 호의는 보조금과 영국 선박에 통상 금지를 부과한 국왕의 결정을 둘러싸고 험악한 논쟁이 벌어졌을 때 싹 증발해버렸다.[110] 1809년 3월 13일 반란 장교들은 구스타브를 퇴위시키고 그의 삼촌 쇠데르만란드 공작이자 장래의 칼 13세를 새로운 국가수반으로 선포했다.[111]

　구스타브 국왕의 폐위는 한 가지 문제를 해소했을지는 모르나 스웨덴이 현 정부의 정통성을 재확립하려고 애쓰는 가운데 또 다른 문제를 낳았다. 신정부는 곧바로 스웨덴 왕국에 재앙과도 같은 상황을 초래한 것에 대해 구스타브의 책임을 강조했는데, 이후 이 같은 비난을 빈번하게 되풀이해온 스웨덴 역사가들 가운데 일부는 구스타브 국왕이 범죄 수준으로 무책임한 외교정책을 추구한 전쟁광이었다고 규탄한다.[112] 신정부의 가장 시급한 문제 중 하나는 승계 문제였다. 칼 13세는 이미 예순 살이었고 자식이 없는 상황에서, 구스타브 4세의 아들이자 적법한 후계자인 구스타브 왕자를 승계에서 배제하는 결정은 왕권을 증대하려고 하는 강력한 정통주의 반동을 불러일으켰다. 그러므로 누가 다음 왕위를 차지할 것인가라는 명백한 문제 외에도 차기 국왕이 이끌어갈 스웨덴에는 더 큰 문제가 자리 잡고 있었다. 신정권은 이른바 구스타브 그룹—구스타브 3세와 구스타브 4세와 엮여 있던 엘리트 집단—을 권좌에서 몰아내고 그들을 더 개혁 성향의 "1809년 사람들"로 대체했다.[113] 그중 일부는 예오리 아들레스파레와 한스 에르타처럼 프랑스 혁명에 상당한 공감을 표시하고 따라서 급진주의와 친프랑스 정서를 의심받았지만, 모두 스웨덴 엘리트 집단의 일원이었다. 스톡홀름 주재 영국 대사는 신정부가 곧 영국에 등을 돌리고 프랑스와 긴밀한 관계를 추구할 것이라고 생각했다.[114] 유럽에서 나폴레옹의 계속되는 패권을 고려할 때 친프랑스 분파는 곧 스웨덴 궁정에서 영향력을 얻었고, 스웨덴에게 최선의 노선은 프랑스와 동맹을 맺어 덴마크, 러시아와의 강화 논의에서 나폴레옹의 중재를 이용하는 것이라고 주장했다. 3월에 스웨덴 정부는 러시아와의 중재 요청을 들고 나폴레옹에게 접근했다.

하지만 프랑스와의 관계 회복에 대한 희망은 4월 12일 나폴레옹이 거절하는 답변을 보내왔을 때 재빨리 꺼졌다.[115] 스웨덴으로서는 분명히 타이밍이 좋지 않았는데, 나폴레옹은 바이에른을 침공해 5차 대불동맹전쟁을 개시한 오스트리아에 맞서 러시아의 지지가 필요한 바로 그때 러시아를 멀어지게 하고 싶지 않았기 때문이다. 영국 정부가 스톡홀름의 변덕스럽고 비우호적인 태도에 진력이 나면서 영국을 향한 스웨덴의 대화 시도도 성과가 없기는 마찬가지였다. 게다가 영국의 정치적 관심은 유럽의 다른 지역들에 초점이 맞춰져 있었다. 새로운 프랑스-오스트리아 전쟁이 이미 진행 중인 바이에른과 오스트리아의 평원에, 웰즐리 장군이 새로운 (그리고 승승장구하는) 전역을 개시한 포르투갈 시골 지방에, 7월 후반에 이르러 발헤런 원정이 진행 중인 네덜란드 해안에 말이다. 한마디로 스웨덴은 영국의 외교 의제에서 우선순위가 아니었다.

1809년 4월 후반에 이르러 자기편도 돈도 없는 스웨덴 정부는 입지가 너무 약해져서 일부 정통주의자들은 정부 전복 음모를 꾸미고 이를 위해 영국의 지원을 얻고자 했다.[116] 정부는 이 위협에서 살아남았지만 다른 문제들을 제지하기 위해 씨름했다. 가장 심각한 당면 문제는 러시아의 침공이었다. 보트니아만이 여전히 얼어붙어 있어 영국 해군의 작전 수행을 저해했으므로 러시아의 계획은 만을 가로지르는 삼면 공세였다. 바그라티온 장군은 올란드제도로 건너가 사실상 무방비 상태인 스웨덴 수도로 곧장 진격하고, 바르클라이 드 톨리 장군은 보트니아만에서 가장 협소한 지점인 얼어붙은 외스트라크바르켄을 가로질러 진군해 우메아를 함락하고, 더 북쪽에서는 파벨 슈발로프 장군이 만 연안을 따라 진군해 토르니오와 칼릭스를 손에 넣는다는 계획이었다.[117] 보트니아만 횡단은 대담한 작전이었다. 러시아 병사들은 추운 날씨와 극단적인 기후 환경을 용감하게 무릅쓰며, 한 참전병이 "생명의 흔적이라고는 없으며 (⋯) 스스로를 보호할 아무런 수단이 없는" "얼어붙은 눈의 황무지"라고 묘사한 곳을 행군했다.[118] 보트니아만 횡단 동안 러시아군이 입은 인명 손실 규모는 지금도 불분명하지만 바르클라이 드 톨리는 나중에 "더 이상 크바르

켄을 지도로 그릴 필요가 없다. 내가 병사들의 시신으로 이미 그렇게 했으니까"라고 언급했다.[119]

스웨덴 군부 내 정치적 혼란이 계속되며 나라가 어수선한 상황에서 칼 13세는 스웨덴이 침공에 저항할 수 있는 처지가 아님을 이해했고, 그래서 그의 첫 명령은 휴전과 강화 회담을 제안하는 사절을 파견하는 것이었다.[120] 계속 싸우라는 황제의 분명한 지시에도 불구하고 러시아 총사령관 크노링은 병사들이 횡단 행군으로 기진맥진하고 물자와 증원도 부족한 것을 알고 망설였다. 더욱이 봄 날씨가 곧 만의 얼음을 녹여서 러시아 군단이 핀란드의 기지로부터 고립될 수도 있었다. 러시아군의 상황이 실제로 얼마나 위태로운지를 적이 곧 알아챌 것이라고 걱정한 크노링은 휴전을 수용했다.[121] 그는 러시아 병력의 즉각적인 핀란드 귀환을 명령했고, 2주 사이에 만을 두 차례 가로지르느라 지친 병사들은 3월 31일에 핀란드에 도착했다.[122] 알렉산드르 황제는 크노링의 결정에 노발대발했고 다시금 정전 수용을 거부했다. 그는 핀란드로 가서 병사들의 용맹을 칭찬했으며, 크노링을 질책하고 해임했다. 신임 총사령관 바르클라이 드 톨리는 휴전을 종결하고 스웨덴이 항복할 때까지 공세를 재개하라는 엄명을 받았다.

그러므로 러시아군은 또 한 번의 보트니아만 횡단을 준비하며 4주를 보냈다. 이제는 해빙으로 만을 가로지르는 행군이 불가능한 한편, 소마레즈 휘하 영국 해군 전대는 러시아 함대를 크론슈타트에 묶어두었다.[123] 횡단 대신 러시아군은 슈발로프 장군이 해안선을 따라서 진군해 스웨덴 중부를 칠 수 있는 북부에서 공세를 개시했다. 토르니오를 떠난 러시아 군단은 320킬로미터 이상을 행군했고 그 가운데 26명은 스웨덴 소읍 셀레프테오를 점령하기 위해 무릎까지 차오르는 녹은 얼음을 헤치고 갔다.[124] 러시아-스웨덴 간 적대행위의 재개는 덴마크-노르웨이 내부의 균열도 드러냈는데, 덴마크-노르웨이 국왕인 프레데리크는 스웨덴 침공을 추진했다. 스웨덴의 신정부는 스웨덴 왕위 문제에 관해 프레데리크 국왕을 타진해봤다가 묵살당한 뒤 크리스티안 아우구스트 공에게 눈길을 돌렸다. 인기 있는 그가 스웨덴 왕좌에 선택된다면 노르웨이인들이 그에게 합류하도록 설득될 수 있을 거라 믿었기 때문이다. 프레데리크와 크리스티안 아우구스트 간의 긴장은 1809년 여름에 크리스티안 아우구스트가 스웨덴을 침공하라는 국왕의 지시를 거부하면서 현저해졌다.[125] 크리스티안 아우구스트 휘하가 아니라 북부 노르웨이 총사령부 휘하에 있던 트론헤임에서 1809년 7월에 실시된 덴마크-노르웨이의 스웨덴 침공은 제한적 사건으로 드러났다. 7월에 소규모 노르웨이 병력이 스웨덴으로 넘어가 초기에 얼마간 성공을 거두다가 스웨덴의 반격으로 7월 24일 헤리에달렌에서 패주했다.[126] 이튿날 타결된 정전은 결국 옌셰핑 조약(1809년 12월 10일)으로 전환되어 전전 상태를 기반으로 덴마크-노르웨이-스웨덴 전쟁을 종식시켰다.

이 성공에 고무된 칼 13세는 북부 스웨덴에 있는 러시아군에 반격을 지시했는데, 소마레즈의 지속적인 해군 작전이 이를 가능케 했다. 하지만 막판 전투들—8월 19일과 20일에 세바르와 라탄에서—은 전세를 뒤집을 수 없었고, 스웨덴은 외교적 교섭에 동의하는 것 말고는 선택의 여지가 없었다.

프레드릭스함(하미나)에서 협상이 시작되자마자 핀란드의 부분적 반환조차도 논외라는 것이 금방 분명해졌다. 러시아는 전쟁에서 이겼고 전리품에 대한 권리를 주장했다. 그러므로 스웨덴인들에게 가장 중요한 과제는 자국에 추가적인 피해를 최소화하는 것이었다. 처음부터 러시아는 강화를 위한 세 가지 선결조건을 주장했다. 스웨덴은 핀란드 전체를 (올란드제도와 더불어) 할양하고, 영국과의 동맹을 공식 파기하며, 프랑스·덴마크·노르웨이와 화평을 맺어야 한다(대륙봉쇄 체제에도 가담해야 한다는 뜻이었다).[127] 스웨덴은 러시아가 요구하는 방대한 영토 할양, 특히 올란드제도를 넘기라는 요구 앞에서 주춤했다. 올란드제도는 스웨덴 본토에서 30킬로미터 정도밖에 떨어지지 않았으므로 러시아가 그곳을 점령하면 심각한 안보 위협이 제기될 터였다. 하지만 더 나은 거래를 하려는 스웨덴의 시도는 결국 소용이 없었다. 러시아는 이미 해당 영토들을 실효 지배하고 있었고, 스웨덴은 써먹을 만한 비장의 카드가 없었다. 북부의 새 국경선을 둘러싼 협상에서 스웨덴 외교관들은 러시아의 요구에 "스웨덴의 일부를 요구하지 않는 것이 (러시아) 황제의 명예에 마땅하다. 핀란드 전부를 가지는 것만으로도 충분하다"[128]라고 지적하는 것으로 맥없이 대응했다.

한 달간의 협상 끝에 1809년 9월 17일에 서명된 강화조약은 러시아의 요구를 전부 수용했다.[129] 조약은 스칸디나비아 역사에서 중차대한 순간이었다. 이로써 스웨덴은 전체 영토 가운데 거의 절반을 상실한 반면, 러시아는 그 지역에서 확고하게 자리를 잡았고 발트해에서 입지를 다졌다.[130] 아닌 게 아니라 핀란드 주민들은 600년 넘게 스웨덴의 패권하에 살다가 이제는 새로운 제국의 주인을 맞게 되었다. 물론 핀란드의 지위는 전통적인 핀란드인의 권리와 자유를 유지하고, 사적 소유권을 보호하며, 핀란드와 스웨덴 간의 경제활동을 계속 허용하기로 약속한 특별 단서 조항들—모두 새로 획득한 영토에서 러시아의 권위를 공고히 하는 데 성공하기 위한 결정적 요인—로 안전하게 보장되기는 했다. 장기적으로 봤을 때, 스웨덴 왕국이 이렇게 분리된 것은 보트니아만 양안에 서로 다른 형태의 정부가 발전한다는 뜻이었다. 핀란드인들은 새로 수립된 핀란드 대공국 내부에 구스타브 시대〔구스타브 3세와 4세, 칼 13세의 치세를 통틀어 가리키는 표현〕의 헌정 체제를 유지하기 위해 싸운 반면, 막상 스웨덴인들은 구체제의 변화를 주장했고 구스타브 시대의 법률을 재빨리 폐기해 오늘날까지 살아남은 새로운 정치 체제를 위한 토대를 놓았다.[131] 프레드릭스함 조약은 스웨덴이 외교정책도 재조정하도록 강요했는데, 핀란드를 수복하려는 어떠한 시도도 러시아와 또 한 번 파멸적인 전쟁을 낳을 게 분명했기 때문이다. 전쟁 대신에 스웨덴은 전략적 고려에서 아예 "핀란드 문제"를 제거하는 쪽을 택하고 동부에서의 영토 상실에 대한 보상으로서 노르웨이에 초점을 맞췄다. 이 같은 초점 이동은 상당 정도 예오리 아들레스파레 덕분이었는데, 그는 크리스티안 아우구스트 공을 스웨덴 왕위에 선택하면 스웨덴과 노르웨이의 통합을 이끌어낼 수 있다고 믿었다. 그러한 염원은 러시아 외교관들이 프레드릭스함에서 준 신호, 즉 스웨덴의 노르웨이 인수를 러시아가 꼭 반대하지만은 않을 것이라는 신호로 더욱 강화되었다. 그러므로 프레드릭스함에서의 강화는, 핀란드 정복이 러시아의 맹방으로서 덴마크의 쓸모를 없애고 노르웨이에 대한 스웨덴의 관심을 부추길 것이라는 덴마크의 오랜 걱정이 현실화된 것이었다. 이후의 사건들이 보여주듯이 덴마크인들의 의혹은 옳은 것으로 드러난다.

러시아와의 전쟁이 끝나면서 스웨덴은 안도의 한숨을 내쉴 수 있었다. 12월 10일 옌셰핑 조약은 덴마크-노르웨이와의 관계를 회복시킨 한편, 1810년 1월에는 개별 강화조약이 프랑스와 체결되었다. 하지만 스웨덴은 여전히 정치적 도전에 직면해 있었다. 국왕 칼 13세는 병들었고, 앞서 지적한 대로 자식이 없었다. 그의 임종이 가까워짐에 따라 홀슈타인-고토르프 왕가의 스웨덴 분가〔홀슈타인-고토르프 가계의 또 다른 분가로는 러시아의 로마노프 왕가가 있었다〕가 종식되리라는 것이 분명했다. 덴마크 제후인 크리스티안 아우구스트가 스웨덴 왕위 계승자로 선정되자 최악의 사태에 대한 일부 근심은 가라앉았고, 덴마크-노르웨이와 스웨덴에 다소간 조화로운 미래가 열리는 듯했다. 당대인들에게는 경악스럽게도 왕위 후계자는 스톡홀름에 도착한 뒤 고작 5개월 만에 급사하고 말았다. 그는 1810년 5월 28일 스코네에서 열병식에 참석하던 중 중풍으로 쓰러져 다시 일어나지 못했다. 겉으로 건강해 보였던 41세 왕위 후계자의 급서는 거대한 대중적 공분을 불러일으켰고, 많은 이들이 그가 어떤 사악한 음모에 의해 살해된 것이라고 믿었다. 6월 20일, 장례식 도중 군중이 음모를 꾸몄다고 의심받는 이들을 공격해 마리-앙투아네트 왕비의 절친한 벗이자 나중에 스웨덴 왕국 원수로 재직했던, 저명한 한스 악셀 폰 페르센 백작이 폭도의 손에 죽었다.

왕위 계승자의 죽음은 스칸디나비아 역사의 경로를 결정지은 승계 위기를 가져왔다. 크리스티안 아우구스트는 스칸디나비아의 헌정적 통합이라는 미래를 그리는 온화하고 사리를 아는 사람의 면모를 보였고, 그가 죽지 않았다면 그 지역에 평화와 안정을 가져왔을지도 모른다. 하지만 기대와 정반대로 그의 죽음은 내부적 위기를 야기했다. 궁정과 스웨덴 릭스다그 내의 다양한 정치 분파들이 왕위 후보자들을 둘러싸고 충돌했다. 나폴레옹은 스웨덴의 내부 사안을 훨씬 뛰어넘는 파급효과를 가져올 것임을 이해하고 당연히 이러한 논의들에 면밀한 주의를 기울였다. 새 국왕은 어쩌면 스칸디나비아의 통합을 가져오고, 북유럽에서 프랑스의 입지를 강화할 수도 있으리라. 처음에 덴마크의 프레데리크 6세가 후보자로 나섰는데 겉으로 보기에 그의 입지는 나폴레옹이 그의 입후보를 반대하지 않는다는 사실로 뒷받침되었다. 하지만 스웨덴인들 절대다수는 지나치게 형식을 따지고 옹고집으로 악명 높은 데다 간간이 권위주의를 내보이는 프레데리크를 부적격이라고 여겨 반대했다. 폐위된 구스타브 4세 아돌프 국왕의 아들로서, 엄밀하게 따지면 스웨덴 왕위의 정당한 계승자인 구스타브 바사 왕자도 부적격이긴 마찬가지였다.

그 대신 1810년 여름에 스웨덴 사람들은 덴마크 국왕의 아들로 젊고 카리스마 있는 크리스티안 프레데리크 왕자나 작고한 크리스티안 아우구스트의 형으로, 온건한 성품과 자유주의적 성향을 가진 것으로 알려진 아우구스텐부르크 공 프레데리크 크리스티안을 고려하고 있었다. 7월 후반에 이르자 후자가 더 적합한 후보자로 여겨졌고, 나폴레옹의 의사를 타진하려는 시도가 이루어졌다. 프랑스 황제는 아우구스텐부르크 공을 지지했고, 프레데리크 왕자를 두 번째 선택지로 삼았다.[132] 어느 쪽 선택지도 덴마크의 프레데리크 6세에게는 못마땅해서, 그는 아우구스텐부르크 공이 스웨덴으로 떠나지 못하도록 그가 거주하고 있는 알스섬을 봉쇄하라는 명령을 내릴 정도였다.

1810년 8월, 스웨덴 릭스다그가 후보자들을 논의하기 위해 열렸다. 논쟁이 치열하게 진행되면서 젊고 카리스마적이며 개혁 성향의 군주에 대한 예전의 이상주의적 염원은 정치와 군사 문제에 경험이 있고 러시아를 상대로 스웨덴의 지위를 회복시킬 수 있는 후보자를 바라는 실용주의적 욕구로 대체되었다. 이 같은 정서는 스웨덴 군부에서 특히 강했고 그들은 후보자를 찾아 프랑스로 눈길을 돌리기 시작했다. 정식 권한을 받은 적이 없음에도 그들은 프랑스의 이름 난 정계와 군부 인사들을 여럿 저울질해보다가 마침내 1807년 스웨덴 포로들에게 인정을 보인 바 있고 발트 국가들의 사안에 진정한 관심을 표명해온 장-바티스트-쥘-베르나도트 원수를 낙점했다. 칼 오토 뫼르너 남작이 순전히 자발적으로 스웨덴 왕위를 베르나도트에게 제안했을 때 그 일이 결정되었다. 베르나도트는 자신이 선출된다면 영예를 마다하지 않겠다고 답변했다. 비록 스웨덴 정계는 베르나도트가 왕위 경쟁에 뛰어들었다는 소식에 깜짝 놀랐지만 뫼르너의 집중적인 선전 활동에 힘입어 사람들이 점차 그 주변으로 모여들었다. 뫼르너는 베르나도트가 나폴레옹의 전폭적인 지지를 누리며, 왕위에 어울릴 만큼 충분히 부유하다고 동포들을 안심시켰다. 실제로 후보자의 재산 상태는 스웨덴의 심각한 경제적 어려움을 생각할 때 중요한 고려 사항이었다. 1810년 8월 21일 릭스다그는 베르나도트를 스웨덴의 새로운 왕위 후계자로 선출했다.[133] 하지만 프랑스 시민인 베르나도트는 스웨덴 왕위를 받아들이기 전에 먼저 나폴레옹에 대한 충성 의무에서 풀려나야 했다. 초창기 양자 간 경쟁의식과 나중에 베르나도트가 불복종의 기미를 보이긴 했어도 나폴레옹은 그의 선출을 반대하지 않았고, "(베르나도트와) 스웨덴인들에게 성공과 행복"을 기원했다.[134] 그는 베르나도트가 프랑스에 계속 충성스럽게 남고, 북유럽에서 프랑스의 영향력을 증대하며, 영국에 맞선 전쟁을 지지해주기를 기대하고 있었다. 9월에 황제는 원수를 충성 서약에서 풀어주고 그가 프랑스 국적을 버리는 것을 허락하면서, 프랑스에 맞서 무기를 들지 않겠다고 약속해달라는 유명한 요청을 했다. 베르나도트는 자신이 이제 스웨덴에 지는 새로운 의무들이 허락하지 않는다고 주장하며 그러한 서약을 한사코 거부했다. 결국 나폴레옹은 "그럼 떠나게! 우리 각자의 운명을 완수하길!"[135]이라고 외칠 수밖에 없었다.

11월 2일, 베르나도트는 스톡홀름에 엄숙하게 입성했다. 사흘 뒤에 그는 릭스다그에 나와 루터파 신교로 개종하고 칼 13세에게 정식 입양되어 이름을 칼 요한으로 바꿨다. 베르나도트는 스웨덴 궁정의 신입자였지만 곧 왕위 배후의 권력자로 부상했다. 그는 자신의 미래가 새로운 제2의 조국을 적극적으로 끌어안고, 나폴레옹이나 프랑스의 이해관계가 아니라 새로운 조국의 이해관계를 수호하는 정책을 추구하는 데 전적으로 달려 있음을 이해했다. 스웨덴의 동부 국경선을 안정적으로 유지하기 위해 그는 러시아인들에게 핀란드를 수복하려는 시도는 일체 없을 것이라고 안심시키고 그 대신 스웨덴에 알맞은 보상이라고 여기는 서쪽의 노르웨이로 눈길을 주기 시작했다. 그는 자신의 왕위가 노르웨이를 획득하는 데 달려 있음을 분명하게 이해했고, 이 목표를 달성하려는 베르나도트의 확고한 결심이 1813~1814년의 6차 대불동맹전쟁 동안 결정적인 역할을 했다.

16장

사면초가의 제국
오스만 제국과 나폴레옹 전쟁

프랑스 혁명의 발발은 새로운 오스만 술탄의 즉위와 시기적으로 일치했다. 새 술탄은 유럽 열강이 프랑스에 여념이 없는 덕분에 서방과의 갈등에서 한숨 돌릴 수 있게 된 몇 년을 적극적으로 이용하고자 했다. 술탄 무스타파 3세와 그의 조지아 출신 아내의 아들인 셀림 3세는 삼촌인 술탄 압둘하미드 1세의 손에 자랐고, 그는 조카에게 어느 정도 자유로운 사회적 교류를 허락했다. 그러므로 전통적인 오스만 교육 외에도 셀림 3세는 서유럽 문화를 애호하는 취향을 가꾸게 되었고, 그의 가장 큰 관심사는 유럽의 군사제도와 관행이었다. 술탄이 되기 전에도 그는 루이 16세와 국가 운영, 사회 제도, 병법에 관해 서신을 교환했다. 셀림 3세는 유럽의 관습과 사상, 제도에 대한 매혹을 공유하는 소수 심복들에 둘러싸여 있었고, 내외부의 위협에 맞서 제국의 영토를 보전함과 동시에 중앙정부의 권력을 회복할 개혁 조치들을 도입하는 것이 급선무라고 믿었다.

다종족, 다언어, 다종교인 오스만 제국은 인구를 밀레트millet라고 하는, 별개의 뚜렷한 종교 공동체들로 나누는 원칙에 따라서 건설되었다. 이 시스템은 비교적 잘 작동했으며, 민족 문화와 독자적인 종족적·언어적 정체성을 보존하는 데 중요한 역할을 했다. 종교적 정체성이라는 관념을 중심으로 하는 오스만 제국은 진정으로 민족적인 정체성은 발전시킨 적이 없었고, 그 대신 혁명기 동안 제국을 위협하던 원심적 힘들을 억제하는 데 애를 먹었다. 하지만 오스만 제국이 직면한 도전들은 이보다 더 깊이 자리 잡고 있는 문제들이었고 여러 동학들이 엮여 있었다. 첫째로 그리고 어쩌면 오스만 제국 후기의 핵심적인 문제는 중심부와 주변부 간 지속적인 투쟁이었다. 중앙정부는 통제력을 행사하려고 애쓸수록 주변부의 저항에 부딪혔고, 주변부의 현지 엘리트 계층은 행정적·경제적, 심지어 외교적 독립성까지 착착 얻어 나갔다.[1] 오스만 중앙권력의 점진적 해체 과정은 고작 1년 사이에 술탄 두 명의 목숨을 앗아가는 정변이 일어난 나폴레옹 전쟁기에 절정에 달한다. 기저에 깔린 두 번째 요인은 제국을 유지할 효율적인 군사·행정 체계의 필요였는데, 그러자면 효과적인 과세 체계가 필요했다. 오스만 제국의 경우, 허약한 중앙 권위와 부패하고 비효율적인 관료제 탓에 군사·행정 체계이든 과세 체계이든 과제를 감당할 수 없었다. 다양한 민족들 사이에, 특히 발칸반도에서 민족적 각성이 일어나는 것도 오스만 세력에 한층 도전을 제기했고, 이는 외부적 위협을 함께 고려할 때 특히 만만찮은 문제였다. 러시아는 오스만 국가의 영토 보전을 위협하는 가장 큰 존재였지만 다른 유럽 열강도 오스만의 허약성을 십분 이용하고자 했다.[2] 19세기가 막 시작되었을 때 오스만 영역은 저명한 오스만 역사가 버지니아 악산의 표현대로, 진정 "사면초가의 제국"이었다.

셀림 3세는 러시아-오스만 전쟁 와중에 제위를 물려받았고 전세를 역전시킬 수 없었으므로 이를 군사 개혁을 단행하는 구실로 이용하기로 마음먹었다.[3] 대포, 박격포, 갱도 굴착, 이동식 포 4개 병과가 재편성되고, 규율이 회복되었으며, 단위 부대들은 프랑스인들에게 훈련받은 장교의 지휘를 받았다.[4] 오스만 해군도 회생되었다. 최신식 배들이 취역하고 오래된 배들은 현대화되었으며, 유능한 선원을 끌어 모으기 위한 규정들이 도입되었다. 역시 프랑스 해군 전문가들의 도움을 받아 제국 해군 공창이 확장되고 지방에서도 새로운 공창들이 문을 열었다.[5] 제멋대로인 예니체리—17세기에 오스만 정부를 지배하게 된 엘리트 부대—도 개혁을 피해가지 못했다. 병영은 근대화되고, 정원은 절반인 약 3만 명으로 축소되었으며, 급료가 인상되고, 능력에 따른 임명이 시도되었다. 셀림 3세는 꼭대기부터 밑바닥까지 철저한 군사적 변신을 꾀하고자 했는데, 주된 아이디어는 유럽 스타일의 보병 군단을 설립하고 이를 근간으로 삼아 장차 근대적인 오스만군을 수립하는 것이었다.

이 새로운 서양식 군단의 이름인 '니잠이 제디드'(신질서)는 개혁 패키지 전체와 그 시대를 가리키는 이름이 되었다.[6] 최초의 니잠이 제디드 연대는 1795년 레벤드에 설립되었고, 1799년에 위스퀴다르에 두 번째 연대가 뒤따랐으며 얼마 안 있어 레벤드에 세 번째 연대가 들어섰다. 군단의 크기는 1801년에 9300명에서 1806년에 2만 4천 명으로 급속히 커졌지만 이 신속한 확대는 병사들의 자질과 훈련에 영향을 미쳤다.[7] 1802년 아나톨리아에 징병제가 도입되었고, 현지 당국자들은 신병들이 훈련을 받을 수 있도록 콘스탄티노플로 보내라는 요구를 받았다. 이와 유사한 시도가 발칸에서는 실패했는데 현지 엘리트의 강력한 반발 탓이었다. 술탄은 곧 근대 군사 구조가 요구하는 더 폭넓은 기술적·조직적 지지 수단을 발전시키지 않고서는 자신의 목표를 달성할 수 없으리란 점을 인식했다. 니잠이 제디드 시대의 가장 항구적인 개혁 가운데 하나는 근대 군사학교의 설립이었다. 서양의 기술서와 군사서가 터키어로 번역되었고, 신병들은 프랑스 군사 교본을 따라 프랑스 교사와 교관들에 의해 훈련받았다. 1802년에 이르자 셀림 3세는 신공학교와 국가 건축단을 통합했고, 그 결과 탄생한 새로운 기관은 제도와 기하, 대수, 천문학, 언어, 역사 교육 과정을 제공하며 민간과 군(해군을 제외하고) 기술자를 양성했다. 1806년 술탄은 기술 교육 분야에 추가적 변화를 도입했다. 제국 공병학교는 육군 공병을 양성했고, 제국 해군 공학교는 해군 공학 분야에서 4년 짜리 교육 과정을 제공했다.[8]

이러한 개혁들은 중앙정부가 그러한 야심찬 구조개혁을 실행할 만한 재정 능력이 없던 시기에 상당한 자금을 요구했다. 중앙정부의 수입원은 세금이었지만 지방에서 세금을 징수할 능력이 없었다. 지방은 오스만 술탄의 종주권을 명목상으로는 수용하지만 실제로는 준독립적인 통치자로 행세하며, 사적인 군대를 유지하고 종종 자체 외교정책도 구사하는 현지 거물들이 지배했다. 그러므로 술탄은 현지 엘리트의 지지와 협조 없이는 세수를 창출할 수 없었는데, 물론 그들의 지지를 얻어낸다는 것은 술탄의 중앙집권적 개혁들에 반대하는 바로 그 세력들과 대면해야 함을 의미했다. 세수 증대를 위해 셀림은 일련의 정책들—신新세입 국고라는 별개의 국고 설치, 주화 가치 절하, 기초 소비재(직물, 담배, 포도주, 커피 등)에 대한 새로운 세금 부과—에 의존했다. 이 때문에 이미 지나친 세금 부담을 지고 있던 주민들 사이에서 개혁 정책은 갈수록 인기가 없었다.[9] 개혁 정책들에 대한 완강한 반대가 존재했고, 전통적인 권력 집단, 그중에서도 예니체리의 기득권을 정면 공격하는 니잠이 제디드에 대한 반발이 특히 거셌다.[10] 일부 오스만 종교 지도자들(울라마)은 유럽식 관행들이 이슬람과 양립 불가능하다고 주장하며 그 확산을 규탄했다. 한편 예니체리들은 서양의 군사 관행의 채택을 일체 거부하고 새로운 병사들과 나란히 복무하는 것을 반대했는데, 그들이 보기에 신군은 전통적으로 자신들의 지배적인 역할에 대한 공공연한 도전이었다.[11] 지방과 중앙의 정부 핵심층까지 포함한 이러한 권력 집단들은 술탄의 개혁이 경제적 수단에 대한 국가 지배의 재부과로 이어질까 봐 두려워했다. 여기에서 결정적 요소는 오스만 제국의 주요 경제 자산인 토지에 대한 지배였다. 오스만 지방 엘리트(아얀ayan)는 자신들에게 고정적인 세수를 제공하고 현지 지역사회들을 지배하는 데 도움이 되도록 국가 토지(미리miri)를 사적 봉토(뮐크mülk)로 전환하려고 지속적으로 시도해왔다. 그러므로 니잠이 제디드 개혁은 격렬한 반대에 부딪혔다. 근대적 군대의 설립은 술탄이 자신의 권위를 행사하는 것을 돕고 전통적인 엘리트 집단에 대한 의존에서 벗어나게 해주었을 것이다.

제국의 근대화를 밀어붙이려는 술탄 셀림의 시도는 그의 관심과 자원을 많이 차지한 내외부의 다발적인 도전들에 발목이 잡혔다. 그는 개혁주의 진영 내 경쟁하는 이해집단들을 하나로 묶을 수 없었고, 그들의 경쟁은 이따금 개혁을 방해하고 때로는 주도적인 개혁가들에게 치명적이었다. 술탄은 또한 자신의 권위에 도전하며 정치권력을 다투는 무수한 권력 집단들―역사가 버지니아 악산이 표현한 대로 "옛 시스템에 단단히 자리 잡은 수혜자들"―을 상대해야 했다.[12]

아나톨리아, 아랍 세계, 발칸반도 곳곳에서 지방 명사들의 반항은 세수와 위신, 자원에서 오스만 제국에 커다란 희생을 가져왔다. 야니나의 알리 파샤는 알바니아 대부분과 북부 그리스를 지배했다. 무라드베이와 이브라힘 베이 치하 맘루크는 이집트에서 술탄을 대놓고 무시했다. 아흐메트 제자르 파샤는 시리아에서 최고 권력자였고, 이라크에서는 대★ 술레이만 파샤가 그랬다. 이러한 현지 통치자들은 세금을 내거나 개혁을 수용하길 거부하며 술탄을 공공연하게 거역했다. 주로 외부 위협에 맞서 군사적 지원을 얻기 위해 술탄은 몇 번이고 이러한 반항적인 명사들에 대한 반감을 접고 그들에게 상당한 권위를 넘겨야 했다.

1791년 오스트리아-러시아-오스만 전쟁의 종결은 오스만 개혁의 지지파와 반대파 간에 최초의 대형 충돌을 알렸다. 전쟁 당시 세르비아 지방은 중앙 권위에 대한 멸시를 여러 차례 공공연하게 드러낸 현지 예니체리들 치하에 있었다. 일단 전쟁이 끝나자 셀림 3세는 세르비아에서 자신의 권위를 다시 행사하려고 했고, 신임 주 총독에게 말을 듣지 않는 불순분자들을 모조리 축출하라고 지시했다.[13] 오스만 당국자들은 예니체리들을 쫓아내고 그들을 오스트리아와 협력한 과거를 사면받은 세르비아인들로 교체했다. 실각한 예니체리들은 그냥 자취를 감추지 않았다—그들은 이웃 비딘주로 넘어갔고 그곳의 총독 파스바노글루 오스만 파샤는 자신의 권력을 다지려고 그들을 기꺼이 고용했다. 19세기 전환기에 파스바노글루는 가장 막강한 오스만 거물 가운데 한 명이었고, 북동부 발칸반도의 방대한 영역을 다스리고 술탄의 개혁 정책에 대해 커져가는 반대를 주도했다. 총독은 술탄의 개혁들이 농촌 지역에서 정치적·경제적 혼란을 일으키고 있다고 주장하고, 자신을 정부의 전횡에 맞선 민중의 수호자로 내세움으로써 상당한 인기를 얻었다. 반항적 총독을 진압하려는 술탄의 거듭된 명령은 효과가 없었다.[14]

1798년, 파스바노글루 권력의 위협을 똑똑히 보여주는 사태가 일어났다. 셀림 3세는 비딘에 8만 명가량의 병력을 파견해 최대의 군사작전을 단행했다.[15] 하지만 전역은 실패했고, 파스바노글루는 8개월 동안 비딘을 성공적으로 방어해 위세가 더 커졌다. 이런 사태 전개에 낙심한 술탄은 프랑스의 이집트 침공 소식을 듣자 병력을 불러들일 수밖에 없었다. 1799년 초에 파스바노글루는 사면을 받고 그의 지위를 확인받았을 뿐 아니라 와지르와 파샤라는 칭호까지 받았다.[16] 이집트에서 벌어지는 사건들 때문에 정신이 없는 셀림 3세는 이러한 영예들을 베풀면서 말 안 듣는 총독을 달래고 술탄에게 충성스럽게 묶어두길 바랐다. 하지만 파스바노글루는 술탄이 이미 혁명 프랑스와의 전쟁에 완전히 매여 있고, 자신을 가로막을 만한 병력을 보낼 수 없다는 사실을 알고서 재빨리 활동을 재개했다. 파스바노글루의 병력은 북동부 발칸반도에서 광범위한 습격 작전을 수행하며, 정치적 혼란을 퍼뜨리고 상당한 경제적 피해를 야기했다.[17]

아라비아에서 오스만 제국은 무하마드 이븐 압둘 와하브가 세운 종파인 와하브파로부터 커져가는 도전에 직면했다. 나즈드 출신 신학자인 그는 이슬람에서 잘못된 믿음들과 그 오류들을 지지하는 정권을 제거함으로써 순수한 이슬람으로 돌아갈 것을 추구했다. 1800년에 이르자 압둘 아지즈 이븐 사우드가 이끄는 와하브 운동은 그 권위를 아라비아반도 곳곳으로 넓히고 이라크와 시리아, 헤자즈를 공격하고 성지를 순례하는 무슬림을 괴롭힘으로써 존재감을 드러냈다.

1804년 와하브파는 메카를 점령하고 와하브파가 아닌 모든 이들에게 그 도시로 접근하는 경로를 차단함으로써 그때까지 최대의 승리를 거두었다. 와하브파는 금요기도에서 술탄 셀림 3세의 이름을 빼고 사우드가家의 이름으로 대체하기까지 했는데, 이는 이슬람 세계에서 특권적인 지위를 찬탈하는 행위였다.

한편 술탄 셀림 3세는 18세기 후반에 러시아가 상당히 진출한 캅카스에서 다른 종류의 위협에 직면했다. 우리는 이미 (5장에서) 1800년에 동부 조지아의 카르틀리-카케티 왕국이 파벨 1세 황제에 의해 공식 병합되었고, 파벨이 1801년 3월 상트페테르부르크에서 시해당해 "조지아 문제"를 그 후임자에게 남겨두었음을 살펴본 바 있다. 새 황제 알렉산드르는 처음에 그 쟁점들을 잘 몰랐다. 그는 군주의 적법한 권리라는 것을 강하게 믿었고 바그라티오니 가문으로부터 제위를 박탈하는 문제를 두고 고심했다. 그는 조지아 왕국을 병합함으로써 자신이 이 왕조에 범죄를 저지르는 게 아닌지 판단을 내려달라고 국가 자문회의에 요청했다. 국가 자문회의에서의 논쟁들은 러시아 정부 내 매파와 비둘기파 간 기존의 대립을 드러냈고 캅카스 변경지대에 대한 러시아의 정책 형성에 결정적 지점을 대변했다. 알렉산드르 1세의 자문들 중 일부—특히 알렉산드르 보론초프와 빅토르 코추베이—는 선친의 결정을 뒤집으라고 촉구하고 조지아로의 팽창에 반대하는 의견을 표했다. 그들은 조지아가 제공할 경제적·군사적 이점은 제한적인 반면, 그곳의 내부적 문제들을 해결하는 데는 상당한 인력과 자원이 투입되어야 할 것이라고 주장했다.[18] 알렉산드르는 궁극적으로 이 건전한 조언을 무시하기로 하고 그 대신 파벨의 조지아 병합 결정을 뒤집는 것은 다른 논거는 차치하고라도 최소한 유럽과 이슬람 열강의 눈에 러시아의 위신을 실추시킬 것이라고 주장한 매파 성향 자문위원들의 편을 들었다. 그들은 조지아를 러시아 제국으로 편입하는 것은 조지아 백성들의 이른바 "바람"이며, 그러한 조치를 취하지 않으면 조지아는 결국 내외부적 요인들로 인해 붕괴될 것이기 때문에 병합이 필수불가결하다고 주장했다.[19] 이 위원들—그리고 알렉산드르도 그들에게 동의했는데—은 조지아 왕조 내 계속되는 반목은 러시아가 캅카스 남부에 교두보를 마련할 소중한 기회이며, 남부 캅카스의 교두보는 오스만 제국이나 이란 영토 혹은 그 둘 다로 추후 팽창하기 위한 발판이 될 것이며, 인도와의 무역을 위한 상업 기착지 역할을 할 수 있으리라 믿었다. 황제 본인은 이란이 러시아 팽창에 심각한 도전을 제기하지 않을 것이며 조지아에서 러시아 지배의 혜택들이 드러나면 그 이웃 무슬림 국가는 곧 러시아에 스스로 의탁할 것이라고 믿었다.[20]

1801년 말 알렉산드르는 동부 조지아 병합을 공표하는 선언서를 작성하라고 지시했다. 선언서는 병합이 러시아의 자기 이익 추구임을 시사하는 의견을 일체 부정하고 그 대신 왕국을 내전 직전으로 몰고 간 바그라티오니 왕권 주장자들 사이의 끊임없는 반목을 지적했다. 알렉산드르는 페르시아인과 튀르크인들에 맞서 기독교도 동포를 보호할 의무도 강조했다. 선언서는 1801년 9월 24일, 알렉산드르의 대관식 사흘 전에 모스크바에서 발표되었고, 동부 조지아에서 새로운 러시아 행정 체계를 어떻게 구성해야 하는지에 관한 지침이 딸려 있었다. 조지아 왕가가 권좌에서 제거된 가운데 러시아 캅카스 전선의 총사령관은 트빌리시에서 중앙정부 지휘권을 떠맡았고, 프라비텔pravitel, 즉 조지아의 행정관이라는 직함을 받았다. 알렉산드르의

9월 선언서는 조지아에서는 1802년 4월 12일에야 공개되었다. 캅카스의 러시아 총사령관 카를 크노링 장군은 트빌리시 시오니 대성당에서 선언서를 발표한 뒤 조지아의 귀족과 명사들에게 러시아 황제에게 충성 맹세를 할 것을 요구했다. 비록 발표는 적잖은 항의를 야기했으나 성당을 둘러싼 무장한 러시아 근위대의 존재는 항의가 무익함을 부각시켰다. 반대 의사를 드러낸 이들은 재빨리 구금되었다. 나머지는 차르에게 충성 맹세를 해야 했다.[21]

　　동부 조지아 왕국을 병합하기로 한 알렉산드르의 결정은 캅카스와 오스만 제국, 이란에 심대한 파급효과를 가져왔다. 1802년 봄에 이르러 이미 러시아 황제는 러시아가 동부 조지아만이 아니라 남쪽의 아라스강까지 남부 캅카스 전체에 대한 지배를 확보하는 것이 불가결하다고 주장하고 있었다. 그는 쿠라와 아라스강을 따라 국경선을 수립할 때만 새로 획득한 영토를 방어할 수 있다는 군사적 관점에서 이를 정당화했다.[22] 하지만 이는 오스만 제국의 전통적인 세력권을 침범하는 것이었는데, 이전에 러시아는 오스만 제국이 유럽에서 반프랑스 연합에 가담했기 때문에 이를 침범하지 않기로 약속했었다.

　　오스만 제국은 남부 캅카스에서 발판을 상실한 한편, 지난 4세기 동안 오스만의 지배를 받아온 세르비아에서도 똑같이 심각한 도전에 직면했다. 여기서 오스만 술탄들은 이중 정책을 추구했다. 그들은 콘스탄티노플 총대주교라는 권위를 통해 세르비아인들을 오스트리아로 기우는 경향에서 떼어놓고자 한 반면, 수도에서 세르비아를 비롯한 속주들로 예니체리들을 파견했는데 속주들은 예니체리들에게 수지맞는 약탈 대상이었다. 처음에 술탄 셀림 3세의 개혁들은 예니체리 병사를 감축하고, 종교의 자유를 비롯해 현지 주민들에게 얼마간 양보 조치를 취함으로써 세르비아인들에게 혜택이 되었다. 하지만 오스만의 개혁 움직임은 곧 지지부진해졌고, 술탄은 반대파들과 타협할 수밖에 없었다.[23] 1799년 셀림은 예니체리들이 세르비아로 복귀하도록 허용했는데, 그들은 신망받는 주 총독을 살해하고 크네제스 학살(1804년 1월)로 알려지게 되는 사건에서 80명가량의 세르비아 명사들(크네제스)을 참수해 세르비아인들에게 복수했다. 공분한 세르비아인들은 카라조르제로 알려진 조르제 페트로비치 뒤로 뭉쳐 무장 반란을 일으켰다.[24]

　일부 학자들은 이 세르비아 반란을 민족주의 봉기의 시초로 꼽지만 봉기의 실제 원인과 성격은 그보다 훨씬 복잡하다. 오스만 제국의 기독교도 공동체들 내에서 지식인들은 계몽사상, 특히 언어와 문학이 한 민족의 고유한 특징을 이룬다는 독일 철학자 요한 고트프리트 헤르더(1744~1803)의 사상에 이끌렸다. 프랑스 혁명은 '민족'이라는 관념을 열렬히 끌어안고 발칸반도의 오스만 주들을 비롯해 유럽 곳곳으로 이를 수출했다. 하지만 세르비아 반란은 다른 상황들에서 기인했다. 그것은 예니체리의 토지 수탈에 맞선 세르비아 농민들의 항의임과 동시에 강력한 파나리오트들Phanariots(콘스탄티노플 파나르 구역의 부유하고 정치적 인맥으로 얽힌 그리스인들)이 주창한 네오비잔티니즘에 대한 세르비아인들의 거부의 소산이었다. 파나리오트들은 콘스탄티노플 총대주교직의 권한을 강화하고 다른 동방정교 교회들의 상대적 교리 모순을 축소함으로써 비잔틴 관행들을 부활시키고자 했다. 더욱이 오스만 중앙정부는 원래 반란에 반대하지 않았는데, 세르비아 반란자들이 술탄의 종주권을 지지하고 지방의 명사(시파이스

Sipâhis)와 예니체리를 겨냥했기 때문이다. 하지만 정부의 이러한 접근 태도는 반란이 더욱 기세를 몰아가게 했다. 세르비아인들이 예니체리에 우위를 점하자 오스만 궁정은 뒤늦게 위협을 깨닫고 그 지역에 대한 지배권을 다시 빼앗고자 했다. 하지만 소용이 없었다. 세르비아인들은 해산하라는 술탄의 요구를 거부하고 대신 외세의 원조를 구했다. 중유럽에 손이 묶인 오스트리아는 합스부르크 제국의 남부 국경지역의 안정을 해칠 수도 있는 반자치적인(아니면 완전히 독립한) 세르비아의 수립보다는 오스만 지배의 존속이 더 낫다고 여기고 반란군을 지지하지 않기로 했다. 오스트리아는 세르비아인들에게 스스로의 중재를 통해 오스만 당국자들과 의견 차이를 해소하라고 충고했다.[25]

한편 세르비아의 접근 시도는 러시아 황제 알렉산드르를 난감한 입장에 빠뜨렸다. 러시아는 이미 퀴췩카이나르자 조약(1774)을 바탕으로 베사라비아, 몰다비아, 왈라키아(흔히 도나우 공국들로 통하는)에서 유리한 입지를 누리고 있었고, 프랑스를 상대로 한 근래의 군사 작전들은 이오니아제도에 수립된 엡타니소스 공화국(러시아-오스만 튀르크의 공동 관할 아래)을 통해 그곳에서 러시아의 존재감을 한층 강화했다. 알렉산드르는 발칸으로 러시아의 영향력을 확대할 기회를 놓치고 싶지 않았지만 오스만 제국을 소원하게 할 형편이 아니었다. 그의 주요 관심사는 아드리아해 연안에서 세력을 키우고 있는 프랑스였다. 이 지역에서 프랑스 세력은 오스만 제국의 보전을 위협하고 발칸 지역에서 배타적인 세력권을 얻는다는 러시아의 전통적 목표를 약화시킬 수도 있었다. 그러므로 상트페테르부르크에 온 세르비아 대표단은 뜨뜻미지근한 답변을 들었다. 군사적 원조는 불가능하지만 러시아는 외교적 지지를 고려할 수도 있다는 것이었다.[26]

그러한 전망에 고무된 세르비아인들은 오스만 제국 내 자치를 요구했다. 1805~1806년에 그들은 이반코바치와 미사르에서 튀르크인들을 상대로 큰 승리를 거두어 북부 세르비아에서 권위를 다질 수 있었다. 새로 수립된 나로드나 스쿱슈티나(국민의회)는 통치 위원회와 대지도자 카라조르제와 정치적 권위를 공유하면서 주요 개혁 조치들을 도입했는데, 그중 일부는 프랑스 혁명으로부터 영감을 받은 것이었다. 즉 모든 봉건적 의무는 폐지되었고 농노는 해방되었다. 1806년 러시아-오스만 전쟁의 시작은 세르비아 반란에서 중차대한 순간이었다. 오스만 제국 내 자치 요구가 러시아 제국의 군사적 지원을 받는 독립전쟁으로 발전한 것이다.

1789년에 즉위하자마자 셀림 3세는 유럽의 정치적 분란에 휘말리지 않기를 간절히 바랐고, 따라서 조심스러운 외교정책을 추구했다. 그는 근대적 외교의 정치 수단들을 발전시킨 최초의 오스만 술탄이었다. 셀림은 런던(1793), 베를린(1795), 빈(1795), 파리(1795)에 처음으로 오스만 제국을 대표하는 상주 대사를 임명했다.[27] 1차 대불동맹전쟁(1793~1797) 동안 오스만 제국은 제국 역사상 최초로 정식으로 중립을 선언했다. 앞서 언급한 대로 셀림은 프랑스 혁명으로부터 발생한 복잡한 분규들에 유럽 열강이 몰두하는 틈을 타서 국내 개혁 프로그램을 추진하려고 결심했다. 하지만 오스만 제국의 중립은 오래가지 못했고, 술탄은 곧 유럽의 거대한 세력 다툼의 진원지에 놓이게 되었다. 유럽 열강의 세력 다툼은 오스만 제국의 운명과 관련해 상호 연관된 두 가지 쟁점을 중심으로 돌아갔다.[28] 첫 번째 쟁점은 오스만 제국의 지속 가능성이었다. 제국은 경제적 어려움과 계속되는 탈집중화, 그리고 18세기 말에 이르면 제국에 속한 민족들, 특히 발칸 민족들 사이에서 완전한 독립은 아니라 해도 더 큰 자치권의 요구를 비롯해 갈수록 커지는 내외부의 도전들에 직면했다. 오스만 역사의 전통적인 서사—1600년대부터 오스만 제국은 군사적 능력의 꾸준한 약화와 제도적 부패로 얼룩진 쇠퇴기에 접어들었다는 서사—는 근래에 오스만 제국의 회복성과 18세기와 19세기 동안 제국을 변모시킨 능력에 관한 더 사려 깊은 논의들로 대체되었다.[29] 두 번째 쟁점은 국제적 상황과 연관되어 있었다. 오스만 제국은 15세기와 16세기에 획득한 영토들에 다른 제국적 경쟁자들이 꾸준히 침범해오면서 커져가는 위협에 직면했다. "유럽의 병자"를 어떻게 할 것인가라는 문제는 유럽 내 세력 균형 문제와 단단히 묶여 있었다. 유럽 열강은 비록 오스만 영토 분할에 관심이 있었지만 "상속 재산"—오스만 제국의 유럽 영토만 해도 1800년에 약 62만 제곱킬로미터에 달했다—을 과연 공평하게 나눌 수 있을지, 다른 나라들을 희생시켜 어느 한 나라에 힘이 집중되지 않을지 걱정했다.

결국 동방문제로 불리게 되는 문제의 기원은 오스만을 상대로 한 러시아의 계속되는 군사적 성공과, 그 결과 흑해 연안 지역을 따라 이뤄진 러시아의 영토 확장으로 거슬러 올라갈 수 있다. 유럽 정치가들에게 당대의 중요한 질문은 오스만이 러시아의 영토적·전략적 야망을 막아낼 수 있는가, 막아낼 수 없다면 상호 경쟁하는 열강이 오스만 제국을 어떻게 분할할 것인가였다. 프랑스 혁명전쟁 전야에 오스트리아는 러시아와 긴밀하게 협력하며, 오스만이 지배하는 발칸 지역 한 조각을 얻기를 기대하며 오스만 제국에 맞서 전쟁에 가담했다. 하지만 오스트리아의 태도는 유럽에서 혁명적 격동이 시작되자 바뀌기 시작했다. 1790년대에 라인란트와 이탈리아에서 패배한 뒤 빈의 태도는 당연히 중유럽과 서유럽의 사건들에 초점이 맞춰진 반면, 오스만 국경지대는 뒤로 밀려났다. 한편 인도에서 자국 세력이 증대함에 따라 영국 정부는 제국 내 가장 돈벌이가 되는 정착 겸 무역 식민지와의 연락선을 보호하는 문제에 몰두했다. 이 같은 연락선들 가운데 일부는 오스만 영토를 가로지르고 있었기 때문에 다른 유럽 열강의 오스만 잠식 가능성은 영국에 걱정거리를 안겨주었다. 프랑스의 이집트 침공은 그러한 두려움이 근거가 없는 것이 아님을 가리켰지만 영국이 그 못지않게 우려하는 일은 러시아가 오스만 제국에 치명타를 입혀 보스포루스와 다르다넬스 해협을 장악하는 사태였다. 그렇게 되면 동부 지중해에 러시아 세력이 자리를 잡을 터였다. 그러므로 나폴레옹 전쟁이 시작되었을 때 영국은 유럽 내 세력 균형 유지와 더불어 인도 방어를 뒷받침하기 위해 대체로 오스만 제국을 떠받쳐주려고 애썼다.

그래서 19세기 초에 러시아 정부는 오스만 제국을 상대할 때 비교적 운신의 자유를 누렸고 세 가지 상호 연결된 목표를 추구했다. 첫 번째는 일방적인 병합이나, 다른 유럽 열강과 함께 오스만 영토를 분할해 자국의 영토를 확장하는 것이었다. 두 번째는 술탄의 기독교 신민들에 대한 가호와 민족주의적 정서의 유발을 통해 오스만 제국 내에서 커다란 영향력을 확보하는 것이었다. 세 번째는 오스만 제국을 얼마간 남겨두어 완충지대로 유지하는 것이었다. 때로 "허약한 이웃" 정책이라고 일컬어지는 마지막 목표는 예카테리나의 유명한 "그리스 계획"의 거부를 뜻했는데, 1802년 한 러시아 대신의 표현으로는 "현재의 영토 판도에서 러시아는 더는 확장이 필요하지 않고, 튀르크인들보다 더 고분고분한 이웃도 없으며, 우리의 이 자연스러운 적의 보존이 향후 우리 정책의 근원이 되어야 하기" 때문이었다.[30] 이 논리에 따르면 일단 러시아가 오스만한테서 충분한 영토를 빼앗으면 두 제국은 우호적인 관계를 유지하겠지만 결코 대등하지는 않을 터였다.

오스만 제국과 프랑스의 오랜 관계는 양국이 신성로마제국에 맞선 투쟁에서 하나로 뭉쳤던 16세기로 거슬러 올라갈 수 있다. 많은 유럽 나라들이 지난 여러 세기에 걸쳐 오스만 궁정에 대사를 파견하고 협정을 맺기는 했어도, 콘스탄티노플에서 언제나 특별한 지위를 누려온 이들은 프랑스인들이었다. 프랑스는 오스만 제국과 통상조약을 체결한 최초의 유럽 국가였고, 프랑스 상인들은 적극적인 교역 활동을 벌이며 오스만 경제에 집중 투자했으며, 18세기 후반에 오스만 제국 내 로마 가톨릭교도는 프랑스의 보호를 받았다. 1768~1774년 러시아-오스만 전쟁 동안 프랑스는 친오스만 입장을 취했고 비록 아무런 물질적 도움도 줄 수 없었지만 술탄이 의지할 수 있는 유일한 열강이었다. 아닌 게 아니라 오스만 제국은 합스부르크 세력과 나중에는 러시아 제국의 성장을 저지하는 데 휘두를 수 있는 프랑스의 "동방 삼지창"(나머지 둘은 스웨덴과 폴란드)의 한 갈래를 대변했다. 1774년 오스만 제국의 패배와 굴욕은 프랑스 군주정에 달갑지 않은 충격으로 다가왔고, 프랑스는 러시아를 북동부와 남동부 유럽의 주요 경쟁자로 보기 시작했다. 퀴췩카이나르자 조약 이후에 프랑스는 조약의 효력을 훼손함으로써 러시아의 영향력을 약화시키고 러시아에 오스만이 저항하도록 부추기고자 최선을 다했다.

하지만 프랑스-오스만 관계는 1780년대에 악화되었다. 혁명의 혼란에 따른 재정적 곤경으로 프랑스는 1787~1791년 러시아-오스만 전쟁 동안 오스만 제국에 아무런 도움도 제공할 수 없었다. 빈 주재 대사(이자 이전에 자신의 개인교사)인 에부베키르 라티브 에펜디가 유럽의 정세에 관해 꾸준히 전문을 보내왔기에 오스만 술탄은 프랑스에서 무슨 일이 벌어지고 있는지 잘 파악하고 있었다.[31] 셀림 3세는 프랑스의 새 정권과 관계를 재개하기를 주저했고 이때쯤이면 유럽의 정세와 거리를 두고 싶어 했다. 하지만 혁명 프랑스의 위기는 오스만 제국한테서 주요 맹방을 앗아가는 결과를 가져왔으므로 술탄은 새로운 맹방을 간절히 원했다. 이런 상황에서 영국의 지지를 확보하는 것은 가능하고 실용적인 해법인 듯했다. 오스만 궁정은 영국이 크림반도와 흑해 지역에서 러시아의 팽창을 비난한 점을 고마워했는데, 오스만의 시각에서 이는 프랑스가 혼란에 빠진 상황에서 영국을 잠재적 맹방의 지위로 격상하는 행위였다.[32] 셀림 3세가 파리보다는 런던으로 오스만 최초의 주재 사절을 파견한 것은 우연이 아니었다.[33]

1790년대 중반에 이르자 오스만 제국은 아드리아해 연안까지 삼색기를 가져온 프랑스의 팽창에 갈수록 불편함을 느끼고 있었다. 보나파르트 장군은 일찍이 1797년에 동쪽을 바라보고 있었다. 그는 이오니아제도를 점령한 데다 마니오트들(펠로폰네소스반도 그리스인들)에게 대리인을 파견했고, 오스만 중앙 권위의 약화와 혁명전쟁의 발발로 생겨난 기회들을 활용하면서 외교적·군사적 재능을 과시한 야심가 야니나의 알리 파샤와 관계를 구축했다.[34] 그 지역에서 커져가는 프랑스 세력은 오스만에게 반갑지 않았지만 프랑스와 콘스탄티노플 정부 간의 오랜 친선을 염두에 둔 그들은 새로운 이웃과 우호관계를 유지하는 편을 택했다.[35] 튀르크인들은 돈을 대출하고 코르푸섬의 프랑스 수비대에 물자를 공급하는 데 동의하고, 심지어 이 지역에서 프랑스의 위협을 완화하는 방편으로 프랑스로부터 이오니아제도를 매입하는 방안도 고려했다.

프랑스와 오스만의 관계는 1798년, 프랑스 공화국이 오스만령 이집트를 장악해 영국 무역을 위협함으로써 영국을 꼼짝 못하게 만들려는 원대한 구상을 추구하면서 악화되었다. 프랑스의 이집트 침공은 치외법권 내 프랑스 상인들의 보호와 특히 시리아와 팔레스타인에서 라틴(로마가톨릭) 기독교도 비호라는 레반트에 대한 프랑스의 전통적 정책들과는 정반대의 것이었다. 오스만튀르크인들은 자연히 배신당했다고 느꼈고, 그들의 분노는 이집트 원정이 오스만 제국을 겨냥하지 않을 것이라는 프랑스의 주장으로 더욱 커졌다.[36] 그러므로 프랑스의 침공은 영국의 식민 권력에 타격을 주는 대신, 전통적인 맹방인 오스만 제국이 적국 영국과 손잡게 만들었다. 오스만 정부는 오랫동안 유지해온 정책의 중대한 전환으로서 1798년 9월에 러시아 해군 전대가 콘스탄티노플 주민들의 환영을 받는 가운데 양 해협을 통과하는 것을 허락했고, 프랑스를 상대로 선전포고를 하고 동부 지중해에서 영국-러시아 함대를 지지하기로 약속했다.[37] 콘스탄티노플은 러시아 및 영국과 조약을 체결해 대불동맹에 가담했으니, 오스만 제국이 유럽 동맹의 일원이 된 최초의 순간이었다.

1799년 1월에 서명된 러시아-오스만 동맹조약의 가장 중요한 단서 조건은 전쟁 기간 동안 러시아에 다르다넬스 해협 통행권을 부여한 비밀 조항에 담겨 있었다. 오스만튀르크는 시리아, 이집트, 아드리아해에서 프랑스에 맞서 작전에 참여했지만 그런 군사적 개입은 오스만의 군사적 허약성만 부각시켰을 뿐이며 러시아 및 영국과의 동맹은 실속이 없음을 분명히 드러냈다. 아크레 요새의 방어(여기서 오스만튀르크는 영국 전대의 지원을 받았다)는 실제로 나폴레옹의 시리아 침공 시도를 좌절시켰다. 하지만 아크레의 승리는 1799년 타보르산과 아부키르에서, 그리고 1800년 헬리오폴리스에서의 패배로 빛이 바랬다. 더 성공적이었던 것은 오스만 정부가 아드리아해에서 추구한 정책으로, 이곳에서 1799년 표도르 우샤코프 제독이 이끄는 러시아-오스만 연합 함대가 이오니아제도로 파견되어 섬을 장악했다. 1800년 협약으로 러시아와 오스만 정부는 이오니아제도를 오스만의 종주권 아래 러시아의 보호를 받는 엡타니소스 공화국으로 전환하는 데 합의했다.[38]

프랑스의 이집트 점령은 앞서 본 대로, 영국이 지중해와 홍해에서 양 갈래 침공을 감행한 1801년에 끝이 났다. 하지만 프랑스인들이 떠나면서 정치적 진공이 발생했고, 서로 다투는 정치 분파들이 곧 그 빈자리를 채웠다. 점령 세력인 영국인들은 프랑스의 침공으로 우수수 죽어나가고 여러 분파들로 분열된 맘루크 세력과 그 지역에서 이전의 권위를 다시 차지하길 열망하는 부활한 오스만 세력 간의 지독한 권력 투쟁에 휘말려들었다. 이 때문에 영국은 다소 골치 아픈 처지에 놓였다. 프랑스를 몰아내는 동안 영국은 이집트를 차지할 의사가 없었다. 하지만 병력을 철수하면 그 지역의 향후 전망은 불확실해질 터였다. 랠프 애버크롬비 장군의 후임으로 온 이집트 원정군의 총사령관 존 헬리-허친슨이 쓴 서신들에는 전쟁으로 찢긴 이집트의 위태로운 정국이 드러난다. 이집트의 튀르크인들은 "개탄스러운 상태였다. (…) 돈도 식량도 하등의 자원도 없었다." 만약 영국군이 떠난다면, "맘루크와 아랍인, 그리스인들이 튀르크인들을 완전히 압도할 것이다."[39]

영국군은 그러므로 누구에게 이집트를 갖다 바쳐야 하는가라는 문제를 두고 씨름했다. 자신들이 철수하면 이집트를 유럽 열강의 만만한 먹잇감으로 만들 정치 혼란과 무정부 사태가 십중팔구 펼쳐지는 한편, 오스만 제국은 과거 프랑스와의 협력관계로 돌아갈 수도 있었다. 상황을 파악하기 위해 콘스탄티노플 영국 대사관에서 파견한 한 영국 관리는 전쟁으로 찢긴 어느 지역에 관한 다소 비관적인 그림을 그려 보였다. 그곳은 도저히 그냥 내버려둘 수 없었다.[40] 영국 대사는 다음과 같은 권고 사항을 런던에 전달했다. 영국이 이집트를 군사적으로 점령하거나 오스만의 동의 아래 이집트를 간접 지배해야 한다는 것이었다. 만약 두 선택지 가운데 어느 것도 불가능하다면 "이집트를 소유함으로써 그토록 어마어마한 상업적 이점들을 얻으려는 경쟁 열강의 야심만만한 계획을 좌절"시키기 위해 이집트를 침수浸水시켜 파괴해야 한다고 했다.[41]

영국 내각은 이 세 가지 권고 내용을 거부하고 그 대신 상황을 1798년으로 되돌림으로써 이집트에 외견상으로나마 평화와 안정을 가져올 수 있기를 바랐다. 맘루크는 그들의 권리와 재산을 반환받을 것이고, 술탄이 임명한 오스만 총독이 그 지역을 관장할 터였다. 하지만 이 제안은 어느 쪽도 달랠 수 없었고 튀르크인들이 1801년 후반에 맘루크 베이들을 제거하려 했던 이후로는 더욱 통하지 않았다.[42] 격노한 맘루크들이 상이집트로 후퇴하는 가운데 튀르크인들은 맘루크 정권을 끝장내고 이집트를 더 확고하게 지배할 역사적 기회가 왔다고 주장하며, 영국의 제안을 아예 고려하지 않았다. 러시아 대사가 영국 대사에게 말한 대로 튀르크인들은 "베이들을 말살하려고 단단히 작심했으니, 그들에 맞서 착착 일을 진행하려고 오로지 (영국의)

이집트 철수만 기다리고 있었다."[43]

1802년에 이르러 영국은 아무도 그들을 반기지 않는 지역에서 간절히 떠나고 싶었다. 아미앵에서 강화를 협상하는 동안 그들은 이 집트에서 철수하기로 약속했고 프랑스가 불만을 제기할 어떠한 구실도 주지 않기 위해 시급히 약속을 이행해야 한다는 초조감에 시달렸다. 아닌 게 아니라 1802년 가을에 나폴레옹은 오라스 세바스티아니 장군을 파견해 이집트의 상황을 살펴보고, 영국군이 실제로 철수했는지를 확인하고, 그 지역에서 프랑스의 통상적 이해관계를 되살리라고 지시했다. 나폴레옹은 세바스티아니에게 하달한 지침에서 자신은 "이집트인들을 사랑하고, 그들의 행복을 바라며, 종종 그들에 관해 이야기한다"는 점을 이집트인들에게 상기시켜줘야 한다고 강조했다.[44] 세바스티아니의 보고서는 위태로운 이집트의 정세를 묘사하며, 맘루크들은 사분오열되어 있고, 튀르크인들은 너무 약해서 그 지역을 장악할 수 없으며, 그들과 영국군은 서로 감정이 좋지 않다고 설명했다. 보고서는 영국인들이 카이로에서 대놓고 미움을 받고 있다고 주장했다. 세바스티아니는 이집트와 시리아에서 자신이 열렬한 환영을 받았다고 언급하며 프랑스인들은 반갑게 맞이할 것이라고 암시했다.

아미앵 평화의 최종 결렬 전야에 영국과 프랑스 간 긴장을 부추기는 데 세바스티아니 보고서가 한 역할에 관해서는 앞에서 이미 논의했다. 하지만 보고서는 오스만 세계에도 파장을 가져왔다. 튀르크인들은 자연히 세바스티아니의 임무에 경각심을 느끼고 영국과 더 긴밀한 관계를 추구하며 오스만 재상은 영국을 향한 술탄의 우의는 진실하다고 영국 대사들을 안심시켰다.[45] 맘루크와 오스만튀르크 간에 한없이 이어지는 불화를 중재하려던 로버트 블랜타이어 경의 마지막 시도도 수포로 돌아가자 영국군은 1803년 3월에 이집트에서 철수했다. 그럼에도 철군을 관장한 존 스튜어트 장군은 이 지역에서 영국의 존재감이 지속되도록 몇 가지 조치도 취했다. 튀르크인과 맘루크들이 "(영국)군의 존재로 기가 죽어 잠자코 있어야 하는 상황에서 벗어나, 영국군 사령관의 유익한 조언에 대한 기억을 모조리 잃어버리게 될 때" 영국의 이해관계를 보호하도록 카이로에 영국 정부의 대리인들을 남겨두었다.[46] 스튜어트는 상이집트에서 맘루크들이 존속할 수 있도록 비밀리에 무기와 돈도 전달했다.

1799년 프랑스에서 정권을 잡은 뒤 나폴레옹은 앞서 본 대로 지난 2년 동안 와해된 프랑스-오스만 관계 재건에 착수했다. 그는 오스만 제국이 분명한 허약성에도 불구하고, 자신이 유럽에서 외교적 책략을 구사할 때 핵심 역할을 할 수 있음을 알았다. 술탄과의 친선과 동맹은 영국의 상업적 이해관계에 대한 유용한 도구일 뿐 아니라 러시아를 자신의 뜻에 따르게 하는 도구도 될 수 있을 터였다. 프랑스의 이집트 점령 종식은 콘스탄티노플에서 과거의 정치적 제휴를 부활시켰고, 영국과 러시아는 자신들의 이해관계를 해칠 수 있는 오스만-프랑스 관계 개선을 저해하고자 했다. 오스만 궁정은 두 주요 분파로 분열되었다. 대제독 퀴췩 휘세인이 이끄는 친프랑스파는 이집트에서 영국 세력이 여전한 사실과 영국이 그 지역에서 영향력을 확보하기 위해 맘루크를 지원하는 것이 마음에 들지 않았다. 제독은 프랑스와의 동맹이 영국과 러시아 양국에 맞서 안전을 보장해줄 것이라고 믿었다. 그러나 대재상 유수프 지야 파샤는 프랑스 정부에 의심의 눈초리를 보냈고, 영국과의 동맹은 프랑스와 러시아에 맞선 지

주가 될 수 있을 것이라고 생각했다. 유럽 열강 어디와도 관계를 위험에 빠뜨리고 싶지 않은 술탄 셀림 3세는 운신의 폭을 유지할 수 있게 두 정파 사이에서 적당히 줄타기를 했다.

1801~1802년에 프랑스는 영국, 오스만 제국과 두 가지 확정적 조약을 협상했다.[47] 아미앵 조약의 제8조는 오스만 제국의 영토와 속령, 권리들은 "전전의 상태와 똑같이 온전하게 유지된다"라고 선언했다. 프랑스와 오스만 제국이 별도로 맺은 조약은 프랑스와 오스만 영토 보전을 상호 보장하는 한편, 프랑스의 이전의 특권들(치외법권과 술탄의 가톨릭교도 신민들에 대해 보호자 역할을 할 수 있는 권리 등)을 되찾았고, 최초로 포르테[Sublime Porte: 오스만 제국의 정부를 가리키는 관례적 표현]는 프랑스 상선들에 흑해에서 자유롭게 무역할 수 있는 권리를 부여했다.[48] 이 조약으로 나폴레옹은 1799년의 외교 혁명을 뒤집었고 프랑스와 오스만 제국은 관계 재건을 위한 궤도에 올랐다. 게다가 나폴레옹은 프랑스가 러시아, 발칸, 심지어 이란과도 교역할 수 있는 새로운 시장을 열어젖혔다. 이 새로운 시장들은 동방에서 영국의 상업적 이해관계와 맞먹거나 어쩌면 능가할 것이라고 그는 기대했다.[49] 아미앵 강화는 나폴레옹이 영국의 상업적 이해관계와 해군의 이익에 도전하려는 모든 계획을 포기했다는 뜻이 아니었고, 오스만 영토에서 프랑스의 영토적 야심을 버렸다는 뜻도 아니었다. 그는 여전히 이오니아제도(1797년에 그가 정복했지만, 1799년에는 러시아가 점령한)에서 프랑스의 지배권을 되찾기를 바랐고 발칸 지역 내 아드리아해 연안에 위치한 핵심 지역들을 지배하는 데 눈길을 고정시켰다.

나폴레옹은 오스만 제국을 상대로 다면적인 전략을 추구했고, 여타 지역에서 자신의 정책을 추진하기 위해 번번이 동방문제를 이용했다. 그러므로 1801~1803년에 오스트리아와 러시아를 향한 프랑스의 외교적 대화 시도는 유럽 내 여타 지역에서 입은 영토상 손실을 보상하기 위한 오스만 제국 분할 가능성을 수시로 언급했다. 오스트리아가 독일에서 받은 보상의 "빈약함"을 불평하자 탈레랑은 "오스만튀르크의 임박한 파멸 시 그곳에서 새로운 영토 획득"을 약속해 그들을 달랬다.[50] 우리는 나폴레옹이 "실제로 이행할 생각이라기보다는 순전히 미끼로 오스만튀르크 분할 쟁점"[51]을 띄운 것이라는 프랑스 역사가 알베르 방달의 평가에 동의해도 될 듯하다. 그의 목적은 유럽 열강 사이에 불화의 씨앗을 뿌리는 것이었다. 비록 알렉산드르 황제는 결국에 프랑스의 제의를 거절하기는 하나 영국은 일부 러시아 고관들(특히 아담 차르토리스키 공)이 그 같은 제의에 입맛을 다시며 튀르크인들에 맞서 행동에 나서는 데 찬성하고, "오스만튀르크의 안전과 영토 보전"[52]을 다 같이 약속하자는 제의를 거절하자 불안감이 커졌다. 발칸에서 오스트리아의 세력 확대는 프로이센의 보상 요구를 불러올 테고, 독일에서 프로이센의 영토 획득은 오스만 영토에서 오스트리아가 얻을 이익을 훨씬 능가할 것이라고 걱정한 합스부르크도 불안감을 느끼기는 마찬가지였다. 무엇보다도 오스트리아 황제 프란츠는 폴란드 분할이 되풀이될까 두려워했는데, 그의 표현에 따르면 오스트리아는 "강요를 받고 속아서" 분할에 참가한 것이었다. 프리드리히 대왕이 신랄하게 평가한 대로 "눈물을 떨구었지만 그래도 (폴란드 땅을) 가져간" 할머니 마리아 테레지아 여제와 달리 프란츠 황제는 오스트리아가 오스만 분할에 개입하지 말아야 한다고 생각했다. 그러면 다스리기 힘든 영토, "우리가 앞으로 한걸음 내디딜 때마다 반드시 많은 피를 흘려야 할" 영토만 떠안게 될 터였다.[53]

1802년 10월에 나폴레옹은 기욤 브륀 장군을 콘스탄티노플의 신임 프랑스 대사로 파견하면서 "그 수도에서 지난 두 세기 동안 프랑스가 누렸던 우월적 지위"를 되찾으라고 권했다. 브륀은 프랑스의 통상을 안전하게 보호하고, 제국 전역의 가톨릭교도를 비호할 임무를 맡았다. 프랑스의 부활을 만천하에 과시하기 위해 브륀은 무슬림 축일에도 그대로 머물면서 대사관저를 줄곧 환하게 밝히라는 지시도 받았다. 나폴레옹은 프랑스와의 동맹이 오스만튀르크에 얼마나 이로울지를 강조했다. 동맹은 호혜적 영토 보장을 토대로 할 것인즉, 프랑스 공화국은 오스만의 영토를 보호하기 위해 행동하기로 약속하는 반면, 술탄은 프랑스의 전쟁들에 참여할 의무를 지지 않을 것이었다.[54]

브륀은 1802년 12월에 콘스탄티노플에 도착해 3년 동안 주재했다. 영국의 이집트 점령 지속으로 말미암아 생겨난 반영 감정을 놓치지 않은 그는 술탄의 궁정에서 프랑스의 입지를 회복하는 데 대체로 성공을 거두었다(그러나 한 발 더 나아가 셀림의 신뢰를 얻으려는 시도는 러시아와 영국 사절들의 손에 막혔다). 브륀의 업적 가운데는 프랑스 영사 업무의 재개도 있어서, 그리스와 크레타, 키프로스, 시리아, 왈라키아, 몰다비아와 더불어 흑해 연안의 러시아 항구와 오스만 항구들에 프랑스 영사와 대리인들이 배치되었다. 이 방대한 네트워크는 나폴레옹에게 꾸준히 정보를 보내고 오스만 제국 곳곳에 대한 식견을 제공하며 프랑스 외교정책을 형성했다. 그 결과 일찍이 1802~1803년에 코르푸의 프랑스 총영사 알렉상드르 로미외는, 현지 총독의 커져가는 권력이 오스만 술탄과의 임박한 결렬을 암시하던 알바니아에서 프랑스의 조치를 촉구했다. 반대로 프랑스 영사의 표현에 따르면 "프랑스인을 극도로 미워하는" 야니나의 알리 파샤는 발칸 지역에서

프랑스의 이해관계에 심각할 위협을 제기할 수 있을 터였다.[55]

한편 변화무쌍한 유럽의 정세는 오스만 제국을 또 다른 분쟁에 휘말리게 할 참이었다. 1803년 5월 아미앵 강화가 와해된 뒤 셀림 3세는 향후 행동 노선을 결정해야 했다. 유럽의 다툼에 어떤 식으로든 엮였다가는 오스만 제국의 이해관계가 심각한 위협에 처할 터였다. 나폴레옹이 우호를 거듭 다짐했음에도 불구하고 오스만튀르크는 1798년에 프랑스의 다짐이 얼마나 실상을 호도하는 것으로 드러났는지를 잊지 않았기에 그의 의도를 불신했다. 모레아나 알바니아에 프랑스군이 상륙한 것은 오스만 국가 해체의 신호탄이 될 수도 있었다. 하지만 술탄은 프랑스와의 관계가 와해되도록 내버려둘 수도 없는 처지였는데, 그의 맹방이라는 러시아와 영국이 무슨 꿍꿍이를 품고 있는지 알 수 없었기 때문이다. 영국은 다르다넬스 해협 바로 바깥 테네도스에 해군 전대를 배치하는 예비 조치를 이미 시행했다. 유럽의 사안에 휘말려들고 싶지 않은 셀림 3세는 1803년 9월에, 10년 만에 두 번째 중립을 선언했다.[56] 하지만 그러한 비동맹 노선으로도 유럽의 경쟁관계에서 빠져나갈 출구는 보이지 않았다.

프랑스의 동방 정책은 대체로 유럽 정책들로 좌우되었지만 나폴레옹의 구상의 다각적인 성격에도 영향을 받았다. 1803년 프랑스 황제는 술탄과, 물론 오스만의 권위를 공공연하게 거역하는 맘루크 족장들 양쪽에게 자신의 우호와 지지를 장담하느라 여념이 없는 가운데도 한편으로는 다른 유럽 열강과 제국을 분할할 전망을 고려하고 있었다. 오스트리아는 예의 전설적인 간 보기 자세를 취하는 가운데 러시아와 영국은 오스만 제국 내부에 대한 프랑스의 간섭 가능성을 갈수록 걱정하게 되었다. 러시아는 심지어 오스만 영역을 "수호"하

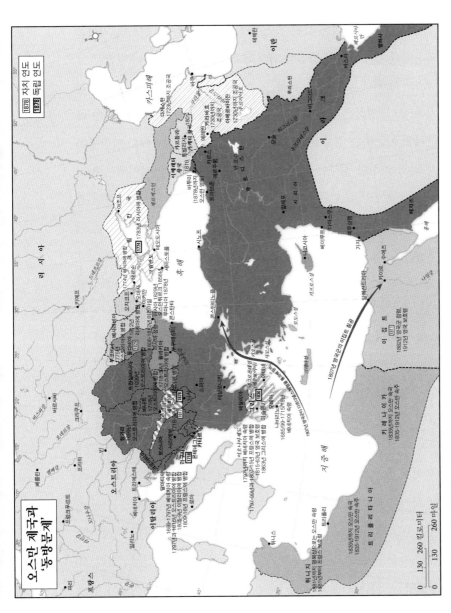

지도 17 오스만 제국과 '동방문제'

고 술탄의 기독교도 신민들의 여건을 "개선"할 자체적인 "예방적" 개입으로 프랑스보다 선수를 칠까도 고려하고 있었다.[57] 1804년 초에 그러한 가능성에 대한 사전 작업을 하고자 러시아는 영국의 의사를 타진해봤지만 아무런 확실한 답변도 듣지 못했다. 그러나 영국은 프랑스의 공작에 대응하기 위해 모레아와 이집트에 총영사를 임명하기는 했다. 영국은 동방에서 프랑스의 야심을 가로막는 데 여전히 해군력에 의존하는 경향이 있었다.[58] 영국의 모호한 반응에도 아랑곳하지 않고 러시아 정부는 발칸반도의 기독교도 주민들 사이에서 지지 기반을 닦는 데 초점을 맞췄고, 1804년 8월에 몬테네그로의 주교 겸 제후가 그곳에 대한 러시아의 보호를 정식 호소해왔다는 소식을 반겼다.

2차 대불동맹전쟁 동안 러시아-오스만 합동 원정으로 점령한 이오니아제도의 상황도 문제였다. 1800년 4월에 양측은 이오니아제도에 엡타니소스 공화국을 수립하는 협약에 서명했고, 그에 따라 공화국은 3년마다 한 번씩 조공을 바치고 콘스탄티노플 정부의 종주권을 인정하는 한편으로 러시아는 행정에 책임을 지고 다른 외세의 개입에 맞서 공화국 주권의 존속을 보장하기로 했다.[59] 혁명전쟁과 나폴레옹 전쟁 역사 서술에서 대체로 잊힌 이 협약은, 근대 유럽 역사에 최초로 그리스 국가를 수립했다는 점에서 중요한 문서였다. 하지만 협약에 서명한 잉크가 마르기도 전에 러시아가 엡타니소스 공화국은 콘스탄티노플로부터 독립적이라고 주장하고 사실상 러시아의 점령 아래 두면서 양측은 조항의 해석을 둘러싸고 옥신각신하기 시작했다.[60] 이오니아제도의 전략적인 위치를 고려할 때 러시아의 행동은 그다지 놀랍지 않았다.[61] 코르푸, 잔테, 케팔로니아섬은 러시아 해군에 편리한 기지를 제공했고, 발칸의 오스만 속령들을 공격할 경우 전략적 발판이 되어줄 터였다.[62] 하지만 알렉산드르 황제는 집권 직후 다른 외국 군대의 주둔이 허용되지 않을 것이라는 조건으로 섬에서 철수하기로 결정했다. 러시아의 철군은 이오니아 주민들 사이에 깊은 분열을 드러냈다. 엡타니소스 공화국은 그 구성원 섬들이 오스만의 권위를 거부하면서 빠르게 붕괴됐다. 일부는 독립을 선언하는 쪽을 선호한 반면(케팔로니아와 이타카섬이 실제로 선언했듯이) 일부는 영국 국기를 내걸었다(잔테섬처럼).

이탈리아에서 나폴레옹의 침략적 정책들을 비춰볼 때 러시아는 프랑스가 이오니아제도의 혼란을 이용할 수도 있으며, 오스만 제국은 잠재적인 프랑스의 개입에 대처하지 못할 것이라고 걱정했다. 이같은 걱정에서 결국 알렉산드르는 자신의 결정을 뒤집고 1802년 후반에 섬들에 러시아 병력을 다시 파견했다.[63] 다음 2년에 걸쳐 러시아 수비대의 규모는 일곱 배로 늘어나 8천 명가량에 달하게 되며, 강력한 해군 전대의 지원을 받았다. 엡타니소스 공화국에 파견한 정부 대리인들에게 보낸 지시가 입증하듯이 러시아 정부는 섬을 발칸반도로 통하는 관문으로 이용했고, 프랑스의 영향력을 약화시키고자 하는 한편으로 러시아인과 그리스인, 남슬라브인 간의 종교적·문화적 친연성을 부각함으로써 자신들의 입지를 강화하고자 했다. 러시아 외무대신 아담 차르토리스키가 관찰한 대로 러시아는 "포르테의 눈에 우리에 대한 신임을 떨어뜨릴 수 있는 일은 무엇이든 조심스럽게 피해야 한다. 포르테와 우호적으로 지내는 것이 중요하므로. (…) (그리고) 사태 전개에 따라 우리가 선택할지도 모르는 결정이나 어떤 계획이든, 그 실현을 위해 이용할 수 있도록 만반에 대비하는 것이 중요하므로."[64]

러시아의 행위는 오스만튀르크뿐만 아니라 오스트리아와 영국에도 경각심을 자아냈다. 1804년 가을에 영국과 러시아가 프랑스에 맞서 새로운 동맹 구성 전망을 논의할 때 오스만 제국의 장래도 다루었다. 영국은 오스만의 영토 보전을 주장했다. "약한 이웃" 정책의 요소를 상기시키듯 차르토리스키는 오스만 제국이 프랑스와 한편이 되지 않는다면 "옛 조약하에 포르테의 권리들을 재확인한 뒤" 세르비아와 이오니아 공화국〔엡타니소스 공화국〕을 제외하고 "당분간은 오스만 제국을 현 상태로 놔두는 것이 어쩌면 최상"일 것이라고 답변했다. 예외인 두 지역의 운명은 어떤 식으로든 결정되어야 했다. 하지만 전쟁이 임박하는 동안 오스만튀르크가 프랑스를 지원하는 기미가 조금이라도 보이면, "유럽에서 오스만 제국의 운명을 결정하는 문제가 분명 제기될 수밖에 없을 것이다." 차르토리스키는 유럽 내 방대한 오스만 속령들이 러시아가 주도하는 연합 내에서, 현지에서 각자 다스려지는 국가들로 나뉘는 미래를 구상했다. 반면 오스만의 동방 속령들은 러시아의 보호령이 될 터였다. 오스트리아는 크로아티아와 보스니아 일부, 왈라키아, 베오그라드, 라구사를 주어 달래는 한편, 러시아는 "몰다비아와 카타로, 코르푸, 무엇보다도 콘스탄티노플과 주변 항구들을 포함해 다르다넬스 해협"을 병합해 "양 해협의 주인이 되리라." 이 같은 분할을 수용하는 대가로 영국과 프랑스는 "아프리카와 아시아"에서 보상을 받을 것이다.[65]

러시아 대표단은 프랑스의 영토적 야심의 위협을 제기하는 반면, 오스만 영역에 대한 자신들의 팽창은 영국의 이해관계를 해치지 않을 것이라고 설득하는 데 최선을 다했다.[66] 이런 제안을 듣고 놀랐을지는 몰라도 피트 총리는 "그러한 방안의 실현은 대단히 현명치 못하고 (프랑스를 견제하려는) 우리의 주요 목표에 해로울 것이며, 국제 공법에 크게 위배될 것"이라고 지적하며 냉담한 반응을 보였다.[67] 그럼에도 3차 대불동맹전쟁 전야에 러시아와 영국 어느 쪽도 상대방의 이해관계에 가차 없이 적대적 태도를 견지할 형편은 못 됐다. 영국 내각은 "러시아의 비위를 가급적 맞춰주려고 노력"하기로 한 한편, 차르토리스키는 분할에 관한 어조를 다소 누그러뜨리고 러시아와 영국 공통의·이해관계를 거론했다.[68] 영국과 러시아는 그러므로 커져가는 프랑스의 위협에 맞서 힘을 합치기 위해 양자 간 의견 차이를 (당분간은) 무시하기로 했다. 1804년 11월 오스트리아와 러시아가 공표한 동맹 선언문은 술탄의 영토 보전을 보장한다고 엄숙하게 밝혔다.[69] 12월에 러시아 정부는 "러시아의 새로운 영토 획득을 누구보다 시기하며, 그 시기심을 일찍이 1790년부터 국제 정책의 토대로 삼고 있는 피트 씨의 우려를 잠재우기 위해" 오스만 제국과의 동맹을 갱신하기로 합의했다.[70]

러시아-오스만 협상 과정은 오스만튀르크가 갈수록 하위 파트너 취급을 받으면서 동맹 참여에 얼마나 좌절감을 느끼게 되었는지를 드러냈다. 러시아는 오스만 제국이 쇠락하고 있으며, 자신들은 오스만의 영토 보전이라는 부담을 "쓸데없이" 떠안을 여력이 없다는 믿음을 애써 숨기려 하지 않았다.[71] 러시아는 그러므로 이전의 양보 내용들—특히 기독교도 신민들을 대신해 러시아가 개입할 수 있는 권리와 러시아 전함이 양 해협을 통과할 수 있는 권리—에 대한 오스만튀르크의 확인뿐 아니라, 제3의 유럽 열강이 개입한 분쟁이 발생할 경우 러시아에 의한 도나우 공국 그리고 영국에 의한 이집트와 모레아의 "예방적" 점령을 허가하는 새로운 양보도 요구했다.[72] 영국 내각은 프랑스에 맞선 전쟁이 진행되는 동안 유사시 알렉산드리아 점령을 고려하고 있던 터라 러시아의 제안에 반대하지 않았다.[73] 하지만 오스만튀르크에게 새로운 요구 조항은 상처에 소금을 뿌리는 격이었다. 그들은 오스만 주권을 확연히 침해하는 새 단서 조항을 거부하고 "그러한 원칙들에 입각한 동맹을 맺느니 차라리 전쟁이 나을 것"이라고 천명했다.[74] 9월에 술탄은 협상을 중단시켰지만 일단 도저히 수용 불가능한 조항이 삭제되자 영국 측의 설득으로 다시금 협상 테이블에 복귀했다.[75] 그러므로 이른바 진퇴양난(러시아와 프랑스)에 빠진 오스만튀르크는 전자를 선택했고 1805년 9월 24일, 러시아와 동맹을 갱신했다.[76] 이 경험은 그들을 굴욕감에 빠뜨렸고 러시아의 품에서 벗어날 길을 간절히 찾게 되었다.

러시아-오스만 동맹의 갱신은 술탄과 유럽 열강의 사이를 틀어지게 하려고 그토록 열심히 작업해온 프랑스 외교의 커다란 후퇴였다. 1804년 3월, 나폴레옹은 술탄에게 비밀 서신을 보내, 프랑스의 호의와 친선을 다짐하고 이집트나 그리스를 침공할 의사가 없다고 안심시켰다. 황제는 셀림 3세에게 이집트와 시리아에서 권위를 재확립하고 막 고개를 쳐든 세르비아 반란을 조속히 처리하라고 촉구했다.[77] 당기앵 공작 처형의 여파로 프랑스와 러시아 간 외교관계가 단절된 뒤 나폴레옹은 술탄이 자신들과 손을 잡도록 계속 몰아붙였다. "나는 (오스만)제국을 지지하고 제국이 기력을 회복하기를 바란다"라고 그는 브륀에게 보낸 지침에서 말했다.[78] 프랑스 황제는 일부 사실들을 윤색하기를 서슴지 않았고, 술탄에게 강한 인상을 심어주기 위해 영국에 맞서 프랑스, 에스파냐, 미국 사이에 특별 협정이 존재한다고 주장했다.[79] 그의 시도는 적어도 처음에는 성과를 낸 듯했다. 술탄이 프랑스 특사를 만나서 "나폴레옹은 나의 친구"라고 공언하고, 양국 간 "완벽한 화합"이 있어야 한다는 데 뜻을 같이했기 때문이다.[80]

그래도 술탄의 공언들이 러시아가 양 해협으로 전함을 보낼 수 있는 권리와 이오니아제도에서 지속적인 존재감을 통해 동지중해에서 상당한 해군력을 확보했다는 사실을 바꿀 수는 없었다. 이것은 프랑스뿐만 아니라 영국도 근심시켰지만, 영국으로서는 러시아의 야심을 좌절시키고 싶어도 프랑스에 맞서 러시아의 지원이 필요했기 때문에 공공연하게 행동에 나설 수 없었다. 그 대신 오스만 주재 영국 대사관은 술탄이 국가와 군대의 근대화를 계속 추진하도록 독려했다. 러시아의 속셈을 잘 알고 있었지만 셀림 3세는 발칸과 이집트, 아라비아에서 산적한 문제들 때문에 제국이 그토록 어려운 시기에는, 특히나 공공연한 결렬의 위험을 감수할 생각은 없었다. 상트페테르부르크 궁정은 오스만 영역에서 자신들의 이해관계를 증진하고자 이 상황을 이용했다. 동맹조약의 갱신 외에도 러시아는 도나우 공국에서 자신들의 입지를 공고히 하고 왈라키아와 몰다비아의 호스포다르hospodar(제후)들을 대신해 러시아가 개입할 수 있는 권리를 부여하는 새로운 협정을 교섭했다. 7년 임기로 뽑히는 호스포다르는 비행을 저질러서 러시아와 오스만튀르크의 "합동" 조사를 받는 경우가 아니고는 물러나게 할 수 없었다. 곧 보겠지만 "합동"에 찍힌 방점은 매우 중요한 단서로 드러나게 되는데, 1806년 술탄의 이 단서 조항 위반(프랑스의 요청에 따라)은 러시아의 개전 이유가 된다. 그와 동시에 러시아는 외관상으로는 이오니아제도와의 연락을 유지하기 위해 보스포루스와 다르다넬스 해협을 통과해 전함을 이동시키는 데 1798년 조약의 단서 조항들을 이용했다. 러시아 해군의 움직임에 대한 프랑스의 반발과 더 중요하게는 흑해—또는 러시아 대사가 브륀에게 말한 대로 "러시아에 속하는 거대한 호수"—에 대한 러시아의 배타적인 지배권 주장은 3차 대불동맹전쟁 전야에 프랑스-러시아 간 점증하는 정치적 대립에 기여했다.[81]

1804년 5월에 나폴레옹은 황제라는 칭호를 취했고, 오스만튀르크가 그 지위를 인정할 것인지가 그에게는 초미의 관심사가 되었다.[82] 오스만튀르크인들은 원래 칭호의 변화에 별다른 관심을 갖지 않았다. "황제" 칭호는 그들에게 별 의미가 없었기 때문이다. 칭호의 중요성을 강조하려고 브륀은 그들에게 나폴레옹이 "황제이자 파디샤"가 되었다고 알렸는데, 후자는 대왕을 가리키는 이란의 칭호로서 세속적 권위와 종교적 권위에 관한 이슬람의 인식을 결합한 것이자 술탄 본인의 지위를 반영한 것에 가까운 칭호였다. 하지만 오스만튀르크인들이 '파디샤' 칭호를 이미 러시아 황제에게 인정한 사실을 고려할 때, 브륀의 시도는 역효과를 가져왔다. 콘스탄티노플 궁정이 코르시카 출신 벼락출세자에게 그와 유사한 인정을 해주지 않도록 적극적인 로비를 펼친 러시아 대사에 따르면, 이탈리아와 그리스에서 나폴레옹이 보인 행보는 "오스만 제국에 반해 딴마음을 품고 있는 그의 속내"를 드러내는 것이었다. 영국은 당시 신임 대사가 발령을 받아 콘스탄티노플로 가고 있는 중이었는데 오스만 제국이 나폴레옹의 황제 지위를 인정하지 않겠다는 확답을 줄 때까지 부임을 유예할 것이라고 밝혀 러시아와 입장을 공유했다.[83]

나폴레옹을 프랑스 황제로 인정하는 일은 그러므로 1804년 여름과 가을 내내 주요 외교 사안이 되었고, 오스만튀르크인들은 공식

서한에서 어느 쪽 용어('황제'나 '파디샤')도 사용하지 않음으로써 이 문제를 솜씨 좋게 피해갔다. 프랑스는 계속해서 압박했지만, 술탄은 기독교 군주들의 문제에는 끼어들지 않을 것이며, 다른 유럽 열강이 이 쟁점을 두고 어떻게 처신하는지 두고 보겠다는 모호한 답변만 돌아왔다.[84] 오스만튀르크인들은 강화 협정에 의해 1799년의 동맹이 이미 무효화됐다는 브륀의 주장이나 러시아의 속셈과 관련한 그의 경고에 꿈쩍하지 않았다. 1804년 가을에 프랑스 대사는 술탄이 계속해서 거절하고 러시아 선박의 양 해협 통행을 허용한다면 콘스탄티노플을 떠나겠다고 위협하며, 황제 인정 쟁점과 관련해 술탄에게 명확한 입장을 선택하도록 강요하려고 했다. 프랑스 대사는 더할 나위 없이 모호한 답변을 받았다. "신이 허락하신다면 이 문제는 정리될 것이다." 한 프랑스 역사가가 적절하게 지적한 대로 이 사안에서 '신'이란 러시아 대사 A. 이탈린스키로서, 그는 오스만 정부의 정책에서 일말의 변화도 러시아와 영국에는 모욕이 될 것이라고 즉시 경고하고 유럽 열강이 누리는 군사적 우위를 상기시켰다.[85] 1805년에 러시아가 오스만튀르크와 새로운 동맹조약 교섭을 진행하는 동안 브륀은 결국 콘스탄티노플을 떠날 수밖에 없었다.[86]

이는 프랑스 황제에게 커다란 퇴보였고, 황제는 콘스탄티노플에서 커져가는 러시아의 영향력을 개탄하고 술탄에게 오스만에 대한 러시아의 전통적 적대감을 상기시켰다. "가장 드높고, 가장 강력하고, 가장 관대한 무적의 군주, 무슬림의 위대한 황제, 영예와 미덕이 넘치는 술탄 셀림이시여"라고 나폴레옹은 1805년 1월에 썼다. "위대한 오스만튀르크인들의 후예이자, 세계에서 가장 위대한 제국 가운데 하나의 황제인 당신은 어째서 더 이상 군림하지 않는 겁니까? 어째서 러시아인들이 당신에게 이래라저래라 명령하는 것을 참는 것입니까?"[87] 여기서 나폴레옹이 놓친 것은 술탄이 영국과 러시아의 군사력과 해군력을 두려워한다는 사실이었다. 당시 술탄은 두 나라가 프랑스보다 자신들의 위협과 야심을 무력으로 뒷받침할 능력이 더 있다고 판단했다.

알렉산드르 황제는, 새로운 러시아-오스만 동맹에 대한 술탄 셀림 3세의 헌신이 3차 대불동맹전쟁의 승패에 달려 있음을 이해했다. 아우스터리츠에서 나폴레옹의 승리와 오스트리아와 러시아의 굴욕은 자연스레 콘스탄티노플에 깊은 인상을 심어주었고 프랑스에 더 호응하는 입장으로 나아가는 길을 닦았다. 오스만튀르크인들은 "보나파르트가, 죄 짓는 세계의 불의를 벌하는 신의 섭리의 도구라고 여긴다"라고 1806년 2월에 영국 대사는 말했다.[88] 1805년 프레스부르크 조약은 아드리아해에서 프랑스의 영토 획득을 인정하도록 특별히 신경 썼고, 이로써 프랑스 제국이 오스만 제국과 직접 국경을 맞대게 됨에 따라 나폴레옹은 술탄에게 압력을 넣을 새로운 수단을 얻었다. "존엄한 황제 폐하의 기적적인 승리들에" 흥분한 프랑스의 대리대사 피에르 뤼팽은 오스만튀르크에 "프랑스 황제 폐하의 적들"에 대한 어떠한 명시적 지지도 직접적인 대결의 위험을 불러올 것이라고 경고했다.[89] 그러한 은근한 협박은 전적으로 불필요했다. 술탄 셀림 3세는 러시아-오스만 동맹 비준을 거부하고, 러시아의 해협 통행을 제한하고, 영국과의 협상을 유예시킴으로써 재빨리 정책을 조정했다. 1806년 2월 술탄은 나폴레옹의 황제 칭호를 공식적으로 인정했다. "빈을 점령하고, 그 많은 나라들을 정복하고, (오스트리아와 러시아) 황제들을 무찔렀으니, 보나파르트의 황제 칭호에 관해서는 더 이상

의문이 있을 수 없다"라고 술탄 셀림은 대재상에게 보내는 각서에서 썼다.[90] 영국과 러시아 대사들의 격한 항의에도 불구하고 오스만튀르크는 유럽의 새로운 정치적 현실, 프랑스가 자신들의 바로 옆집 이웃이 된 현실을 지적하며 황제 칭호 인정을 정당화했다. 게다가 오스만튀르크는 1805년 패배 이후 러시아는 자신들에게 더는 유효한 지지를 제공할 수 없다는 믿음을 표명해도 될 만큼 대담해졌다.[91]

프랑스는 오스만의 정책 변화에 민첩하게 반응해 특사를 파견하고, 1806년 6월 위세 당당하게 도착한 새로운 오스만 대사 세이드 압뒤라힘 무히브 에펜디를 환영했다.[92] 1806년 5월에 나폴레옹은 신임 대사 오라스 프랑수아 세바스티아니를 콘스탄티노플로 파견했다. 황제는 영국에 맞서 프랑스와 한편이 되든지 아니면 여러 국경을 따라 복합적인 위협에 직면하든지 러시아에 양자택일을 강요하고자 했다. 따라서 그가 대사에게 내린 지침은 러시아와의 계속되는 갈등에서 오스만튀르크를 이용할 작정이었음을 드러낸다. 이를 위해서 프랑스는 러시아-오스만 동맹의 효력을 상실하게 만들고, 오스만튀르크를 설득해 러시아 전함에 양 해협을 폐쇄하도록 함으로써 아드리아해에서 러시아의 입지가 유지될 수 없기를 바랐다. 만약 그런 상황에 이른다면, 러시아와 포르테 간의 무력 충돌로 러시아의 자원을 중유럽과 동유럽에서 다른 방면으로 돌리면서(그리고 고갈시키면서) 똑같이 프랑스에 이로울 터였다.[93]

1806년이 흘러감에 따라 셀림 3세가 프랑스와의 동맹 쪽으로 확실히 방향을 틀었다는 점이 분명해졌다. 그는 러시아 선박에 대해 보스포루스와 다르다넬스 해협을 폐쇄하겠다는 의사를 밝히고, 베사라비아와 도나우강에 있는 러시아-오스만 국경을 따라 방어 시설을 강화하고, 프랑스의 부추김을 받아 세르비아에 맞서 군대를 동원했다. 마지막 행보는 특히 눈여겨볼 만한데 나폴레옹이 세르비아 반란을 오스만튀르크가 직면한 가장 심각한 내부 도전으로 규정하면서 그것을 적잖게 이용했기 때문이다. 그는 반란을 러시아의 선동 탓으로 돌리고, 러시아의 후견 아래 세르비아 자치의 수립은 발칸 기독교도들에게 유사한 양보를 얻어내라는 신호가 될 것이고, 이는 오스만 제국의 해체로 치닫게 될 것이라고 주장하며 술탄에게 세르비아-오스만 협상 테이블에 러시아가 참석하지 못하게 하라고 충고했다.[94] 나폴레옹에게 똑같이 중요한 문제는 세르비아-러시아 군사 협력으로서, 이는 동지중해에서 영국 해군의 패권과 더불어 그 지역에서 프랑스의 정치적·경제적 이해관계에 심대한 파장을 가져올 수도 있었다. 그는 그러므로 셀림 3세가 세르비아 반란을 외세의 개입 없이 무력으로 진압하도록 부추겼다.[94] 1806년 2월과 3월에 오스만튀르크가 세르비아를 상대로 한 군사작전을 준비했을 때 러시아는 크게 우려했다. 알렉산드르 황제는 자신은 그러한 준비 조치가 러시아의 이해관계를 겨냥한 것이라고 여기고 있으며 더 나아가 일체의 외세 개입에 맞서 오스만 영역을 수호할 각오가 되어 있음을 술탄에게 알리도록 러시아 대사에게 지시했다. 술탄은 세르비아가 아니라 외부 공격의 위험이 있는 달마티아 국경지대에 주의를 집중해야 한다는 것이었다. 이러한 러시아의 노력은 실패했다. 알렉산드르에게 보내는 적당하게 미적지근한 서한에서 셀림은 러시아를 향해 아무런 적대적 의도도 품고 있지 않다고 알렉산드르를 안심시켰다.[95]

오스만 궁정에서 프랑스의 영향력은 빈과 상트페테르부르크에서 커져가는 경각심의 변치 않는 근원이었다. 뤼네빌과 프레스부르크 조약으로 위신이 너덜너덜해진 오스트리아는 발칸에서 얼마간 세력을 얻기를 바라며 세르비아 쟁점에 관한 이전의 입장을 뒤집는 게 정당하다고 여겼다. 카라조르제가 프란츠 황제에게 새로이 지원을 요청하자, 오스트리아는 이를 세르비아에 간섭할 기회로 여겼다. 하지만 오스만튀르크는 그들의 중재 제안에 퇴짜를 놓았고, 프랑스-러시아 대결의 대리 전장이 된 지역에서 오스트리아의 영향력은 더욱 작아졌다.[96] 한편, 러시아 국가 자문회의는 특별 회동을 갖고 나폴레옹의 승전들이 유럽 정세에 초래한 영향을 검토했다. 그들은 프랑스의 달마티아 획득은 기존의 러시아-오스만 관계를 직접적으로 위협하며, 나폴레옹에게 발칸에서 제국적 구상을 실행할 수단을 제공한다고 결론 내렸다. 그러한 사태를 방지하고자 회의는 러시아가 오스만 정부의 신뢰를 유지하도록 노력함과 동시에 오스만 제국의 그리스와 슬라브 신민들과 더 긴밀한 접촉을 추구해야 한다고 결정했다.[97] 그러므로 1806년 봄에 세르비아인들부터 새로운 호소가 들려왔을 때 러시아 정부는 그들을 지원하는 문제에 관해 이전에 품은 의구심을 이미 재고하고 있었다. 알렉산드르 1세와 그의 자문들은 그 지역에서 반러시아 공작의 배후에는 프랑스 정부의 대리인들이 있다고 믿었고, 이번에도 호소를 무시하면 세르비아인들이 프랑스에 지원을 호소하도록 몰아갈 수도 있다고 우려했다. 하지만 중재 해결 전망이 있는 한 알렉산드르는 베오그라드 파샬리크 사안에 개입하는 게 내키지 않았고, 그 대신 다른 오스만 세력권들, 무엇보다도 1804~1806년에 러시아의 권위를 다지는 데 힘썼던 서부 조지아에서 이해관계를 추구했다.

곧 대규모 전쟁으로 비화할 러시아-오스만 관계에서 커져가는 긴장은 유럽에서 나폴레옹 전쟁 동안 발생한 지정학적 재배열이라는 더 넓은 맥락에서 봐야 한다. 3차 대불동맹전쟁 이후 프랑스는 중유럽을 지배하게 되었고 발칸 지역으로 접근할 수 있는 이전 베네치아 영토들을 획득했다. 프랑스 정부의 대리인들이 러시아의 영향력을 약화시키라는 지시를 받아 발칸의 다양한 지역들로 파견된 한편, 몰다비아와 왈라키아의 프랑스 영사관은 반러시아 공작의 중심지가 되었다.[98] 더욱이 콘스탄티노플 주재 러시아 대사가 보고서에서 언급했듯이 러시아의 허약성을 인식하는 대로 오스만 정부는 조지아와 흑해 동해안에서 러시아의 입지에 도전하고 싶은 유혹을 느낄 수도 있었다.[99] 러시아는 오랫동안 발판을 마련하려고 힘써온 지역들에서 기반을 내줄 수도 있다는 가능성을 받아들이기 힘들었고, 러시아 주재 영국 대사의 표현으로는 "지난 전역의 참사로 더럽혀진 군대의 영광을 되찾고 어떤 중요한 정복으로 만족시켜주고 싶은" 마음이 간절했다.[100]

1806년 초에 러시아 외무대신 차르토리스키는 동방문제에 대한 새로운 접근법을 개괄하는 여러 각서를 내놓았다. 가장 중대한 목표는 "튀르크를 전적으로 우리 마음대로 요리할 수 있는 처지로 만드는 것이다. 포르테가 우리가 아닌 다른 누구의 의지나 정치를 따르지 못하게 모든 경쟁자를 제거함으로써 이 나라에서 우리의 영향력을 증대하기 위해 노력해야 한다."[101] 오스만튀르크가 계속해서 프랑스 편에 선다면, 러시아는 슬라브 국가이자 기독교 국가로서 오스만 제국의 슬라브인과 기독교도 신민들을 지지하고 "내정은 독립적이지만 러시아의 최고 권위와 보호 아래 남을" 여러 슬라브 국가들을 창설하기 위해 노력할 도덕적 의무가 있다.[102] 차르토리스키는 오스만 제국이 또 한 차례의 대형 전쟁에서 살아남지 못할 것이라고 믿고, 제국이 해체될 경우 흑해와 아드리아해 사이 전 지역이 반드시 러시아의 세력권 안으로 들어와야 한다고 주장했다. 이는 몰다비아와 왈라키아, 베사라비아가 러시아에 직접 편입됨과 더불어 세르비아, 헤르체고비나, 몬테네그로, 그리스와 발칸반도의 여타 지역들에 러시아의 배타적 보호를 받는 개별 자치국들이 수립됨으로써 달성될 수 있을 터였다.

이러한 방안들은 차르토리스키가 불과 3년 전에 옹호했던 발칸 국가들에 대한 러시아의 인자한 보호 정책에서 확연히 이탈하는 것이었다. 그러나 이 방안들은 러시아에 지지를 구하고 의지하게 될 발칸 자치국가 창설이라는 러시아의 장기적 목표에는 편리하게 들어맞았다.[103] 정치적 동기 외에도 러시아의 발칸 정책은 경제적 고려에도 영향을 받았다. 알렉산드르 1세와 그의 외무대신은 러시아 경제에 미치는 그 지역의 상업적 중요성을 인식했고, 커져가는 프랑스의 영향력은 러시아 통상이 자리 잡는 데 직접적인 위협이 된다고 보았다. 달마티아에 이미 프랑스 세력이 존재하고, 술탄의 궁정이 프랑스에 휘둘리는 것처럼 보이는 가운데, 러시아 정부는 프랑스가 오스만 제국을 위협할 경우 맞설 준비가 된 만만찮은 수준의 병력을 유지해야 할 필요성을 느꼈다. 이런 측면에서 코르푸섬에 주둔한 1만 2천 명의 병사와 드미트리 세니야빈 제독 휘하 러시아 해군 전대는 계속해서 러시아의 영향력을 뒷받침하는 무시하지 못할 도구였다. 1806년 봄에 러시아는 이 병사들로 카타로, 리사, 쿠르촐라를 점령함으로써 아드리아해 연안에서 지배력을 한층 강화했는데, 오스트리아 황제가 프레스부르크 조약으로 프랑스에 그 섬들을 내준 터라 현지 오스트

리아 당국자들은 러시아 세력을 환영했다.[104]

콘스탄티노플에서 프랑스의 영향력을 억제하기 위해 알렉산드르 황제는 오스만튀르크에 영향을 미치는 추가적 수단이자 프랑스에 맞서 계속되는 싸움에서 중요 맹방을 확보하는 차원에서 영국과 더 긴밀한 관계를 추구했다. 동방문제에 관해 얼마간의 양해에 도달하기 위해 러시아 특사 P. A. 스트로가노프가 런던으로 급파되었다. 스트로가노프가 받은 지침은 러시아의 오스만 영토 획득을 유럽과 동지중해에서 세력 균형의 회복과 대륙에서 일반적인 평화를 도모하기 위해 필요한 '보상'이란 미명으로 제시하라는 것이었다.[105] 러시아의 대화 시도는 거의 초장부터 커다란 장애물에 부닥쳤다. 1806년 피트 총리의 죽음은 앞서 본 대로 영국 외교정책에서 중대한 변화를 초래해, 새로운 내각은 더 방어적인 전략을 추구하고 프랑스와 강화를 체결하려고 노력했다. 러시아의 시도는 그러므로 오스만 제국 분할을 위한 방안을 지지하도록 영국 외무장관 폭스를 설득하지 못했다. 심지어 프랑스 수중에 떨어지는 것을 막기 위해 영국의 이집트 점령을 허용하겠다는 러시아의 제안도 바라는 결과를 낳지 못했다. 폭스는 그 지역에서 프랑스 세력의 존재가 영국령 인도를 어떤 식으로든 위협할 것이라는 전망을 부인했다.[106] 하지만 영국 외무장관은 오스만튀르크가 영토를 할양하거나 프랑스 병력의 자국 영토 통과를 허용함으로써 적극적으로 프랑스 편을 들게 된다면 영국은 러시아가 "프랑스뿐만 아니라 포르테에 맞서 활발히 움직이는 것"을 기꺼이 지지할 것이며, "(러시아가) 정복을 추진할수록 (영국은) 만족할 것"이라고 시인했다.[107]

매파 성향인 콘스탄티노플 주재 영국 대사는 오스만 궁정에서 러시아의 영향력의 쇠퇴를 개탄하며 러시아를 지원하고 오스만튀르크가 노골적으로 친프랑스 정책을 추구하지 못하도록 오스만 해역을 순항할 해군 전대를 파견해달라고 본국 정부에 촉구했다. 영국 정부의 목적은 "분명한 유화적 자세와 단호하게 행동한다는 뚜렷한 결의를 합치는" 것이었다. 실제로 이는 상대를 안심시켜주는 언질과 협박을 동시에 구사한다는 뜻으로, 나폴레옹 외교의 전형적인 접근법이기도 했다.[108] 영국-러시아 간 합의는 결코 도출되지 못했고, 러시아는 오스만 사안에서 간섭을 정당화해줄 만한 사태의 전개를 기다릴 수밖에 없었다.[109]

러시아는 오래 기다릴 필요가 없었다. 1806년 늦봄에 오스만 정부는 누가 봐도 프랑스 쪽으로 기울었다. 압뒤라힘 무히브 에펜디가 이끄는 특별 외교 사절단이 파리로 파견되어 나폴레옹의 황제 칭호를 공식 인정한다고 발표했고, 더 결정적으로는 점차 드러나고 있는 프랑스-오스만 동맹에서 자국의 전반적인 목표들을 제시했다.[110] 특별 사절단은 1798년 이집트 침공을 통해서 지금의 사태를 초래한 것은 나폴레옹이며, 따라서 상황을 바로잡기 위해 프랑스인들이 힘써야 하는 것이 마땅하다고 주장했다. 또한 향후 프랑스와 러시아 간에 어떠한 타협이 이루어질 경우 오스만 정부는 프랑스가 자신들을 대신해 여러 핵심 조건들을 주장해주길 원했다. 여기에는 러시아-오스만 동맹의 무효화, 러시아가 이전에 강탈해간 공국들과 관련한 조건들의 폐기, 이오니아제도에서 오스만의 이해관계를 보호할 새로운 방안 마련(실제로는 이오니아제도에서 러시아의 철군을 의미했을 것이다), 러시아 전함의 흑해 양 해협 항행을 금지하는 명시적인 선언, 러시아가 점령한 조지아 지역들에서 이전 상태로의 복귀 등이 포함되어 있었다.[111] 오스만 사절단은 영국의 해군력에 맞서 프랑스가 콘스탄티노플 정부를 지켜줄 수 없는 현실을 주된 걸림돌로 삼아 프랑스의 군사 동맹 제의는 거절하라는 지침을 받았다. 그와 동시에 사절단은 오스만튀르크가 러시아 및 영국과 맺은 기존의 합의 내용에 관해 프랑스를 안심시켜야 했는데, 콘스탄티노플 정부는 합의 내용 가운데 어느 것도 프랑스를 겨냥한 것이 아니라고 역설했다. 한마디로 무히브 에펜디가 받은 지시 사항은 오스만이 계속 중립으로 남기를 바라고, 유럽 열강의 분쟁에 엮이길 원치 않으며, 자국 영역 내에서 서방의 영향력을 축소시킬 기회는 절대로 놓치지 않으려 한다는 점을 보여주었다.

아마도 베라트berat, 즉 오스만 사법 관할과 세금을 면할 수 있게 외국 대사관과 영사관이 오스만 신민들에게 부여하는 면허증만큼 오스만튀르크인들의 심기를 건드리는 쟁점도 없었을 것이다.[112] 유서 깊은 치외법권 설정 관행의 일환인 베라트는 오스만튀르크에 절실한 세입을 앗아가고 외세의 간섭에 대해 일종의 응어리를 맺히게 했는데, 모든 서구 열강, 특히 러시아와 프랑스에 의해 남용되어왔다. 오남용의 규모는 자국의 베라트를 개정하는 데 합의함으로써 프랑스 대사관 한곳에서만 세수로 100만 프랑을 잃었다는 사실에서 짐작할 수 있다.[113] 1806년 5월, 유럽 외교 사절들의 반대에도 불구하고 오스만 당국자들은 베라트의 합법성을 열심히 따지기 시작했고 치외법권적 권리들을 진짜 외국의 대리인들에게만 부여했다. 그들이 단행한 조치에는 러시아 비호를 이용했던 그리스인들 전원에게 8일 이내로 베라트를 포기하든지 아니면 자산 몰수를 감수하라고 통고한 것도 있었다. 더 확고한 권위를 주장하는 오스만 정부를 가리키는 이 같은 조치들을 영국과 러시아는 큰소리로 성토했지만 이보다 훨씬 중대한 다른 국제적 쟁점들이 걸려 있음을 고려해 결국 수용하기로 했다.

러시아에게 훨씬 더 걱정스러운 것은 러시아 선박의 다르다넬스 해협 항행에 관한 오스만튀르크의 태도였다. 오스만 정부가 러시아의 항행권이 중립성을 위험에 빠뜨린다고 천명하고 러시아에 군사적 목적으로 해협을 이용하는 것을 자제해달라고 요청하자, 러시아는 즉각 기존의 조약들에서 유래한 "권리"라고 간주되는 것에 관해 어떠한 양보도 거부하는 격한 반응을 보였다.[114] 오스만 제국 내 러시아의 권리들에 관한 질문 전체가 당시 진행 중이던 프랑스-러시아 협상에서 이내 핵심 쟁점이 되었고, 협상은 두 열강을 화해시키려는 협정(클라크-뒤브릴 조약, 1806년 7월)으로 이어졌다. 아드리아해와 발칸에서 양국의 이해관계가 협정의 많은 내용을 차지했다. 어느 쪽도 그 지역에서 영향력이 축소되는 것에 동의하지 않을 것이므로 협정문은 "오스만 포르테의 독립성은 양측에서 인정될 것이며, 협정 당사국 양측은 포르테 정부와 그 속령들을 보전하기로 약속한다"라고 모호하게 진술했다. 하지만 러시아 사절은 주요한 양보로서 프랑스가 라구사 공화국의 복원을 지지하고 동부 아드리아해에서 일체의 적대행위를 중단하기로 약속한 대가로 카타로에서의 철군과 코르푸에서의 러시아 수비대 감축에 동의했다.[115] 알렉산드르 황제는 단서 조항들이 프랑스의 비위를 너무 맞춰주고 아드리아해에서 러시아의 입지를 약화시킨다고 여겨 협정 비준을 거부했다. 그가 보기에 그 지역에서 러시아의 입지는 콘스탄티노플 정부 그리고 발칸의 오스만 신민들 사이에서 영향력을 유지하는 데 결정적인 요소였다.

더욱이 1806년 8월에 이르면 러시아는 이 협정의 거부를 사실상 불가피하게 만드는 중요한 외교적 성공을 거두었다. 1805년 패배 이후로 줄곧 러시아 외교관들은 오스만의 영토 보전을 토대로 하는 협정을 통해 프로이센을 러시아에 밀착시킴으로써 나폴레옹의 영향력을 무력화하는 데 힘써왔다.[116] 처음에 나폴레옹은 쇤브룬 조약(1805년 12월 15일)을 타결함으로써 러시아의 시도를 가로막았다. 하지만 프랑스의 팽창에 대한 프로이센의 좌절감은 기회를 만들어냈고, 1806년 여름 러시아는 이를 놓치지 않았다. 7월에 프로이센과 러시아의 협상가들은 샤를로텐부르크에서 비밀 선언문에 합의했다. 프로이센은 프랑스를 외면하고 러시아와 손잡고 오스만 속령들(과 더불어 오스트리아와 덴마크의 영토들도)의 보전을 약속하기로 했다.[117] 샤를로텐부르크 선언은 사실상 프랑스-러시아 협정을 무력화했는데, 알렉산드르가 그 부담스러운 단서 조항들을 지지해야 할 동기가 사라졌기 때문이다.

1806년 8월에 술탄 셀림 3세는, 러시아 선박에 양 해협을 폐쇄하고, 러시아와의 경계를 따라 튀르크인들이 방어 시설을 강화하도록 돕고, 몰다비아와 왈라키아에서 오스만튀르크의 권위를 회복하라는 지침을 들고 새로 도착한 프랑스 대사 세바스티아니에게 기꺼이 귀를 기울였다.[118] 세바스티아니는 이 세 가지 지시 사항 가운데 마지막 사항으로 운을 떼며 술탄에게 몰다비아와 왈라키아의 현 호스포다르들hospodars, 즉 친러시아 정서를 보이는 콘스탄틴 입실란티와 알렉산드르 무루치 공을 교체하라고 촉구했다.[119] 러시아의 거듭되는 경고에도 불구하고 셀림 3세는 이 제후들이 러시아 후원자들의 훈령에 따라 세르비아 반란을 방조하고 있다는 이유로 정말로 그들을 교체했다.[120] 그들 대신에 그는 친프랑스 성향의 호스포다르 알렉산드르 수초와 스카를라트 칼리마치를 임명했다. 하지만 그렇게 함으로써 술탄은 호스포다르를 해임하거나 임명할 때 러시아의 동의를 요구한 기존 합의 내용을 위반했다. 비록 오스만튀르크인들은 재빨리 실수를 깨달았지만 이미 엎질러진 물이었다.[121] 알렉산드르 황제는 그 해임 건이 콘스탄티노플에서 커져가는 프랑스의 영향력을 보여주는 가장 최신의 가장 분명한 신호라고 여겼고, 이 일이 오스만 사안에서 자신의 간섭을 정당화하고 영국이 행동에 나서게 만들 것이라고 기대했다.[122] 더 중요한 것은 러시아가 "약한 이웃" 정책이 실패했다고 느꼈다는 사실이다―오스만튀르크가 라이벌 열강의 영향권 안에 떨어질 가능성이 농후하다는 것이 드러났다. 그러므로 강압적인 대응만이 콘스탄티노플에게 입장을 수정하도록 강요할 수 있을 것이다. 차르토리스키의 말마따나 "공포는 이런 상황에서 튀르크인들에게 효과를 볼 만한 유일한 수단이다."[123] 생각이 같은 알렉산드르도 콘스탄티노플에서 러시아의 우위를 재확인하기 위해 이 기회를 이용하려고 작심했다. 사실 일단 전쟁이 시작되자 황제는 점차 더 매파 성향의 자문들의 영향을 받게 되었고 자기 할머니의 팽창주의적 목표들로 되돌아갔다.

그러므로 오스만튀르크는 13년 전에 유럽에서 전쟁이 발발한 이래로 피하려고 신중하게 애써온 바로 그 상황, 즉 프랑스와 그 적들 사이에서 양자택일을 해야 하는 상황에 직면했다. 그들은 처음에 영국의 중재를 구했고, 자신들의 실수를 시인하고는 새 호스포다르들을 해임하겠다고 제안했지만, 이전 제후들을 다시 앉히겠다는 제안까지는 나아가지 않았다. 하지만 정확히 그것이 러시아가 필수라고 여긴 요구였다.[124] 10월 중순, 나폴레옹이 프로이센군을 패주시키고 있던 바로 그때 오스만 국무회의Encümen-i Şura는 프랑스 편을 드는 방안, 중립 유지, 러시아와 영국의 불만 사항을 바로잡는 방안의 이점을 각각 따져보며 그 쟁점을 토의했다. 나폴레옹은 북유럽 사안에 몰두하고 있었기에 오스만 제국을 위협할 수단이 제한적이었고, 아드리아해에서 프랑스의 군사적 존재감은 위협적이긴 했어도 여전히 오스만 병력으로 억지할 수 있는 수준이었다. 반면에 러시아는 별다른 저항을 받지 않고 도나우강까지 진격할 수 있었던 한편, 영국은 오스만 제국 해안선 전체를 공격할 수 있었다. 결국 술탄 셀림 3세는 압력에 굴복해 러시아의 요구를 들어주기로 결심했다. 10월 15일에 오스만튀르크는 러시아 대사관에 해임된 호스포다르들을 복귀시킨다는 결정을 알리고, 다음 이틀에 걸쳐 이행했다.[125] 이것은 나폴레옹에게 커다란 외교상 후퇴였으니, 오스만튀르크가 프랑스의 위협을 낮게 평하고 영국-러시아의 행위를 훨씬 크게 우려한다는 사실을 명백히 드러냈기 때문이다.

하지만 러시아 정부가 정면 대결을 밀어붙이자 전쟁을 피할 수 있다는 오스만튀르크의 희망은 곧 찬물을 뒤집어썼다. 10월 28일, 러시아 군대가 폴란드에서 나폴레옹과 싸울 준비를 하는 동안 알렉산드르 황제는 병사들에게 오스만 제국과 맞닿은 국경을 넘어 베사라비아와 몰다비아, 왈라키아를 점령하라고 명령했다.[126] 그는 이 결정을 오스만튀르크의 의사가 불확실함을 지적함으로써 정당화했다. 콘스탄티노플은 프랑스 병력을 오스만 영토를 가로질러 드네스트르강까지 진군시킬 수도 있다는 과거 세바스티아니의 위협에 대해 아무런 확답도 주지 않았는데, 프랑스 병력의 이 같은 움직임은 러시아 남부 지방들을 위협할 수도 있을 터였다. 게다가 러시아가 판단하기에 호스포다르에 관한 오스만튀르크의 결정은 상황을 바로잡는 수준에 미치지 못했다.[127] 다음 석 달에 걸쳐서 4만 명이 넘는 러시아 군대가 이반 미헬손 장군 휘하에 도나우 공국을 관통해 진격했고, 대여섯 군데의 오스만 요새를 점령하고 오스만군을 도나우강까지 몰아냈다가 규르게보(현 루마니아의 지우르지우)에서 도강을 시도했으나 오스만군에게 격퇴되었다.[128] 여전히 이 분쟁을 중재로 해소할 수 있기를 바라던 오스만튀르크는 1806년 12월 후반까지 선전포고를 미뤘다.[129]

앞서 본 대로 폴란드에서 러시아와 싸우고 있던 나폴레옹은 러시아–오스만 분쟁의 시작을 반겼지만 물론 러시아군의 신속한 왈라키아 진격은 그에게 딱히 고무적이지 않았을 것이다. 그럼에도 그는 "여론을 일깨우기" 위해 프랑스 신문에 허위 기사―일말의 진실이 담겨 있고 부쿠레슈티와 티플리스에서 유래한―를 유포해 사태를 자신에게 유리한 쪽으로 돌리려고 했다. 그의 목적은 폴란드에서 프랑스군에, 왈라키아에서 오스만군에, 남동부 캅카스에서 페르시아군에 위협받음으로써 "러시아 제국이 사방에서 공격당하고 있음"을 보여주는 것이었다.[130] 더 단도직입적으로, 황제는 술탄에게 러시아에 선전포고를 하고 온 힘을 다해 침공에 저항하라고 촉구했다.

예나(10월 14일)에서 프로이센을 상대로 한 프랑스의 승리 소식이 11월 콘스탄티노플에 도착하자 셀림과 그의 재상들은 프랑스 쪽 주장에 더 솔깃해졌다. 11월에 셀림에게 자신의 승전들을 알리면서 나폴레옹은 술탄에게 도나우 공국들을 손에 넣을 때까지 러시아와 강화를 하지 말라고 권고하고 프로이센에서 프랑스가 승전을 거둠에 따라 러시아는 드네스트르에서 일부 병력을 철수시켰다고 셀림을 안심시켰다. 1806년 12월 1일에 그는 몰다비아와 왈라키아, 세르비아의 보전을 보장한다고 약속하며, 세바스티아니에게 오스만튀르크와 공세적이고 방어적인 동맹을 체결할 권한을 부여했다. "오스만 제국을 과거의 웅대한 모습으로 회복시킬 순간이 왔다"라고 나폴레옹은 셀림을 격려했다. "한시도 허비해서는 안 됩니다. 전하의 국경들이 침범을 당했습니다. 전하의 백성이 충심을 바치고 있으니, 적극적인 조치를 취해 우리 공동의 적이 한순간도 쉴 수 없게 해야 합니다. 전하의 충성스러운 백성에게 무엇보다 소중한 것, 그들의 도시와 모스크, 러시아인들이 파괴하고 싶어 하는 이슬람의 모든 것을 수호하라고 하십시오."[131] 술탄이 도나우를 방어하는 데 도움이 필요할 경우 나폴레옹은 비딘(이미 프랑스 기관원이 주재하고 있던)을 거쳐서 마르몽 장군 휘하에 최대 2만 5천 명까지 파견할 용의가 있었고, 프랑스 병력이 도착하면 러시아는 왈라키아로 더 많은 병력을 돌릴 수밖에 없을 테니 자신의 폴란드 전역이 더 용이해지리라고 생각했다.

러시아를 상대로 한 나폴레옹의 전략은 그가 1807년 1월에 달마티아의 마르몽과 콘스탄티노플의 세바스티아니에게 보낸 일련의 지침들에서 드러난다. 그는 프랑스가 콘스탄티노플 정부 및 이란과 삼각 동맹을 맺고, 발트해와 카스피해 사이 광대한 지역에 걸쳐 러시아 국경을 위협할 둘도 없는 기회를 얻었다고 주장했다. 그는 오스만 튀르크가 자국의 해군 자원을 더 잘 활용하기를 바라며, 흑해에 프랑스 전함 6척을 파견하기로(그 배들이 영국 해군의 봉쇄를 피할 수 있다면) 약속했는데, 뜻대로만 된다면 프랑스 해군은 흑해에서 오스만 함대의 도움을 받아 러시아 함대를 공격하고 러시아 해안 지역들을 성가시게 만들 터였다. 이와 동시에 그는 이미 협상을 진행하고 있던 이란의 샤가 동부 조지아를 수복하기 위해 더 힘을 쓰고, 오스만튀르크가 서부 조지아에서 새로운 전선을 열어주길 희망했다. "포르테가 에르주룸의 파샤에게 전력을 이끌고 (서부) 조지아로 진격하라는 명령을 반드시 내리게 하라"고 그는 콘스탄티노플 주재 대사에게 지시했다. "또한 압하지야의 군주(켈레시 아흐메드 베이)에게 계속 호의를 내보이고 그가 우리 공동의 적에 맞서 거대한 양공陽攻 작전에 참여하도록 부추기라. 그리하여 이 군주 에르주룸의 파샤와 페르시아인들, 포르테가 동시에 조지아, 크림반도, 베사라비아를 공격하게 하라."[132]

이 계획들이 지나치게 억측에 기대고 있는 것처럼 보이긴 해도 그 가운데 일부는 실제로 실행되었다. 그러나 결과는 처량했다. 1807년 봄 대재상 이브라힘 힐미 파샤가 직접 이끈 오스만튀르크의 반격은, 오스만군이 두 방면에서 공격에 나선 가운데 초기에 얼마간 성공의 조짐을 보였다. 하지만 오스만군은 두 갈래 공격 움직임을 제대로 조율하지 못했고, 그 덕분에 러시아군은 알리 파샤 휘하 오스만군의 전위를 1807년 6월 13일 오빌레스티에서 격파하고 오스만군의 주력이 도나우강 너머로 물러나게 만들었다.[133] 더 처참한 것은 남부 캅카스에서의 패배였다. 에르주룸의 세라스케르serasker〔군대를 지휘하는 와지르에게 주는 칭호〕인 유수프 파샤가 너무도 엉성하게 준비한 이 공세에서 오스만군은 1807년 6월 18일에 아르파차이(아쿠리안)강에서 더 소규모의 러시아 병력에 차단되어 참패를 당했다. 이것은 러시아군의 대승리였다. 조지아에 대한 오스만튀르크의 대규모 침공 위협을 사실상 제거하고 남부 캅카스에서 러시아의 입지를 단단히 다졌기 때문이다.

그보다 더 큰 중요성을 띤 것은 전쟁의 무대에서 멀리 떨어진 곳에서 벌어지는 사건들이었다. 먼저 영국이 다르다넬스와 이집트를 공격했고, 그다음 정변이 일어나 술탄 셀림 3세가 권좌에서 쫓겨났으며, 마지막으로 틸지트에서 이루어진 프랑스-러시아의 화해가 유럽의 세력 균형에 심대한 영향을 미쳤다.

❖

러시아-오스만 전쟁의 개시, 아드리아해에서 프랑스의 영토 획득, 그리고 가장 중요하게도 콘스탄티노플에서 프랑스 영향력의 증대는 영국이 행동에 나설 수밖에 없게 만들었다. 1806년 여름과 가을 내내 영국은 오스만튀르크를 지지하는 러시아 편에 철저히 가담했다. 일찍이 1806년 9월에 영국 대사 찰스 아버스넛은 술탄이 프랑스의 영향력을 억제하고 러시아 전함이 보스포루스와 다르다넬스 해협을 통과하게 허락해야 한다고 요구했다. 10월 중순에 오스만튀르크의 양보로 아버스넛은 난감한 처지에 놓였는데, 그가 콘스탄티노플 정부를 향해 유화적 태도를 촉구한 동시에 도나우 공국들을 침공한 러시아의 행동을 탐탁지 않게 여겼기 때문이다. 그럼에도 영국은 러시아를 지지하는 입장이었으므로 아버스넛은 오스만 정부가 더 양보하도록 압박하는 것 말고는 도리가 없었다. 비록 영국 해군이 제기하는 위험을 알고 있었지만 오스만 정부 내 다수 인사들은 술탄 본인을 비롯하여, 아버스넛의 친러시아 의향이 영국 정부의 입장을 대변한다고 믿지 않았다.[134] 그들은 착각하고 있었다. 영국 정부는 오스만튀르크를 협상 테이블로 데려가기 위해서는 강력한 무력 과시가 필요하다고 믿었고, 영국의 지중해 함대 사령관인 부제독 커스버트 콜링우드 경에게 존 덕워스 경 휘하의 해군 전대를 콘스탄티노플로 파견하라고 지시했다.[135] 맹방인 러시아를 지지하는 것 말고도 이는 동지중해에서 영국의 입지를 강화할 둘도 없는 기회였다. 그렌빌 총리는 "프랑스가 포르테를 자신들의 보호 아래 둘 경우 영국은 다르다넬스로 가는 길목을 막기 위해 소규모 수비대로 방어가 가능한 한두 군데의 중요한 해군 거점이 필요할지도 모른다"라고 생각하고 여러 장소를 점찍어두었다.[136]

덕워스는 콘스탄티노플까지 8척의 전함을 이끌고 가서 "그의 도착에 따라 상황과 정세가 요구하는 대로 신속하고 정력적으로 행동할 준비를 갖추라"는 명령서를 든 채 영국 해군 전대와 함께 1807년 1월 중순에 카디스를 떠났다. 그는 함대 전체의 의장을 갖추기에 충분한 해군 비축 물자와 더불어 오스만 함대를 내줄 것을 요구하고, 프랑스 대사를 해임하고 러시아가 주장하는 권리를 인정하라는 영국 대사의 요구 조건을 강제할 예정이었다. 적대행위가 개시되는 대로, 프랑스의 영향을 좌절시키기 위한 시도로서 알렉산드리아를 점령할 영국 원정군도 시칠리아에서 파견될 예정이었다.[137]

2월 10일 덕워스의 함대는 다르다넬스 해협 입구 근처 테네도스섬에 닻을 내렸다. 함대가 무력을 과시하며 신속하게 진입했다면 해협을 문제없이 통과했을지도 모르지만 영국인 제독은 뜻밖의 장애를 만났다.[138] 일주일이 넘게 다르다넬스 해협에 역풍이 불어 덕워스의 항해를 막은 것이다. 오스만 바닷가 인근에 영국 해군의 출현은 영국과의 전쟁을 진심으로 피하고 싶은 튀르크인들을 괴로움에 빠뜨림과 동시에 격분시켰다. 1768년 러시아인들과 1798년 프랑스인들한테 했던 것처럼, 인질을 잡아두는 오스만튀르크의 관행을 알고 있는 영국 대사는 콘스탄티노플에서 도망쳤다.[139] 이것은 커다란 패착이었다. 한 영국 정치가가 말한 대로 영국 해군의 원정이 "술탄의 수도를 언제든 포격할 태세이고 또 그런 능력을 갖춘 영국 함대를 술탄의 눈앞에 대령함으로써 영국 대사의 협상 내용을 강제하기 위한 무력이 아니라 순전히 군사적 모험에 불과한 것처럼 보이도록"[140] 만들어버렸기 때문이다. 이런 상황에서 오스만 궁정은 함대가 떠나고 대사가 콘스탄티노플로 복귀할 때까지 영국의 요구 사항을 검토할 수 없다고 나왔다.

2월 19일, 자국 역사상 최초로 영국 해군은 무력으로 다르다넬스 해협을 통과하기 시작했다. 함대는 계속해서 난관에 직면했다. 덕워스는 한 영국 함장이 그를 특징적으로 묘사한 대로 "용맹하고 훌륭한 뱃사람"이었지만 정말이지 "넬슨 경 같은 사람의 부사령관"[141]으로만 적당한 인물이었다. 그는 역풍이 항행을 방해해 콘스탄티노플을 코펜하겐의 운명으로부터 구해주는 동안 튀르크인들이 다양한 구실을 들어 협상을 지연시키도록 놔뒀다. 이 지연 작전으로 오스만 정부는 방비 태세를 갖출 시간을 벌었다. 민간인들이 동원되어 새로운 방어 시설을 구축하는 것을 도왔고 오스만 함대가 수도를 방어하기 위해 호출되었다. 100여 척의 화선이 출동 준비를 마쳤다. 도시의 수비대는 세바스티아니와 소규모 프랑스 공병단의 조언을 바탕으로 해안선을 따라 16세기 요새들을 개보수하기 시작했다.[142] 며칠 만에 튀르크인들은 수만 명의 사람들을 동원하고 300문이 넘는 중포를 끌어 모아, "(영국 함대의) 측면을 모든 방면에서 위협할 수 있는 유리한 위치에 배치"[143]했다. 오스만 방어 시설을 제압할 수 없던 덕워스는 자신의 전대가 마르마라해 안에 갇히지 않을까 걱정했고, 그리하여 3월 1~3일 사이에 다르다넬스 해협을 통과해 다시 지중해로 후퇴할 수밖에 없었다. 해협 양쪽에 위치한 요새의 포격으로 전함 여러 척이 손상을 입고 160명가량이 죽거나 부상을 당함에 따라 그의 복귀 여정은 처음에 해협을 무력으로 통과할 때보다 희생이 더 큰 것으로 드러났다.[144]

덕워스의 원정은 군사적·정치적 측면 모두에서 실패였다. "대체 어떤 정부가 자신들의 요구 조건을 강제할 병사는 단 한 명도 없이 고작 7척의 전열함만 가지고, (오스만) 제국으로 하여금 '함대를 갖다 바치고', '프랑스와의 모든 연계를 끊고', 러시아와 강화를, 그것도 치욕적인 강화를 맺으라고 요구할 생각을 할 수 있는지 나로서는 도저히 이해가 안 된다"라고 한 원정 참가자는 혀를 찼다.[145] 영국의 공격은 오스만 궁정에서 프랑스의 영향력만 한층 키우고 영국의 평판을 완전히 지우다시피 했다. 술탄은 영국인 전원을 억류하고 재산을 몰수하는 조치를 승인하고 알제리의 데이에게 서지중해에서 영국의 통상 활동을 공격하라고 명령했다. 또한 세바스티아니와 프랑스 군사 사절단에게 값비싼 선물을 아낌없이 하사해, 이제 프랑스인들이 누리는 영향력과 높은 평판을 부각시켰다. 5월에 이르자 술탄의 요청에 따라 수십 명의 프랑스 병력이 수도에 도착해 프랑스 군사 사절단의 규모를 더욱 늘렸다. 더욱이 다르다넬스 방어는 오스만튀르크의 사기를 진작해, 그 직후 오스만 대재상은 도나우 공국에서 러시아군에 맞서 새로운 공세를 준비하기 위해 수도를 떠난 한편, 오스만 함대는 에게해에서 동일한 임무를 수행할 준비를 했다.

덕워스는 테네도스에서 전력을 추스르는 동안 러시아 제독 드미트리 세니야빈을 만났고, 세니야빈은 영국-러시아 연합 함대로 양 해협을 무력 통과하자고 제안했다. 영국 쪽은 난색을 표시했다. [육상]

병력이 전무한 상태로는, 특히나 이제는 오스만튀르크의 방비가 강화된 마당에 결정타를 날릴 가능성이 전혀 없었기 때문이다. 연합군은 각자 갈 길을 갔다. 세니야빈은 에게해에 남아 7월에 에게해 북쪽 렘노스섬 앞바다에서 오스만 해군을 무찌르고 다르다넬스 해협을 봉쇄했다. 한편 덕워스는 이집트에서 오스만튀르크를 상대로 한 또 다른 전선을 여는 것을 지원하고자 몰타로 이동했다.

3월 초 덕워스가 다르다넬스 해협을 빠져나오고 있던 바로 그때 6천 명의 영국 병사들로 이루어진 또 다른 원정군이 이집트로 급파되었다. 1801년의 성공 이래로 영국은 앞서 여러 차례 설명한 것처럼 전략적으로 중요한 이곳의 미래를 두고 줄곧 고심했다. 1803년 프랑스와의 전쟁이 재개되고 추후 프랑스가 승승장구함에 따라 프랑스가 이집트를 위협할지도 모른다는 영국의 불안감은 커졌고, 그들은 오스만튀르크가 이집트를 방어하지 못할 거라고 믿었다. 프랑스-오스만 관계 회복은 프랑스에 대한 이집트의 문호 개방으로 해석되었다. 영국인들은 즉각 행동에 착수하고 싶은 마음이 간절했다.[146]

영국군이 철수한 이후 3년 사이에 이집트는 법과 질서의 완전한 붕괴를 목격했다. 오스만-맘루크 권력 투쟁이 즉각 재개되었고, 잡다한 무력 집단들은 효과적인 중앙 통제의 부재와 더불어 무수한 폭력과 가혹 행위, 대놓은 살인을 불러왔다. 무라드 베이가 죽으면서 군사적 역량을 빼앗기고 이브라힘 베이가 늙고 쇠약해져 정치적 신중함마저 사라진 맘루크 세력은 반목하는 분파들로 쪼개졌다. 이들을 이끄는 오스만 베이 알-바르디시와 무함마드 베이 알-알피는 과거의 잘못으로부터 배우지 못하는 비극적 실패를 드러내며 자신들의 대의명분을 더욱 약화시켰다.

1803년 초여름에 동방에서 프랑스의 입지를 회복하기 위한 더 폭넓은 노력의 일환으로서 나폴레옹은 마티외 드 레셉스를 프랑스의 신임 '통상 감독관'으로 이집트에 파견했다. 레셉스는 이집트 정치에 관여하지 말라는 지침을 받았지만, 오스만튀르크인과 영국인들은 세바스티아니의 보고서를 유념하고 있던 만큼 레셉스가 또 다른 개입을 미리 내다보고 '프랑스 파당'을 형성하기 위해 파견된 것이라고 믿었다. 그러한 의혹들은 지난 3년 내내 프랑스인들과 접촉해온 오스만 베이 알-바르디시가 도움을 요청하며 레셉스에게 접근한 뒤 증폭되었다. 맘루크 수장은 분명히 유럽 열강을 이간시켜 어부지리를 보려고 애쓰고 있었지만 프랑스인들로부터 아무런 확약도 받아낼 수 없었다.[147] 하지만 맘루크의 접촉은 영국 기관원 어니스트 미세트 대령의 경각심을 자극했다. 그는 상관들에게 그 지역에서 프랑스의 영향력을 근절하기 위한 노력을 배가해야 한다고 촉구했다.[148] 하지만 영국 외무부와 전쟁부의 상반된 접근법은 영국의 정책이 분열되어 있음을 보여주었다. 전쟁부 소속인 미세트는 영국의 개입을 열심히 로비했고, 그의 강력한 권고로 알-바르디시의 경쟁자인 무함마드 베이 알-알피는 영국의 지원을 받아내기 위해 런던에 가기로 했다. 영국 정부가 그를 맞아들이기로 동의하기 전에 얼마 동안 머문 몰타에서 그 맘루크 수장은 영국의 감독관 알렉산더 볼(역시 전쟁부 소속이었다)과도 협상을 벌여 영국의 보호 아래 이집트에서 맘루크 통치를 복원하는 아이디어를 들고 나왔다.

1803년 10월 알-알피는 런던에 도착했다. 비록 그의 방문은 영국 언론에 열렬한 관심을 불러일으켰지만 외무부가 전쟁부와 충돌하며 이집트에서 영국의 간섭을 반대하는 의견을 표명했기에, 영국 정부의 환대는 그보다는 덜 열렬했다. 외무부는 영국이 술탄의 맹방이므로 실질적으로 술탄의 영토 분할이나 다름없는 일에 가담해서는 안 된다고 주장했다.[149] 아닌 게 아니라 알−알피의 방문에 콘스탄티노플은 깊은 의혹의 눈길을 보냈고, 콘스탄티노플 주재 영국 대사는 맘루크 수장을 접견한 일에 대해 자국 정부에 항의해야만 했다. 다른 한편으로 다우닝가는 까딱하다가는 나폴레옹의 품안으로 몰아넣을 수도 있다는 우려에서 맘루크 세력을 못 본 척할 수 없었다. 따라서 영국 정부는 맘루크들에게 어떠한 구체적 언질도 주지 않으면서 한편으로 오스만 정부와 맘루크 간에 항구적인 화해를 가져오도록 콘스탄티노플에 영향력을 발휘하겠다고 약속하는 중도 노선을 택했다. 알−알피는 이러한 답변에 딱히 신이 나지 않았으리라.

　한편 오스만튀르크는 이집트에서 권위를 회복하는 데 애를 먹고 있었다. 술탄 셀림 3세가 파견한 병력은 해법이 아니라 문제의 일부가 되었다. 이 일단의 병력에는 유럽식 훈련을 받은 신설 부대 니잠이 제디드 병사들과 더불어 다른 분견대, 특히 6천 명의 알바니아 분견대도 있었다. 이집트에 도착하자마자 그들은 그 고장이 피폐하고 가난에 시달리며, 상업과 무역은 중단되었고, 주민들은 과중한 세금에 시달리고, 돈은 구경하기 힘들다는 사실을 알게 되었다. 다섯 달 동안 봉급을 받지 못한 알바니아 병사들이 하극상을 일으켜 오스만 지휘관 타히르 파샤를 암살하고 그의 부관 메메트 알리(권력을 거머쥐려는 시도의 일환으로 무질서를 책동한 같은 알바니아인)를 지도자로 뽑았다. 사태를 통제하지 못한 오스만 부왕(왈리) 쿠스라브 파샤는 이집트 수도에서 도망쳤고, 수도는 이제 그 지역에서 가장 강력한 무력 집단인 메메트 알리와 알바니아 병사들 수중에 떨어졌다.[150]

기민하고 유능한 인물인 메메트 알리는 권력의 진공 상태를 메울 절호의 기회가 찾아왔음을 깨달았다. 한 프랑스 기관원이 관찰한 대로 그 알바니아인은 "모험심이 넘치는 야심만만한 사람, 권모술수에 능하고, 자기편에 여론의 힘과 무력을 갖고 있는 사람"이었다. "이 영민한 사람은 (…) 불만을 퍼뜨려서, 자신은 권력을 원한다는 인상을 주지 않으면서 권좌로 향하는 길을 내고자 한다."[151] 우선 메메트 알리는 쿠스라브 파샤를 물리치기 위해 맘루크 베이들과 손을 잡았고, 쿠스라브 파샤는 붙잡혀서 콘스탄티노플로 강제 이송되었다. 술탄이 부왕 두 명을 더 보냈지만 그들도 알바니아인-맘루크 연합에 패했다. 1804년에 이르자 맘루크의 쓸모도 다했고 메메트 알리는 맘루크들이 저지른 가혹한 처사로 인한 민심의 불만을 이용해 그들을 카이로에서 축출했다. 그다음 신속하게 권력을 잡아서 이집트의 명망가들과 종교 지도자들로 하여금 1805년 5월에 자신을 새로운 총독으로 선언하게 했다.[152] 카이로에서 무슨 일이 일어났는지 알게 된 술탄 셀림 3세는 그 알바니아인이 만만히 봐서는 안 될 실력자라는 것을 알아챘다. 특히나 지금처럼 제국이 여러 전선에서 위협과 맞닥뜨린 와중에는 말이다. 그래서 그는 1805년 7월에 메메트 알리를 이집트 왈리로 임명하는 데 순순히 동의했는데, 그와 그의 후임자들이 다음 40년에 걸쳐 여러 차례 후회하게 될 결정이었다.

오늘날 근대 이집트의 창건자로 여겨지는 메메트 알리는 치세 처음부터 벅찬 과제들에 직면했다.[153] 그를 권좌에 올린 병사들은 그가 적절한 보수와 부양 수단을 제공하지 못하면 쉽사리 등을 돌릴 터였다. 맘루크는 패배하긴 했어도 여전히 안위에 심각한 위협이었고 그들의 권력 복귀가 그 지역에서 자신들의 영향력을 증대하는 데 도움이 될 것이라고 믿는 영국과 프랑스 정부 대리인들의 지원을 받고 있었다. 더 중요한 것은, 신임 왈리가 자신의 자리가 얼마나 아슬아슬한지 잘 알고 있다는 점이었다. 술탄 셀림 3세한테서 억지로 받아낸 직위인 만큼 술탄은 기회가 생기자마자 곧장 그를 쫓아내려 할지도 모를 일이었다.[154] 이 같은 걱정들이 메메트 알리의 긴 경력의 핵심에 자리 잡고 있었고, 이집트의 이후 역사는 대체로 그가 자신의 재임을 더 안전하게 지키려는 시도에 의해 좌우되었다. 다음 1년 반 동안 메메트 알리는 이집트에서 상황을 진정시키기 위해 필요에 따라 제휴를 맺고 파기하는 능력을 과시했다. 1806년 맘루크 지도자 알-바르디시와 알-알피의 죽음은 그에게 행운으로 작용했는데, 두 사람이 죽으면서 맘루크 분파들은 힘을 잃고 총독의 정치적 술수에 당하기 쉬웠다.

메메트 알리는 1807년 3월 중순에 영국군의 침공 소식이 들려왔을 때 여전히 자신의 권위를 다져가는 중이었다. 이번에는 알렉산더 매켄지-프레이저 장군이 이끄는 영국 원정군은 6년 전과 마찬가지로 아부키르 인근에 상륙해 3월 21일 알렉산드리아를 점령했다.[155] 매켄지-프레이저가 받은 지침은 그의 임무를 알렉산드리아 점령으로 한정했고 어떤 경우에도 내륙으로 진격하지 말라고 명시했다. 자국 정부의 개입을 위해 그토록 열심히 로비를 벌인 미세트는 침공의 제한된 범위를 알고서는 깜짝 놀랐다. 그는 명백히 훨씬 큰 규모의 사업, 그가 친프랑스 정서를 품고 있다고 의심한 메메트 알리를 무너뜨리고 카이로에 맘루크 베이들을 다시 앉히는 것을 생각하고 있었던 것이다.[156] 매켄지-프레이저는 사실 미세트가 맘루크들에게 어느 정도까지 확실한 언질을 주었는지 알고는 깜짝 놀라서 처음에는 그의 간청을 들으려 하지 않았다. 하지만 미세트는 대형 곡창들이 있다고 알려진 인근의 로제타와 라마니야를 손에 넣지 않고는 알렉산드리아의 영국군에 필요한 식량이나 물을 공급하기 불가능하다는 점을 지적했다.[157] 맥켄지-프레이저는 나일강 삼각주를 점령하려고 여러 차례 시도했지만 번번이 막대한 병력 손실을 입으며 격퇴되었다. 물자를 보급받을 수 없는 알렉산드리아의 영국군은 절박한 상황에 빠졌다. 맥켄지-프레이저와 미세트는 이 참사를 상대방 탓으로 돌리며 앞으로 어떤 방침을 취해야 할지를 두고 의견이 엇갈렸다. 맥켄지-프레이저는 철군을 주장한 반면, 미세트는 이집트가 프랑스의 수중에 떨어지지 않도록 이곳에 계속 남아야 한다는 뜻을 굽히지 않았다.

한편 메메트 알리는 영국군을 알렉산드리아에서 무력으로 몰아낼 만큼 자기 세력이 강하지 않음을 알고서 외교적 해법을 추구했다. 그는 영국군 포로 한 명을 풀어주고는 맥켄지-프레이저에게 영국군이 체면을 구기지 않고 철수할 수 있는 방안을 제의했다. 9월이 되자 양측은 협상을 통해 적대행위를 종식하고 모든 포로를 석방하기로 합의했다. 영국군은 2주 안으로 철수하고 모든 방어 시설을 기존 상태로 메메트 알리에게 넘겨주기로 약속했고, 알리의 병사들은 마지막 영국 병사가 떠나기 무섭게 알렉산드리아를 점령했다.

"그리하여 이 멍청하고 처참한 모험이 끝이 났다"라고 한 영국 역사가는 말했다.[158] 앞서 부에노스아이레스와 다르다넬스 해협에서 겪은 실패에 뒤이어 곧장 날아온 이 패배 소식에 영국 대중은 아연실색했지만 여론의 반응만 뺀다면 유럽에서 영국의 전쟁 수행 노력에는 제한적인 영향만 미쳤다. 원정이 철저한 숙고를 거쳐 기획된 것이 아니라는 점은 분명했다. 그 주요 목표가 술탄에게 영향을 미치는 것이었다고 한다면, 이집트는 그 목표를 이루기에는 너무 멀리 떨어져 있었다. 훨씬 더 중요한 것은 영국군의 원정이 이집트에 야기한 결과였다. 만약 원정이 성공했다면 완전히 파멸시키지는 않았다 하더라도 메메트 알리의 권력을 약화시켰을 것이다. 그러나 원정이 실패했으니 이 위기로 인해 그의 입지는 더 굳어졌다. 1807년 초에 메메트 알리는 어마어마한 상업적 기회를 제공하는 알렉산드리아의 대★항구를 장악했다. 지중해와 이베리아반도의 영국군과 함대를 유지하는 데는 막대한 양의 곡물이 필요했는데 유럽에서는 공급이 달렸다. 메메트 알리는 영국의 수요를 충족시켜주기 위해 신속하게 움직였고, 독점적인 곡물 수출로 큰 이윤을 거둬들인 덕분에 그의 권력은 한층 더 단단해졌다. 다음 4년에 걸쳐 그는 세수 구조를 싹 뜯어고치고 군대 근대화에 착수했다. 그와 동시에 맘루크 문제도 신속하게 마무리했다. 1811년, 맘루크 족장들은 카이로 회합에서 학살되고 살아남은 자들은 끝까지 추적당해 죽임을 당하면서 피비린내 나는 대단원의 막이 내렸다. 이제 메메트 알리는 근대화 개혁으로 가는 길을 닦아 나가는, 모두가 인정하는 이집트의 주인이었다.[159]

메메트 알리의 성공은 어느 정도는 오스만 제국이 한꺼번에 너무 많은 문제에 시달리고 있다는 사실에 힘입었다. 러시아와의 전쟁은 왈라키아만이 아니라 남서부 캅카스와 흑해 연해주에서도 전개되었고, 오스만튀르크는 러시아 공격의 물결을 막을 수 없었다. 그리고 1808년, 제국의 불안정한 정치적 조건들로 인해 발칸의 권력 실세들과 콘스탄티노플을 기반으로 한 종교 지도자(울라마)들, 예니체리들이 제휴해 근대 터키 역사에서 가장 피비린내 나는 에피소드를 통해 술탄에게 도전하자 상황은 악화일로로 치달았다.

술탄이 강력히 밀어붙인 제국 군대의 근대화는 전통적인 권력 집단들로부터 심한 원망을 샀고, 그들은 권력과 지위를 잃을까 봐 두려워했다. 1806년에 에디르네에서 니잠이 제디드 군단이 신설되자 현지 명사, 예니체리, 보수주의자들이 반란을 일으켰다. 현지 정부 관리들이 니잠이 제디드 군대의 도입을 알리는 칙령을 낭독하려고 하자 예니체리들은 그들에게 린치를 자행했다. 술탄 셀림은 반란자들과 즉각적인 대치를 자제하고 대신 유화적인 접근법을 취했다. 그는 니잠이 제디드 병력을 콘스탄티노플로 불러들이고 유능한 지휘관들을 해임했다. 유력자들의 한 발 더 나아간 위협에 대응해 술탄은 보수주의자들을 달래려는 심산에서 심지어 니잠이 제디드 병사들의 지휘권을 그 적들의 수중에 넘겼다.

결과는 처참했다. 1807년 5월, 보스포루스 해협을 따라 자리 잡은 요새들에 배치된 예니체리 보조군(야마크yamak)이, 니잠이 제디드 장교들이 새 군복을 입히고 새로운 훈련을 실시하려고 하자 반란을 일으켰다. 셀림은 이 반란을 진압할 수도 있었겠지만 타협을 하라는 보수적 자문들에게 다시금 설득되었다. 그러자 기세등등해진 반란 세력은 콘스탄티노플로 진격했고, 수도에서 수천 명의 예니체리와 신학생들, 울라마, 그리고 술탄의 근대화 프로그램을 규탄하는 여타 사람들이 반란의 물결에 합류했다. 용기를 잃은 술탄은 니잠이 제디드 군대를 해산시키고, 개혁파 측근들을 몰아내고 보수파를 요직에 앉히는 등 반란자들의 모든 요구를 들어주었다. 하지만 그런 과감한 양보도 그의 제위를 지켜주지 못했다. 술탄의 양보에 더욱 대담해진 반란 세력은 셀림을 폐위시켜 유폐했다. 승계 서열상 제위에 오를 사람은 셀림의 사촌인 무스타파와 마무드였다. 하지만 마무드는 폐위된 술탄과 가깝고 그의 개혁에 동조적이라고 의심받고 있었으므로, 무스타파가 1807년 5월 29일에 제위에 올라 무스타파 4세가 되었다.[160] 이 같은 내부의 정치적 위기들은 오스만튀르크의 군사적 능력을 심각하게 저해했고, 권력 투쟁에 얽혀 있는 지방 유력자들이 일부 지휘하고 있던 오스만 군대는 러시아군에 맞서 수세적 자세를 취하며 도나우강 유역에서 방어선을 유지하는 데 집중해야 했다.

허약하고 무능한 술탄 무스타파 4세는 반란 세력의 손아귀에 있는 정치적 꼭두각시에 불과했고, 반란 세력은 셀림이 지난 10년에 걸쳐 세웠던 니잠이 제디드 체제를 무너뜨리는 일에 착수했다. 그들은 서구에 영감을 받은 이 개혁들이 법과 질서의 전통적 원칙들에 위배되고 온갖 혼란과 패배를 야기한 주범이라고 주장했다. 비록 많은 현지 권력 집단들은 강력한 중앙정부가 자신들의 권력 기반을 허물까 봐 셀림의 신식 군대를 반대했지만 제국을 방어할 능력이 있는 근대적 군대 건설의 필요성을 인식한 강력한 명망가들도 존재했다. 그들에게는 유럽의 기독교 열강에게 정복당하느니 더 강한 중앙정부를 지지하는 것이 차악이었다. 새 술탄과 그와 손잡은 반개혁파는 제국의 통치가 무제한적인 것과는 거리가 한참 멀다는 사실을 금방 깨달았다. 통치는 수도와 그 주변 구역들까지만 미쳤다. 술탄은 물론 이 영역들 너머로도 권위를 발휘할 수 있었지만 그러자면 막강한 명사들에게 은전을 베풀고 얽히고설킨 현지 경쟁관계들에 엮이는 일을 피할 수 없었다. 남동유럽의 지방 명망가들 가운데 최고 실력자는 셀림 3세를 지지하고 무스타파 4세와 대립한 루세의 바이락타르 무스타파 파샤였다. 자신의 휘하로 다른 유력 인사들을 끌어들인 바이락타르 무스타파는 셀림을 제위에 다시 앉히기 위해 1808년 7월에 콘스탄티노플로 진격했다. 무스타파(술탄 무스타파 4세)는 셀림과 마무드를 암살하라고 지시했다. 셀림은 살해당했지만 마무드는 간신히 도망쳤다. 바이락타르 무스타파 파샤는 무스타파를 폐위하고, 1808년 7월 28일 마무드를 새 술탄으로 앉혔다.[161]

전임자처럼 마무드 2세(1808~1839)는 정치적으로 무력했고, 그의 생존은 지방 명사로는 최초로 제국 대재상이 된 바이락타르 무스타파 파샤에게 달려 있었다. 새 정권에 지지를 얻어내기 위해 무스타파 파샤는 제국이 당면한 정치적 문제들을 논의하도록 콘스탄티노플에서 유력한 명망가들의 모임을 주최했다. 야니나의 알리 파샤와 이집트의 메메트 알리와 같은 실세들은 이 모임에 참석하지 않았지만 제국 방방곡곡에서 많은 이들이 왔다. 이 회합은 협정서(세네드이 이티파크Sened-i Ittifak, 1808년 10월 7일)를 내놓았는데, 여기서 술탄과 명사들은 정의롭게 다스릴 것을 약속했다. 더 나아가 그들은 개혁 조치와 새로운 군대의 설립을 지지하기로 약속하고 술탄에 대한 충성을 천명했으며, 술탄의 군대에 저마다 부대를 내놓는 데 동의했을뿐더러 술탄의 몫인 세입을 빼돌리지 않고 제국 전역에 오스만 세금 체계를 실시하기로 동의했다. 마지막으로 그들은 각자의 영역과 자치권을 존중하기로 약속했다. 그 대가로 술탄은 정당하고 공평하게 세금을 부과하겠다고 동의했다. 범상치 않은 문서인 이 협약 증서는 때로 입헌주의를 향한 첫 시도로, "오스만의 마그나 카르타"로 소개된다. 정식 헌법적 문서는 아니지만 그 증서는 술탄의 권한과 현지 당국자들의 책무들을 제한하는, 정말로 군주와 '봉건귀족'들 간의 협약이었다. 하지만 그 문서는 끝내 기대한 바를 이루지 못했다. 자신의 주권을 제한하고 싶지 않은 술탄은 서명을 회피했고, 단 네 명의 명사들만이 증서에 자신의 이름을 기입했다.[162]

반대파를 확실하게 분쇄했다고 확신한 바이락타르 무스타파 파샤는 셀림 3세의 개혁 정책들을 되살리는 데 눈길을 돌렸다. 그의 군대가 개혁가들에게 술탄도 누리지 못한 일종의 권력을 부여하면서 반란 분자들은 죽임을 당하거나 수도에서 쫓겨났다. 그다음 대재상은 해체된 니잠이 제디드를 부활시키고(세그반이 제디드Segban-i Cedid라는 새로운 이름으로) 예니체리 부대를 개혁했다. 그럼에도 그는 명백히 예니체리와 울라마, 오스만 사회의 보수적인 집단의 힘을 과소평가했는데, 그들은 과거의 개혁 정책들에 새로운 이름을 갖다 붙인다고 속을 사람들이 아니었다. 게다가 대재상의 오만한 행동거지는 술탄과 정부 관리들을 멀어지게 했다. 불가리아에서 한 라이벌 군벌이 반란을 일으켜 바이락타르 무스타파 파샤가 콘스탄티노플에 있는 휘하의 군대 대부분을 파견하자 반대파는 역습에 나설 기회를 잡았다. 예니체리들이 왕궁으로 쳐들어가 바이락타르 무스타파 파샤를 화약고에 가뒀고, 결국 그는 1808년 11월 15일 그곳에서 자폭했다.[163] 불운하게 삶을 마감한 사촌의 실수로부터 배운 바가 있는 술탄 마무드는 양보해봤자 반대파의 기만 살려줄 것임을 알고서 반란자들에게 양보하길 거부했다. 그 대신 그는 재빨리 반격에 나서서 부하들에게 무스타파 4세를 살해하라고 지시해 반란자들이 제위에 앉힐 대안 후보자를 없애버렸다. 또 자기 주변으로 충성스러운 지휘관들을 끌어모은 다음 반란자들의 요구를 거부하고 그들을 육상과 해상 양쪽에서 공격했다.

　마무드에 대한 대안이 부재하고 또 마무드가 예니체리들에 맞서 자기 세력을 조직하는 능력을 과시하자 반란자들은 술탄을 폐위시킬 수 없다는 점을 깨닫고 화해를 모색했다. 마무드는 개혁을 끝내고 새로운 세그반이 제디드 군대를 해체하기로 동의했고, 반란자들도 그를 술탄으로 인정하기로 했다. 비록 처음에는 반개혁 세력이 술탄을 상대로 중대한 승리를 거둔 것처럼 보였지만 마무드는 가까스로 살아남아 계속 개혁에 헌신하게 된다. 1808년 11월의 사건들은 그에게 술탄 셀림 3세는 결여했던 귀중한 실용적인 경험들을 제공했다. 새 술탄은 전임자의 허약성과 우유부단을 지켜봤고 그로부터 교훈을 이끌어냈다. 그는 향후의 어떤 개혁이든 주도면밀하게 계획을 세워야 하고, 군대라는 고립된 요소만이 아니라 국가 기구의 전 범위를 아울러야 하며, 전통적인 제도들의 파괴, 특히 오스만 군대의 근대화를 저해하기 위해 무슨 짓이든 할 예니체리 세력을 파괴함으로써 개혁을 시행해야 한다는 점을 이해하게 되었다.

　힘겨운 국내의 난제들 말고도 새 오스만 술탄은 유럽의 급변하는 정치 환경과도 맞닥뜨려야 했다. 오스트리아는 패배해 반나폴레옹 동맹에서 빠질 수밖에 없었고 프로이센은 점령당했다. 영국은 계속 싸웠지만 대륙 열강들만 놓고 보면 영국의 도움은 결코 제때에 현실화되지 않는 듯했다. 이것들이 러시아의 알렉산드르 황제가 1807년 7월에 네만강 한복판의 뗏목에 올라 프랑스와의 강화조약에 합의할 때 그의 마음을 짓누르고 있던 고려 사항들이었다. 틸지트 조약 조건에 따라서 러시아는 나폴레옹이 중유럽에서 정복한 땅들을 인정하고 도나우 공국에서 철수하기로 동의했으며, 이오니아제도를 프랑스에 이전했다. 하지만 프랑스가 거둔 이 커다란 외교적 승리는 오스만튀르크를 희생시킴으로써 얻어낸 것이다. 이런 의미에서 나폴레옹은 콘스탄티노플에서 발생한 정치적 격변 소식을 환영했는데, 그의 말마따나 셀림 3세의 몰락은 프랑스가 이전에 그한테 한 약속을 모두 휴지 조각으로 만들었기 때문이다. 나폴레옹은 "이것이야말로 나를 자유롭게 놔주고 튀르크 제국은 더 이상 존재할 수 없다고 말씀하시는 섭리의 명령입니다"라고 러시아 황제에게 말했다.[164] 틸지트에서 프랑스는 실질적으로 콘스탄티노플과의 동맹을 저버리고 러시아에 만족스러운 타협을 도출하도록 술탄에게 강요하기로 약속했다. 조약의 비밀 조항에서 나폴레옹은 술탄이 중재 제안을 거절하거나 협상이 아무런 합의도 도출하지 못할 경우 "프랑스는 오스만 포르테에 맞서 러시아와 손을 잡을 것이며, 조약 체결 양 당사국은 콘스탄티노플과 루멜리아 속주를 제외하고 유럽의 모든 오스만 속주들에서 튀르크인들이라는 고민거리와 멍에를 없애기로 합의할 것"이라는 데 동의했다.[165]

프랑스와 러시아의 합의는 프랑스인들이 자신들을 배제하고 강화를 체결했다는 사실에 배신감을 느낀 오스만튀르크인들의 속을 뒤집어놓았다. 그럼에도 오스만 정부는 러시아가 몰다비아와 왈라키아에서 철수하고 세르비아인들에 대한 지원을 끝낼 것을 요구한 틸지트 강화조약의 단기적 혜택을 잘 알고 있었다. 술탄 무스타파는 프랑스의 중재로 러시아와의 협상에 돌입해 결국 1807년 8월 말에 슬로보지아에서 서명된 정전 협정을 이끌어냈다. 러시아 총사령관 이반 미헬손이 서명한 정전 협정은 도나우 공국에서 한 달 안으로 러시아가 철수할 것을 요구한 한편, 오스만튀르크는 도나우강 이남에만 머무르는 데 동의했지만 세르비아는 여전히 오스만튀르크가 보유했다. 하지만 정전은 단명하고 말았다. 러시아는 그럴듯한 다양한 구실을 들어서 합의 수용을 거부하고 이를 미헬손과 오스만튀르크 탓으로 돌렸다. 러시아 측의 주장에 따르면 미헬손은 외교 협상을 진행할 권한이 없으며, 오스만튀르크는 러시아가 떠나자마자 전략적 지역들을 향해 이동하고 기독교 인구를 탄압함으로써 정전을 깨뜨렸다는 것이다.[166]

실제 협정 파기의 주범은 알렉산드르 황제였다. 그는 틸지트에서 한 약속들을 준수하고 싶은 마음이 딱히 없었고, 정변이 콘스탄티노플을 뒤흔들고 오스만 정부가 아수라장인 시점에는 특히 그럴 마음이 들지 않았다. "오스만 제국은 죽었다"라고 러시아 외무대신 루미얀체프는 프랑스 대사에게 말했다. 그러니 왜 러시아가 전리품을 내놔야 한단 말인가?[167] 알렉산드르는 로스톱친이 6년 전에 표명했던 견해들을 앵무새처럼 되풀이하면서 점점 더 팽창주의적인 관점에서 사고했다. 러시아의 미래는 발칸과 캅카스로의 팽창에 있으며, 그곳에서 중유럽에서 상실한 지위를 보상할 영토를 얻을 수 있으리라. 그러므로 파리 주재 러시아 대사에게 내려온 정부의 지침은 오스만튀르크로 하여금 베사라비아와 서부 조지아 일부를 포기할 것을 요구하고 몰다비아와 왈라키아에 대한 러시아의 무기한 점령을 주장하라는 것이었다.[168] 나폴레옹은 처음에 러시아의 요구 사항에 격노했고 알렉산드르가 도나우 공국에서 병력 철수를 거부한다면 자신도 프로이센령 슐레지엔에서 철군하지 않겠다고 맞불을 놨다.[169] 하지만 그도 자신이 이베리아반도 문제로 여념이 없는 때에 러시아를 너무 압박해서는 안 된다는 점을 이해했다. 아닌 게 아니라 그는 대륙에서 정치적 안정을 유지하기 위해 러시아의 지지가 필요했고 만약 러시아가 오스만 제국에서 양보들을 요구한다면 그는 요구를 들어줄 용의가 있었지만 물론 이 모든 것은 주의 깊게 검토하고 논의한 다음에라야 가능했다.

1808년 봄, 러시아와 프랑스의 외교관들이 오스만 제국의 분할 가능성에 관한 세부 사항들을 논의하는 자리에서 세르비아 쟁점이 두드러지게 튀어나왔다. 양측은 오스만 제국을 분할할 경우 오스트리아가 지정학적 이해관계에 따라 그곳 영토를 얼마간 차지할 자격이 있음을 알고 있었다. 러시아의 신임 외무대신 니콜라이 루미얀체프 백작은, 프랑스가 러시아의 베사라비아와 왈라키아, 불가리아, 남서부 캅카스 인수와 더불어 콘스탄티노플과 양 해협의 지배를 수용한다면 세르비아를 오스트리아에 내줄 용의가 있음을 확인해주었다. 한편 나폴레옹은 알바니아를 차지할 수 있으리라—루미얀체프가 언급한 대로 "그것[알바니아]은 당신에게 가깝고 당신의 해군에 귀중한 자원을 제공해줍니다." 그리고 여기에 그리스 본토와 테살리아, 크레타섬이 따라왔다. 러시아는 프랑스가 이집트, 시리아, 아나톨리아 일부를 획득하는 것도 용인할 태세였다. 하지만 나폴레옹은 오스만 수도와 양 해협에 대한 러시아의 지배권을 수용할 수 없었다.[170]

1808년 가을 내내 알렉산드르 황제는 오스만 영토 분할에 관한 나폴레옹의 반쯤 진지한 논의를 따라가는 것과, 주로 세르비아인들과 콘스탄티노플 정부 내부로부터 여타 잠재적 우군들의 신뢰를 얻음으로써 프랑스의 도움 없이 콘스탄티노플 정부에서 자신의 영향력을 적극적으로 확대하는 것 사이에서 오락가락했다. 10월에 프랑스와 러시아 황제는 양자 간 동맹을 더 굳건히 할 목적으로 에르푸르트에서 재회했다. 알렉산드르는 오스트리아에 맞서 프랑스를 지지하는 데 따른 대가를 요구했고, "오스만 제국을 어지럽히고 있는 동란과 격변들이 왈라키아와 몰다비아 주민들의 안위와 재산에 대한 충분한 보장을 제공할 가능성은 없으며, 따라서 그런 보장을 이끌어낼 희망을 조금이나마 얻기 위해서는" 왈라키아와 몰다비아에 러시아군이 계속 주둔해야 한다고 주장했다. 나폴레옹은 러시아가 이 지역을 지배하는 것을 인정하기로 했지만 "프랑스와 포르테 사이 기존의 친선과 튀르크 영토 내에 거주하고 있는 프랑스인들의 안전을 위협하지 않기 위해, 또 포르테가 영국의 품안으로 들어가는 사태를 막기 위해" 이 사안을 비밀로 해주기를 원했다. 프랑스는 러시아-오스만 전쟁이 다시 불붙을 경우 오스트리아나 다른 열강이 오스만튀르크와 뜻을 같이하지 않는 한 자신들은 전쟁에 일체 관여하지 않기로 하는 데에도 동의했다.[171] 1808년 12월에 이르자 콘스탄티노플의 프랑스 사절 플로리몽 드 페이 드 라 투르-모부르는 도나우 공국을 러시아에 할양하도록 오스만튀르크인들을 설득하라는 새로운 지침을 받았다.[172]

이듬해 상황이 바뀌었다. 1809년 프랑스-오스트리아 전쟁은 러시아가 이름뿐인 맹방이 되었다는 사실에 일말의 의심도 남기지 않았다. 나폴레옹은 이 점을 알고 있었지만 심지어 프랑스-러시아 관계에서 균열이 가시적으로 드러나는 와중에도 동맹을 고수하는 것 말고는 달리 선택의 여지가 없다고 느꼈다. 하지만 영국은 그 균열들을 이용하려고 혈안이 되었다. 로버트 윌슨 경이 임무를 띠고 두 차례 상트페테르부르크로 파견되어 프랑스는 러시아 세력을 축소시키고자 하는 반면 영국은 러시아 세력이 증대되기를 바란다고 러시아인들에게 장담했다. 동방문제와 관련해서 런던은 "터키 분할을 결코 제안하지 않겠지만 그럼에도, (도나우) 속주들의 점령과 교환을 토대로 오스트리아와 러시아 사이에 어떤 합의가 도출될 수 있다면, 그리고 그 합의가 양국 간 진실한 동맹을 이끌어낼 수 있다면 (영국은) 그것을 결코 다툼의 원인으로 만들지 않을 것"이라고 약조했다.[173]

이 두 차례 임무 수행이 아무런 성과도 거두지 못하자 영국은 곧장 오스만튀르크와 직접 대화에 나섰고, 오스만튀르크는 유럽 열강끼리 싸움을 붙이려는 시도에서 이를 반겼다. 1809년 1월, 런던과 화평을 맺지 말라고 프랑스가 오스만튀르크에 거듭 경고하는 가운데 석 달간의 협상을 거쳐 칼라이 술타니예(다르다넬스 해협) 강화는 영국-오스만 관계를 복원했다.[174] 영국 정부는 오스만 영토 내 모든 병력을 소개하는 데 동의한 한편 술탄은 영국에 치외법권적인 특권들을 복원시켜주었다. 런던은 술탄의 영토를 보전하고 프랑스의 속셈을 저지할 오스만-러시아 강화를 이끌어내도록 러시아를 중재하기로 했다. 가장 중요한 단서 조항 가운데 하나는 보스포루스와 다르다넬스 해협이 국적을 불문하고 모든 외국 전함에 대해 상시 폐쇄되어야 한다고 규정했는데, 지중해에서 러시아와 프랑스 함대 간 연합 가능성에 관한 영국의 우려를 반영한 조항이었다. 다음 3년 동안 영국은 러시아-오스만 전쟁을 틀어막고, 오스만튀르크·오스트리아와 삼자동맹을 발전시키며, 오스만 제국에서 러시아와 프랑스의 영향력 둘 다를 억제하는 복잡한 전략을 추구했다. 그러므로 영국-오스만 조약 체결 이후 4개월이 채 지나지 않아 5차 대불동맹전쟁이 개시되었을 때, 영국은 "공정한 조건에서 러시아와 강화를 체결하고 러시아의 중립을 확보하는 것을 물리적으로 지원"하기 위해,[175] 영국 해군 전대가 흑해에 진입해 세바스토폴의 러시아 해군기지에 영국-오스만 합동 공격을 감행할 수 있도록—반세기가 지나 크림전쟁에서 일어날 사건의 전조—콘스탄티노플 정부를 설득하려고 애썼다.

다르다넬스 조약은 프랑스-오스만 관계의 전환점을 알렸기 때문에 중요했다. 그것은 나폴레옹과의 동맹이 유형의 혜택을 거의 가져오지 않는다는 콘스탄티노플의 커져가는 자각을 드러냈다. 그래도 프랑스는 동맹에서 벗어나려는 오스만튀르크를 순순히 놔줄 생각이 없었다. 나폴레옹은, 프랑스는 러시아가 도나우강 너머로 팽창하는 것을 용납하지 않을 것이며, 평화의 대가로 포기해야만 했던 몰다비아와 왈라키아를 제외하고 오스만 영토 보전을 보장할 것이라고 장담했다. 1809년 12월에 입법원 연설에서 그는 튀르크인들이 "(영국의) 교활하고 믿을 수 없는 조언에 좌지우지된다면 응징"을 피할 수 없을 것이라고 경고했다. 그리고 자신이 진심이라는 것을 보여주기 위해 나폴레옹은 "나의 친구이자 맹방인 러시아 황제"가 도나우 공국으로 권위를 확대하고 있음을 만족스럽게 언급했다.[176]

이 모든 것은 최소한 프랑스-러시아 우호의 외양만이라도 유지하려는 나폴레옹의 노력의 일환일 뿐이었다. 실제로는 그는 러시아를 억제할 수 있는 방안들을 미친 듯이 모색하고 있었다. 그는 러시아의 팽창 전망을 이용해 오스트리아의 협조를 얻어내고자 했다. 1809년 초에, 당시 진행 중인 오스트리아 군제 개혁과 그 조치들이 프랑스에 제기하는 위협을 논의하기 위해 오스트리아 대사 메테르니히와 만난 자리에서 나폴레옹은 프랑스와 러시아가 오스만 영토를 분할할 때 오스트리아를 속수무책의 구경꾼으로 전락시킬 수도 있다고 협박하는 동시에 오스트리아인들 눈앞에 오스만 제국에서 챙길 수 있는 전리품의 한몫이라는 유혹적인 미끼를 제시했다. 그동안 내내 오스만 대사는 바로 몇 발자국 옆에 아마도 두 눈이 휘둥그레진 채 서 있었다. "이런 대화는 외교 역사상 유례가 없을 것"이라고 메테르니히는 추후 보고서에 적었다.[177]

바로 이 무렵에 전직 몰타 기사이자 비잔틴 황제들의 후손인 테오도르 라스카리스 드 방티미유가 레반트에 임무를 띠고 왔다. 레반트에 도착하자마자 그 프랑스 첩보원은 시리아와 이라크 사막들에서 교역로와 교역 기지, 우물을 탐색하는 데 도움을 요청하며 알레포에 거주하는 기독교도 파탈라 알-사예그에게 접근했다. 두 모험가는 1810년 2월 위험한 모험에 나서서 사막의 오지들을 방문하고 다양한 부족들과 교류하는 데 성공했다. 몇 달을 여행한 끝에 라스카리스는 그 아랍인 안내인에게 놀라운 비밀을 털어놓았다. 자신은 물건을 팔러 이곳에 온 게 아니라, 흡사 아라비아의 로렌스처럼 현지 부족장들과 친구가 되어 그들을 단합시켜 오스만 권력에 맞서 반란을 선동하고 프랑스가 레반트 지역으로 복귀할 길을 닦으라는 나폴레옹의 지시를 이행하기 위해 왔다는 것이다. 사예그가 회고록에서 묘사한 대로 임무는 성공적이었고 아랍 부족장들은 기꺼이 오스만 권력에 도전하고 나폴레옹과 한편이 될 용의를 보였다. 하지만 프랑스로의 귀환 여정을 준비하는 사이에 라스카리스는 나폴레옹의 처참한 러시아 침공에 관한 소식을 들었고 그 파급효과를 이해했다. 그는 알렉산드리아의 프랑스 영사인 옛 친구를 만나기 위해 이집트로 가기로 했

지만 도착한 직후 이질로 죽었다.[178]

  라스카리스와 사예그의 기이한 이야기는 모순적이고 상반된 내용이 많고, 프랑스 영사나 여타 공식 문서의 부재로 많은 요소들이 검증 불가능하다.[179] 공상적일지언정 이 이야기는 중요한 역사적 사실을 건드리기는 한다. 바로 나폴레옹이 동방으로 귀환해 인도양에서 영국의 이해관계를 위협하는 데 오랫동안 관심을 표명해왔다는 사실 말이다. 1810년 9월 그는 레반트 원정을 비롯해 영국에 맞선 대대적인 공격을 구상했다. 한 달 뒤에는 첩자들 가운데 한 명을 시켜서 시리아와 이집트를 방문해 생장다크레(아크레)와 야파, 로제타, 알렉산드리아, 카이로의 요새들을 점검하고, 현지의 형세에 관해 보고하라는 지시를 내렸다. 같은 날 그는 시리아와 이집트의 프랑스 영사에게 두 지역의 정치적·군사적·재정적 상태에 관한 정기적인 보고서를 제출하라고 명령했다.[180] 이런 지시 사항들은 러시아 원정이 끝난 뒤에 동방 원정에 착수하기 위한 사전 준비 작업이었던 것 같다. 라스카리스의 임무는 레반트 지역의 사정을 살펴보려는 나폴레옹의 지속적인 시도에 잘 들어맞긴 하지만, 확실한 결론을 내리려면 후속 연구가 필요하다.

러시아-오스만 전쟁이 시작되었을 때, 1806년 12월 29일 베오그라드, 1807년 2월 샤바츠 함락으로 이어진 일련의 군사적 승리들로 이전 베오그라드 파샬리크[파샤 관구]는 세르비아인들이 지배하게 되었다. 러시아인들에게 세르비아는 오스만튀르크의 저항을 무너뜨릴 중요한 압력 수단을 제시한 셈이었다. 공공연하게 러시아와 한편이 된 세르비아 지도자 카라조르제는 러시아 병력을 받아들이겠다고 제의해 육상과 해상 양쪽에서 러시아-세르비아 군사 협력의 길을 닦아, 몰다비아의 러시아군은 반란군과 접선했고 몬테네그로에 배치된 세니야빈 부제독의 지중해 전대는 추가적인 해상 지원을 제공했다.[181] 러시아의 개입에 놀란 술탄 셀림 3세는 세르비아인들이 이전에 추구했던 조건들을 제시하면서 카라조르제와 타협을 시도했다. 하지만 그 이후로 많은 것이 변했고, 1804년이라면 수용 가능했을 조건이 1807년에는 더 이상 성에 차지 않게 되었다. 러시아가 러시아인과 세르비아인을 잇는 공통의 정신적·종족적 유대를 언급하는 가운데 카라조르제는 자연스레 장래 세르비아 독립에 관한 러시아의 확약을 수용하는 쪽으로 기울었다. 1807년 3월 세르비아 지도자들은 오스만튀르크의 제안을 거부하고 이전 파샬리크가 오스만 지배에서 독립했다고 선언했다.

몇 년간 세르비아 국가의 미래는 나폴레옹 전쟁의 더 큰 세력 다툼과 난마처럼 얽혀들게 되었다. 약속에도 불구하고 러시아는 사실 세르비아의 완전한 독립에는 관심이 없었고 일정한 형태의 후원-의존 관계를 유지하는 쪽을 선호했다. 이 시기 내내 러시아는 세르비아의 행위에 상당 정도의 통제력을 행사하려고 노력했고 러시아의 전반적인 정책은 크게 요동치는 대對프랑스, 대對오스만 관계의 진폭에 따라 결정되었다. 비록 프랑스-러시아 간 틸지트 조약은 세르비아를 언급하지 않지만 두 나라는 오스만튀르크가 러시아-오스만 전쟁의 종식을 위한 프랑스의 중재 제의를 거절할 경우 발칸 지역을 "해방"시키기로 동의했다. 콘스탄티노플에서 일어난 정치적 동란으로 미뤄져왔던 러시아-오스만 강화 회담은 1809년 3월에 야시에서 다시 열렸다. 술탄 마무드 2세가 러시아에 영토를 조금도 할양하지 않으려고 해서 협상은 시작과 거의 동시에 교착상태에 빠졌다. 결국 러시아 쪽은 회담에서 철수해 가을에 도나우 공국에서 군사작전을 개시했다.[182]

이쯤 되자 2년간의 군사 활동과 병사 수만 명의 존재는, 만연한 약탈과 수천 명 농민들의 대규모 피난, 그에 따른 농업 생산량의 급감, 끝으로—마치 대미를 장식하듯—수시로 역병이 창궐하는 그 지역에 심각한 사회경제적 혼란을 야기하고 있었다. 8만 명가량으로 증가한 러시아군은 결정적인 군사작전을 실시할 만한 병참 지원을 기대할 수 없었다. 또 유능한 지도부도 없었다. 1809년에 도나우강 러시아군의 사령관으로 임명된 육군 원수 알렉산드르 프로조롭스키는 많은 나이(76세였다)와 성치 않은 몸에도 불구하고 18세기식 진지전 陣地戰의 굳건한 옹호자였다.[183] 적군과 맞붙어 섬멸하는 신속한 전역을 수행하는 대신에 그는 지우르지우와 브라일라 요새들을 함락하는 데 집중했다. 두 군데에 대한 공격은 모두 어설프게 조직되었고 철저히 실패했다. 브라일라 요새에서만 러시아군은 거의 5천 명을 잃었다.[184] 그러한 실패에 낙담한 프로조롭스키는 두 달 넘게 아무런 군사행동도 하려고 하지 않았다.[185]

한편 오스만튀르크는 러시아가 잠잠한 틈을 타 1809년 늦봄에 세르비아를 향해 대공세를 단행했다. 그들은 세르비아군을 무찌르고 모라바강 우안을 장악한 다음 좌안의 전략 요충지인 샤바츠 요새를 포위했다. 오스만군의 영토 탈환에 놀란 카라조르제는 서둘러 12세에서 70세 사이 남성에 대한 총동원령을 내렸지만 이렇게 필사적인 조치도 기존의 위치를 포기하고 북쪽으로 퇴각한 세르비아인들을 구할 수는 없었다.[186] 세르비아인들은 프로조롭스키가 병력을 보내주기로 약속했다가 이미 파견한 러시아 병사들을 다시 불러들여 자신들을 제대로 지원해주지 않은 것에 대해 특히 분통을 터뜨렸다.

이 같은 후퇴들에 짜증이 난 알렉산드르 황제는 튀르크인들을 상대로 새로운 공세와 신속한 승리를 원했고, 도나우 지역들을 확보하고 세르비아 우군을 보호하며, 여타 지역에서 나폴레옹을 상대하도록 러시아의 자원을 자유롭게 놔줄 승리를 주문했다. 한 당대인은 러시아 사회가 오스만튀르크를 상대로 신속한 승리를 거둘 것을 기대했지만 "반쯤은 시체나 다름없는 여든 살의 육군 원수 프로조롭스키"는 이러한 여망을 이뤄줄 수 없었다.[187] 더 젊고 활력 넘치는 지휘관을 찾던 알렉산드르는 러시아 군부 만신전의 가장 빛나는 별 가운데 한 명이자 프랑스군과 싸운 경험이 풍부한 표트르 바그라티온 공에게 눈길을 돌렸다. 1809년 여름 왈라키아로 파견된 바그라티온은 즉시 도나우강 너머로 공세를 감행해 라세바트(9월 16일)와 타타리차(10월 22일)에서 오스만군을 격파하고 여러 요새를 함락했다. 비록 탄약과 보급품이 부족해 곧 도나우강 북안으로 복귀할 수밖에 없었지만 그의 전역은 오스만군에 상당한 피해를 야기했고 오스만군이 꾸준하게 우위를 찾아가고 있던 세르비아 전선에서 자원을 빼오게 만들었다. 그래도 카라조르제는 여전히 러시아의 행동에 분을 삭이지 못했다. "제발, 당신들은 우리를 도와야만 합니다. 당신들 스스로 우리의 보호자를 자처하지 않았습니까? 당신들이 우리를 저버린다면 다른 나라들은 당신들을 멸시할 것입니다. (…) (프로조롭스키의) 영혼은 지옥에나 떨어져라. (…) 주여, 그의 죄를 물으시길, 그자는 우리를 속이고 우리가 튀르크인들의 손에 패배를 당하게 만들었으니."[188]

1809년의 사건들은 세르비아 지도부 내 깊은 균열을 드러냈다. 일부 지도자들은 러시아와 관계를 유지해야 한다는 뜻을 고수했지만 다른 분파들은 러시아가 자신들을 보호해주지 못했음을 지적하고 프랑스나 오스트리아에 도움을 구해야 한다고 주장했다. 심지어 친러시아 세르비아인들도 카라조르제에게 알렉산드르 황제와의 관계에서 신중하라고 충고했다.[189] 1809년 가을에 카라조르제는 세르비아의 미래와 러시아와의 관계, 오스만 제국을 논의하기 위해 전국협의회(스쿱슈티나)를 소집했다. 협의회는 강력한 러시아 전력의 지원이 없는 상태에서 러시아의 보호 약속은 충분한 보증이 될 수 없다고 결론 내렸다. 협의회의 결정은 바그라티온 공에게 전달되었고, 세르비아 대표단을 만난 바그라티온은 인력과 돈에서 러시아의 지원을 장담했다.[190] 실용주의적인 사람인 카라조르제는 그런 약속을 딱히 신뢰하지 않고 러시아에 대한 의존도를 줄이고자 했다.[191] 군사적 위기가 정점으로 치달았을 때 그는 나폴레옹에게 "세르비아 국가의 존엄한 수호자이자 보호자"가 되고 세르비아, 보스니아, 헤르체고비나, 몬테네그로, 불가리아, 그리스의 여러 민족들을 하나로 통합시켜줄 것을 호소했다. "이 민족들을 프랑스의 비호 아래 두게 되면 프랑스의 적들은 벌벌 떨게 될 것이기 때문"이었다. 세르비아 지도자는 프랑스 병력이 베오그라드와 샤바츠 요새를 점령하고, 진격해오는 오스만 군대로부터 그 지역을 보호해주길 바랐다.[192] 세르비아 사절은 쇤브룬 조약 협상이 진행되고 있을 때 빈에 도착했지만 나폴레옹은 세르비아에 형식적인 관심만 보이고 아무런 약속도 해주지 않았다.[193]

카라조르제는 그다음 오스트리아 당국자들에게 도움을 호소했지만 세르비아의 미래를 둘러싼 그들의 걱정은 오스트리아로부터 아드리아해 영토를 모조리 앗아간 쇤브룬 조약의 여파로 인해 더욱 깊어졌을 뿐이었다. 러시아나 프랑스가 좌지우지하는 세르비아라는 전망은 둘 다 오스트리아에 근동으로 가는 핵심 교역로들을 쉽게 끊어버릴 수 있어 달갑지 않은 것이었다. 1809년 10월, 오스트리아의 신임 외무대신이 된 지 며칠 만에 메테르니히는 세르비아 쟁점에 관한 특별 각서를 작성해 해법은 단 두 가지밖에 없다고 주장했다. 세르비아가 오스만 제국 내 베오그라드 파샬리크로 복귀하든지 오스트리아의 한 지방이 되든지, 둘 중 하나였다. 오스트리아는 임박한 듯한 프랑스와 러시아의 오스만 영토 분할에서 배제될까 봐 전전긍긍했다. 이러한 걱정은 알렉산드르가 도나우 공국을 병합하겠다는 의사를 공표한 제국 칙령을 발표한 뒤에 더욱 커졌다. 프랑스의 침묵은 오스트리아에게 최악의 걱정을 확인시켜주는 듯했다.[194]

하지만 메테르니히가 이 주제를 나폴레옹한테 꺼냈을 때 그는 배제되기는커녕 실은 오스트리아가 발칸에서 중요한 역할을 할 수 있다는 것을 깨달았다. 나폴레옹은 발칸반도에서 러시아의 팽창을 시기하는 오스트리아를 이용해 그 지역에서 더 이상의 팽창을 막을 수 있길 바랐다. "도나우강 유역은 당신들에게 엄청난 관심사이지요." 그는 오스트리아인들에게 말했다. "지도를 보시오. (도나우) 공국은 러시아가 아니라 당신들에게 돌아가야 합니다. 만약 러시아인들이 그 땅을 소유하게 되면 그 땅은 당신들에게 끝없는 시샘의 원천이 될 것이오."[195] 러시아가 세르비아를 취할 가능성에 관해 나폴레옹은 오스트리아 대신에게 다음과 같은 견해를 피력했다. "도나우강은 지금까지 러시아 군대의 전진을 막는 거대한 장애물이었소. 하지만 그

강 우안의 땅 한 뼘이라도 러시아인의 수중에 들어가게 되면 내 생각엔 그건 오스만 제국의 완전한 파멸과 다름없게 될 거요."[196]

프랑스의 확언은 빈 궁정을 설득하지 못했다. 마침 같은 시기에 상트페테르부르크가 보스니아와 세르비아에서 상응하는 영토 할양을 대가로 러시아의 도나우 공국 인수를 수용해달라는 제안을 들고 빈에 접근해왔던 것이다.[197] 이같이 요동치는 국제 형세 속에서 메테르니히는 오스트리아의 경제적·정치적 이해관계를 지키는 최상의 수단은 발칸에서 오스만의 지배를 지속시키는 것이라고 믿게 되었다. "정당한" 권위의 회복을 통해서만 그 지역의 연약한 세력 균형이 유지될 수 있으리라. 그는 그러므로 세르비아를 오스트리아에 합병해달라는 세르비아인들의 제안을 거부하고 그 대신 모든 분파들이 러시아-오스만 전쟁을 끝내고 발칸에 조금이나마 질서를 가져올 수도 있을 오스트리아의 중재를 수용하게 하려고 애썼다.[198]

하지만 메테르니히로서는 타이밍이 이보다 더 나쁠 수 없었다. 오스만튀르크는 오스트리아의 진심을 의심하며 중재 제안을 거절했다.[199] 오스만튀르크의 중재 요청을 오스트리아가 거부한 근래의 기억이 여전히 생생했다. "세르비아와 포르테를 중재하도록 요청받았을 때 오스트리아는 중재를 거절했다. 현재 오스트리아는 중재와 보장을 들고 나왔는데, 이는 뜻밖이면서도 아무도 요청한 바 없는 제안"이라고 콘스탄티노플의 한 영국 사절은 오스트리아의 의중에 대한 오스만튀르크의 경계심을 상기시키듯 보고했다. "이런 태도 변화의 이유는 무엇일까? 오스트리아가 포르테 정부와 반란자들 사이의 화해로부터 챙길 수 있는 이득을 전에는 의식하지 못하고 있다가 갑자기 이해하게 된 것인가? 아니면 오스트리아는 러시아의 적의를 사는 것을 더는 두려워하지 않는단 말인가?"[200] 오스만튀르크도 합스부르크 궁정이 오스만 영토 보전을 약속하는 한편으로 헝가리에서 세르비아 반란 세력에 방대한 양의 물자가 선적되고 있는 현실을 못 본 체하고 있음을 잘 알고 있었다.[201] 오스만튀르크인들을 한층 더 동요시키는 것은 영국이 퍼뜨리는 소문, 다시 말해 프랑스와 오스트리아의 쇤브룬 강화조약에 발칸에서 오스만 영토를 희생시켜 중유럽에서 오스트리아의 영토 상실을 보상하는 비밀 합의 내용이 들어 있다는 소문이었다. 전직 영국 외무장관 캐닝은 "오스트리아의 개입은 포르테의 입장에서 괘씸하기 짝이 없다. 포르테는 오스트리아가 프랑스의 동의하에 그러므로 프랑스의 지시에 따라 행동한다고 합리적으로 의심할 만하다. 영국에게도 불쾌하기는 매한가지다. 더 너른 시각과 열린 정책을 따르는 영국은, 오스만튀르크가 러시아와의 무익한 대결에 사로잡혀 있는 현실이 비참한 결과를 가져오고 두 나라 공통의 적에게만 득이 될 것임을 예상하고 이해할 수 있다"[202]라고 썼다. 그 결과 오스만 정부는 빈이 베오그라드 파샬리크의 사안에 일체 간섭하지 말 것을 강경하게 요구했다.

오스트리아의 중재 제의는 베오그라드에서도 비슷하게 시큰둥한 반응을 낳았다. 러시아의 개입 덕분에 임박한 파멸을 가까스로 피한 카라조르제는 오스만튀르크에 맞서 자신을 기꺼이 지지해주는 유일한 열강을 멀어지게 할 처지가 아니었다. 오스트리아를 불신하는 그는 오스트리아의 교섭 제의를 거부했다. 프란츠 황제가 세르비아를 돕고 싶은 마음이 진심이라면 우선 병력을 파견해야 한다.[203] 러시아의 재정적 지원과 더불어 러시아 정치 주재원의 도착은 세르비아인들을 러시아의 영향력 아래 복귀시켰다.[204] 카라조르제의 양다리

걸치기 전략을 알고 있던 러시아 총사령관 바그라티온은 세르비아인들이 외세의 원조를 구하고 있다고 비판하고 루멜리아의 오스만 총독 후르시드 파샤가 세르비아인들에게 강화 제안을 내놓았다는 소문에 대해 우려를 표명했다. 이 합의의 일환으로 오스만튀르크는 그 지역에서 평화와 안정을 보장하기 위해 베오그라드에 5천 명까지 병력을 배치하기를 원했다.[205] 카라조르제는 이 제의를 전국협의회에 제시하겠다고 약속했고, 이를 둘러싼 논의는 협의회에서 세르비아인들 사이에 의견 분열을 낳았다. 한쪽은 완전한 독립을 이룰 때까지 계속 싸울 것을 요구했고, 다른 한쪽은 휴전에 서명하고 오스만과 협상하는 쪽을 선호했다.[206] 그 지역에서 발판을 잃을까 봐 걱정한 러시아인들은 카라조르제와 여타 세르비아 지도자들에게 오스만의 제의를 무시하라고 다그치고 돈과 사례금을 이용해 협의회가 오스만의 거래 제안을 거절하게 만들었다.[207]

세르비아인들을 달랜 바그라티온은 이번엔 기독교도 주민들이 튀르크인들에 맞서 반란을 일으킨 보스니아로 관심을 돌렸다. 그는 반란을 "세르비아와 우리의 이해관계 둘 다에 유용한" 것으로 반겼고, 다른 오스만 영토의 기독교도 인구가 보스니아의 사례를 따르도록 부추기고 싶었다.[208] 러시아 당국자들이 작성하고 퍼뜨린 세르비아 민족에게 고하는 특별 포고문은 다음과 같이 주장했다. "세르비아인들이 조국에 대한 믿음과 사랑으로 기운을 얻고 용맹한 정신으로 무장할 때가 왔다. 세르비아의 오만한 폭군들을 무너뜨리고 이 나라에 평화와 안전을 확립하기 위해 모든 세르비아인은 한마음으로 불굴의 러시아군에 합류해야 한다." 러시아와 세르비아 간 긴밀한 연계를 역설한 다음 포고문은 세르비아인들에게 "너의 형제들이, 러시아의 용맹한 전사들이 너희를 수호하기 위해 행진하고 있다. (…) 형제로서 그들을 맞이하고 그들과 함께 적에 맞서 싸워라."[209] 발칸에서 제국적 구상을 추구함과 동시에 러시아 당국자들이 그 구상을 오스만튀르크에 맞선 세르비아 민족주의로 포장했다는 사실은 주목할 만하다. 바그라티온은 베오그라드의 러시아 사절에게 다른 유럽 나라들이 보기에 세르비아와 러시아에 대한 "신망을 해치지 않을 수단"들만 고르라고 주의를 주었다. 러시아의 행위는 세르비아와 발칸의 다른 반란들이 "외세의 선동이 아니라 이 기독교 민족들의 염원"에 기인한 것이라는 "인상"을 주어야 한다는 것이었다.[210]

✤

1810~1812년에 알렉산드르 황제는 5년째로 접어든 러시아-오스만 전쟁을 매듭짓고 싶은 마음이 간절했다. 프랑스-러시아 관계가 꾸준히 악화되는 가운데 그는 이 전쟁에 여전히 매여 있는 상태에서 프랑스와 대결할 가능성에 대해 걱정이 이만저만이 아니었다. 러시아 사회도 즉각적인 결과를 원했다. "스웨덴과의 전쟁이 그들을 신속한 승리에 익숙하게 만들었기 때문이다. 바그라티온의 군사작전들은 성에 차지 않았다. '그가 도나우강을 건너서 뭐 어쨌다는 건가?' '50년 전에는 사람들이 그런 사실에 놀랄 수도 있었겠지. 하지만 지금은 아니다. 이제 우리는 발칸산맥을 넘어야 한다'라는 말이 떠돌았다."[211] 성과를 요구하던 알렉산드르는 더 주도면밀한 작전 준비를 촉구하는 바그라티온을 해임하고 니콜라이 카멘스키 장군으로 교체했다. 1810년 늦봄에 카멘스키는 러시아군을 이끌고 다시 한번 도나

우강을 건너 실리스트라, 라즈그라드, 바자르지크 요새를 함락하고 슈믈라에서 요새화된 진지 안에 갇힌 4만 병력의 오스만군 주력에 처음에는 몇 차례 공격을 감행했으나 수포로 돌아가자 포위전에 돌입했다. 그다음 카멘스키는 루세(8월 3일)에서 처참한 공습으로 거의 9천 명의 병사를 죽거나 다치게 함으로써 시간과 병력을 허비했다. 다음 달에 러시아군은 다시 기세를 잡았다. 카멘스키는 슈믈라에 갇힌 대재상의 군대를 구원하러 가던 오스만 증원군을 중간에 가로막아 9월 7~8일에 바틴에서 패주시켰다.

다음 여섯 달에 걸쳐 러시아군은 북부 불가리아를 휩쓸면서 루세, 투르누, 플레브나, 로베치, 셀비 요새를 함락했다. 하지만 이 압도적인 승리에도 불구하고 카멘스키는 여전히 전임자들을 괴롭힌 똑같은 병참상의 난관에 직면했고 겨울을 나기 위해 도나우강 이북으로 철수해야 했다.[212] 그가 내린 마지막 결정 가운데 하나는 베오그라드에 소규모 분견대를 파견하는 것으로, 분견대는 1811년 1월 베오그라드에 도착해 오스트리아와 외교적 위기를 촉발했다.[213] 러시아의 세르비아 수도 점령은 긴박한 군사적 필요에 따른 것이 아니었으므로 오스트리아 군부로부터 즉각 규탄을 받았다. 오스트리아는 수도 점령이 세르비아의 독립이나 그보다 더 나쁘게는 러시아에 의한 보호국화의 전조라고 보고 그 두 가지 가능성이 "오스트리아령 네덜란드의 상실"보다 오스트리아의 국제적 위상을 더 해칠 것이라고 내다봤다.[214] 라데츠키 장군과 여타 매파는 오스트리아의 동방 정책을 근본적으로 재고할 것을 오랫동안 촉구해왔고 북쪽과 동쪽의 보헤미아와 모라비아, 슐레지엔, 카르파티아산맥, 부코비나는 물론 남쪽의 흑해와 아드리아해 사이 전 지역을 아우르게 될 오스트리아만의 "자연적 경계"를 추구할 것을 주장했다.[215] 메테르니히에게 베오그라드에서 러시아군의 존재는 그것이 발칸 지역은 물론 헝가리와 크로아티아 내에 거주하는 수백만의 슬라브인과 동방정교 기독교도들에게 악영향을 미치고 그리하여 합스부르크 제국의 내적 안정성을 위협할 것이기에 걱정거리였다. 오스트리아는 러시아의 베오그라드 점령의 배후에 있는 동기를 해명할 것을 요구하고, 세르비아 수도부터 도나우강을 가로지르는 자국 국경의 방어를 강화할 것을 지시했다. 러시아는 예상대로 일체의 저의를 부인했고 오스트리아의 두려움을 가라앉히고자 했다. 특사가 빈으로 파견되어 러시아군의 배치는 러시아 장군들의 자체 판단에 따라 "순전히 군사적 목적"을 위한 것이라고 메테르니히를 안심시켰다.[216]

오스트리아는 이런 해명이 설득력이 없다고 여겼고, 그들의 생각은 맞았다. 베오그라드의 러시아 병력은 군사적 가치가 별로 없었지만 엄청난 외교적 압력 수단을 제공했다. 프랑스-러시아 관계가 계속해서 악화되면서(나폴레옹은 세르비아에서 러시아의 행동을 에르푸르트 합의의 또 다른 위반이라고 해석했다) 알렉산드르는 프랑스에 맞선 전쟁이 벌어질 경우, 러시아의 남서부 지방들을 위협할 수 있는 오스트리아의 지지나 중립을 확보하지 못할 경우 승산이 없다고 내다봤다. 1811년 겨울에서 봄 동안 알렉산드르 황제는 세르비아 쟁점을 거래 수단으로 삼아, 이에 관해 오스트리아의 확답을 받아내고자 했다. 빈은 러시아가 발칸에서 자국의 목표들을 명확하게 밝히기 전에는 확약을 고려하는 것조차 거부했다. "튀르크인들과 이 문제부터 매듭지으시오. 그러면 우리도 대화를 하겠소"라고 메테르니히는 1811년 2월에 러시아 사절에게 딱 잘라 말했다.[217] 러시아의 베오그라드 점령은 따라서 오스트리아에 러시아의 의도가 진지함을 보여주고, 진지한 외교적 논의를 이끌어내기 위한 것이었다. 러시아 군주는 전례 없는 양보를 할 태세였다. 프란츠 황제에게 쓴 편지에서 알렉산드르는 오스트리아가 중립을 약속해주는 대가로 세레트강까지 이르는 도나우 공국과 세르비아 영토 전부를 오스트리아에 내주고 이탈리아에서 오스트리아의 패권을 수용할 용의가 있음을 언급했다.[218] 구미가 당기는 제안이었지만 메테르니히는 이를 수용하는 것은 러시아의 베오그라드 진격이 가져온 전략적 충격을 나폴레옹이 온전히 인식하고 있음을 고려할 때 프랑스에까지는 아니라 해도 오스만 제국에 선전포고를 하는 것이나 다름없다는 것을 알았다. 처참했던 최근의 전쟁 이후 2년도 지나지 않아 또 다른 전쟁을 벌일 형편이 못 되는 오스트리아로서는 러시아의 제의를 거절하는 것 말고는 도리가 없었다.

술탄 마무드에 대한 러시아의 대화 시도도 똑같이 성과가 없었다. 마무드는 도나우 공국을 내주는 데 동의한다면 세르비아의 명분은 포기하겠다는 러시아의 제안을 거절했다. 오스만튀르크는 시간이 생명임을 알고 있었다. 바야흐로 러시아와 프랑스 간의 충돌이 임박했다. 그들은 따라서 러시아가 지난 5년 동안 정복한 모든 땅을 포기하고 전전 상태 유지를 인정할 때까지 대화 개시를 거부했다.[219] 이러한 외교상 차질에 답답해진 알렉산드르 황제는 1811년 3월에 카멘스키를 미하일 쿠투조프 장군으로 교체하고 신임 총사령관에게 전쟁을 조속히 승리로 매듭지으라는 엄명을 내렸다. 쿠투조프는 대다수의 요새에서 러시아 수비대를 철수시키고 군대를 도나우강 우안 루세 인근에 집결시켰다. 1811년 6월 아메드 파샤 휘하 오스만 군대는 러시아군에 맞서 공세를 감행했지만 7월 4일 루세 인근에서 패했다.

하지만 비딘에 있는 오스만 병력이 측면을 위협할 수도 있음을 걱정한 쿠투조프는 루세를 버리고 군대를 도나우강 좌안으로 철수시켰다. 7월과 8월에 오스만군이 도나우강을 건너려고 여러 차례 시도했지만 수포로 돌아갔고, 이로써 쿠투조프는 오스만 군대 전체를 에워싸서 섬멸할 작전을 고안할 시간을 벌었다. 1811년 9월 10일 그는 아메드 파샤와 오스만 군대가 루세 근처 슬로보제아에서 도나우강을 건너게 놔뒀다. 그다음 1만 1천 명가량의 소규모 군단을 파견해 하류에서 도나우강을 건너 오스만군의 진지와 오스만군의 배후에 있는 루세 요새를 점령하게 했다. 그리하여 아메드 파샤는 포위되어 강 쪽으로 밀려났고, 아사 상태에 내몰린 오스만군은 결국 12월 5일에 항복했다.[220]

루세에서의 승리는 오스만튀르크의 항전 의지를 꺾은 결정타였다. 술탄은 임박한 러시아와 프랑스 간 전쟁이 정치적 상황을 자신에게 유리하게 바꿔주길 바라며 10월에 외교 회담을 여는 데 동의했다. 프랑스 침공 위협이 높아짐에 따라 심한 압박감을 느낀 러시아는 마침내 타협하기로 하고 1812년 5월 28일, 첫 프랑스 병력이 러시아 땅을 밟기 딱 한 달 전에 부쿠레슈티에서 조약을 체결했다.[221] 알렉산드르 황제는 몰다비아와 왈라키아를 술탄에게 되돌려주고 드네스트르강과 프루트강 사이 자투리땅인 베사라비아를 전쟁 동안 러시아가 입은 손실에 대한 보상으로 받는 데 마지못해 동의했다. 이것은 도나우 공국 전부를 손에 넣으려 한 러시아의 초기 염원에는 한참 못 미치는 것이었지만 이 시점에서 러시아는 남부 국경선을 안전하게 지키고 프랑스와의 전쟁에 때맞춰 수만 명의 가용 병력을 확보하는 데 더 관심이 있었다. 한편 부쿠레슈티 조약에 따라 오스만튀르크는 지난 10년의 태반을 러시아의 영향권 아래 있었던 서부 조지아에 대한 영유권을 포기했다. 러시아가 냉정하게 세르비아를 버렸으므로 이 강화의 가장 큰 피해자는 세르비아인들이었다. 조약은 세르비아 자치권을 규정했지만 제8조는 오스만튀르크에 세르비아 반란을 진압할 재량권을 부여했다. 조약은 또한 1805년의 동맹조약을 비롯해 이제는 효력이 없어진 내용들을 제외하고 이전의 러시아-오스만 합의 내용을 재확인했다. 이는 실질적으로 양 해협이 러시아 전함에 대해 계속 폐쇄된다는 뜻이었다.

1813~1815년 동안 유럽이 나폴레옹을 상대하느라 여념이 없는 사이에 오스만 중앙정부는 잠시 결정적 한숨을 돌릴 수 있었다. 그들은 계속되는 유럽의 갈등에 중립을 선언했고, 이탈리아로 원정을 감행하도록 러시아 전함이 해협을 통과할 수 있게 허락해달라는 영국의 제의를 거절했다. 술탄 마무드는 잠깐 열린 기회의 창을 이용해 반란을 일으킨 지방들에 자신의 권위를 재확인하고 방어적 개발주의라는, 궁극적으로는 근대화로 나아가는 프로그램을 위한 토대를 다졌다. 러시아와의 전쟁 종식으로 그는 세르비아로 군사적 자원을 전환할 수 있었다. 1813년 오스만군은 세르비아군을 궤멸했고, 그해 말에 이르면 베오그라드를 점령한다. 이로써 1차 세르비아 봉기는 사실상 막을 내렸다. 카라조르제와 그의 지지자들은 오스트리아로 도망친 반면 카라조르제의 라이벌인 밀로시 오브레노비치가 이끄는 일부 크네제스는 오스만 지배의 복귀를 수용했다. 하지만 오스만 튀르크의 실정과 권력 오남용은 곧 이 세르비아 협력자들을 멀어지게 했다. 1814년 9월 프로단 글리고리예비치(하지-프로단)가 서부 세르비아에서 잠시 오스만 지배를 위협했으나 곧 진압되었다. 더 심각

한 도전은 1815년 종려 주일에 2차 세르비아 반란을 일으킨 밀로시 오브레노비치한테서 왔다. 워털루에서 나폴레옹의 패배와 나폴레옹 전쟁의 종결은 세르비아인들에게 큰 힘을 실어줬으니 이제 러시아가 오스만튀르크에 맞서 세르비아를 자유롭게 지원할 수 있었던 것이다. 술탄 마무드는 러시아의 간섭 가능성을 두려워하며 신중히 처신했다. 그는 세르비아에 제한적인 자치를 허용하고 밀로시 오브레노비치를 세르비아 군주로 인정했다. 정치적인 행보였지만 그렇게 함으로써 그는 저도 모르게 오스만 제국의 정치적 해체를 향한 첫발을 내디뎠다.

17장

카자르 커넥션
이란과 유럽 열강

1804-1814

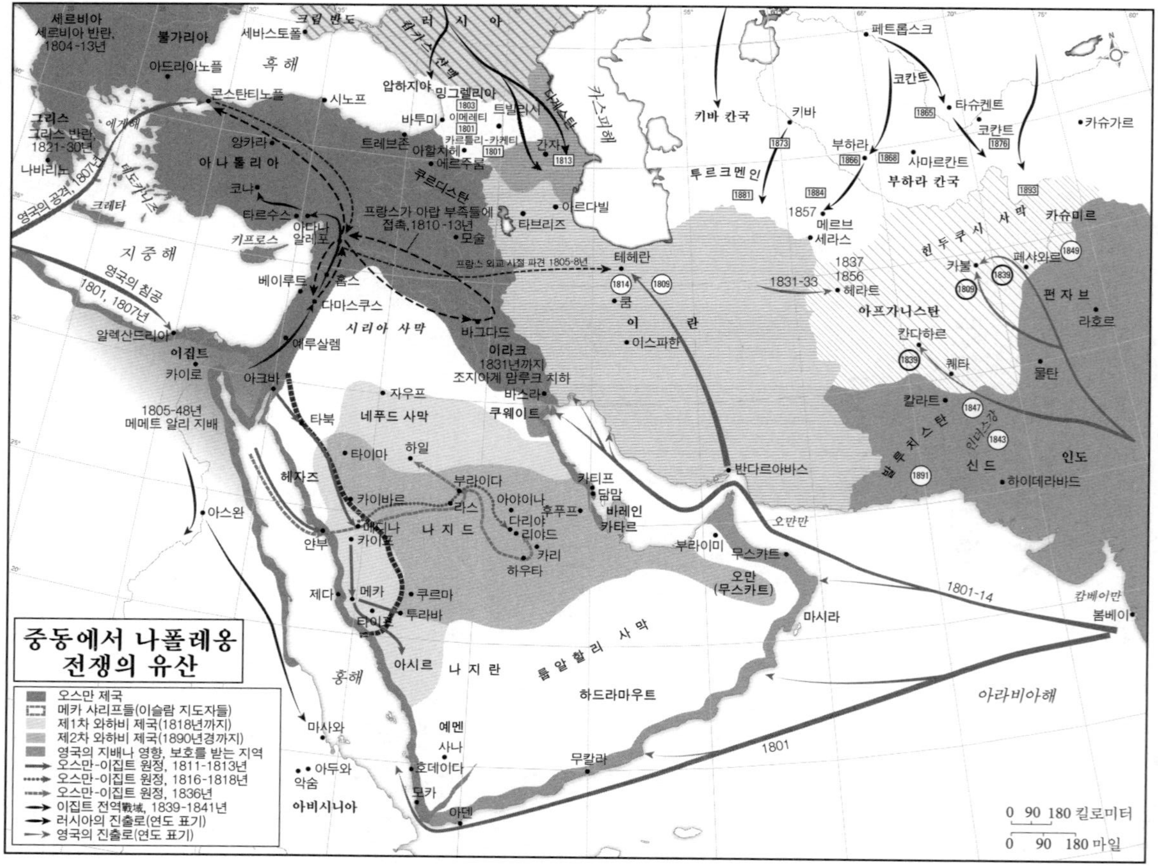

지도 18 중동에서 나폴레옹 전쟁의 유산

이란의 카자르 군주들은 처음에는 유럽의 변화무쌍한 국제 정세의 덕을 봤다. 앞서 언급한 대로 유럽 열강이 혁명 프랑스에 시선이 쏠림에 따라 아가 무함마드 칸과 그의 후임자 파트 알리 샤는 그 지역에 이란의 영향력을 재확립하는 광범위한 군사 활동을 도모하고 내부적으로는 자신들의 권위를 다질 수 있었다. 당대 유럽인들은 카자르 군주들을 입법, 사법, 집행 기능을 융합하며 무제한적 권력을 휘두르는 "동양의 전제군주들"로 봤다. 실제로는 샤의 권한은 국가 관료제나 상비군의 결여는 물론 지방의 막강한 세력가들로 인해 확연히 축소되었고, 왕의 결정이 지역 차원에서 실행되려면 유력자들의 협조가 필수적이었다.

프랑스의 이집트 원정과 그 원정이 영국령 인도에 제기하는 것처럼 보이는 지정학적 위협은 유럽 정치의 이목을 이란에 집중시켰다. 카자르 왕조는 또한 1796년 11월에 뜻밖의 예카테리나 2세의 죽음으로 득을 봤다. 파벨 1세는 캅카스에서 어머니의 제국 정책들을 추구하는 데 관심이 없었다. 아닌 게 아니라 그는 이미 그곳에 가 있던 러시아 병력을 소환했고, 이는 카자르 왕조 샤들에게 자신들의 권력 근거지를 강화할 운신의 폭을 제공했다. 외국 사절단과 접촉을 통해 자신들의 정통성과 중요성을 의식하게 된 카자르 왕조는 유럽 열강의 접근을 반가워했고, 1801년 영국-이란 조약은 양국 간 잠정적인 동맹을 수립했다.[1]

그다음 이란은 고작 4년의 휴식이라는 혜택을 누렸다. 1801년 후반에 프랑스군이 이집트를 떠난 뒤로 영국은 이란에 대한 흥미를 잃었다. 영국 동인도회사의 인도 속령은 프랑스의 위협으로부터 안전한 듯 보였고 런던은 유럽에서 벌어지는 일들에 사로잡혀 있었다. 영제국의 우선순위에 이란은 분명히 포함되어 있지 않았다. 예컨대 캘커타의 동인도회사 본부로 여러 차례 파견된 이란 사절단은 냉랭한 대접을 받았고, 1801년 조약은 여전히 비준되지 않았다.[2] 더욱이 파벨 황제가 죽자 집권하게 된 알렉산드르는 남부 캅카스를 바라보는 시각이 아버지와 극명하게 다르고 할머니의 노선과 더 유사했다. 유럽이 혁명의 격랑에 휩쓸려 있는 동안 알렉산드르는 남부 캅카스로 눈길을 돌렸는데, 그 역시 할머니처럼 그 지역이 중동으로 러시아의 제국적 야망을 전달해줄 도관이 될 수 있음을 알고 있었다. 우리는 이미 동부 조지아의 카르틀리-카케티 왕국이 오스만튀르크와 이란의 침범에 대한 자구책으로서 러시아와의 동맹을 추구했음을 살펴봤다. 1801년, 알렉산드르 황제는 할머니가 체결한 게오르기옙스크 조약을 위반해가며 동부 조지아 왕국의 병합을 발표해 캅카스 사안에 대한 러시아의 장기적인 개입을 분명히 드러냈다. 하지만 병합 결정을 내린 지 몇 달 만에 그 지역은 쉽사리 손에 들어오지 않을 것이며,

정복은 높은 인적·물적 비용을 요구할 것임이 분명해졌다.[3] 신속하고 손쉬운 성공을 자신한 러시아 당국자들은 아랑곳하지 않았다. 알렉산드르로서는 조지아 합병이 그 지역에서 러시아의 이해관계를 공고히 하려는 소망에서가 아니라 "백성들을 위해"—여기서 백성이란 조지아인이란 뜻이었다—이루어졌다고 주장했다.[4]

동부 조지아를 평정하고 남부 캅카스로 러시아의 지배를 확대하려는 시도에서 핵심 인물은 1802년 캅카스 총사령관으로 임명된 파벨 치치아노프 공이었다.[5] 막강한 조지아 명문가 치치쉬빌리 가문 후손인 치치아노프는 조지아계임에도 불구하고 아시아에서 러시아의 문명화 사명을 믿는 골수 러시아 제국주의자였다.[6] 러시아의 남동부 캅카스 정복 계획은 바그라티온 왕조의 제거와 조지아 공국들의 복속으로 시작되는 다단계 과정을 염두에 두었다. 1802년 섭정 다비드 바그라티온 공을 억지로 물러나게 한 뒤 알렉산드르 황제는 조지아 왕족 전원을 러시아로 이주시키라고 명령했다. 조지아 귀족들은 러시아의 직할 통치에 반발하고 게오르기옙스크 조약 단서 조항들의 이행을 요구했다. 러시아 당국자들이 항의하는 귀족들을 검거하고 유배 보내기 시작하자 카케티(동부 조지아)에서 반란이 터졌고 바그라티온 가문 왕족들은 이란에 지원을 요청했다. 봉기 소식을 들은 카를 크노링 휘하 러시아 당국자들은 트빌리시를 보호하기 위해 비상조치를 취하고 증원군을 데려왔으며, 산맥을 가로지르는 전략 요충로를 봉쇄했다. 러시아의 조치들은 곧 효과를 보았다. 봉기는 잦아들었고 조지아 왕족들은 이란으로 도망칠 수밖에 없었으며 조지아 귀족들은 러시아 지배에 대한 반대를 재고하게 되었다. 1804년 봄에 러시아 관습과 규정의 도입으로 불붙은 또 다른 반란이 카르틀리 고지대

(중부 조지아)에서 터져서 그 일대로 재빨리 퍼져나갔지만 같은 해 후반에 진압되었다.[7]

조지아의 안보를 확보하기 위해 러시아 당국자들은 서쪽과 남쪽으로 더 팽창해서 아라스강을 따라서 그 어귀인 카스피해까지 경계선을 그어야 한다고 믿었다. 이 경계선은 예레반과 나히체반에 있는 군 기지로 유지되고 남쪽의 탈리시에 있는 제3의 전진기지로 보호될 터였고, 러시아는 탈리시의 전진기지로 이란의 길란과 마잔다란 지방도 위협할 수 있으리라. 1802년과 1804년 사이에 치치아노프는 서부 조지아 이메레티 왕국과 밍그렐리아와 구리아 공국들, 조지아 남쪽에 위치한 칸국들을 러시아의 지배 아래 두었다. 일부 칸국들은 싸우지 않고 무릎을 꿇었지만 간자 칸국은 저항했고, 결국 러시아의 침공을 불러와 간자시가 약탈당했다. 이란이 세력권을 자처한 동부 캅카스로 러시아가 팽창해나간 것은 이란의 지역적 헤게모니에 분명한 도전을 제기했다.[8] 파트 알리 샤는 이 지역의 주권을 주장함으로써 자신의 정통성을 강화할 필요성을 느꼈다. 카자르 군주로서 그는 자기 가문의 왕조적 권리에 대한 이데올로기적 정당화 논리, 다시 말해 카자르 부족이 "이탈" 지역들을 이란의 수호 영역 Mamalek-e-Mahrusa-ye Iran으로 재통일했으며, 따라서 시아파 이슬람 권력을 회복시켰다는 주장을 잘 알고 있었기 때문이다. 동부 캅카스로의 러시아 팽창은 새로운 이란 군주정을 떠받치는 이데올로기적 정당화의 지주에 대한 직접적이고 엄중한 위협이었다.[9]

1804년 5월 이란은 러시아인들에게 캅카스에서 물러날 것을 요구했다. 그들이 거절하자 6월에 이란은 선전포고를 했다. 유럽 열강 가운데 하나인 러시아와의 대결은 정신이 번쩍 들게 하는 경험이었

지도 19 캅카스 지역에서 러시아의 팽창

는데, 이란은 러시아군의 화력과 규율을 상대하느라 고생했던 것이다. 9년간의 러시아-이란 전쟁의 역사는 소규모 러시아 병력이 수가 훨씬 많은 이란 병력을 성공적으로 막아낸 사례들로 도배되어 있다. 파트 알리 샤는 동부 캅카스에서 러시아 세력을 몰아내기 위해 영국의 지원을 구했지만 영국-이란 동맹은 이 첫 번째 큰 시험을 통과하지 못했다. 카자르조 샤는 1801년 조약의 조항들을, 만약 이란이 제3국(즉 러시아)으로부터 위협을 받는다면 영국이 이란을 지원할 의무가 있고 이란도 그 대가로 영국령 인도가 동일한 경우에 처하거나 인도의 영국 세력이 지원을 요청할 경우 언제든 도울 의무가 있다고 해석했다. 1805~1806년 내내 그는 영국 동인도회사에 여러 차례 군사적·재정적 지원을 요청했지만 매번 거부당했다. 동인도회사 관리들과 영국 정부는 조약이 정식으로 비준된 바 없고 따라서 구속력이 없다고 언급하며 상황을 매우 다르게 해석했다.[10] 더욱이 영국은 조약이 비준되었다고 하더라도 그 조항들은 러시아가 아니라 프랑스의 위협에만 적용된다고 주장했다. 실제로 영국은 유럽에서 대불동맹전쟁의 소중한 맹방인 러시아에 맞서 이란을 지원할 생각이 전혀 없었다. 영국의 일부 고위 관리들은 심지어 캅카스에서 러시아의 팽창을 묵인했다. 영국이 지원 약속을 어겼다고 여긴 파트 알리 샤는 당연히 화가 났다. 그는 자신이 대등한 양자 간 조약을 맺었다고 믿었다. 이제 그는 영국인들이 자신을 대등한 파트너로 취급하지 않으리란 점을 깨달았고, 점차 프랑스로 눈길을 돌리기 시작했다.

이란과 싸우고 싶어서 몸이 근질근질한 러시아 총사령관 치치아노프는 캅카스에서 교두보를 확보하기 위해서는 전쟁을 신속하고 과감하게 수행해야 한다고 주장했다.[11] 전쟁이 시작되자마자 러시아는 주도권을 잡았다. 예레반의 군주 무함마드 칸이 러시아의 주권을 인정하지 않자 치치아노프는 3천 명가량의 병력을 이끌고 예레반의 칸국을 침공했다. 6월에 러시아군은 예레반을 포위하고 굼리(레니나칸)에서 이란군을 격퇴했다. 다음 달에 치치아노프는 예레반에서 그리 멀지 않은 곳에서 카자르 왕세자 아바스 미르자를 상대로 대승을 거두었다.[12] 이 같은 패배를 겪은 뒤 이란군이 전력을 가다듬기 위해 퇴각한 사이 치치아노프는 현지의 칸국들에게 계속 압력을 행사해나갔다. 1805년, 치치아노프의 병사들이 이란 북서부의 라슈트까지 습격을 감행하자 카라바그, 샤키, 시르반이 러시아의 권위를 인정했다.[13] 1806년 2월 치치아노프는 현지 칸에 러시아의 권위를 부과할 심산으로 바쿠에 당도했다. 하지만 1806년 2월 20일, 바쿠 칸과의 회담에서 치치아노프―특유의 호기를 부려 단 두 명만 동행한 채 회담장에 도착한―는 매복하고 있던 칸의 호위대에게 살해당했고 칸은 러시아 사령관의 머리를 잘라 이란의 샤에게 선물로 보냈다.[14]

치치아노프의 죽음으로 러시아 제국은 헌신적이고 유능한 인물, 러시아의 캅카스 정복의 본질과 성격을 규정하는 데 크게 기여한 인물을 잃었다. 그의 총사령관 재임 기간은 엄포와 결단, 에너지, 무엇보다도 러시아의 제국적 권력을 가로막는 장애물이라면 뭐든 제거하기 위해 물불을 가리지 않는 추진력으로 점철되어 있다.[15] "피 흘리게 하는 자"로 악명을 얻은 치치아노프의 죽음을 이란인들은 열렬히 반겼지만 환호는 오래가지 못했다. 치치아노프의 후임자 이반 구도비치는 1806년 여름에 카라바그에서 이란의 침공을 격퇴하고 공세를 밀어붙여 데르벤트와 쿠바의 칸국을 정복했다. 10월에 러시아군은 바쿠로 쳐들어가 전前 지휘관의 죽음에 가혹한 보복을 자행했다.[16]

초창기 성공에도 불구하고 러시아는 얼마 지나지 않아 남부 캅카스에서 전쟁 수행이 예상치 못한 난관들에 부딪혔음을 알아차렸다. 이 가운데 가장 중요한 요인은 1806년에 나폴레옹에 맞서 시작된 4차 대불동맹전쟁이었다. 그에 따라 러시아의 정치적·군사적 초점은 10만 명이 넘는 러시아 병사들이 투입된 북동부 유럽으로 이동했다. 더욱이 1806년 12월에 러시아는 오스만 제국과의 또 다른 전쟁에 휘말려들어 4만 명의 병력이 이 전쟁에 발이 묶여 있었다. 러시아-오스만 전쟁은 오스만 술탄이 오랫동안 종주권을 주장해온 서부 캅카스로까지 확대되어, 러시아 당국자들은 원래 이란과 싸우기 위해 파견된 병력을 오스만 국경선으로 돌려야 했다. 1808년 2월에 시작된 러시아-스웨덴 전쟁과 1809년의 러시아-오스트리아 전쟁은 상황을 더욱 꼬이게 만들었다. 이 분쟁들은 모두 캅카스에 직접적인 파급효과를 낳았는데, 러시아가 이란에 맞선 싸움에 추가적인 자원을 투입할 수 없었기 때문이다. 캅카스 전 지역을 통틀어 러시아군은 5만 명에 그쳤고, 캅카스 남동부 지역에 투입할 수 있는 병력은 1만 명 미만이었다. 1811년에 이르면 수적으로 훨씬 우세한 이란군에 맞서 남부 캅카스에 배치된 병사는 5천 명에도 못 미쳤다.[17] 군사적 난관 이외에 재정적 문제도 있었다. 러시아가 대륙 봉쇄에 가담하고 그에 따라 영국-러시아 적대행위가 벌어지자 러시아 무역이 지장을 받았고 캅카스에서 전쟁을 지탱할 자금 조달 능력이 제한되었다. 또 기대와 달리 러시아는 이란의 해안선을 공격하거나 동부 캅카스의 러시아 병력에 물자를 조달하는 데 카스피해에 있는 해군력을 활용할 수 없었다. 위험천만한 기상 조건 말고도 러시아 선단은 그 임무를 수행하는 데 한심할 정도로 준비가 미비했고 그런 여건을 개선할 만한 자금도 없었다.[18]

이 모든 것은 캅카스 사안이 러시아에 적어도 당분간은 부차적인 중요성만 띠게 되었다는 소리였다. 유럽의 문제에 여념이 없는 알렉산드르 황제는 1806년과 1808년 사이에 여러 차례 이란과의 전쟁을 종식하려고 애썼다. 2년간의 군사적 좌절을 겪은 이란 정부로서도 기꺼이 전쟁을 일시 중단할 용의가 있었다. 화평의 주요 장애물은 대부분 러시아의 명목상 지배만 받고 있을 뿐인 아라스강 이북의 모든 영토를 넘기라는 러시아의 요구였다. 그 지역에 걸린 이란의 이해관계가 얼마나 심각한지를 간과한 채, 알렉산드르는 콜랭쿠르가 나폴레옹에게 쓴 대로 "그 땅에 사는 야만적인 부족들의 침입을 반드시 막아야"[19] 하기 때문에 자기 병사들이 아라스강에 국경선을 수립했다는 억지를 폈다. 러시아 외교관들은 러시아가 여전히 유럽과 도나우 공국의 사안들에 매여 꼼짝 못하는 사이 이란과 프랑스 간 관계 개선—실제로 일어나고 있는 일이었다—의 가능성을 우려했다. 이를 막고자 러시아는 영국의 조정을 구해 파트 알리 샤와 동인도회사 간 우호관계를 기꺼이 이용하고자 했다. 1806년에 작성된 한 각서는 이란에 대한 러시아의 깊은 불신을 반영하며, 남동부 캅카스에서 러시아 외교의 당면한 우선 사항 세 가지를 약술했다. "1. 그들의 약속을 전적으로 믿을 필요는 없지만, 포르테와의 제휴를 방지하기 위해서, 페르시아와 강화를 협상하는 것이 필수적이다. 2. 더 유리한 시기가 올 때까지 쿠라강과 아라스강에 (러시아 제국의 경계를) 수립하는 일은 미룬다. 3. 튀르크인들과 페르시아인들이 연합할 경우를 대비해 군비를 갖춘다."[20]

1806년 여름에 영국은 중대한 기회를 놓쳤다. 러시아와 이란 둘 다 평화로운 타협을 추구하고 있었고, 현금이 쪼들리고 맹방이 절실한 파트 알리 샤는 영국에 지원을 요청했다. 유럽의 사안에 사로잡혀 있지 않았다면, 또 러시아와 오스만 제국하고 좋은 관계를 유지하는 한 프랑스가 이란에 미칠 영향은 거의 없으리라 예상하고 따라서 그에 관해 딱히 할 일은 없다는 잘못된 믿음을 품고 있지만 않았다면 영국은 강화를 중재하는 데 결정적인 역할을 할 수 있었을 것이다. 더욱이 런던은 이란에 대한 어떠한 개입도 러시아의 심기를 건드릴 것이라고 우려하며 나폴레옹에 맞서 러시아의 지지를 유지하는 데만 열의를 보였다. 이는 러시아와 영국 둘 다의 이해관계를 위협하기 위해 이란을 이용하라고 프랑스에게 문을 열어준 것이나 다름없었다. 오스만 제국에 파견된 영국 대사 찰스 아버스넛이 1806년 8월에 표현한 대로 "(러시아의) 황제를 기쁘게 하려고 우리는 페르시아에서 우리의 영향력을 내던져버렸다."[21]

1806년 10월에 러시아와 이란은 1807년 겨울 동안 적대행위를 중단하기로 한 우준-킬리사 정전에 합의했다.[22] 다음 여러 달에 걸쳐 진행된 협상은 강화 조건을 두고 러시아와 이란 사이에 파인 깊은 간극을 드러냈다. 치치아노프의 암살 이후 남부 캅카스에서 러시아의 여망이 어느 정도 누그러질 거라는 이란의 희망은 금방 찬물을 뒤집어썼다. 후임자인 구도비치는 조지아와 남부 캅카스 칸국들의 할양이 "우호적인 이웃 나라 간 안전한 경계선을 수립하는 데 필수적"이라는 뜻을 굽히지 않았다.[23] 이란은 당연히 그런 요구를 거부하고 그 대신 그 지역에서 러시아의 완전한 철수와 북부 캅카스에서 제국 경계선의 수립을 주장했다.[24] 강경한 태도에도 불구하고 양측은 기꺼이 논의를 이어가고자 했다. 러시아에게 이란과의 협상은 전력을 다시 끌어 모으고 남서부 캅카스에서 점증하는 오스만튀르크의 위협(나중에 다룰 것이다)에 대처할 결정적인 기회를 제공했다. 한편 이란 사절이 이미 나폴레옹을 만나러 가고 있을 때 파트 알리 샤는 러시아인들을 회담장에 묶어둠으로써 앞으로 있을 프랑스와의 협상에서 유리한 고지를 얻을 수 있으리라 기대했다. 프랑스 사절 클로드 마티외 가르단의 말대로 러시아 사절이 "완전히 외면당하거나 퇴짜를 맞지 않는 건 그런 까닭이었다. 샤는 프랑스와의 협상 결과를 고대하며 시간을 끌고 있다."[25]

❖

이란이 전쟁의 처음 2년 동안 겪은 좌절들은 러시아를 물리치기 위해 맹방이 필요하다는 사실을 분명히 입증했고 카자르 궁정은 유럽의 도움을 구할 수밖에 없었다. 이 말은 그들이 곧 나폴레옹 전쟁의 외교적 책략에 휘말려들었다는 소리다. 샤는 언급한 대로 영국의 원조를 선호했지만 런던이 이 힘든 시기에 이란을 지원하길 거부하자 프랑스를 위한 문이 열렸다. 동방에서 나폴레옹의 야심은 프랑스의 전통적인 외교정책의 요소들을 반영했고 오스만튀르크와 이란을 그 지역에서 프랑스의 이해관계를 위한 완충국으로 유지하고자 했다. 일찍이 이집트 원정 당시에도 나폴레옹—앞서 본 대로—은 이란을 인도에서 영국의 이해관계를 위협할 수 있는 발판으로 내다봤고, 일단 프랑스-오스만 긴장관계가 1802~1803년에 해소되자 그 프랑스 지도자는 콘스탄티노플에 주재하는 프랑스 외교관들로부터 이란에 관한 더 많은 정보를 지속적으로 요청했다.[26] 1803~1804년 나폴레옹은 콘스탄티노플 주재 프랑스 대사는 물론 바그다드의 프랑스 영사 장 루소(알레포에 거주 중이었다)와 알레포에 있는 프랑스의 통상 관계 감독대리 루이 알렉상드르 드 코랑세를 통해서 이란과의 대화에 나섰다.[27] 1806년에 이르러 그는 오스만 제국과 이란을 그의 주적인 러시아와 영국에 맞서 이용하는 것을 고려하고 있었다. "내 정책의 변치 않는 목표는 러시아를 직접 겨냥하거나 암암리에 맞서 나와 포르테, 페르시아와 삼자동맹을 맺는 것이네"[28]라고 나폴레옹은 1804년 5월에 탈레랑에게 썼다. 프랑스의 제국적 전략은 오스만 제국이 (프랑스의 뒷받침을 받아) 남동부 유럽에서 러시아에 맞서 프랑스의 이해관계를 보호하는 한편, 이란은 더 동쪽 방면으로 나폴레옹의 영향력을 행사하는 것을 돕고 인도에 대한 프랑스의 위협을 재개하는 기반 역할을 하는 것이었다.

이러한 시도들은 러시아에 맞선 전쟁에서 영국의 모호한 태도에 답답해진 파트 알리 샤가 콘스탄티노플의 프랑스 대사를 통해 프랑스에 도움을 청하자 성과를 보이는 듯했다. 프랑스는 이란의 접근 시도를 반겼고, 1805년 3월에 나폴레옹은 이란 "각 지방의" 사정과 지방 총독들의 태도를 알려달라는 지침과 함께 유명한 동양학자 피에르 아메데 조베르를 테헤란으로 파견했다.[29] 불과 한 달 뒤에 나폴레옹은 이번에는 프랑스 외교관 알렉상드르 로미외가 이끄는 또 다른 사절단 파견을 재가했다.[30] 두 사절단은 콘스탄티노플을 거쳐 그곳의 프랑스 대사 대리 피에르 뤼팽으로부터 이란에서 온 최신 정보를 입수한 다음 이동했다.[31] 그들의 도착은 콘스탄티노플의 영국 대사관을 크나큰 걱정에 빠뜨렸고, 대사관은 "로미외는 수완가이고 상당한 돈줄을 쥐고 있으며, 공작이라는 학문 분야에서 매우 능수능란한 사람이라는 평판을 듣고 있다"[32]라고 보고했다.

프랑스 두 사절단의 경로는 오스만 수도에서 갈라졌다. 영국 기관원들에게 뒤를 밟힌 로미외는 암살 시도—어느 주장에 따르면 알레포의 영국 영사가 기획한—에서 살아남아 1805년 9월 테헤란에 도착했다. 그는 샤를 위대한 전사 통치자의 부끄럽지 않은 계승자로 추켜세우고 러시아와 영국에 공공연히 맞서라고 촉구하는 나폴레옹의 편지를 샤에게 전달했다. "당신은 (선조들이) 남긴 선례를 따르고 능가할 것입니다. 선조들처럼 당신은 장사꾼들의 나라의 충고를 신뢰하지 말아야 합니다. 그자들은 인도에서 군주들의 목숨과 왕관을 사고팔고 있습니다. 그리고 당신은 백성의 용맹으로 러시아인들의 침략에 맞서야 합니다."[33] 로미외는 딱히 일을 성사시킬 기회가 없었다. 샤의 궁정에서 만찬에 참석한 뒤 갑자기 병이 난 그는 사흘 동안 고열과 구토에 시달리다 1805년 10월 12일에 죽었다. 이질에 걸렸을 가능성이 다분함에도 프랑스는 로미외가 영국인들에게 독살당했다고 주장했고, 영국은 일체의 연루 가능성을 확고히 부인했다.[34] 죽기 전에 로미외는 이란의 정세에 관해 식견이 담긴 보고서를 제출해 샤가 프랑스로 대사를 파견하길 바란다고 언급함과 동시에 샤가 러시아에 맞서 군사적 지원을 제공하길 거절한 영국에 불만이 쌓여 있음을 강조했다.[35]

프랑스의 두 번째 사절 조베르도 자체적인 장애에 맞닥뜨렸다. 영국 기관원들을 따돌리기 위해 그는 이름을 바꾸고 신분을 감춘 채 아나톨리아를 가로질러 멀리 오스만-페르시아 변경의 바야지드(현재의 도구베야지트)까지 갔다가 탐욕스러운 현지 총독에게 붙들려, 여러 달 동안 지하 감옥 신세를 져야 했다.[36] 1806년 6월에 조베르는 마침내 카자르 왕조의 수도에 도착해 프랑스-이란 동맹에 관심을 표명하는 나폴레옹의 또 다른 편지를 전달했다.[37] 제안을 환영한 파트 알리 샤는 미르자 모하메드-레자 카즈비니를 외교 사절로 프랑스에 파견했다. 11월에 이르자 이란 사절단은 콘스탄티노플에 도착해 오스만 대재상을 만나 남부 캅카스에서 합동전선을 결성하는 문제를 논의했다. 이란인들은 프랑스 대사 세바스티아니와도 짧막한 면담을 가졌고, 세바스티아니는 나폴레옹의 지침을 따라 이란의 군부에 자문을 제공할 프랑스 장교들을 파견했다.[38] 두 달간 여행한 끝에 미르자 모하메드-레자는 프랑스에 도착했지만 나폴레옹이 더는 파리에 있지 않고, 프랑스 대육군이 러시아와의 유혈 낭자한 아일라우 전투에서 회복 중인 폴란드 설원에 있다는 사실을 알게 되었다. 이란 사절은 폴란드까지 가서 협상을 진행해 1807년 5월 4일 핑켄슈타인 성에서 프랑스-이란 조약을 체결했다.[39]

유럽에서 벌어지는 전쟁과 캅카스에서 러시아-이란 분쟁을 배경으로 하는 핑켄슈타인 조약은 동방에서 프랑스의 입지를 떠받치고자 오스만 제국 및 이란과 삼자동맹을 결성하는 것에 대한 나폴레옹의 관심을 반영했다. 1월 17일자 샤에게 쓴 다소 아첨하는 편지에서 나폴레옹은 프로이센과 러시아를 상대로 한 전쟁에서 자신의 승리를 알리고 공통의 적에 맞서 프랑스-오스만-이란 합동 전선의 전망을 내놓았다. "우리 세 나라가 힘을 합쳐 영구적인 동맹을 결성합시다"라고 그는 샤에게 촉구했다.[40] 핑켄슈타인 조약은 이 같은 야심의 표명이었다. 그것은 파트 알리 샤를 이용해 공동의 적 러시아에 맞서 양동작전을 펼치기 위한 것이었고, 이란이 인도의 서쪽 이웃이라는 위치를 활용해 아대륙에서 영국의 이해관계를 위협하기 위한 것이었다. 조약은 이란의 영토 보전을 보장하고 동부 조지아와 여타 남부 캅카스의 정치체들을 카자르의 속령으로 인정(제2조~제4조)하는 프랑스-이란 동맹을 수립했다. 나폴레옹은 이 영역들에서 "러시아를 축출하는 데 모든 노력을 경주할 것"을 약속하고, 그 목적을 위해 무기를 제공할뿐더러 이란 군대를 근대화하고 "유럽 군사 기술의 원리에 따라 군대를 조직할"(제6조~제7조) 군사 전문가를 파견하기로 했다. 남은 조항들은 이란에서 영국의 영향을 저지하기 위한 것으로 샤는 영국에 선전포고를 하고, 이란에 존재하는 영국인을 전원 추방하며, 프랑스의 인도 공격에 아프가니스탄의 협조를 얻어내고, 페르시

아만에 프랑스 해군 전대를 위한 기지와 물자를 제공하기로 했다.[41]

조약을 체결한 직후 나폴레옹은 재능과 지모가 풍부하고 이란과 집안의 연줄이 닿아 있는 가르단 장군에게 프랑스 군사 사절단을 이끌고 이란으로 가는 임무를 맡겼다.[42] 나폴레옹은 장군에게 동방에서 그의 야심의 범위와 진지함을 분명히 드러내는 지시 사항을 자세히 전달했다. 그는 이란이 두 가지 주된 이유에서 프랑스에 중요하다고 지적했다. 즉 이란은 프랑스의 라이벌인 러시아와 적대적이고, 프랑스가 영국에 도전할 수 있는 장소인 인도로 가는 군사적 통로였다. 그는 가르단에게 이란의 군사적 역량에 관한 자세한 정보를 얻고, 이란과 페르시아만 일대의 경로와 요새, 항구들을 적확하게 묘사한 보고서를 제출하라고 지시했다.[43]

인상적인 군과 민간 보좌관들을 대동한 가르단은 4월 30일 폴란드를 떠났다.[44] 그가 이란으로 가는 도중—여러 달이 걸리는 고된 여정—에 중대한 변화가 캅카스와 유럽 양쪽에서 일어났다. 앞서 언급한 대로 러시아와 이란 간 적대행위는 1807년 겨울 동안 일시적으로 유예되었다. 폴란드와 도나우 공국에서의 분쟁에 계속 관여하고 있음을 고려할 때, 러시아 측에 이 정전은 전력을 추스르고 더 중요하게는 캅카스에서 러시아의 입지에 심각한 위협을 제기할 이란-오스만 동맹 결성을 저지하는 대단히 반가운 휴식기였다. 실제로 러시아 당국자들은 이란과의 협상을 이용해, (가끔 가다 있는 습격을 제외하면) 싸움이 벌어지지 않는 페르시아 국경을 지키도록 소규모 분견대만 놔둔 채 오스만튀르크를 상대로 한 전쟁을 이어가는 데 전력을 집중했다.

페르시아의 활동 중단 덕분에 구도비치는 아칼칼라키, 포티, 카르스의 오스만 수비대에 세 갈래 공격을 개시할 수 있었으나 오스만 군은 이 공격들을 격퇴했고 아칼칼라키의 경우에는 러시아군에 커다란 손실을 안기기까지 했다.[45] 낙담하고 험악한 기상 상태에 직면한 구도비치는 전역을 종료할 수밖에 없었다. 그의 관점에서는 다행스럽게도 엉성하게 계획된 오스만군의 반격은 그에게 이전의 답보 상태를 만회할 기회를 주었다. 6월에 에르주룸의 세라스케르 유수프 파샤는 약 2만 명의 병력을 이끌고 러시아 국경선을 향해 진군했으나 1807년 6월 18일 중간에 아르파차이(아쿠리안)강에서 소규모 러시아군에게 차단당해 참패했다. 이것은 러시아 측에 중요한 승리였으니, 조지아가 침공당할 위협을 실질적으로 제거하고 남부 캅카스에서 러시아의 입지를 다졌기 때문이다.

고작 한 달 뒤, 틸지트에서 프랑스와 러시아 간 화해의 여파로 구도비치는 오스만튀르크와 정전 협정—미리 고지하지 않고 군사작전을 개시하면 안 된다는 조건으로—을 체결하라는 지시를 받았다. 러시아군이 아르파차이 강둑에서 싸우고 있는 사이, 약 2만 명의 이란 병사를 거느린 왕세자 아바스 미르자는 예레반과 알게즈산맥 사이에 진을 쳤다. 그는 이 순간을 놓치지 않고 러시아군을 칠 수도 있었을 것이다. 그 대신 그는 더 조심스러운 접근법을 취해, 러시아군의 패배를 바라며 전투 결과를 기다렸다. 그러므로 구도비치가 승리하자 그로서는 러시아 지휘관에게 승리를 축하하며 추가적 협상을 이끌어내는 것 말고는 도리가 없었다.[46] 훨씬 더 중대한 것은 유럽에서 일어나고 있는 변화였다. 아르파차이강에서 러시아가 승리하기 나흘 전에 나폴레옹은 프리들란트에서 러시아군을 궤멸해 알렉산드르가 강화를 요청할 수밖에 없게 만들었다. 그 결과 맺어진 프랑스-

러시아 간 조약은 앞서 논의한 대로 이란에게는 재앙이었다. 러시아 제국과 머나먼 이란 사이의 선택에 직면한 나폴레옹은 전자를 택하고 이란에 대한 이전의 약속들을 무시했다. 이로써 그가 지난 2년 동안 그토록 주의 깊게 구축해온 동방 동맹들의 존재 이유는 거의 다 사라져버렸다. 하지만 그렇다고 해서 이란에 대한 나폴레옹의 관심이 끝났다는 뜻은 아니었다. 알고 보니 이란의 신뢰를 저버릴 때 프랑스 황제는 앞서 영국만큼이나 자구를 재해석하는 데 보통 솜씨가 아니었기 때문이다. 새로 얻은 맹방인 러시아에 맞서 이란을 지원할 마음은 없었지만 그는 여전히 이란을 인도로 가는 출입구로 이용하는 데 열렬한 관심이 있었다. 그가 생각하기에 핑켄슈타인 조약에서 여전히 적용 가능한 조항은 프랑스의 이해관계를 수호할 이란의 의무 조항이었다. 나폴레옹은 그러므로 가르단의 파견 임무를 계속 진행하기로 했다. 나폴레옹의 정책 변화를 알게 된 프랑스 사절단은 러시아와 이란 간 평화를 도모하고, 영국의 이해관계에 맞서 행동할 것을 카자르 군주에게 촉구하라는 지시를 받았다.[47]

틸지트에서 나폴레옹의 180도 입장 변화로 난처해진 가르단은 나름대로 상황을 수습해보려 했다. 그는 1708년과 1715년에 프랑스가 받았던 양보 내용들을 재확인하는 통상조약을 교섭하고 이란에 머스킷 소총을 제공하는 군사 협약을 체결했다.[48] 또한 인도로 접근할 수 있을 만한 지역들을 측량하도록 프랑스 장교들을 파견했다. 러시아와 이란 간에 적대행위가 한시적으로 중단된 것을 이용해 프랑스 군사 사절단은 이란 군대를 훈련시키는 일에 적극적으로 관여했는데, 이는 이란 역사 최초의 대규모 서구화 개혁 조치였다. 이란군은 상대인 러시아군보다 훨씬 컸지만 부족별로 분담하는 기병에 의존하는 전통적인 군사였다. 기병은 동부 캅카스 지형에서 활동하는 데 더 적합했으므로 이란인들은 러시아 정착지와 고립된 분견대들을 습격하고 대규모 전투를 회피하는 방식과 같은, 그에 알맞은 전술을 운용했다. 영국인 관찰자들은 왕세자 아바스 미르자가 삼촌인 아가 무함마드 칸의 격언, 즉 "러시아 대포의 사정거리 안으로 결코 들어가지 말고, 기병의 민첩함으로 러시아 마을의 주민들이 결코 편히 잠들지 못하게 할지어다"[49]를 수시로 되뇐다고 언급했다. 규율과 화약 무기 측면에서 이란 보병은 서구 병사들에게 훨씬 뒤떨어졌지만 무장에서 부족한 점은 무인의 기백으로 메우고도 남았다. 서구의 방문객들은 이란 병사들의 용맹함과 고난을 참고 견디는 능력에 관해 자주 언급했다.

카자르 군대의 최대 문제는 러시아군의 기술적 우위보다는 군사 조직과 유지, 그리고 전쟁 수행에 대한 근본적으로 다른 접근법에서 기인했다. 앞서 말한 대로 이란군의 압도적 다수를 차지하는 부족 병사들은 통제와 협조가 어려웠다. 그들은 자연스레 부족의 이해관계를 국가적 이해관계보다 우선시했고 서구식 전쟁 방식에 적응하는 데 애를 먹었다. 파트 알리 샤와 그의 자문들(특히 그의 아들 아바스 미르자)은 서구식으로 군대를 개혁하는 데 관심이 지대했다. 샤는 그 자신이 나폴레옹에게 쓴 것처럼 "동양의 병사들보다 무기를 다루는 측면에서 훈련이 더 잘된 프랑스 병사들은 기동에 더 익숙하고 상호 간에 움직임을 더 잘 조율합니다. 이런 연유로 서양의 병사들이 언제나 동양의 비정규병보다 우위를 차지"[50]한다는 사실을 잘 알고 있었다.

서구화 개혁 조치를 도입하는 데 따르는 만만찮은 난관들에도 불구하고 프랑스 장교들은 이란의 신병들로 3개 대대(약 4천 명)를 편성하고 무장시키고 훈련시키는 데 1년이 넘는 시간을 투자했다. 이렇게 새로 수립된 사르바즈sarbaz 부대는 이란식과 서구식 관행을 혼합한 모습이었다. 그들의 제복은 전통적인 양가죽 모자에 유럽식 상의를 갖춘 것이었다. 프랑스 군사 사절단은 군 병영과 병기창, 화약 제조소, 대포 주조소 건설도 감독했고 신설된 대포 주조소는 곧 20문의 대포를 내놓았다. 프랑스 공병들은 이란 공병들에게 공병학의 기초를 가르치고 북서부 이란에 있는 기존의 요새 시설들을 개선하고자 했다.[51]

이런 활동은 모두 이란 군대 근대화의 중요한 첫걸음이었지만 부분적으로만 성공을 거두었다. 약속한 무기를 인도하고 프랑스 장교와 장인들을 추가로 보내달라는 카자르 궁정의 요구는 프랑스-러시아 관계 개선으로 인해 결코 이행되지 않았다. 재정적인 문제 때문에 이란 정부가 사르바즈 병사 전원을 상비군으로 유지하기는 불가능했고, 그에 따라 개혁된 부대원들 다수는 제한적인 훈련만 받았다. 그러므로 러시아와의 적대행위가 재개되었을 때, 프랑스-러시아 동맹으로 프랑스 장교들이 전투에서 신설 부대를 이끌 수 없었던 만큼 사르바즈는 전투에 나설 준비가 되지 않았다. 더 중요한 점은 이 개혁 조치들이 대단히 인기가 없었다는 것이다. 다수의 종교 지도자들은 개혁 조치들이 비非이슬람적이라고 맹비난했다. 이 시책들을 초기 이슬람 관행의 부활—이러한 논리를 뒷받침하기 위해 코란의 특정한 언급들이 대대적으로 홍보되었다—로 묘사하려던 카자르 군주정의 시도는 쇠귀에 경 읽기였다. 사르바즈 병사들은 프랑스 장교들이 부과하는 엄격한 규율을 싫어했고 부족적 연대감을 없애려는 일체의 시도에 반발했다.

프랑스 사절단의 임무가 진전을 보이면서 가르단은 프랑스나 러시아 어느 쪽도 수용하거나 지킬 수 없을 약속들을 함으로써 틸지트 조약의 충격파를 줄여보려고 했다. 1808년 2월에 그는 나폴레옹으로부터 곧 테헤란에서 진행될 협상 동안 러시아와 이란 간 중재자 역할을 하라는 지시를 받았다. 나폴레옹은 자신의 입장을 "러시아가 조지아와 페르시아 영토에서 철수하도록 강제하는 데 노력을 다하겠다"[52]라는 핑켄슈타인에서 했던 약속을 재차 확인하는 것으로 포장했다. 그는 영국과의 모든 통상관계를 끊고 이란에서 영국인 기관원들을 쫓아냄으로써 양국 간 거래에서 샤가 이란 쪽 약속을 지켜야 한다고 독촉하고 싶었다.[53] 파트 알리 샤에게 황제의 소망을 전달하면서 가르단은 나폴레옹이 알렉산드르 황제에게 커다란 영향력을 발휘했으며 분쟁 대상인 캅카스 영토들을 이란에 내주도록 강요할 수 있을 것이란 점을 설득하려고 애썼다. 사실 그 프랑스 사절은 샤와 자문들에게 러시아와의 협상에서 요구 사항을 극대화할 것을 촉구하고, 러시아인들과 대치할 때 이란인들의 결의를 더 단단히 굳히려고 애썼다.[54]

그러한 약속들은 실현되지 못할 운명이었다. 프랑스군이 에스파냐에서 오도 가도 못하는 데다 중유럽에서 커져가는 불만 세력에 직면한 나폴레옹은 이란에 대한 양보를 다그쳐서 러시아를 멀어지게 할 계제가 아니었다. 유럽 정세의 더 큰 그림 속에서 이란의 이해관계는 프랑스에 러시아의 이해관계만큼 중대하지 않았다. 알렉산드르 황제도 이를 알았다. 1808년 8월 12일 프랑스 대사와 사적인 면담 자리에서 알렉산드르는 러시아-이란 간 사안에서 프랑스의 중재 제의를, 프랑스와 에스파냐 간 러시아의 중재를 가정해 비교함으로써 거부했다. "그 나라의 사정이 나와 상관이 없듯이 나와 페르시아 간의 사정은 (프랑스) 황제와 아무 상관이 없을 것이오"라고 알렉산드르는 말한 다음 자신은 캅카스에서 "한 발짝도 물러나지 않을 것"이며, 이란의 요구를 수용할 의사가 전혀 없다고 설명했다.[55] 아닌 게 아니라 러시아는 캅카스 쟁점에서 변함없이 강경한 태도를 유지했다. 러시아의 관리들은 러시아에 조지아 상실을 인정하는 듯이 보였던 앞선 외교적 대화 시도에서 이란의 의사를 잘못 해석하고, 이란이 아라스강 이북의 전 영토를 내놓아야 한다는 뜻을 굽히지 않았다.[56] 그러한 요구는 카자르 군주정이 난국에 빠져 있으며, 다수의 내부 반란에 직면해 있는 샤는 힘이 약해서 단호하게 나올 수 없을 거라는 믿음으로 뒷받침되었다. 그러므로 캅카스 지역의 러시아 총사령관 구도비치는 이란과의 협상에서 강경 노선을 추구하라는 지시를 받아, 러시아 병사들이 점령한 전선에 일치하는 국경선을 설정해야 한다고 주장했다.[57]

테헤란에 프랑스 영사관이 존재한다는 사실은 영국 정부와 동인도회사에 커다란 근심을 자아냈다. 핑켄슈타인 조약과 가르단의 사절단 소식은 캘커타에 파란을 일으켰고, 동인도회사 총독인 민토 경 길버트 엘리엇은 인도 국경지대에서 "전복 행위"와 "책동"을 퍼뜨리는 데 "대단히 부지런한" 프랑스에 대한 불만이 이만저만이 아니었다.[58] 가르단이 통상 및 군사 문제와 관련해 프랑스-이란 간 조약을 맺는 데 성공했다는 소식을 들은 뒤 그의 경각심은 더욱 커졌다. 이전처럼 영국 동인도회사 관리들은 프랑스의 인도 침공이라는 망령이 실체를 갖춰간다고 생각했다. 1808년 초에 민토 경은 준장으로 진급한 존 맬컴을 이란에 두 번째로 급파했다. 민토의 최우선 관심사는 맬컴에게 내린 지침에서 드러나듯이 "페르시아 궁정을 프랑스와의 동맹에서 떼어놓고 프랑스 병력이 페르시아에 속한 영토들을 통과하지 못하게 하도록 설득"하는 것이었다.[59]

맬컴은 부시르(남부 이란)에 1808년 5월에 도착했다. 가르단은 이란이 영국 사절을 맞아들인다면 테헤란을 떠나겠다고 위협했다. 파트 알리 샤는 영국과 좋은 관계를 유지하기를 원했지만 러시아와의 갈등에서 더 도움이 되는 것처럼 보이는 프랑스와의 동맹을 보존하는 데 더 열성적이었다. 그래서 가르단을 달래기 위해 샤는 영국 사절이 카자르 수도로 오는 것을 허락하지 않고 대신 파르스 지방의 이란 당국자들하고만 연락을 취하라고 지시했다. 푸대접에 화가 난 맬컴은 인도로 귀환했지만 그전에 1801년 조약의 단서 조항들을 준수하지 않는다고 이란인들을 질책하고, 샤가 프랑스 사절단을 당장 내쫓지 않는다면 영국의 개입을 피할 수 없으리라고 협박했다. 카자르 군주정을 만만하게 취급하는 맬컴의 태도는 테헤란뿐만 아니라 자신이 파견한 사절을 따끔하게 훈계한 민토 경을 비롯해 영국 동인도회사의 상관들한테서도 성난 반응을 이끌어냈다.[60]

파트 알리 샤는 새로운 사절 아스카르 칸 아프사르를 프랑스에 파견하고, 핑켄슈타인 조약에서 했던 약속들을 이행한다면 프랑스에 (페르시아만에 있는) 카르그섬 지배권을 주겠다는 새로운 협정을 제의함으로써 러시아에 맞서 나폴레옹과의 동맹을 회생시키는 데 계속해서 관심을 보였다.[61] 가르단은 카자르 관리들에게 프랑스는 이란을 보호하기 위해 힘을 아끼지 않을 것이며, 이제 프랑스와 한편이 된 러시아는 일체의 적대행위—이란이 도발을 자제한다면—를 회피할 것이라고 장담했다.[62] 하지만 프랑스의 중재는 이란에게 이렇다 할 이득을 가져오는 데 실패했다. 러시아와 이란 대표단 간 협상이 1808년 여름이 다 지나가도록 늘어지자 러시아가 프랑스 중재에 전혀 관심이 없고 이란의 어떤 제안도, 심지어 휴전을 연장하고 협상 장소를 파리로 옮기자는 제안(가르단이 지침을 위반하고 제안한 대로)도 고려할 생각이 없다는 사실이 점차 분명해졌다. 사실 구도비치는 이란 사절에게 틸지트 조약이 프랑스-이란 동맹을 실질적으로 무효화했으므로 카자르 궁정이 나폴레옹의 "호의에 기대는 것은 잘못"이라고 직설적으로 말했다.[63]

자신의 주도적 제의들이 무위에 그치자 가르단은 분명 깊은 굴욕감을 느꼈을 것이고, 파트 알리 샤가 프랑스의 중재는 아직까지 아무런 성과가 없다고 불만을 표출한 뒤는 특히 그랬을 것이다. 프랑스 사절에게 카자르 관리들은 자신들이 사절로 파견된 맬컴을 받아들이지 않았고 영국 동인도회사와의 계약을 제한함으로써 핑켄슈타인 조약의 의무 조항을 준수했음을 상기시켰다. 샤의 호의가 오래가지 않을 것임을 이해한 가르단은 파리의 지침을 기다리지 않고 마지막으로 러시아-이란 갈등의 중재를 시도했다. 1808년 10월에 그는 자신의 비서인 펠릭스 라자르를 파견해 구도비치에게 협상으로 복귀할 것을 재촉하고 이란에 대한 "어떤 공격"도 그 맹방인 프랑스에 대한 도발로 간주될 것이라고 경고했다. 그다음 가르단은 프랑스와 러시아 황제가 이 협상에 관해 의견을 낼 때까지 러시아는 적대적 움직임을 보이거나 두 제국 간 관계에 마찰을 빚을 어떤 행동도 하지 않을 것이라고 카자르 궁정을 안심시켰다.[64]

가르단의 마지막 도박은 실패했다.[65] 협상하는 대신, 알렉산드르 황제에게 심한 압박을 받는 데다 갈수록 버럭 성을 내는 예순여섯 살의 구도비치는 자신이 이 자리가 요구하는 바를 감당할 수 없음을 알았다. 그렇기에 정전을 깨고 예레반으로 진군함으로써 이란에 양보를 강요하기로 결심하고 1808년 10월에 결심을 실행했다. 러시아의 전역은 군사 활동 기간 막판에 시작된 데다 제대로 계획을 세우지 않아, 이란의 요새를 6주 동안 포위한 끝에 거의 1천 명의 병사를 잃고서 무너졌다.[66] 구도비치는 프랑스 장교들이 이란의 요새 방어를 도왔다고 주장함으로써 자신의 실패를 덮어보려고 했지만 그의 상관들은 바보가 아니었다.[67] 알렉산드르는 전역이 얼마나 무턱대고 실시되었는지를 알고서 격노했고, 구도비치는 사임하는 수밖에 없었다.[68]

이 같은 실패에도 불구하고 러시아의 공세는 프랑스-이란 관계에 커다란 충격을 주었다. 우선, 그것은 서류상으로는 아무 문제 없어 보이지만 현실에서는 유형의 보호를 제공하지 않는 동맹의 보잘것없는 성격을 드러냈다. 이란을 지지하고 러시아에 대한 나폴레옹의 약속을 지키는 것 사이 미묘한 노선을 조심스레 걸어야 하는 가르단은 너무 많은 것을 약속했고, 러시아의 예레반 침공은 그의 호언장담을 웃음거리로 만들었다. 프랑스가 중재를 하는 동안 러시아가 감히 나폴레옹의 뜻을 거스르며 적대행위를 재개하지 않을 것이라고 이란인들을 안심시키는 데 여름 대부분을 보낸 뒤, 러시아의 공세에 대한 가르단의 대응은 자신들이 훈련시킨 부대를 지휘하리라 예상하고 이란 군대에 배속되어 있던 프랑스 장교들에게 직책에서 물러나고 프랑스의 맹방에 맞선 적대행위에 연루되는 것을 피하라고 지시하는 것이었다. 이러한 조치에 카자르 궁정의 많은 인사들은 분노했다. 여기에는 아바스 미르자 왕세자와, 나폴레옹이 알렉산드르 황제와 그토록 친근한 관계를 유지하고 이란과 맺은 유대는 못 본 척한다

고 한탄한 카임 마캄 미르자 이사 파라하니도 있었다.[69]

　프랑스와 이란 관계의 전환점은 1808년 11월 23일, 파트 알리 샤가 프랑스 사절을 알현한 순간에 찾아왔다. 샤는 가르단이 그토록 보증했음에도 불구하고 전쟁이 재개되었다고 불만을 표시했다. 그는 새로 구성된 이란 대대들의 운용을 저해한 프랑스 장교들의 철수에 특히 화가 났다. "모든 게 우리에 맞서려고 작당한 것 같군"이라고 파트 알리 샤는 가르단에게 말했다. "나폴레옹 황제는 우리를 향한 감정이 우리가 그의 충심과 위대함으로부터 기대하는 감정에 부합하는지 아직 밝히지 않았고, 그가 우리를 저버린 방식은 갈수록 우리를 충격에 빠뜨리는군. 우리는 그대에게 사태의 실상에 관해 아무것도 감추지 않았고, 어느 모로 보나 이제는 프랑스가 더는 우리를 도와주러 오지 않을 것이라고 결론을 내려야 할 시점일세."[70] 가르단은 러시아의 배신이란 근거로 그다지 설득력은 없지만 나폴레옹이 가만히 손 놓고 있는 것을 변명해보려 했다. 프랑스 사절은 일단 나폴레옹이 러시아의 "이상한 행동"을 알아차리기만 하면 무거운 배상을 요구할 것이며 "벼락같이 적에게 달려들어 전멸시킬 것"이라고 주장했다. "벼락같이"란 표현은 틀림없이 이란 샤의 심기를 건드렸을 것이다. 그는 "그럼 대체 무엇이 지난 열 달간 그 벼락이 치는 것을 막았나? (…) 그대는 러시아가 영국에 은밀한 호의와 옛 우정을 품고 있는데도 여전히 프랑스의 맹방이라고 생각하는가? 지금과 같은 조치들에서도 러시아가 그대의 군주를 멸시하고 있음이 보이지 않는가?"라고 대꾸했다.[71]

　카자르 궁정에서 프랑스의 영향력이 시들해지고 있음이 이제 분명했다. 샤는 가르단에게 이란을 향한 프랑스의 의사를 명확히 하라며 두 달의 말미를 주었다.[72] 연락을 위한 물리적 거리를 고려할 때, 프랑스 사절은 그렇게 짧은 기한 안에 새로운 지침(마지막으로 받은 지침은 1808년 7월로 거슬러 갔다)을 받기를 기대할 수 없었을 것이다. 카자르 궁정에서 그의 위상은 바스라와 바그다드에 장기간 거주하고 카자르 궁정의 요인들과 개인적으로 인맥이 있는 하퍼드 존스 경이 이끄는 영국 사절단의 도착으로 더욱 약화됐다. 영국 동인도회사를 대표한 맬컴과 달리 존스는 테헤란에 파견된 영국 국왕의 사절이었고 카자르 궁정의 눈에는 외교적으로 훨씬 더 무게감이 있었다. 프랑스와의 동맹에 대한 희망을 아직 버리지 않았던 샤는 처음에는 영국 사절의 발을 페르시아만 바닷가에 묶어두라고 명령했다. 하지만 시간이 흐르면서 파트 알리 샤는 비록 본의는 아니더라도 어쨌든 나폴레옹이 자신을 위해 아무것도 해줄 수 없으리란 점을 깨닫고 다시금 영국이란 대안을 저울질하기 시작했다. 그는 영국에 도움을 구하려면 커다란 양보를 해야 할 것임을 잘 알고 있었는데, 1801년과 달리 이란은 이제 더 약자의 입장에서 협상을 해야 했다. 영국은 이란이 이전의 조약을 저버렸다고 여겨 기분이 상한 상태였기 때문이다. 1808년 후반에 샤는 앞선 명령을 뒤집어 존스가 테헤란으로 오는 것을 허락했다. 1809년 2월 13일, 영국 사절이 이란 수도에 입성하기 전날 가르단은 테헤란을 떠나 기나긴 귀국길에 올랐다.[73] 파리로 보낸 서신에서 그는 "이 제국(이란)의 정세는 언제나 더 큰 권력을 휘두르는 가장 가까운 이웃에 달려 있고, 또 그들의 영향력 아래 있을 것입니다. 저는 프랑스 군대가 그렇게 멀리 떨어져 있는 한은 이곳에 영향력을 확립할 수 없을 거라 생각합니다"라고 썼다.[74]

1800년의 맬컴처럼 하퍼드 존스는 선물과 약속을 한보따리 들고 왔다. 카자르 궁정은 존스가 내놓은 것에 크게 감명했다. 그는 이란의 대의에 공감을 표명하고 영국-이란 관계 수립의 이점을 역설하며, 파트 알리 샤에게 이미 유명무실해진 프랑스와의 동맹을 깨뜨리고 그 대신 틸지트 조약에 따라 영국에 선전포고를 한 러시아에 맞서 영국과 동맹을 맺을 것을 촉구했다. 또한 이란 부대를 훈련시키는 데 영국의 전문적 능력을 제공할 것이며 무엇보다도 전쟁이 지속되는 한 두둑한 연간 보조금을 지급하겠다고 제의했다. 1809년 3월에 체결된 두 번째 영국-이란 조약은 카자르 왕조가 이전에 유럽 열강과 체결했던 조약들의 핵심 결함들을 바로잡았다. 영국은 이란 군대를 훈련·무장시키는 것은 물론 재정 지원도 약속했다. 이 모든 것에 대한 대가는 이란이 프랑스에 했던 모든 양보와 합의 사항을 폐지하고 유럽 열강이 인도에 도달하기 위해 이란의 영토를 통과하는 것을 막겠다고 약속하는 것이었다.[75] '유럽'이란 자구의 삽입은 카자르 측의 중요한 승리였지만 그 표현은 조약 당사국에게 서로 다르게 해석되었다. 이란에게 그것은 러시아를 의미한 반면, 런던에게 그것은 언제나 그리고 오로지 프랑스를 의미했다. 영국은 캅카스에서 러시아의 제국적 구상을 억지하는 데 별로 관심이 없었다.

존스의 성공에도 불구하고 이란에서 영국의 이해관계가 완전히 확보된 것은 아니었다. 샤는 러시아에 맞서 유형의 도움을 얻어내고자 영국과 프랑스를 경쟁시킬 만한 얼마간의 운신의 자유를 유지하고자 했다. 비록 가르단은 떠났지만 영국인들로서는 무척 유감스럽게도 그의 사절단은 카자르 궁정에 아직 남아 있었고, 파트 알리 샤는 그들과 친교를 다짐으로써 영국인들을 압박해 보조금 액수를 높이려고 했다. 흥미롭게도 존스의 임무는 본국 정부와 동인도회사 간에 불화를 야기했다. 동인도회사 총독 민토 경은 존스가 세운 공로의 가치를 잘 이해했고—특히 1808년 자신이 파견한 맬컴이 임무 수행에 실패한 것에 비춰볼 때—존스의 비용 청구서에 지불을 중지함으로써 훼방을 놓으려 했다. 이는 영국 사절단의 합법적 지위에 관한 의문을 불러왔다.[76] 더욱이 민토는 존스를 소환하고(그럴 권한이 없었음에도) 세 번째 사절로 테헤란에 존 맬컴을 파견했다. 그러나 민토의 알력 다툼은 존스가 공식 사절임을 확인해주고 맬컴을 다시 불러들일 것을 요구한 런던에 의해 좌절되었다. 민토 경은 본국의 명령에 따랐지만 존스도 물러나게 만들었다.

1809년 2월, 구도비치 후임으로 임명된 알렉산드르 토르마소프 장군이 캅카스에 주둔하고 있는 러시아군의 지휘권을 인수했다.[77] 1790년대에 튀르크인과 폴란드인들을 상대로 싸우며 수훈을 세운 바 있는 유능하고 에너지 넘치는 토르마소프는 자신이 몹시 어려운 처지—제한된 수단만 가지고 제정 정부가 세운 야심찬 목표를 달성해야 하는 처지—임을 알았다. 북부 캅카스에서 러시아군은 2만 3500명인 한편, 오스만이나 이란의 공격 가능성으로부터 조지아를 보호하는 데 운용 가능한 병력은 1만 8500명에 불과했다. 더 걱정스러운 것은 전 지역이 반란을 일으킨 조지아, 아제르바이잔, 북부 캅카스의 상황이었다. 러시아 당국자들은 다게스탄의 반란을 억누르느라 진땀을 흘렸고, 오스만의 종주권에 속하는 조지아 북서부 지방의 일부인 압하지아에서는 그 지역 군주인 첼레스 베이(셰르바시제)의 아들들 간에 권

력 다툼이 벌어져 오스만튀르크로부터 도움을 구하는 형세였다.[78]

그만큼 우려스러운 것은 이메레티(서부 조지아)의 솔로몬 왕이 제기하는 위협이었다. 캅카스에서 러시아 세력의 존재에 반발하는 바그라티온 왕가의 마지막 독립 군주인 그의 입장은 러시아가 동부 조지아에서 바그라티온 왕가를 타도하자 더 강경해졌을 뿐이다. 동방정교도인 러시아인들이 전통적인 적인 무슬림들로부터 자신들을 구해줄 것이라고 조지아 일부 엘리트층이 한때나마 믿었다 하더라도, 지난 몇 년 사이에 벌어진 사태는 러시아인들이 조지아의 구원이 아니라 합병에만 관심이 있다는 사실을 보여주었다. 쿠타이시에 있는 솔로몬의 궁정은 러시아에 대립하는 중심지가 되었으니, 심지어 1804년에 치치아노프가 솔로몬에게 러시아 황제에 대한 신의의 맹세를 강요한 것도 소용이 없었다.

남부 캅카스의 정치적·경제적·사회적 혼란을 고려할 때 토르마소프는 처음에는 오스만튀르크나 이란과 대규모 적대행위를 유발하지 않도록 조심스럽게 행동하는 편을 선호했다. 그는 이란에 협상을 통한 전쟁 종식을 제안했지만 양측이 영유권을 둘러싸고 합의를 보지 못해 협상은 험난했다. 게다가 이번에는 영국이 나서서 이란은 러시아의 제의를 물리치고 계속 싸워야 한다고 주장했다. 런던은 러시아가 프랑스의 맹방이라는 사실과 이란과의 전쟁이 종식된다면 러시아가 유럽에 더 많이 관여하리란 전망을 우려해 그렇게 했다. 카자르 궁정은 마지못해 동의했다. 비록 카자르의 한 고위 관료가 선견지명을 발휘해, 하퍼드 존스에게 유럽의 상황이 바뀐다면 영국은 십중팔구 이란을 "난처한 처지"에 빠뜨릴 것이라고 언급하기는 했지만 말이다. 사실 향후 몇 년 사이 정확히 그런 일이 벌어진다. 러시아-이란 전쟁이 진행되고 프랑스-러시아 동맹이 쪼개지면서 영국은 유럽에서 나폴레옹 프랑스와 맞서 싸울 때 우군이 되길 바라는 러시아를 상대로 이란을 지원해야 하는 난감한 입장에 처하게 되었다.

1809년 여름은 토르마소프에게 정신없는 시간이었다. 수세적 자세를 취하라는 지시를 받은 그는 이란이 국경지대를 따라 병력을 동원하는 것을 주시했다. 하지만 무장에서 러시아의 우위가 다시금 드러났고, 이란군은 귐리와 간자(옐리자벳폴)에서 패주했다. 한편 토르마소프는 오스만튀르크를 상대로는 더 거친 노선을 추구했다. 러시아-오스만 전쟁이 도나우 공국에서 진행 중인 가운데 그는 서부 조지아에서 공세를 재개해 콘스탄티노플 정부와 캅카스 산악지대 사람들 간의 연락을 가로챌 수 있는 항구 도시 포티를 공격했다. 러시아-조지아 병력의 포티 합동 공격은 성공을 거두었고, 항구 도시는 11월 중순에 함락되었다.[79]

그와 동시에 러시아 병사들은 이메레티로 진군해 조지아 국왕의 군대를 패퇴시키고 솔로몬 국왕을 사로잡았다. 러시아군의 손아귀에서 빠져나온 솔로몬은 반란을 일으키려 했지만 패배하고 트레비존드로 도망쳤다.[80] 러시아를 상대로 뾰족한 수가 없던 그는 도움을 구하고자 외세로 눈길을 돌렸다. 그는 예레반으로 가서 샤의 도움을 구했지만 돌아온 것은 약간의 보조금과 술탄에게 군사적 지원을 직접 호소하라는 충고였다. 솔로몬은 콘스탄티노플에 오스만 술탄과 그곳의 프랑스 대사관 양쪽에 보내는 서신을 들려 사절단을 파견했다. 프랑스 대사관 앞으로 보낸 서신 꾸러미에는 조지아를 프랑스의 보호령으로 삼아 러시아로부터 해방시켜주라고 청하며 이메레티 국왕이 나폴레옹에게 쓴 여러 통의 편지 가운데 첫 번째 편지가 들어 있었다.[81] 솔로몬은 나폴레옹을 "카이사르들 가운데 가장 존귀한 카이사르, 가장 막강한 왕"이라고 칭하며, 러시아 군주들의 악독한 행동에 대한 불만을 늘어놓았다. "내 가문이 이 땅을 다스린 지는 벌써 1200년이나 됩니다. 우리의 권위가 도전받은 적은 한 번도 없습니다. (…) 이제 전하만이 우리를 구해줄 수 있습니다. (…) 나의 왕국을 당신의 보호 아래 두고 전쟁이나 평화 어느 수단을 통해서든 우리를 러시아인들로부터 해방시켜줄 것을 (당신께) 호소합니다." 나폴레옹은 이 편지들에 정식으로 답변하지 않았지만 조지아는 그의 계획에서 계속 등장했다. 1812년 러시아 침공 전야에 나폴레옹은 인도로 원정을 떠나는 동방 프로젝트를 마음속에 키워왔고, 조지아를 그 원정을 위한 집결지로 염두에 두었던 것 같다. "모스크바가 함락되고, 러시아가 무너져서 차르가 패전을 받아들이거나 아니면 궁중 암투로 살해된다고 생각해보게." 그는 신뢰하는 부관에게 말했다. "그렇다면 프랑스 병사들과 보조군으로 이루어진 대군이 티플리스에서 출발해 갠지스강에 도달하고 거기서 프랑스의 칼이 한번 건드리기만 하면 인도 전역에 걸친 (영국) 상업의 웅장한 뼈대는 속절없이 무너지지 않겠나?"[82]

1809년 토르마소프의 승리들로 이듬해는 비교적 평화로웠다. 늦봄에 러시아와 이란의 협상가들은 아스코란 근처에서 다시 만나 휴전 가능성을 논의했다. 17일간의 협상에도 불구하고 양측은 합의에 이르지 못했다. 이란은 러시아가 점령한 동부 칸국들에서 철수할 것을 요구했다. 러시아 당국자들은 전쟁을 계속하도록 카자르 궁정의 결의를 다지는 데 영국이 한 역할에 특히 분개했다.[83] 그리하여 적대행위가 즉시 재개되었다. 왕세자 아바스 미르자는 아라스 강변의

미그리로 진군해 표트르 코틀랴롭스키 장군의 소규모 분견대에 두 차례 패했다. 이 패배는 전쟁에 대한 이란의 열의를 식혔을 뿐 아니라 이란 북서부 지방들의 안전에 관한 근심도 자아내어, 샤는 신속히 타브리즈를 강화했다.

아라스강의 러시아군을 상대로 답보 상태가 계속되자 이란은 오스만튀르크와 합동작전—군대를 합쳐서 남서부에서 조지아를 침공하는—가능성을 논의했다. 8월에 파트 알리 샤는 예레반의 사르다르sardar〔수장, 족장을 뜻하는 페르시아 귀족 칭호 가운데 하나〕인 후세인 쿨리 칸 휘하에 7천 명가량을 아칼치케에 파견했고, 거기서 셰리프 파샤 휘하 3천 명가량의 현지 오스만 병사가 합류했다. 합동군은 아칼칼라키로 가서 티플리스(트빌리시)까지 진격할 생각이었다. 이를 눈치챈 토르마소프는 신속히 반격에 나서, 리사네비치 휘하 소규모 분견대가 공격을 주도했다. 1810년 9월 17일, 악천후 속에서 사흘 동안 행군한 끝에 리사네비치는 아칼칼라키 외곽에 진을 친 오스만-이란 진영과 맞닥뜨렸고 야간 공격을 감행했다. 그것은 완벽한 궤멸이었다. 오스만군과 이란군은 서로를 탓하며 본국으로 물러갔고, 이로써 양국 간 협조도 사실상 끝이 났다. 토르마소프는 승리의 여세를 몰아 남부 국경지대를 겨냥한 새로운 공세를 개시했다. 공격의 초점은 아칼치케 요새였다. 러시아군은 1810년 11월 후반에 열흘 동안 그곳을 포위했지만 역병이 창궐해 함락시킬 수 없었다.[84]

카자르 궁정이 러시아와의 전쟁을 성공적으로 이끌어갈 능력은 아라비아의 와하비파와 이라크의 오스만 쿠르드족이 제기한 위협들로 인해 저해되었다. 전자는 1811년에 이란군에 뼈아픈 패배를 안긴 한편, 1811~1812년 후자의 공격들은 3만 명가량의 카자르 군대가 이란의 서부 지방들에 묶여 있었다는 뜻이다. 카자르 왕조에게는 다행스럽게도 영국은 서양식 군대를 위해 장교와 무기를 (이를 위한 자금과 더불어) 실제로 제공했다. 1809년부터 영국군 장교들은 이란 군대의 재조직을 재개했고, 재조직은 본질적으로 프랑스식과 유사했지만 규모가 더 컸다. 다음 5년에 걸쳐 영국은 1만 5천 정이 넘는 머스킷 소총과 20문의 대포는 물론 기병, 화약, 포차를 공급했다. 영국인들도 당연히 프랑스인들이 직면했던 동일한 문제들에 직면했다. 그들의 시도는 사르바즈 부대의 존재로 인해 더욱 꼬였다. 프랑스 장교들에게 훈련받은 사르바즈 부대원들이 영국식 훈련을 받은 라이벌 부대를 적대시하고 자신들을 영국 장교 휘하에 두려는 일체의 시도에 저항했기 때문이다.

1811년 초, 조지아에서 토르마소프가 보유한 병력은 1만 9천 명이 채 못 됐다. 오스만군과 이란군이 다시 채비를 갖추기 시작하자 그는 데르벤트, 바쿠, 수쿰칼레에 있는 주요 요충지들을 선제공격하기 위해 러시아에 증원을 요청했다. 그의 요청은 거절당했다. 한술 더 떠서 전쟁 대신 미하일 바르클라이 드 톨리는 심지어 토르마소프에게 캅카스 부대 가운데 일부를 나폴레옹의 대육군이 이미 출현하기 시작한 러시아 서부 국경지대로 파견해줄 수 있는지 문의했다. 1811년 여름에 준비를 완료한 이란군과 오스만군은 아르파차이강에 병력을 집결시키기로 뜻을 모았다. 6월에 에르주룸의 세라스케르 에민 파샤는 2만 4천 명의 병력을 이끌고 카르스에 도착해 진을 치고 페르시아인들을 기다렸다. 무슨 일이 벌어지고 있는지 알게 된 토르마소프는 또 한 번 러시아군의 우수성에 모든 것을 걸고 이란군이 도착하기 전에 오스만군을 공격하기로 결심했다. 이것은 매우 위험한 모험이었지만 신은 다시 한번 러시아군에 미소를 보냈다. 전투를 앞두고 전통적인 행사인 사냥에 나갔던 오스만 사령관이 오랜 라이벌이 쏜 총에 맞아, 오스만군의 전역 전체가 엉망이 되고 말았다. 이란-오스만 합동 공격을 기대하고 바툼에 1만 명이 넘는 병력을 집결시켰던 트라브존의 파샤는 사고 소식을 전해 듣고 작전을 중단시켰다. 후세인 쿨리 칸이 이끄는 이란군은 발길을 돌릴 수밖에 없었다.[85]

이것은 조지아에서 토르마소프가 거둔 마지막 '성공'이었다. 곧이어 그는 프랑스와의 전쟁 가능성을 염두에 두고 볼히니아(서부 우크라이나)에서 구성되고 있던 주시 군대Army of Observation(적대행위의 발발에 대비해 특정 지역이나 적의 동태를 주시하는 임무를 맡은 군대)를 지휘하도록 소환되었다.[86] 그가 떠난 직후 캅카스의 러시아 군대는 2개의 독자적 분견대로 쪼개졌다. 니콜라이 르티셰프 중장은 북부 캅카스의 병사들을 지휘하도록 임명된 한편, 조지아에 있는 러시아 병력을 맡은 중장 필리프 파울루치 후작은 아칼칼라키에 대한 새로운 공세로 재임을 시작해, 1811년 12월 19일에 대담한 공습(용맹한 코틀라롭스키가 이끄는)을 감행해 그곳을 함락했다.[87]

여러 가지 사태가 이듬해에도 러시아에 맞서 전쟁을 이어가도록 이란의 결의를 강화했다. 1809년 영국-이란 조약의 가치는 제한적인 것으로 드러났지만 카자르 군주정은 이제 프랑스는 충분한 군사적 지원을 제공할 능력이 없는 것으로 드러났으니 영국을 지향하는 것 말고는 다른 대안이 없음을 이해했다. 조지 3세 궁정과의 유대를 강화하고자 샤는 아불 하산 칸을 대사로 런던에 파견했다. 그는 새로운 영국 사절로서, 전직 동인도회사 관리이자 현지 사정에 밝고 다음 몇 년에 걸쳐 카자르 궁정에서 영국의 이해관계를 지키는 데 지대한 역할을 하는 고어 우즐리 경과 함께 귀환했다. 우즐리의 지원 속에 1809년 예비 조약이 재교섭되어, 최종적인 우호와 동맹조약으로 공식화되었다(1812년 3월). 조약은 군사적 지원에 대한 이전의 약속들을 확인하고 영국의 보조금 액수를 15만 파운드로 인상했다.[88]

영국의 새로운 약속에 기운을 얻은 이란은 러시아의 협상 제의를 거부하고 그 대신 새로운 공세를 개시해, 아바스 미르자 왕세자가 이끄는 2만 명이 넘는 병력이 탈리시(남부 아제르바이잔) 칸국으로 진격했다.[89] 이것은 중요한 전역이었는데, 이 시점에 러시아는 1804년 전쟁이 시작된 이래로 어느 때보다 허약해 보였기 때문이다. 1812년 초에 카케티(동부 조지아)에서 러시아의 권위주의와 부당한 처우에 반발해 대규모 봉기가 터져 나왔다. 그해 상반기에는 날씨가 유독 나빠서 작황이 좋지 않았고 곡물 가격이 상승했다. 러시아 당국자들은 그럼에도 병사들을 민가에 숙영시킬 것을 고집해, 주민들은 병사들을 재우고 먹여야 했지만 병사들은 흔히 주민들을 가혹하게 취급했다. 당연히 감정이 격해졌고 반란이 일어났다.[90] 카자르조는 이러한 상황을 이용하기 위해 재빨리 움직여서 반러시아 성향으로 널리 알려진 조지아 왕자 알렉산드르 바그라티온(국왕 에레클레 2세의 아들)에게 도움을 제공했다.[91] 봄에 조지아 반란군은 러시아 분견대를 무찌르고 아크메타와 티아네티에 있는 수비대를 학살했으며, 카케티의 거의 전역을 장악해 러시아 당국자들이 짤막한 정전을 요청하게 만들었다. 러시아의 입지는 1812년 6월 나폴레옹이 50만에 가까운 대군을 이끌고 네만강을 건너 운명적인 러시아 침공을 개시하자 더욱 약화됐다. 이 침공의 엄청난 규모와 강도 때문에 러시아는 자국의 심장부를 지키기 위해 가용한 모든 자원을 투입해야 했고, 그에 따라 남부 캅카스 같은 주변부는 혼자 버텨야 했다.

　나폴레옹의 러시아 침공은 유럽에 정치 지형을 바꾸었을 뿐만 아니라 이란에서 영국을 애매한 입장에 빠뜨렸다. 프랑스가 러시아를 공격하자 런던은 상트페테르부르크와 새로운 동맹을 결성하고 프랑스에 맞서 공동 전선을 펼치기로 약속했다. 하지만 캅카스에서 이란의 새로운 공세에는 찰스 크리스티 대위와 헨리 린지 중위를 비롯한 영국 군사 자문이 이끄는 약 2500명의 병력이 참가했고, 다시 소위는 포병대를 지휘했다. 영국-러시아의 관계 회복을 알았을 때 우즐리는 이란 군대에서 영국의 장교들을 불러들이려 했다. 이 결정은 카자르 궁정의 분노를 자아냈고, 그는 재빨리 일부 장교와 훈련 교관들을 이란 병사들 사이에 남겨둘 수밖에 없었다. 영국 장교들이 이끄는 이 병력은 슈샤에서 남쪽으로 80킬로미터 정도 떨어진 솔탄부드 근처 전투에 참가해 러시아 분견대를 확실하게 격파했다. 이것은 러시아군을 상대로 한 이란의 드문 승리였고 당연히 이란의 사기를 높였다. 이 전투는 승리가 임박하고 눈앞에 포로와 전리품이 손짓하고 있을 때 규율을 유지하기 힘든 점을 비롯해, 새로 훈련받은 병력의 중대한 결함들도 노출했다.[92]

　파울루치는 카케티 봉기가 캅카스에서 러시아의 전쟁 수행 전체를 위협한다는 것을 인식했다. 그의 결론은 솔탄부드에서의 패배로 한층 뒷받침되었다. 그는 오스만튀르크를 상대로 한 이전 전역들의 영웅 코틀랴롭스키 장군이 이끄는 분견대를 비롯해 북부 캅카스와 오스만 전선으로부터 가용한 소수의 병력을 재배치해 대응했다. 10월에 이란군은 아라스강에 도달해, 아슬란두즈 근처에서 코틀랴롭스키의 소분견대(2200명)와 맞닥뜨렸다. 승리를 자신한 아바스 미르자 왕세자는 러시아군의 움직임을 주시하도록 몇몇 소규모 초소를 배치한 다음 아라스강 좌안에 진을 치고 병사들이 휴식을 취하게 했다. 코틀랴롭스키 장군은 야음을 틈타 이란군의 진영으로 행군해 야간 기습공격을 감행했다. 결과는 러시아의 뜻밖의 승리였다. 영국 장교들이 이끄는 사르바즈 병사들은 위치를 사수했지만 나머지 병사들은 줄행랑을 쳤다. 코틀랴롭스키의 병사들은 2천 명이 넘는 적군(크리스티 대위도 포함)을 죽이거나 생포하고 35문이 넘는 대포와 경포를 포획했다.[93] 해가 바뀌자 러시아군이 주도권을 잡아, 이란군을 몰아내고 렌코란을 습격(1813년 1월 13일)했지만, 이 공격에서 그들이 거둔 포로는 없었다.[94]

러시아의 이 같은 승전들은 이란에 조금이라도 남은 승전에 대한 희망에 심각한 타격을 입혔다. 카자르 군주정은 엄청난 병력 손실을 입었다. 단 석 달의 전역으로 1만 명 정도를 잃은 것이다. 조지아에서 봉기의 성공이라는 이란의 꿈도 실현되지 않았다. 동부 조지아로 분견대를 이끌었던 알렉산드르 바그라티온 왕자는 시그나기에서 패해 다시 국경 너머로 퇴각할 수밖에 없었다. 반란은 넉 달을 더 갔지만 결국 더 우수한 러시아의 군사력에 굴복해 1813년 초에 잔혹하게 진압되었다. 러시아에 맞서 영국의 계속되는 지원을 기대한 파트 알리 샤는 영국인들로부터 이란은 적과 강화해야 한다는 말―그것도 아주 명확한 어조의―을 들었다. 나폴레옹이 러시아에서 패하고 프랑스에 맞서 새로운 유럽 동맹이 결성되는 마당에 영국은 "우리의 좋은 친구이자 맹방인 러시아를 이 먼 구석에서까지" 도울 결심이었고, 영제국의 이해관계에 더 이상 보탬이 되지 않는 전쟁을 끝내고 싶었다.[95] 영국 대사 우즐리는 보조금 지급을 중단하겠다고 위협해, 샤가 1813년 여름에 강화 회담을 수용하도록 설득했다. 협상은 카라바그 북부의 작은 마을 굴리스탄에서 진행되었다. 1813년 10월 24일에 영국이 중재한 강화조약이 마침내 러시아와 이란 사이에 체결되었다.[96]

조약은 이란과의 10년에 걸친 전쟁에서 러시아의 승리를 확인하고 카자르조가 다게스탄과 동서 조지아의 왕국과 공국, (나키체반과 예레반을 제외한) 동부 캅카스 칸국들을 비롯해 아라스강 이북의 거의 모든 땅에 대한 영유권을 포기하도록 강요했다.[97] 이러한 영토 할양은 캅카스에서 이란의 주권 상실을 반영할 뿐 아니라 이 영토들 가운데 일부에 대한 오스만튀르크의 영유권도 약화시켰다. 게다가 이 영토들의 상실은 적잖은 세입의 상실도 의미했다. 이를 벌충하기 위한 불가피한 세금 인상으로 정부의 인기는 바닥에 떨어졌고, 내부 불안정을 키웠다.[98] 더욱이 샤는 이란의 카스피해 항행권을 포기하고, 카스피해에 함대를 유지할 수 있는 배타적 권리와 더불어 이란과의 통상에서 치외법권을 러시아에 부여했다. 그만큼 굴욕적인 것은 러시아가 이란의 내정에 간섭할 수 있게 하는 단서 조항이었는데, 앞으로 왕세자가 즉위하려면 러시아의 지지가 필요했다. 조약의 단서 조항들이 워낙 모호하게 표현되어서 러시아가 향후 이란에 자유롭게 간섭할 수 있을 것임을 시사했다. 남동부 캅카스 영토들에 대한 러시아의 지속적인 잠식은 무슬림 인구들에 대한 부당한 취급과 더불어 러시아-이란 관계를 심각하게 긴장시켰다. 이는 13년 뒤에 두 번째 전쟁으로 이어졌다.

나폴레옹 프랑스가 패배함에 따라 영국은 파트 알리 샤를 지지하는 데 더는 관심이 없었고, 그것이 러시아 제국과의 정면충돌 가능성을 의미한다면 더욱 그랬다. 영국 정부는 그러므로 이란의 주권이 침해당할 경우(지금 분명하게 그런 것처럼) 영국이 이란을 지원하도록 구속하는 1812년 최종 조약의 수정을 강하게 밀어붙였다. 파트 알리 샤는 이제 나폴레옹이 사라졌고 러시아가 자신의 주된 그리고 가장 위험한 적이 되었으므로 영국 지향 말고는 대안이 없다고 보았다. 굴리스탄 조약을 맺은 지 고작 1년 뒤에 그는 최종 조약의 취지가 희석된 수정판을 수용할 수밖에 없었다. 수정된 조약은 영국에 적대적인 유럽 열강과의 모든 동맹을 파기하고 영국에 적대적인 유럽 군대에 의한 일체의 영토 침략에 맞설 샤의 의무를 재확인했다. 그 대신 영국의 이란 지원과 관련한 단서 조항들은 상당히 개정되었다. 그것들은 동맹의 목적을 엄격하게 방어적인 것으로 한정하고 영국의 군사적 지원이나 무기를 비롯한 연례 전쟁 보조금은 이란이 외국의 공격을 받았을 때 제공된다고 특정했다. 하지만 이 조항은 영국과 전쟁 상태가 아닌 어느 유럽 국가가 이란을 공격할 경우 영국은 군사적 지원을 제공하지 않고 그 대신 양측의 평화를 중재하도록 "최선의 노력"을 다하겠다는 제6조에 의해 사실상 부정되었다. 조약은 영국-이란 관계에 어두운 그림자를 드리웠다.

나폴레옹 전쟁은 과거 제국의 영화에도 불구하고 어느새 유럽 열강의 장기판의 졸이 된 이란에 커다란 영향을 미쳤다. 영국과 프랑스 양측에 배신을 당한 이란은 러시아의 손에 굴욕적인 패배를 당했다. 전쟁은 카자르 국가의 비효율성을 만천하에 드러냈고 이란의 주도적 일부 인사들은 군사 개혁의 필요성을 확신했다. 여기에 나폴레옹 전쟁이 이란에 남긴 가장 항구적인 유산이 있다. 아바스 미르자 왕세자 같은 개혁 성향 인사들은 유럽식 군사 개혁의 도입이 샤가 내부 권력을 강화하고 외부의 위협으로부터 국가를 더 효과적으로 보호하게 해줄 것이라고 믿었다. 오스만 개혁에 영감을 받은 아바스 미르자는 이란판 니잠이 제디드 부대를 창설하고 부족 병사들과 외세의 원조에 대한 의존을 줄이는 일에 착수했다. 러시아-이란 전쟁 이후 그는 서양의 전술을 배우도록 유럽으로 학생들을 보내고 병사들을 모집해 훈련시키는 데 영국과 프랑스 장교들을 고용했다(변절하여 이란으로 넘어온 러시아 장교들도 소수 있었다). 외국인 교관들의 수는 나폴레옹 전쟁 종결 이후 실직한 유럽 장교들이 일자리를 찾아서 먼 곳까지 오면서 증가했다.

아바스 미르자는 또한 그 나름대로 타브리즈에 화약 공장과 대포 주조소를 짓고, 유럽 군사 교본을 번역해 출판하는 인쇄소를 설립했으며, 인력을 더 꾸준하게 공급받고 현지 엘리트에 대한 의존을 줄일 수 있도록 새로운 모병 체계를 시도했다.[99] 이전의 개혁들과 마찬가지로 아바스 미르자는 대중적 저항을 극복해야 했다. 그리고 종교적·전통적 권력 집단들은 어김없이 변화를 싫어했다. 특히 새로운 부대들의 유럽식 외양과 '이교도' 교관들의 존재가 거슬렸다. 군사 개혁은 일부 효과를 보기는 했다. 1831년에 이르면 약 1만 5천 명에 이르는 군대가 이란 내부에서 카자르조의 권위를 수호하고 질서를 유지하는 데 핵심적 역할을 했다. 하지만 그 군대는 이란을 외부의 위협으로부터 안전하게 지키는 데는 실패했다.

영국의 해외 원정

1805-1810

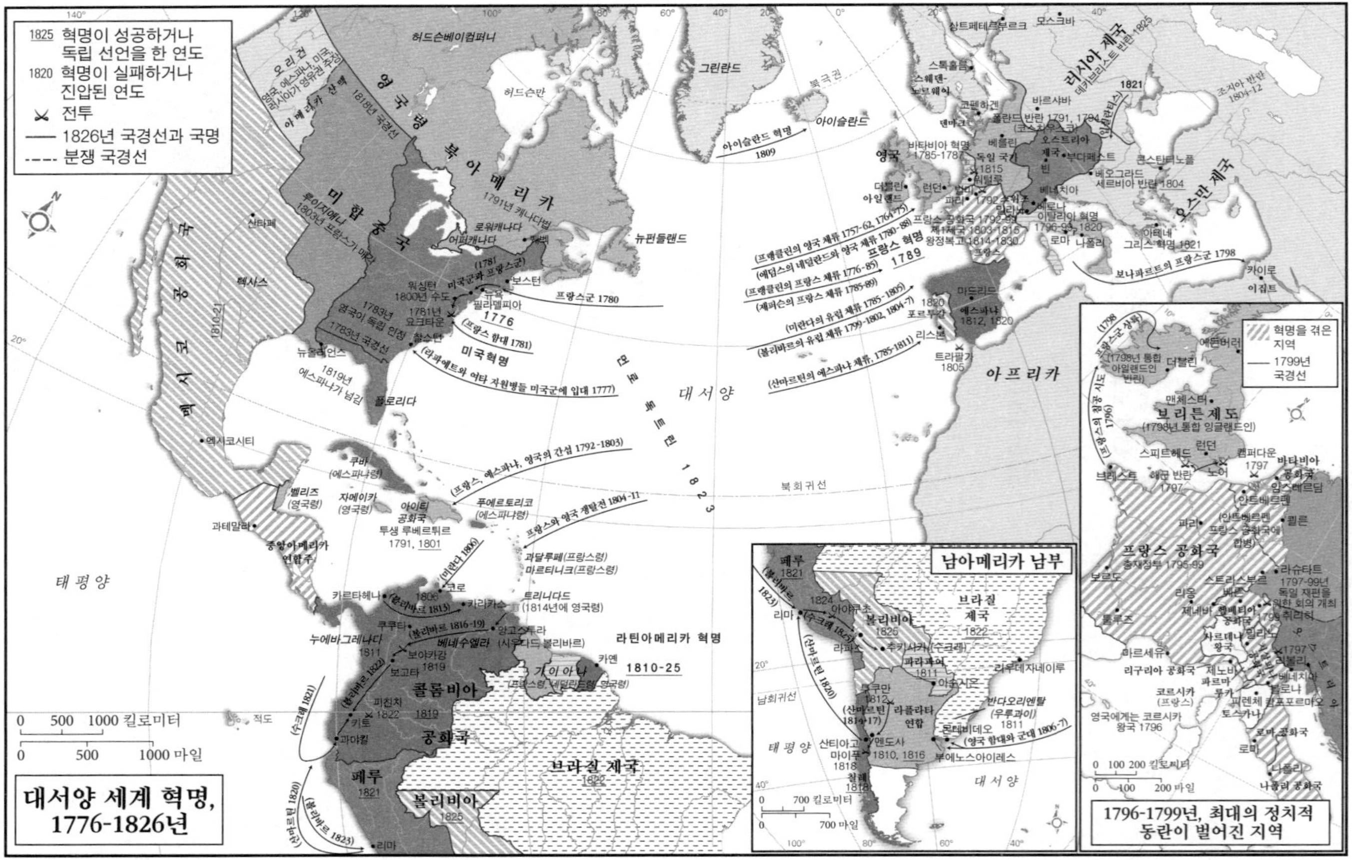

대서양 세계 혁명, 1776-1826년

1796-1799년, 최대의 정치적 동란이 벌어진 지역

지도 20 대서양 세계 혁명, 1776-1826년

18세기 후반에 이르면 해상과 해상을 가로지르는 국제 무역로를 장악하는 것이 유럽 열강 간 경쟁관계의 핵심적인 전략 요소가 되었다. 하지만 혁명전쟁 동안 강력한 해군은 영국에 불가결한 만큼 프랑스의 생존에 불가결하지는 않았다. 거의 사방팔방에서 공격당한 프랑스는 육상 병력을 건설하는 데 집중했고 프랑스 함대에 사람들이 거는 기대는 영국 함대에 대한 기대보다 훨씬 부담이 적었다. 영국 해군의 경제적·행정적·기술적 혁신은 프랑스에서의 혼란상과 결합해 프랑스(그리고 1796년 이후에는 에스파냐) 경쟁자들을 상대로 영국에 뚜렷한 군사적 우위를 부여했다. 영국은 주요 적국들보다 대양 무역에 훨씬 더 광범위하게 관여했다. 덕분에 갈수록 늘어나는 영국 함대에 배치할 인원을 충원해줄 전문 선원들의 예비 인력풀의 규모도 더 컸고, 1805년에 이르면 영국 해군은 세계 최대 규모이자 영국 다음가는 5개국의 해군력을 다 합친 것보다도 컸다.[1] 영국의 해군 지휘관들은 적과 맞설 때 대담한 전술을 채택했고, 그들의 승리는 대서양과 지중해 해역에서 해상 패권의 토대를 놓았다. 1805년 가을에 트라팔가르에서 거둔 영국의 승리는 대륙에서 프랑스가 거둔 군사적 승리를 부분적으로 상쇄했고, 나폴레옹은 영국의 대서양 제해권에 도전할 수 없었다. 그 결과 영국은 대서양 해역 전역에 걸쳐서 해상 작전을 수행하며 자신들의 주적만큼 원대한 야심을 드러냈다.

나폴레옹이 남아프리카에서 프랑스의 입지를 강화하는 일을 미연에 방지하고자 영국 정부는 제독 홈 릭스 포펌 경과 중장 데이비드 베어드 경 휘하에 대규모 원정군을 파견해 케이프 식민지를 점령하게 했다. 원래 네덜란드 동인도회사VOC가 세운 케이프 식민지는 약 1만 4천 명의 식민 이주자(그리고 그보다 약간 더 많은 노예들)들이 거주하는 소규모 정착지로, 정착민들은 그 지역의 지배를 놓고 현지 호사족 및 그 동맹 부족들과 수시로 충돌했다. 트렉보어treckboer ─ "농부"를 뜻하는 네덜란드어 보어bore와 짐마차처럼 무엇을 "끈다"는 의미의 트렉trek에서 온 ─ 들은 갈수록 넓어지는 농경지를 점유하기 위해 다양한 수단에 의존했다.[2] 양측은 18세기 후반에 여러 차례 무력 충돌을 벌였다. 가장 근래의 무력 충돌은, 유럽인들이 내분을 겪으면서 호사족이 유럽 정착민들을 위협한 1799년과 1803년 사이에 벌어진 충돌이었다.

몇 년 전인 1795년 9월에 영국군의 침공으로, 150년에 가까운 네덜란드 동인도회사의 케이프 지배는 막을 내렸다. 영국의 첫 점령은 아미앵 조약이 바타비아 공화국으로 케이프 식민지의 반환을 규정할 때까지 8년간 이어졌다. 그에 따라 다시 찾아온 네덜란드의 막간은 짧았지만 야심만만한 프로젝트들로 넘쳐났다. 특별히 임명된 식민 판무관 야콥 아브라함 드 미스트는 케이프 식민지를 번영시키고 질서 잡히게 할 사회·경제 개혁을 실시하고자 했다. 하지만 현지 정착민들이나 가용 자원 모두 개혁의 완수를 허락하지 않았다.

그보다 더 중요한 것은 네덜란드인들에게 시간이 없었다는 사실이다. 첫 영국 전함들이 1805년 크리스마스이브에 케이프에 도착해 곧장 봉쇄에 들어갔고, 케이프 총독 얀 빌럼 얀선스 중장은 영국군이 침공을 준비하며 집결하는 것을 가만히 지켜볼 수밖에 없었다. 거친 파도로 작전을 연기했다가 1월 6~7일에 베어드는 케이프타운 북쪽 멜크보스스트란트에 상륙했고, 블라우베르흐 전투에서 얀선스의 소규모 수비대를 격파한 다음 1월 9일 케이프타운을 점령했다. 얀선스는 일주일 동안 산악지대에서 용감하게 저항하다가 중과부적으로 결국 1월 18일에 항복 문서를 수용할 수밖에 없었다.[3]

앞선 네덜란드인들처럼 영국인들은 케이프를 인도와 극동으로 가는 길의 기착지로 여겼다. 영국은 식민지에 구조적 변화를 그다지 가져오지 않고, 대체로 무역과 현지 경제를 촉진하는 데 집중했다. 노예에 기반을 둔 현지 경제를 용인하지는 않았지만 뚜렷하게 친정착민 성향을 보였고 남아프리카 시골에서 백인 지배를 확립하는 데 중요한 역할을 했다. 그 목적을 위해 임명된 영국 식민 판무관은 변경지대의 상황을 검토한 뒤 호사족과 유럽 정착민들 간의 항구적 평화는 백인 인구가 그 지역을 지배할 만큼 강해질 때까지 이 공동체들을 완전히 분리시켜야만 달성될 것이라고 보고했다. 이 보고서는 종국적으로, 남아프리카에서 흑인 농업 인구를 강제 이주시키기 위해 무력 사용도 포함하는 아파르트헤이트 체제를 위한 청사진이 되었다. 또한 1811년과 1812년 영국의 군사 활동에 따라 향후 잘 보호될 식민지 사회의 발전도 도왔다. 호사족은 원래의 부족 영역에서 가차

없이 축출되었고 수천 명의 유럽 정착민들이 피시강 서안을 따라 농경지를 확보하기 시작했다.[4]

영국 정부는 그다음 에스파냐령 아메리카를 전유할 전망을 모색하고, 심지어 영국이 아메리카 식민지를 공격하면 에스파냐가 프랑스와 동맹을 깰 가능성을 꿈꾸기도 했다. 1805년 초에 에스파냐령 아메리카를 위한 혁명적인 방안들을 오랫동안 열성적으로 수용해온 과거를 자랑하는 해군부 장관 헨리 던다스는 영국이 프랑스를 상대로 수세적인 전쟁을 수행하기보다는 유럽 바깥에서 공세를 벌여야 한다는 논지에 기반을 둔 새로운 프로젝트들을 검토했다.[5] 에스파냐 군주정은 프랑스와 한편이었으므로, 영국은 아메리카 대륙의 방대한 에스파냐 영토를 공격 대상으로 삼아도 정당화될 터였다.[6] 그런 계획 가운데 하나는 프란시스코 데 미란다라는 베네수엘라 출신 모험가한테서 나왔다. 그는 지난 20년 동안 남아메리카에서 혁명을 선동하려고 애써왔지만 별 소득이 없다가 영국의 비공식적 지지를 받아 1805년에 베네수엘라 사령관령 침공을 시도했다. 그에게는 불행하게도 베네수엘라 사령관 게바라 바스콘셀로스는 공격에 관한 경고를 미리 받아 대비할 시간이 충분했다.[7] 4월 27~29일 미란다가 푸에르토카베요 근처에서 상륙을 시도했을 때 그의 시도는 에스파냐 전함들에 의해 좌절되었다. 이 실패는 예비 혁명가들의 기운을 꺾지 않았고 그들은 계속해서 영국의 비공식적 지지를 받았다. 영국 식민지에서 세를 다시 규합할 수 있었던 미란다는 8월에 트리니다드에서 출항해 2차 베네수엘라 원정을 시도했고 이번에는 코로 근처 라벨라 항구에 상륙할 수 있었다. 하지만 에스파냐의 부지런한 방비 태세와, 미란다에게 영국의 밀정이자 극악무도한 범죄를 저지른 '반역자'라는 꼬리

표를 붙인 선전으로 이 원정도 수포로 돌아갔다. 8월 1일에 상륙한 미란다와 부하들은 대다수 주민들이 이미 도망쳐 인근 마을들이 버려져 있음을 발견했다. 각종 법령과 호소문을 공표하며 답답하게 열흘을 보낸 뒤 미란다는 대중의 지지를 얻지 못하리라는 것을 깨달았다. 에스파냐 국왕의 군대가 코로 근처에 집결하자 미란다는 다시금 망명지로 볼품없이 퇴각했다.[8]

미란다는 베네수엘라에서 혁명을 선동하지 못했을지라도 그의 착상과 선례는 다른 지역들에서 즉각적인 효과를 가져왔다. 케이프에서 성공에 고무된 포펌 제독은 자신이 이 일을 직접 관장해 남아메리카에서 더 큰 영광을 (그리고 재정적 보상도) 추구하기로 결심했다.[9] 하지만 포펌의 리오데라플라타 침공 결정은 런던에서 재가를 받은 게 아니었다. 물론 그 결정은 미란다가 에스파냐령 식민지들에 퍼뜨린 민심 이반에 관한 과장된 소문뿐 아니라, 자국 무역에 유리한 입지를 확보할 요량으로 에스파냐의 남아메리카 식민지에 침투하길 오랫동안 희구해온 영국의 제국적 염원에도 분명히 영향을 받긴 했다. 1702년과 1783년 사이에 에스파냐는 영국의 그런 시도를 무려 여섯 차례나 격퇴했던 것이다. 혁명전쟁은 영국에 새로운 기회를 제공해, 영국 정부는 니컬러스 밴시타트, 토머스 메이틀런드, 그리고 물론 프란시스코 데 미란다가 에스파냐령 식민지들을 장악하는 것을 비롯해 여러 방안을 고려했다. 윌리엄 피트 총리와 다른 각료들은 그 지역에서 에스파냐의 권위를 약화시키고 영국 경제를 위해 새로운 시장을 개방하는 일이 엄청나게 중요하다는 데 의견이 일치했다. 그러나 그들은 군사적 점령이 현실적으로 타당한지는 확신하지 못했다. 하지만 프랑스와 에스파냐 함대가 확연히 줄어들자 에스파냐령 식민지를 공격하기 좋은 상황이 무르익은 듯했다. 해군부의 명령을 기다리지 않고 포펌이 리오데라플라타를 공격한 것은 그래서였다. 포펌은 이 원정에서 케이프 식민지 침공의 성공을 재연해, 남아메리카 곳곳을 정복하고 영국산 제품을 판매할 새로운 대형 시장을 열기를 희망했다. 그 영국인 지휘관은 자신의 프로젝트가 "어떤 갑작스러운 충동이나 모험심을 충족하려는 즉흥적인 욕망에서 나온 것이 아니"라고 설명했다. 그보다는 그가 전에 영국 고위 각료들의 요청에 따라 제시했던 "남아메리카의 전체적인 해방"을 위한 계획의 소산이었다.[10]

영국 함대는 1806년 4월 중순에 리오데라플라타로 출정했다. 세인트헬레나섬에 잠시 들러 보급품과 증원군을 실은 다음 포펌은 6월 8일에 목적지에 도달했다.[11] 아무런 계획이 없었다는 점이 금방 분명해졌다. 영국군은 하구의 수심이 너무 얕아서, 상륙 병력을 지원해줄 수 있을 만큼 전함이 가까이 접근할 수 없다는 사실을 발견했다. 그럼에도 불구하고 포펌은 급조한 계획으로 부에노스아이레스 점령을 밀어붙였다. 새로운 정보에 따르면 그곳은 방어 시설이 시원치 않은 데다 에스파냐 수비대 중 일부는 투팍 아마루 2세가 이끈 원주민 봉기의 잔존 세력으로부터 국경지대를 지키기 위해 알토페루(오늘날의 볼리비아)로 파견된 탓에 방어가 취약한 상태였다. 더 흥미로운 소식은 부에노스아이레스가 페루에서 오는 대량의 금은의 보관처라는 사실이었다. 6월 25~26일, 장군으로 갓 진급한 윌리엄 베레스퍼드는 1500명의 병사를 이끌고 퀼메스(부에노스아이레스 인근) 해안으로 가서 소규모 에스파냐 병력을 물리친 다음 이튿날 도시를 점령했다. 에스파냐 부왕 라파엘 데 소브레몬테 후작은 코르도바로 달아났다. 포펌과 부하들은 자연히 그런 손쉬운 승리에 흥분했고, 그 승리는 그들에게 상당량의 전리품을 안겼을 뿐 아니라 포펌의 표현으로는 "영국 상품에 광범위한 통로를 열어젖혔다."[12]

해방자로 환영받을 것이라고 기대한 영국인들은 현지 주민들의 적대적인 반응에 놀랐다. 카빌도cabildo 일원들, 즉 시정을 돌보는 에스파냐 행정 협의회의 일원들은 영국인들에게 협력했지만 도시 주민들은 영국군의 점령에 불안에 떨었고, 에스파냐의 무역 독점을 폐지하고 리오데라플라타를 현지의 경제적 이해관계에는 불리한 자유무역에 개방한다는 영국의 결정에 특히 불만을 품었다.[13] 8월에 이르자 영국 제해권의 확고한 통제를 멀리 떨어진 에스파냐의 횡포보다 더 싫어하게 된 도시 주민들은 영국인들에게 저항하고 있었다. 부에노스아이레스의 손꼽히는 무역상이자 카빌도의 일원인 마르틴 데 알사가는 막대한 재산을 동원해 일단의 공모자들을 끌어 모았고 그들은 몬테비데오에서 상당한 규모의 현지 민병대를 규합한 에스파냐 군대 내 프랑스인 장교 자크 드 리니에르의 지원을 받았다. 8월 4일 리니에르는 부에노스아이레스로 진격했고 그곳에서 알사가와 그의 공모자들은 8월 10일 봉기를 선동했다. 포펌이 라플라타강을 오르락내리락하며 속수무책으로 지켜보는 동안 수적으로 열세인 데다 증원도 받을 수 없는 베레스퍼드 장군은 8월 14일 전군과 함께 투항했다. 항복 소식에 부에노스아이레스 안팎에서는 환호와 축하가 잇따랐다. 새로 발표된 찬가는 "짐승 같은 영국 놈들로부터" "아름다운 우리 수도"의 해방을 축하했다.[14]

이 같은 급반전에 격분한 포펌은 라플라타강을 봉쇄한 채 다음 넉 달을 보내다가 찰스 스털링 후위제독으로 교체되었다. 스털링은 새뮤얼 오크무티 경 휘하에 더 많은 병력을 데려왔다. 1807년 1월 새로운 침공군이 몬테비데오 인근에 상륙해 짤막한 포위전 끝에 2월 3일 도시를 함락했다. 하지만 현지 주민들은 공공연히 적대적이었고, 몬테비데오와 주변 지역에 대한 영국의 지배력은 미약했다. 봄이 되어 조지 머리 제독이 존 화이트로크 중장 휘하에 추가 증원군을 데려오자 상황은 다소 나아졌다. 화이트로크는 에스파냐 저항의 중심지인 부에노스아이레스를 공격하려고 단단히 작심했다. 6월 28일 해군의 지원을 받아 그는 약 1만 1천 명의 병사와 함께 부에노스아이레스 인근에 상륙해 7월 1일에 도시 외곽에서 리니에르가 이끄는 에스파냐 병력을 무찔렀다. 싸움은 잔혹했다. 영국군의 도시 공격은 혹독한 저항을 불러왔다. 가가호호를 수색하며 벌어진 싸움으로 영국군 2500명 이상이 목숨을 잃었고, 화이트로크는 결국 물러날 수밖에 없었다. 현지 당국자들과 휴전이 성립되었다. 영국군은 전 병력을 소개하고 라플라타강 봉쇄를 해제하기로 동의했다.[15]

영국군의 침공 실패는 항구적인 유산을 남겼다. 가장 부유한 무역상부터 수공 장인과 견습생, 노예 같은 평민 무리까지 리오데라플라타의 거의 모든 주민이 영국군에 대한 저항에 동참했다. 그들은 자신들의 승리가 이 지역사회의 독특한 운명을 확인해준다고 보았다. 싸움에 참여했던 열네 살 소년들은 부모의 허락과 리니에르의 승인을 받아 호베네스 데 라 레콩키스타Jóvenes de la Reconquista〔재정복 소년단〕라는 민병대를 설립하기까지 했다.[16] 에스파냐로부터 거의 도움을 받지 않고 강국을 물리친 현지 지도자들은 대담하게 자신들의 권리를 주장했다. 1806년 8월 영국군이 항복한 지 단 이틀 뒤에 부에노스아이레스의 카빌도는 지역의 모든 군부대에 대한 통솔권을 주장하는 훈타 헤네랄Junta General을 조직했다. 그리하여 전통적인 식민 당국에 도전하고 대중 참여를 동반한 새로운 정치 담론으로 나아가는 길을 닦았다. 영국군의 2차 침공 당시 부에노스아이레스 거리는 "부왕에게 죽음을Muera el virrey", "자유여 영원하라Viva la libertad", "공화국의 깃발을 들자Vamos a fijar la bandera republicana" 같은 구호를 외치는 사람들로 가득했다. 새로 구성된 훈타 헤네랄은 부왕의 권력을 박탈하고 그를 체포하라고 지시했다.[17] 이로써 라틴아메리카 식민지 독립운동의 서막이 올랐고, 리오데라플라타 부왕령의 탄생과 함께 1776년에 성립된 현 제도적 상태가 깨졌다. 기존의 식민 행정구조(부왕, 아우디엔시아audiencia['왕립심문원'이라고도 하며 식민지 최고 사법기관이다], 카빌도)는 새로운 정치 현실들에, 무엇보다 정치적으로 능동적인 무장한 평민 집단의 등장에 적응하기 위해 씨름했다.[18]

부에노스아이레스에서 벌어진 사건들은 나폴레옹 전쟁에서 영국이 겪은 가장 큰 실패 가운데 일부였다. 포펌 제독, 화이트로크 장군, 원정에 관여한 여타 장교들은 군법회의에 회부되어 견책을 받았다. 침공은 영국의 제국적 사고방식에 관해 드러낸 것들로도 주목할 만했다. 남아메리카와 런던 간 연락이 느리고 나폴레옹이 이미 오스트리아와 프로이센을 격파하고 러시아까지 패배시키는 와중이던 유럽의 위태로운 정세도 영국 사회와 정부의 사고방식을 규정하는 데 핵심 역할을 했다. 예를 들어 1806년 9월에 부에노스아이레스 함락 소식이 런던에 도착했을 때 환호하는 군중이 거리를 가득 메우고 "브리타니아여 지배하라"를 부르며 아무런 승전 소식도 없던 한 해의 첫 대성공을 축하했다. 포펌과 베레스퍼드가 명백하게 영국의 목표를 위해 영국군을 지휘하는 장교라는 점에서, 이 원정은 남아메리카의 다른 침공 시도(미란다의 시도와 같은)와는 다르게 취급되었다.

승전 소식은 프랑스가 지배하는 유럽에, 갈수록 늘어나는 상품 물량을 처분하는 데 애를 먹고 있던 무역업계에서 특히 환영받았고, 무역상들은 이제 부에노스아이레스의 함락을 새로운 시장 진입의 기회로 인식했다. 영국의 대對남아메리카 무역액은 이미 연간 100만 파운드가 넘어가고 있었다. 무역상들이 새로 개방된 시장에서 막대한 이윤을 예상함에 따라 부에노스아이레스 함락 소식은 터무니없는 기대를 부풀리면서 투기적인 무역 광풍을 불러왔다.

그러므로 영국 정부는 재가되지 않은 원정을 감행한 포펌을 견책해야 하는 한편으로, 포펌의 행위를 지지하는 대중적 시류와도 맞닥뜨려야 하는 난감한 입장에 처했다.[19] 이른바 "유능한 인재들을 전부" 끌어안았다 하여 "전全 인재들의 내각"이라고 불리는, 1806년 2월에 윌리엄 그렌빌이 구성한 연립 내각은 이 사안에서 이전 행정부의 공모를 알고 있었지만 에스파냐령의 노골적인 분할이나 여타 지역에서는 영국이 맞서 싸우고 있는 바로 그런 혁명적 격동을 선동하려는 시도를 지지해야 할지 망설였다. "이제 우리가 그것을 어디까지 지지하거나 관여해야 할지" 그렌빌 총리는 미란다의 베네수엘라 원정을 놓고 고민했다.[20] 포펌의 원정에 대한 정부의 초기 대응에 관해서도 같은 얘기를 할 수 있다. 피트의 전시 정책을 오랫동안 혹평해온 외무장관 찰스 폭스(와 그의 지지자들)는 유럽의 문제들이 정리되기 전에 영국이 남아메리카에 더 많이 관여하는 데 반대했다. 1806년 9월 폭스의 죽음으로 내각의 더 호전적인 각료들을 위한 길이 열렸다. 포펌의 계획에 대한 대중의 지지가 커짐에 따라 영국 정부는 그때까지 탐탁지 않게 여겼던 정복을 이용하고 싶은 마음이 굴뚝같았고, 그렇게 함으로써 해방자로 왔지만 정복자로 남은 원정의 지휘관들과 동일한 실수를 저질렀다. 상무부 장관 오클랜드 경 윌리엄 이든은 정부가 영국 상인 가문들을 도울 무슨 조치를 취할 것을 촉구했다. "전 대륙 열강의 몰락으로 인해 그 어느 때보다 순수하게 영국의 이해관계로 눈길을 돌려야 한다. 유럽이 실제적 궁지에 빠짐에 따라 우리의 통상 확대가 가장 효과적인 전쟁 수단이 되었음을 통감한다."[21] 그러한 의견들은 외무부에서도 반향을 일으켰다. 외무장관 하웍 경 찰스 그레이는, 프랑스에 맞선 동맹이 세 차례나 결성되었다가 별다른 성공을 거두지 못하고 사라진 유럽 대륙을 포기하고 다른 지역에서 영국의 이해관계를 돌봐야 할 때라고 주장했다.

그러한 사고가 1806년 가을 유럽 열강에 대한 영국의 입장이었고, 그래서 일례로 프로이센은 영국이 나폴레옹에 맞선 새로운 동맹에 관심이 없음을 알게 된 것이다. 나폴레옹에 맞서 도움을 구하는 프로이센의 간청에 하웍 경은 "(영국은) 프로이센이 평화를 누리고 있던 그 여러 해 동안 프랑스에 맞선 투쟁의 커다란 압력을 떠받쳐왔으니, (영국에) 금전적 지원을 정당하게 요청하기 전에 프로이센 국왕 폐하께서 자기 왕국의 자원을 최대한 이용해야 한다고 기대할 권리가 있다"[22]라고 퉁명스럽게 반응했다. 머릿속이 팽창주의적 생각으로 가득 찬 전쟁부와 식민부 장관 윌리엄 윈덤은, 현재로선 영국이 유럽에 세력을 전개할 여지가 전혀 없으므로 남아메리카로 초점을 전환해 혁명적 격변을 선동하고 프랑스의 대륙 패권과 균형을 맞추기 위해 거기서 얻을 수 있는 영토는 뭐든 보유해야 한다고 주장했다. 남아메리카에서 영국의 이해관계가 확보되면 "보나파르트의 권력이 흔들리게 될 날도 그리 머지않을 것이며 우리가 기다릴 수 있는 기간을 능가하지는 않을 것이다."[23]

1806년 가을 내내 영국 내각은 남아메리카 접수에 관한 다양한 계획을 내놓았다. 한 원정 계획은 혼곳을 돌아서 항해해 칠레의 발파라이소 항구를 장악한 다음 안데스산맥을 넘어서 일련의 요새들을 세운 뒤에 남아메리카 대륙 남쪽 절반을 정복하는 방안이었다. 또 다른 계획은 페루와 파나마를 따로따로 공격하는 것이었다. 해외 모험사업과 관련해서 보통은 자제심을 발휘하는 그렌빌도 이 "제국 열병"의 희생자가 되고 말았다. 10월에 그는 이러한 계획들 가운데 아마도 가장 대담할 계획을 고려했다. 부에노스아이레스에 주둔 중인 영국군 가운데 수천 명을 떼어서 대서양을 가로질러 수송한 다음 도중에 희망봉에 들러 그곳 수비대 중 1천 명을 데리고 인도로 이동한다. 거기서 4천 명의 세포이 병사들이 합세하면 전 병력이 필리핀을 침공한 뒤 태평양을 횡단해 서쪽에서 멕시코를 공격하는 방안이었다. 여기다가 서인도제도에서 출정하는 또 다른 원정군이 동시에 동쪽에서 멕시코를 공격할 계획이었다! 이 방안이 웰링턴에게 제시되었을 때 다행스럽게도 웰링턴은 그동안의 논의에서 몹시 절실했던 상식적인 시각을 깨우쳐주고 그렇게 지구적인 규모의 작전을 감행하고 조율하는 것은 명백히 불가능하다고 말했다.[24] 이 원정의 제안자들이 (부르봉 왕족을 한 명 데려와) 독립국가 멕시코의 수립을 주장하는데 주목한 웰링턴은 "이 나라에 수립되어야 한다고 권고되는 정부가 일단 혁명이 일어난 다음 어떤 방식으로 존속되고 유지되고 뒷받침되어야 할지, 특히 미국이 그 나라에 어떤 시도를 할 가능성에 맞서 어떻게 대응해야 할지"에 대해서 영국 정부가 아무것도 고려하지 않았음을 지적했다.[25]

리오데라플라타에서 영국군의 패배 소식이 들려오자 이 같은 논의들은 쑥 들어갔다. 그래도 그 원정 계획들은 제국적 야심을 추구한다고 본인들이 툭하면 맹비난해온 나폴레옹의 정책 못지않게 영국 정부도 기회주의적이고 착취적인 정책을 추구할 용의가 있었음을 보여준다. 1807년 3월 전 인재들의 내각이 무너진 뒤 포틀랜드 공작 윌리엄 헨리 캐번디시의 새 내각은 과거의 방안들을 재검토한 다음 전임 내각이 남아메리카에 대한 명확한 정책을 결여했다고 비판했다. 더욱이 포틀랜드 내각은 그렇게 광대한 지역의 정복은 현지 주민들의 이해관계가 고려되지 않는 한 가망이 없음을 인정했다. 이것은 영국 정책에서 결정적 전환, 스페인령 아메리카 전 지역에 심오한 파급효과를 가져오는 전환을 알렸다.

❖

1803년과 1810년 사이 서인도제도는 여전히 나폴레옹 전쟁의 중요한 무대였지만, 그곳에서 군사작전들은 치명적인 질병들과 광대한 거리, 육군과 해군 간 협조의 필요성, 그리고 지속적인 노예 반란의 위협으로 인해 복잡해졌다.[26] 1803년 5월 프랑스에 맞선 적대행위가 재개되자마자 영국 해군 전대가 생도맹그를 봉쇄해 포위된 프랑스 수비대에 몹시도 절실한 물자와 증원군이 도달하는 것을 막았고, 결국 수비대는 영국군에 항복했다. 윈드워드제도에서는 윌리엄 그린펠드 중장과 새뮤얼 후드 전대장이 1803년 6월 후반에 세인트루시아를 공격해 장-프랑수아 자비에르 노게스 장군이 이끄는 훨씬 작은 프랑스 수비대를 손쉽게 제압했다. 영국군은 여세를 몰아 토바고와 네덜란드 식민지 데메라라, 에세키보, 베르비서, 수리남을 정복했다.

네덜란드 식민지의 경우, 프랑스의 영향을 받는 중앙정부와 네덜란드 식민 당국 간 상충하는 이해관계로 인해, 현지 당국자들은 무역과 투자 이익을 지키기 위해 심지어 영국의 침공을 반길 정도였다.[27]

1805년 나폴레옹은 카리브해로 눈길을 돌렸다. 그는 영국 침공을 위한 더 큰 계획의 일환으로 그곳에서 다양한 함대들이 접선해 영국의 통상을 수시로 공격하고 유럽 해역으로부터 영국 해군력을 분산시켜주길 바랐다. 에두아르 드 미시에시 제독은 로슈포르에서 5척의 전열함과 3척의 프리깃함을 이끌고 출항했다. 1805년 2월에 마르티니크에 도착한 미시에시는 피에르 드 빌뇌브 제독이 오길 기다리며 재빨리 인근 영국령 섬 도미니카 공격에 나섰다. 빌뇌브는 툴롱에서 부제독 넬슨 경 휘하 영국 함대의 봉쇄를 빠져나와 서쪽으로 항해해 대서양에 진입한 다음 에스파냐 전대에 합류했다. 미시에시는 과달루페에 증원군을 떨군 뒤 세인트크리스토퍼(세인트키츠), 네비스, 몬세라트를 습격해 수십만 프랑의 분담금을 걷었다. 3월에 미시에시 제독은 툴롱에서 빠져나오려는 빌뇌브의 최초 시도가 실패했다는 소식을 들었다. 그래서 그는 생도맹그의 프랑스 수비대를 증원하고 프랑스로 귀환해 임무를 완료하기로 했다.

그러나 미시에시는 모르고 있었지만 빌뇌브는 프랑스와 에스파냐 연합 함대를 이끌고 성공적으로 대서양을 횡단해 5월 중순에 마르티니크에 도착했다. 프랑스군은 영국군이 요새화한 마르티니크 남부 해안 앞바다의 작은 섬 다이아몬드락을 공격해 점령했다. 이 승리를 거둔 직후 빌뇌브는 미시에시가 이미 프랑스로 귀환했고 브레스트 함대는 아예 유럽 해역을 떠나지 않았다는 소식을 들었다. 프랑스 함대의 접선 계획이 실현 가능하지 않음을 깨달은 빌뇌브는 6월

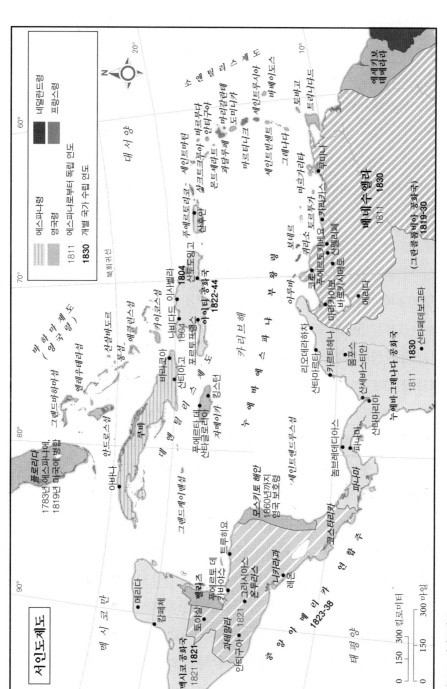

지도 21 서인도제도

에 바베이도스를 공격하기로 했다. 하지만 바베이도스로 가는 도중에 인근에 영국 함대가 있다는 사실을 알고서는 공격 계획을 취소하고 유럽으로 돌아갔다.

이것은 서인도제도에서 프랑스의 마지막 대규모 공세가 될 운명이었다. 1805년 10월에 빌뇌브의 연합 함대는 트라팔가르에서 전멸당해, 프랑스의 해군 역량이 크게 떨어졌다. 프랑스는 몇 달 사이에 24척이 넘는 전함을 잃었고, 만신창이가 된 남은 전대는 부지런한 콜링우드의 봉쇄에 막혀 항구에 모셔져 있었다. 프랑스 침공 위협의 종식은 영국 곳곳에서 환호를 받았고, 일부 고위 관리들은 해군 전략을 재평가하게 되었다. 해군부 장관 바넘 경 찰스 미들턴은 해군의 비용과 손실을 절감하기 위해 대서양 봉쇄 철회를 요청했다.

하지만 바넘은 프랑스의 위협을 명백히 과소평가했고, 추후의 사건들은 서인도제도에서 영국의 이해관계에 대한 프랑스의 끈질긴 위협을 입증한다. 1805년 이후로 프랑스는 대형 함대 전투로 남은 주력함들마저 잃을 위험을 무릅쓰려 하지 않았고, 따라서 또 한 차례 대대적인 함대 대 함대 전투가 일어날 가능성이 낮았던 것은 사실이다. 1811년 영국 해군부 서기관은 "마지막으로 대대적인 해전을 치른 게 6년 전이라 우리는 점점 몸이 근질근질하다"라고 투덜거렸다.[28] 다른 한편으로 1803~1804년 인도양과 남중국해에서 샤를-알렉상드르 리누아 부제독의 전대와 1805년 자카리 알망 후위제독의 "보이지 않는 전대"의 성공에 고무된 나폴레옹은 상선 습격 작전에 노력을 집중하고 브레스트 함대를 맡고 있는 오노레 강톰 부제독에게 대서양에서 활동할 강력한 전대를 준비하도록 지시했다. 그들은 적의 상선을 공격 대상으로 삼아 영국 경제에 피해를 입히게 된다.[29] 나폴레옹의 이 같은 명령들은 나폴레옹 전쟁에 대한 논의에서 흔히 간과되어온 일련의 대양 횡단 작전을 위한 무대를 마련했다. 이 해상 활동들은 트라팔가르에서의 승리로 영국이 제해권을 차지했다는 주장의 설득력을 떨어뜨린다.

프랑스의 해군력은 1805년 10월에 끝나지 않았다. 끝나기는커녕 다음 9년에 걸쳐 영국은 제해권과 관련해 두려워할 게 많았다. 나폴레옹은 여러 나라들의 함대를 합치기 위해 최선을 다했고 코펜하겐과 리스본에서 영국의 대응 조치가 없었다면 그는 거의 70척에 달하는 덴마크와 포르투갈 함대를 장악할 수 있었을 것이다. 게다가 영국의 작전들은 스웨덴 함대가 프랑스의 수중에 떨어지는 것을 막고 러시아 발트 함대(전함 약 20척으로 구성된)를 핀란드만에 꽁꽁 묶어놓았다. 그 뒤로 나폴레옹은 에스파냐에 대한 간섭으로 자신의 역량을 더 약화시키고 말았는데, 그때까지 프랑스 해군을 지원해온 에스파냐 함대(20척이 넘는 전함으로 구성된)가 더 이상 프랑스의 권위를 따르지 않게 된 것이다. 전통적인 서술들은 트라팔가르 이후 시기에도 프랑스 제독들이 계속해서 영국 제독들에게 적잖은 골칫거리가 되었다는 사실을 간과한다. 1806년에만 프랑스는 대서양 해역에 여러 차례 원정을 감행했다. 아망 르뒤크 함장은 프리깃함 3척을 이끌고 아이슬란드와 그린란드 주변에서 영국 포경선과 상선을 습격해 250만 프랑에 달하는 손실을 입히다가 결국 선원들이 괴혈병으로 고생하게 되면서 어쩔 수 없이 프랑스로 귀환했다.[30] 장-마르트-아드리앙 레르미트 전대장은 서아프리카 원정에서 효과적인 습격 작전을 수행해 1천만 프랑 상당의 상선들을 포획해 프랑스로 귀환했다.[31] 영국의 봉쇄에도 불구하고 루이-샤를-오귀스트 들라마르 드 라믈레리 함장은

4척의 프리깃함을 이끌고 봉쇄에서 빠져나와 여섯 달 동안 아프리카 서해안과 서인도제도를 순항하다 비스케이만으로 되돌아왔다.[32]

그보다 훨씬 더 중요한 것은 강톰이 코랑탱-위르뱅 레세그 부제독과 장-바티스트 윌로메 후위제독 휘하에 맡긴 2개의 대형 전대였다. 1805년 12월에 레세그는 5척의 전열함과 2척의 프리깃함을 이끌고 브레스트를 빠져나와 산토도밍고에 포위된 수비대에 증원군과 물자를 전달했다. 그 후 두 달 동안 자메이카를 봉쇄하다가 미국 동해안을 따라 순항한 뒤 산토도밍고로 귀환했다. 임무의 전반부를 성공적으로 완수한 레세그는 열대 폭풍으로 심하게 파손된 선박들을 수리하기 위해 산토도밍고에 머무르기로 결정했다. 하지만 그는 나머지 임무를 완수할 기회를 얻지 못했다. 프랑스 전함들이 봉쇄를 뚫고 빠져나갔다는 전언이 1805년 크리스마스이브에 영국에 닿았고 즉각적인 대응이 뒤따랐다. 바넘 경은 사라진 프랑스 전대들을 수색하고 영국의 핵심 무역로를 안전히 지키도록 여러 추가적인 전대들에 출동 준비를 하라고 지시했다. 그 전대들 가운데 하나가 알렉산더 코크런 후위제독 휘하에 1806년 초에 대서양을 건너 바베이도스에 정박 중이던 부제독 존 덕워스 경의 함대에 합류했다. 영국의 정찰 프리깃함들은 곧 레세그의 전대를 산토도밍고 항 앞바다에서 찾아냈고, 덕워스는 7척의 전함과 2척의 프리깃함으로 구성된 함대를 이끌고 가서 1806년 2월 6일 프랑스 전대를 기습공격해 파괴했다.[33] 나폴레옹은 레세그가 아바나로 가라는 자신의 지시를 따르지 않은 데 격노했는데, 레세그가 아바나에 도착했다면 안전한 에스파냐 요새 안에서 수리 작업을 마칠 수 있었을 것이다. "이것은 운이 나쁜 게 아니라 유례없는 어리석음과 재앙"이라고 황제는 푸념했다.[34]

윌로메 휘하의 다른 전대는 남대서양의 운송로를 습격한 다음 리워드제도로 가서 마르티니크, 과달루페, 카엔의 프랑스 병력을 지원하는 임무를 맡았다. 6척의 전열함과 2척의 프리깃함(그중 한 척에는 황제의 동생 제롬 보나파르트가 타고 있었다)을 이끌고 윌로메는 레세그와 함께 출발했지만 남대서양으로 뱃머리를 돌렸다. 그는 인도양으로 진입한 다음 희망봉 앞바다를 순항하며, 영국의 중국 함대, 즉 해마다 중국산 고수익 화물을 싣고 돌아오는 동인도회사의 대형 호송선단을 기다릴 작정이었다. 윌로메는 프랑스 전대에 붙잡힌 상선 선원들로부터 영국이 케이프 식민지를 점령했다는 소식을 들었을 때 첫 대형 난관에 부닥쳤다.

이 핵심적인 보급 기지를 더는 이용할 수 없게 되었으니 프랑스 제독은 남대서양에 머무르기로 결심했다. 부제독 존 볼래즈 워런 경과 후위제독 리처드 스트라칸 경 휘하의 영국 전대들이 북쪽으로 수백 킬로미터 떨어진 해역에서 그를 뒤쫓고 있다는 사실을 모른 채 말이다. 워런은 손에 잡히지 않는 프랑스 전대를 찾아 1806년 처음 석 달을 대서양 동부에서 보냈다. 1806년 3월 16일 이른 새벽에, 돛대 꼭대기에서 망을 보던 선원들이 북동쪽에서 돛이 보인다고 보고했다. 이들은 윌로메가 아니라 리누아 전대에서 뒤처진 배들로, 인도양을 오가며 지난 3년을 보낸 리누아의 전대는 분견대 파견과 난파로 전력이 크게 약화된 상태였다. 뒤이은 3월 13일의 해전에서 리누아는 도망치려고 필사적으로 노력했지만 우세한 영국 함대에 공격당해 붙잡혔다.

자신의 성공에 들뜬 워런은 스트라칸만 망망대해에서 윌로메의 전대를 추적하게 놔둔 채 영국으로 귀환했다. 몇 주 동안 소득 없이 수색한 끝에 스트라칸은 마침내 윌로메가 서인도제도에 있다는 것을 알게 되었다. 프랑스 전대는 그곳에서 영국의 상업 해운을 습격하고 있었다. 스트라칸이 또 한 번의 대서양 횡단에 착수한 즈음에, 알렉산더 코크런 후위제독의 전대가 상크트토마스섬에 앞바다에서 프랑스 전대를 발견했다. 그곳에서 윌로메는 토르톨라에서 출항을 준비 중이던 영국의 연례 자메이카 호송선단을 공격할 작정이었지만 코크런의 출현으로 바하마뱅크스〔바하마군도 일대의 해저 퇴적층과 얕은 여울〕로 이동할 수밖에 없었다. 프랑스 제독은 화물과 돈을 잔뜩 실은 300척에 가까운 호송선단을 가로챌 희망을 여전히 품고 있었다. 하지만 영국 해군은 프랑스 전대의 행방을 파악하기 전에는 호송선단의 출항을 허락할 생각이 없었기에, 윌로메는 헛된 기대를 품은 채 7월 대부분을 보냈다. 8월이 되자 호송선단의 출항을 더 이상 미룰 수 없게 된 코크런은 그 가운데 일부—100척이 넘는 배들이 고작 전함 1척과 프리깃함 2척의 호위를 받아—만 출발하도록 허락했다. 호송선단은 윌로메가 제롬 보나파르트를 미친 듯이 찾고 있던 바로 그때 바하마뱅크스를 통과했는데, 제롬은 제독에게 알리지도 않고 포상금을 찾아서 자기 배 베테랑호를 몰고 북쪽으로 가버렸던 것이다. 윌로메가 무슨 일이 벌어지고 있는지를 깨달았을 즈음 호송선단은 이미 영국으로 한창 가고 있는 중이었다.

한편 리누아를 영국에 데려다 놓고 배들을 새로 의장한 워런 제독은 윌로메를 찾아서 대서양으로 돌아왔다. 8월에 그는 바하마뱅크스 동쪽을 탐색했지만 프랑스 전대는 훨씬 북쪽에 있어서 놓치고 말았다. 1806년 8월에 미국 동해안을 유린한 대연안 허리케인으로 프랑스 전함들은 크게 파손되고 여기저기로 흩어져서, 일부는 영국 전함들의 손쉬운 먹잇감이 되었다. 그 가운데 한 척인 앵페퇴호는 미국 해안선 가까이로 배를 몰아 추격선들을 따돌리려 했지만 결국 적군에 붙잡혀 배가 전소되었다. 윌로메의 전대 가운데 딱 한 척—퀘벡 호송선단에 속한 영국 상선 여러 척을 나포하고 파괴한 제롬 보나파르트의 베테랑호—만이 예정되었던 대로 1806년에 귀환했다. 3척은 미국에서 광범위한 보수 작업을 마친 다음 3년 뒤에야 프랑스로 귀환했다.

1806년의 습격 작전들은 엇갈린 유산을 남겼다. 60척가량의 영국 선박을 나포하거나 파괴한 습격 작전으로 프랑스가 적에게 입힌 피해액은 2750만 프랑으로 추산된다. 하지만 이 같은 손실이 유의미해 보이긴 해도 무려 1만 9천 척의 선박이 활동한 영국의 총무역량에 미친 영향은 미미했다. 더욱이 프랑스는 이 같은 성과에 비싼 대가를 치렀는데, 이 순항 임무에 나섰던 전함들 가운데 절반 이상이 귀환하지 못했다.[35] 이에 아랑곳하지 않고 나폴레옹은 계속해서 대규모 상선 습격 원정을 기획했지만 해군대신은 프랑스 해군이 처한 절박한 처지를 분명하게 일깨워주었다. "해상 작전이 이번처럼 심각한 난관에 부딪힌 적이 없습니다"라고 드니 드크레는 썼다. "적은 가용한 선박이 어느 때보다도 많은 반면, 우리는 중간 기항지가 어느 때보다 적고, 먼 곳에 있는 우리 항구가 이렇게 부족한 적도 없습니다. 이 원정 계획들은 모두 (…) 성공 가능성이 없어 보이며, 특히 우리가 얻을 법한 이점들과 그에 결부된 거의 불가피한 위험들 간의 균형이 전혀 맞지 않습니다."[36] 드크레의 충고를 따라 나폴레옹은 해군 작전을 남은 프랑스 식민지들 간 연락을 유지하는 임무를 맡은 개별 프리깃함들이 참여하는 작전들로 국한했다. 1808년 브레스트부터 툴롱까지 알망의 원정을 제외하면 나폴레옹 전쟁의 남은 기간 동안 대서양에서 프랑스의 다른 대규모 해군 활동은 없었다.

그렇다고 나폴레옹이 바다에서의 전쟁을 포기했다는 뜻은 아니다. 오히려 1808년부터 그는 앞서 본 대로 프랑스 함대 재건과 현존 함대fleet-in-being(특별히 활동하지 않고 항구에 머물고 있는 것만으로 적을 견제해 전략적 영향력을 행사하는 함대) 전략을 추구하는 데 집중해, 프랑스 제국 전역에 걸쳐 거대한 해군 구축 작업이 이루어졌다. 프랑스 해군 전략상의 이 같은 변화는 여러 핵심적인 사태 전개와 일치했다. 첫째, 에스파냐 간섭은 나폴레옹을 6년간의 전쟁으로 몰아넣었을 뿐 아니라 그한테서 에스파냐 함대와 영국 무역에 맞서 사략선의 근거지 역할을 해온 에스파냐령도 앗아갔다. 이제 이 속령들은 카리브해에 남아 있는 프랑스 전초기지들에 맞선 무기로만 기능할 뿐이었다. 에스파냐 함대는 여러 문제점에도 불구하고 프랑스 해군 작전에 엄청난 가치가 있었다. 이는 여러 차례 그리고 근래인 1808년 봄, 강톰 제독의 프랑스 전대를 이탈리아반도 끄트머리 근처에서 찾고 있던 영국 함대가 에스파냐 함대가 바다로 나왔다는 소식을 듣고 주의가 분산되었을 때에도 입증되었다. 영국 지중해 함대가 황급히 메노르카로 달려간 사이, 강톰은 무사히 툴롱으로 귀환했던 것이다.[37]

둘째, 1806년 프랑스 해군의 원정들은 프랑스 해상력이 약화되긴 했어도 여전히 중대한 위협을, 특히 육상에서 계속되는 프랑스의 승리와 맞물려 제기할 수 있음을 보여주었다. 정말이지 1807년 후반까지 영국의 전반적인 처지는 결코 만족스럽지 않았다. 러시아, 프로이센, 오스트리아가 패배한 가운데 런던은 유럽 본토로부터 거의 전적으로 배제되었고 북쪽의 열의 없는 스웨덴과 남쪽의 허약한 나폴리 부르봉 왕정을 제외하고는 대륙에 주요한 맹방이 없었다. 사실 나폴레옹이 제기하는 위협이 너무 크고 매우 다양한 지역에 걸쳐 있었기 때문에 영국 정부는 전략을 재고할 수밖에 없었다. 1806년 남부 이탈리아 침공 작전이 수포로 돌아간 지중해에서 영국은 나폴레옹의 다음 행보를 내다보고 시칠리아와 그 주변의 병력을 증강하며 수세적 전략을 추구하기로 했다. 영국 전쟁부와 식민부 장관 캐슬레이는 전쟁을 이어가고자 한다면, 대륙에서 새로운 동맹을 얻을 때까지는 식민지전과 해상전이 영국이 구사할 수 있는 유일한 수단이라고 믿었다. 캐슬레이는 이러한 군사적 긴급성과 결부된 해군 전략을 정식화하고자 했고 다음과 같이 결론 내렸다. "이 전쟁의 향후 전망에 관해 시간을 갖고 숙고하면 할수록 (…) (프랑스가) 육지에서 무법적으로 자행하고 강제하는 것을 우리가 (…) 바다에서 상쇄하기 전까지는 평화나 독립 어느 것도 이 나라(영국)의 운명이 될 수 없다는 확신이 듭니다."[38]

캐슬레이의 작전은 두 가지 주요 부분으로 구성되어 있었다. 하나는 영국의 해상력 우위를 이용해 최대한 타격을 입힐 수 있도록 적의 항구들에 경제적 봉쇄를 실시하는 것이었다. 다른 하나는 영국의 군사력을 바다를 통해 곳곳으로 수송함으로써, 육상에서의 열세를 만회하고 그것을 최대한 활용하는 것이었다. 앞서 논의한 추밀원 칙령은 첫 번째 방안의 소산인 한편 이베리아반도, 스칸디나비아, 서인도제도로의 대형 원정들은 두 번째 방안의 소산이었다. 1807~1808년에 영국 해군은 네덜란드 식민지 퀴라소와 덴마크령 상크트토마스, 상크트얀, 상크트크루아섬을 손에 넣으면서 카리브해 일대를 훑고 다녔다.[39] 또한 프랑스 전초기지인 마리-갈랑테와 데지라드를 습격하여 잔존한 프랑스 사략선들로부터 안전한 정박지를 빼앗았다. 1808년 가을에는 프랑스령 기아나 식민지를 점령하기 위한 새로운 영국-포르투갈 원정군이 조직되었다. 마노엘 마르케스 중령 휘하 550명가량으로 구성된 원정군은 12월에 포르투갈 수송선에 올라 영국 프리깃함의 호위를 받으며 기아나로 수송되었다. 영국-포르투갈 연합군은 재빨리 오야폭과 아프로아크 지구를 점령했고, 프랑스 식민 당국은 고작 닷새 동안 싸운 뒤 1월 12일에 항복했다.[40] 프랑스령 기아나의 함락은 카리브해에 남은 프랑스 최대의 전초기지인 마르티니크를 침공하기 위한 영국의 사전 작업의 마지막 핵심 단계였다. 중간에 가로챈 문서들을 보고 그곳의 방비가 허술하다는 것을 알게 된 영국군은 10여 년 만에 최대 규모의 원정─약 1만 2천 명의 병력이 6척의 전열함, 9척의 프리깃함, 5척의 슬루프, 9척의 브리그, 수십 척의 수송선으로 구성된 함대에 타고 있었다─을 단행해 1809년 1월에 마르티니크섬에 상륙했다. 1793년처럼 영국군의 침공 작전은 여러 축을 따라서 전개되었다. 영국군은 2300명에 불과한 프랑스 수비대를 제압했고, 프랑스 수비대는 포르드프랑스 주변의 요새 시설들로 물러나 꼬박 한 달을 용감하게 버티다가 2월 24일에 항복했다.[41] 이 성공의 여세를 몰아 영국군은 그다음 남아 있는 프랑스령 일데생트를 장악했고, 산토도밍고에 잔존한 프랑스 수비대는 7월 중순에 이르자 백기를 들었다.[42]

나폴레옹은 이러한 영국의 승리들에 방대한 조선 프로그램으로 대응했다. 나폴레옹은 해상 전쟁 방식에 대한 이해가 부족했다고 흔히 거론되지만, 나폴레옹과 해군대신 드크레가 1808년과 1813년 사이에 만든 정책은 훌륭하게 고안되고 실행되었다. 수십 척의 전함들이 텍셀과 로테르담, 암스테르담, 플러싱, 안트베르펜, 셰르부르, 브레스트, 로리앙, 로슈포르, 보르도, 툴롱, 제노바, 나폴리, 베네치아에서 건조되었다.[43] 나폴레옹은 또 이곳들 다수에서 항만 시설, 선거船渠, 부두, 방어 시설을 새로 짓거나 확장했다. 전체적인 목표는 1811년 6월에 발표된 황제의 연례 엑스포제(보고)에서 이끌어낼 수 있다. "전열함 150척을 보유할 때 우리의 안전이 가능해질 것이며, 전쟁의 방해에도 불구하고 제국은 곧 그만한 숫자의 선박을 보유하게 될 전망이다."[44]

새로운 전함들이 건조됨에 따라 다양한 항구들에서 출동 태세를 갖춘 전함들이 유지되었고, 영국 해군은 광대한 지역에 걸쳐 배치되어 적이 봉쇄를 뚫을 가능성에 대비해야 했다. 이는 불가피하게 인력과 선박을 상당히 소모시켰다. 함대는 몇 달씩 바다에 머물면서 식량을 소비하고 대서양이나 지중해의 강풍을 견뎌야 했다. 함대의 능률을 유지하는 일은 영국 해군부가 전쟁 동안 맞닥뜨린 최대의 과제로서, 대규모 선박 수리에 필요한 건선거 시설이 극히 드문 사실을 고려한다면 특히나 어려운 과업이었다.[45] 영국 해군은 이탈리아나 에스파냐 조선소를 활용할 수 없었고, 몰타에 있는 것은 완공되지 않았다. 그러므로 파도와 바람에 의한 지속적인 마모와 파손에 직면해 영국 전함들은 플리머스나 포츠머스, 채텀의 모항母港으로 돌아오는 길을 택할 수밖에 없었다. 자재(특히 목재)와 노련한 선원의 부족(1810년에 이르자 영국의 선원 인구는 14만 5천 명, 즉 전체 남성 인구의 2.7퍼센트에 달했다)은, 영국 해군의 총규모는 1809년에 728척에 달했지만 어느 때든 전열함을 130척 이상 운용할 수는 없었음을 의미했다.[46] 나폴레옹의 해군 건설은 그러므로 전열함에 집중되었고, 그중 상당 부분은

130문짜리 대형 전함이었다.

전열함이 영국의 제해권을 지탱했으므로, 정찰 임무를 수행하고 더 중대하게는 대형 전함이 활동할 수 없는 얕은 수역에서 프랑스 연안 무역을 공격할 수 있는 소형 선박들을 희생시켜가며 인력과 물자의 투입이 우선적으로 이루어진 것도 전열함이었다. 연안 무역은 프랑스의 제국적 이해관계에 대단히 중요했고, 나폴레옹이 해안 방어 시설 건설에 들인 막대한 노력으로 그 중요성은 분명히 드러난다. 1810년 프랑스는 유럽 해안 지역 약 900곳에 3600문 이상의 포를 설치했고, 이를 운용하기 위해 1만 3천 명의 포수들이 동원되었다.

영국이 정찰 임무에 투입할 수 있는 순양함이 부족했던 것은, 프랑스 전함들이 1805년 이후에도 항구에서 빠져나오는 모험을 감행할 수 있었던 주된 이유 가운데 하나였다. 1808년 알망은 대서양에서 출발해 지중해로 이동, 강톰에게 합류하는 데 성공했고, 윌로메는 1809년에 브레스트에서 에Aix 정박지로 항해했으며, 1812년에 알망은 중간에 적에게 단 한 척도 잃지 않고 로리앙에서 브레스트로 전함들을 재배치했다. 사실 1807년부터 1813년까지 영국 해군이 프랑스 전열함을 격파할 수 있는 기회는 극히 드물어서, 1809년 바스크 정박지 해전만이 눈에 띄는 사례다.[47]

서인도제도에서 영국군의 승리에 놀란 나폴레옹은 뒤늦게 그곳에 원정군을 파견했다. 1808년 10월 하순에 그는 로리앙과 로슈포르에 있는 전대들을 이용해 마르티니크로 증원군과 물자를 전달하라고 지시했지만 영국의 봉쇄로 출항이 막혔다. 1809년 2월 장-바티스트 필리베르 윌로메 제독은 브레스트 함대를 가지고 영국 해군의 봉쇄를 풀어, 더 작은 전대들이 카리브해로 출항할 수 있게 하라는 지시를 받았다. 윌로메는 실제로 8척의 전열함과 2척의 프리깃함으로 영국 전함들을 로리앙에서 쫓아냈다. 하지만 악천후로 프랑스 전대의 출항은 2월 후반까지 지체되었고 그때는 너무 늦어버렸다. 프랑스 프리깃함 3척이 항구를 빠져나오자 3척의 전열함으로 구성된 영국 전대가 그들을 가로막았고, 프랑스 전대는 레사블레-돌론에서 교전에 나설 수밖에 없었다. 놀랍게도 훨씬 작은 프랑스 프리깃함들은 영국 전함들을 물리치고 전투에서 살아남았지만 심하게 파손되어 추후에 해체되었다.

한편 윌로메는 로슈포르로 이동해, 병마가 할퀴고 간 그곳의 전대가 출항할 수 없는 상태임을 발견했다. 나중에 제임스 갬비어 휘하대형 함대가 도착하자 윌로메는 로슈포르에 꼼짝없이 갇히고 말았다. 무어 장군의 원정군이 이미 포르투갈에서 에스파냐로 진격을 준비하고 있는 가운데 영국 해군부는 로슈포르에 몰려 있는 프랑스 함대가 이베리아반도의 군사작전에 영향을 주지 않을까 크게 걱정했다. 그 결과 해군부 장관 멀그레이브 경은 '화선', 즉 폭발물을 가득 실은 배로 프랑스 함대를 공격할 것을 강력 주장했다. 갬비어는 화선을 "끔찍하고 기독교도답지 않은 전투 방식"으로 여기며 그 작전에 반대했다.[48] 갬비어보다 하급 지휘관으로, 저돌적인 용맹함으로 유명한 토머스 코크런 경은 공격 계획에 열렬히 찬성해 21척의 화선을 맡았다.[49] 1809년 4월 11일, 강풍과 높은 파도에도 불구하고 코크런은 배들을 이끌고 로슈포르 북서쪽에 있는 안전한 작은 만, 바스크 정박지로 진입해 프랑스 함대를 공격했다. 프랑스 해군은 영국 해군의 공격에 관해 이미 알고 있었지만 윌로메를 대체한 알망 제독은 영국 화선 4척이 함대를 보호하기 위해 육중한 목재와 쇠사슬로 약 1.5킬로미터에 걸쳐 설치한 차단선을 뚫고 들어오는 것을 막지 못했다. 하지만 코크런이 아연실색하게도, 15분으로 예상됐던 도화선이 너무 일찍 타버려 폭발했고, 공중을 가득 메우며 터진 폭탄과 척탄, 로켓은 목표물을 놓치고 말았다. 그래도 그 폭발물들은 프랑스 선원들을 공황 상태에 빠뜨리며 간접적 피해를 적잖게 입혔다. 배들이 빽빽하게 모여 있는 좁은 만에서 탈출하려다 아수라장이 되면서 프랑스 전함들 대다수는 물가로 떠밀려갔다. 결국 4월 12일 새벽이 밝아왔을 때 2척의 전함을 제외하고 전대 전부가 꼼짝없이 좌초했다.[50] 코크런은 갬비어에게 공격을 개시하라는 신호를 보냈고, 같은 날 오후에 이르러 영국 전함들이 코크런에게 합류해 4척의 프랑스 전열함과 1척의 프리깃함을 나포하거나 파괴했다. 하지만 갬비어가 우물쭈물 망설이는 바람에 나머지 함대는 살아남았다.[51] 바스크 정박지 해전은 프랑스 함대의 전파全破라는 애초 목표에는 못 미쳤지만 영국 측의 중대한 승리였다. 영국의 해군사가 노엘 모스터트의 표현대로 이 전투는 영국 해군의 이중적 성격을 드러냈다. "여기서 우리는 용맹함이 부족하지는 않지만 국가적 참패와 명성의 실추 앞에서 신중함과 우유부단함이 깊이 뿌리 내린 오래된 해군을 보았다. (…) 여기에는 또한 영원히 자리 잡은 험악한 경쟁관계, 기회와 출세에 대한 질시, 진급이 밀린 사람의 가슴속에 줄곧 부글부글 끓고 있는 증오, 거기다가 복음주의적인 무리와 세속적인 무리 간에 깊어지는 반감까지 있었다. 하지만 다행스럽게도 여기에는 코크런이 보여준 넬슨 같은 대담성과 진취성의 사례도 있었다."[52]

　　1809년 해군의 승전들을 바탕으로 영국은 서인도제도로 눈길을 돌려, 1810년 1월에 과달루페에 대한 전면적인 침공을 단행했다.

프랑스의 마뉘엘 에르누 장군은 몇 주를 버티다가 2월 6일 항복했다. 과달루페에서 영국군은 생마르탱섬과 네덜란드 식민지 신트외스타시우스와 사바까지 휩쓸었다. 1810년 말이 되자 프랑스와 그 동맹국들은 서인도제도의 속령을 모두 상실했다.

카리브해 식민지 상실로 속이 쓰리긴 했지만 나폴레옹은 해군의 구축이라는 훨씬 더 중요한 과제에 집중했다. 프랑스 함대가 1808∼1810년에 입은 손실들은 새로운 선박 건조로 금방 만회되었다. 툴롱의 프랑스 함대는 꾸준하게 증가해 전열함이 24척(그중 6척은 130문짜리 전함)에 달했고, 현지의 여건을 활용해 거의 매일 기동 훈련을 실시하고 종종 항구에서 8리그 거리까지 출동하기도 했다.[53] 1811년 후반, 영국 지중해 함대의 총사령관 에드워드 펠류 제독은 집으로 보내는 편지에서 "여태껏 프랑스 함대 가운데 툴롱 함대 수준의 절반에 달하는 것도 구경한 적이 없어. 유감스럽게도 그들은 우리의 방식을 너무 많이 채택했지. (…) 그들은 또한 전원 승선 상태를 유지해서 프랑스 장교들은 이제 근무를 하면서 즐거움을 찾아야 해. 그래서 부하들을 잘 파악하게 되었지. 그들의 배는 참으로 훌륭해"라고 썼다.[54] 74문 포함 4척이 건조되고 5척이 더 건조 중이던 베네치아를 비롯해 여러 항구들에서 건함이 빠른 속도로 진행되어, 전쟁이 끝날 때쯤 프랑스는 지중해에 30척의 전열함을 갖추고 있었고, 또 다른 12척가량이 거의 완공된 상태였다.

대서양에서 나폴레옹은 프랑스 해군의 작전 기지를 신중하게 이동시켰다. 수급할 수 있는 목재가 거의 다 고갈되고 영국 해군이 플리머스에서 감시하기 가장 좋은 위치에 있는 브레스트에서 남부(로리앙과 로슈포르)와 북부(셰르부르)로 기지들을 이전했다. 1808년과

1812년 사이에 그는 안트베르펜에 있는 조선 설비를 대대적으로 확장하는 공사에 착수했다. 그는 무려 90척의 전함을 수용하고(안트베르펜과 플러싱이 전함 50척을 수용하고 나머지 40척은 테르뇌즈에서), 조수가 한 차례 들고 나는 동안 완전히 적재한 배 20척이 출항할 수 있는 동계 정박지를 건설할 심산이었다. 제정 당국자들은 황제의 그런 꿈을 실현하기 위해 많은 난관에 맞닥뜨렸다. 플러싱에서의 공사는 영국의 발헤런 원정으로 새로 지은 설비들이 파괴되어 1810년에 처음부터 다시 시작해야 했다. 한편 테르뇌즈에서는 토양이 불량하고 조선에 필요한 기반을 지탱할 수 없을 것으로 드러나면서 일이 복잡해졌다. 그럼에도 불구하고 전쟁이 끝날 때쯤 안트베르펜은 유럽 최고의 해군 시설 가운데 일부를 자랑했고 한 번에 15척의 전함을 건조할 수 있었다. 더 북쪽에서 나폴레옹은 네덜란드의 로테르담과 암스테르담 항구의 개선 공사를 주관했고, 두 항구는 합쳐서 열너덧 척의 전함을 생산했다.

이 모든 활동은 머잖은 미래에 나폴레옹이 영국 해군과 거의 대등한, 적어도 전열함 수에서는 거의 대등한 전력을 꿈꿀 수 있었음을 의미했다. 이 전력 균형은 화력을 고려한다면 프랑스 쪽으로 우세하게 기울었는데, 프랑스는 최소 6척의 130문 포함을 건조했고, 74문 포함 이하의 전함은 아예 없었기 때문이다. 반면 영국은 120문 이상을 탑재한 전함이 없었고, 상당수가 74문 포함 이하였다.[55] 나폴레옹의 러시아 침공 결정은 그러므로 영국에게는 시기상으로 행운을 가져다주었다. 영국 해군은 전력의 한계 수준까지 확대 전개되어, 발트해와 지중해만이 아니라 대서양, 인도양, 태평양에서까지 작전을 수행해야 했다. 만약 나폴레옹이 반도전쟁에만 노력을 집중하고 해상에서 충분한 우세를 점했다면 유럽 패권 투쟁은 프랑스에 다른 결과를 가져왔을지도 모른다. 잘 보호되는 항만에서 해군을 건설함으로써 나폴레옹은 자신의 함대가 바다에서 영국 해군에 도전할 날을 준비할 수도 있었으리라. 하지만 실제로는 러시아 침공 준비는 프랑스 조선소에서의 작업들을 늦추고 나중에는 완전히 중단시켰는데, 조선공과 선원들이 제국의 생존을 위해 싸우는 프랑스 군대를 증강하기 위해 징발된 탓이었다.

19장

영국의 동방 제국

1800-1815

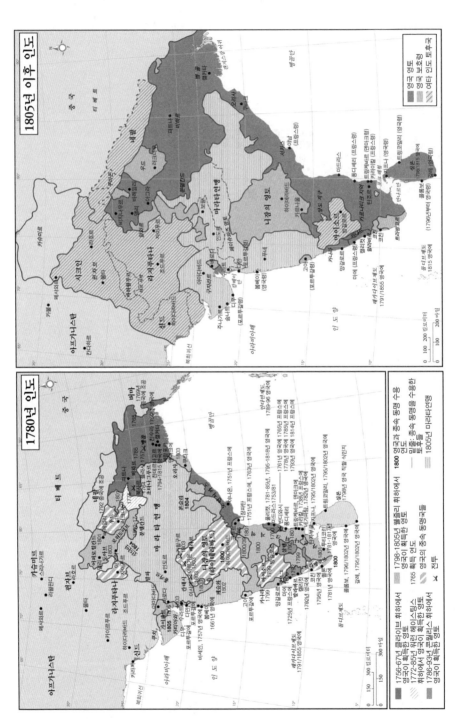

지도 22 1780~1805년 인도

인도는 19세기 당대인들에 의해 영제국의 "왕관 한가운데 보석"으로 묘사되어왔다. 광대한 아대륙은 결코 바닥나지 않을 것처럼 보이는 천연자원의 원천이자 영국 상품을 위한 어마어마한 시장이며 영국의 가장 소중한 속령이었다. 인도와의 통상과 그로부터 나오는 막대한 이익은 영국이 강대국으로 부상하는 데 결정적인 역할을 했다. 인도에서 이전된 세수는 나중에 영국의 경제력을 뒷받침하고 영국의 군사력, 특히 가장 유명한 영국 해군을 지탱하는 공장을 비롯해 다른 경제활동에 재투자되었고, 덕분에 영국 해군은 전 지구에 걸쳐 자국의 이해관계를 성공적으로 수호했다. 인도가 없었다면 십중팔구 영제국도 없었을 것이다.[1]

빅토리아 시대 역사가 J. R. 실리는 인도에 있는 영제국이 "무심결에" 획득되었다는 유명한 논지를 펼쳤지만 영국의 정복에 우연적인 것은 전혀 없었다.[2] 영국의 정복은 정치적 오만, "예방적" 점령, 직접 개입, 무엇보다도 왕성한 경제적 욕구들이 뒤섞인 강력한 혼합물로 야기되었다.[3] 그 가운데 다수는 1600년 런던에서 설립된 독점적인 합자 모험 사업체 영국 동인도회사의 행위의 소산이었다. 동인도회사는 무굴 황제들로부터 무역 조차지를 받아서 17세기 초반에 인도아대륙에 첫 교역소들을 세웠다. 다음 한 세기 반 동안 동인도회사는 무굴 제국의 약화를 이용해 원래의 상업 활동을 넘어서 인도에 강력한 정치체를 수립하려는 정치적·군사적 의제들을 추구했다. 이는 단순히 무역의 보호를 크게 능가해 상업적 초점에서 군사적 초점으로의 점진적인 이동을 동반했다.[4] 영국 역사가 티머시 H. 파슨스는 "런던의 회사 이사들은 제국을 획득할 계획을 결코 세우지 않았지만 기회주의적인 회사 직원들이 아시아 제국 시스템들에 기생하는 것을 막는 데 무력했다"라고 올바르게 평가했다.[5] 18세기 후반에 이르면 동인도회사는 대체로 무력과 전복 활동으로 기존의 상업적 관계들과 정치적·문화적 네트워크를 해체하고 전용해 궁극적으로 인도 정복으로 가는 길을 닦았다.[6]

근대 초기 인도는 당시 세계 인구의 거의 5분의 1에 달하는 약 1억 5천만 명이 거주하는 세련된 문명이었다. 하지만 그것은 적어도 서양적 의미에서 단일 국가는 아니었다. 16세기에 집권하게 된 무굴 왕조는 다양한 종족과 종교 집단들이 한데 뒤엉킨 잡다한 국가들을 다스렸다. 무굴 제국은 17세기에 전성기를 누리다가 1707년에 최후의 위대한 황제 아우랑제브가 죽은 뒤 정치적 격랑과 사회적 동란, 종파적인 폭력으로 어려움을 겪었다. 무굴 황제들은 보석으로 치장된 유명한 공작 왕좌에 여전히 앉아 있었지만 그들의 권위는 아대륙 곳곳에 우후죽순처럼 생겨난 경쟁 왕국들과 반항적인 군벌들에 의해 갈수록 제약되었다. 그와 동시에 유럽인들은 토후국들 간의 경쟁관계를 이용하고 조종하면서 인도 정치에 더 강하게 간섭하기 시작했고, 정치적·상업적 이해관계를 확보하기 위한 동맹을 서서히 구축해 나갔다.

영국 동인도회사는 인도에서 그 존재감을 확립하고 확대하는 데 특히 뛰어났다. 이 과정에서 중요한 전환점은 7년 전쟁으로, 이때 벵골(인도 북동부)의 나와브 시라지-우드-다울라는 인도에서 영국의 핵심 전초지인 캘커타를 점령해, "외국 무역 회사를 본의 아니게 인도 권력 다툼의 위험천만한 게임"에 끌어들였다.[7] 총독 로버트 클라이브(1725~1774) 휘하에서 동인도회사는 시라지-우드-다울라와 그의 프랑스 우군을 플라시에서 격퇴해 벵골 지배의 초석을 놓았고, 인도의 다른 지역들로 회사의 권위를 꾸준히 확대했다.[8] 회사의 군사적 의무가 증가하고 그에 따라 재정적 부담도 커지자 회사 수뇌부는 곧 나라에 도움을 요청할 수밖에 없었고, 결국 회사 조직 전체에 걸쳐 정부가 더 많이 개입하고 지배력을 행사하게 되었다. 인도에서 회사의 부당 경영이 드러나 제정된 1773년의 규제법과 1784년의 동인도회사법은 영국 정부가 회사를 감독할 권한을 부여하고 이중 지배 체제를 수립했다.[9] 회사는 여전히 통상을 책임지고 일상 행정 업무를 수행했지만 중요한 정치적 문제들은 영국 정부 관계자들도 참석하는 인도운영위원회에서 결정되었다. 1784년 개혁 법안의 주요 목적은 "회사가 소유한 영토의 경영 권한 전체와 정치적 통치 권한을 가져오는 것"이었다. 운영위원회는 "회사 직원들이 어떤 정치적 목적을 추구해야 하는지" 감독하는 위치였다.[10]

한발 더 나아가 1788년 선언법[기존 법률을 확인하는 법]은 운영위원회에 이사들의 의사와 상관없이 회사 병력을 인도로 보낼 수 있는 권한을 부여했다. 이러한 변화들은 대단히 중요했으니, 동인도회사를 사실상 인도에서 영국 제국 정책의 주요 도구로 탈바꿈시키고, 인도 속령들을 일부 영국인들이 도덕적으로 미심쩍다고 여긴 사업에서 정반대의 것, 즉 문명화 사명의 대상으로 전환했다. 이 같은 변화는 영국의 중앙집권화, 산업화, 내셔널리즘의 확립과 시기적으로 일치하는데, 세 가지 과정은 모두 새로운 제국주의 서사, 인도에서 영국의 주권과 경제적 지배를 정당화하는 서사를 창조하는 데 일조했다.[11]

미국 혁명전쟁은 영국의 인도 전주곡을 잠시 중단시켰다. 서방에서 제국을 상실한 영국인들은 동방에서 새로운 영역을 얻어 이를 만회했다. 이윤이 쏟아져 들어오고, 자체 무력을 보유한 동인도회사는 전쟁들—가장 중요하게는 마이소르 전쟁과 긴 마라타 전쟁—을 잇달아 치르며 인도아대륙의 여러 곳으로 영향력과 행정 시스템을 확대해나갔다. 이 전쟁들에서 승리를 거둠으로써 회사는 강력한 중앙 지배력이 결여된 지역에 새로운 행정 질서를 (그와 더불어 사회적·문화적 변화들도) 도입할 수 있었다. 그래도 질문은 여전히 남아 있다. 북서부 유럽, 강한 바람이 몰아치는 자그마한 섬나라—무굴 제국에 속하는 영토는 259만 제곱킬로미터가 넘는 데 비해 영국의 영토는 대략 31만 제곱킬로미터였다—에서 온 몇천 명의 외국인들이 어떻게 이 멀고도 광대한 아대륙을 정복하고 지배하는 데 성공할 수 있었을까? 인도에서 영국 세력의 부상과 성장은 오랫동안 논쟁의 대상이었다. 인도에서 영국 식민주의의 초기 옹호자들은 영국인의 국민성에 공로를 돌렸다. 혹자들은 영국의 성공을 군사력의 우월함으로 돌렸다. 하지만 현실은 더 복잡하며, 영국인들이 성공할 수 있었던 이유는 단기적 요인과 장기적 요인의 결합으로 설명될 수 있다.

세계의 다른 지역들과 비교할 때 유럽 국가들은 일반적으로 전쟁에 더 잘 동원되었고 전쟁을 수행하는 데 인정사정없었다. 유럽의 좁은 지리적 한계로 말미암아 서로 경합하는 정치 단위들은 다양한 지형과 기후에 대처하기 위해 지속적으로 혁신하고 경쟁자들과 기술적인 대등성을 확보해야만 했다. 시간이 지나면서 고질적인 전쟁에 대처하기 위해 더 효율적인 재정과 과세 방식이 등장했다. 한편 아시아에서 인도의 무굴 제국 같은 대제국들은 적응을 위한 군사적 압박을 덜 느꼈기에 근대화에 계속 무관심해도 되는 여유를 누릴 수 있었다. 인도는 18세기 유럽을 괴롭힌 지독한 종교전쟁과 무역전쟁을 모면할 수 있었다. 영국 역사가 C. A. 베일리가 예리하게 판단한 대로 "어떤 의미에서 17세기 아시아의 상대적인 평화는 그 몰락의 원인이었다."[12]

때로 부적절한 군대—훈련받은 보병의 부재와 토착 대포의 약함—탓에 인도 토후국들이 영국인들에 비해 훨씬 불리했다는 주장이 제기된다.[13] 부분적으로는 사실이지만 이 같은 논지는 18세기와 19세기 초반 인도에서 이뤄진 제법 중요한 군사적 발전들을 무시한다. 근래의 연구들은 인도와 영국 세력 간 기술적 간극이 18세기 말에 이르면 상당히 좁혀졌음을 보여주었다. 이것은 대체로 유럽의 과학 기술을 차용하고, 인도 병사들을 훈련시키기 위해 유럽(대체로 프랑스) 장교들과 용병들을 모집한 결과다. 마이소르의 티푸 술탄과 펀자브의 란지트 싱을 비롯해 다수의 통치자들은 군대를 향상시키고 탄약과 보급 시스템을 개혁하는 데 상당한 진전을 거두었다. 실제로 인도에서 영국의 팽창에 관한 대중적 인식은 영국인들이 전장에서 언제나 성공을 거두지는 않았다는 사실을 간과하는 경향이 있다. 1779년

한 영국 군대는 바드가온에서 마라타인들에게 패배를 겪었고 1년 뒤에는 마이소르의 하이다르 알리가 카르나티크를 침공해 폴릴루르(폴릴로르)에서 윌리엄 베일리 휘하 영국군을 전멸시켰다.[14] 후자의 전투는 인도에서 영국군의 최대 참패로 남아 있으며, 동인도회사의 적들을 분열시킨 능란한 외교에 의해서만 만회된다.

18세기 후반 인도의 보병과 포술은 지속적으로 향상되었다. 영국군 장교들은 1764년 북사르 전투와 파트나 전투에서 그 같은 사실에 주목했다. 티푸 술탄은 마이소르 군대의 대대적인 재편을 단행했는데 여기에는 다수의 경기병도 포함되었다. 마이소르 경기병은 영국군에 심각한 위협을 제기했고, 영국군은 여기에 맞춰 전술을 수정하고 마라타 경기병으로부터 도움을 구한 뒤에야 우위를 점할 수 있었다. 2차 영국-마라타 전쟁(1803~1805)에서 마라타 군대가 보여준 실력도 높은 수준의 보병과 포병 역량을 드러냈다. 1803년 라스와리 전투가 끝난 뒤, 1793년 플랑드르에서 프랑스군과 싸운 적이 있는 영국군 장군 제러드 레이크는 마라타 싸움의 극심함에 깜짝 놀라서 다음과 같이 말했다. "내 평생 그렇게 혹독한 일이나 그 같은 일을 겪어본 적이 없다. 원컨대 다시는 그런 상황에 처하지 않기를 빈다."[15]

더욱이 영국군은 홀로 활동한 게 아니며, 인도아대륙에서 그 존속은 영국 해군의 해상 지배력에 의존했다. 의문의 여지없는 해상 패권 덕분에 영국은 원하는 대로 오가고, 손실을 메우며, 인도 해안선을 마음대로 공격할 수 있었다. 동인도회사는 당연히 영국 해군의 지배를 위협하는 모든 것에 주의를 기울였다. 예를 들어 1756년 2월에 찰스 왓슨 후위제독이 이끄는 전대가 인도 서부 해안의 작은 거점 게리아를 습격했다. 그 지역의 군주가 영국의 해상력을 얼마간 위협할 수 있을 만한 함대를 건설하고 있다는 사실이 드러났기 때문이다. 영국 역사가 제러미 블랙이 지적한 대로 이 승리는 인도의 해군력 발전에 대체로 종지부를 찍었다. 다음 몇십 년 동안 영국 전대들은 인도 주변의 바다를 순찰하며, 원주민 함대를 파괴하고 제국의 생명선을 유지하고, 인도에서의 지속적인 팽창을 뒷받침했다.[16]

영국 식민주의에 결정적인 요인을 단 하나만 꼽으라면 그것은 해상력이었다. 해상력이 없다면 아시아의 지배 영토는 그야말로 불가능했을 것이다. 하지만 해상력 자체는 성공을 보장할 수 없었다. 18세기 전반기에 인도는 중앙 권위를 파괴하다시피 한 세력 투쟁을 겪었다. 1739년에 이란 나디르 샤의 침공과 1750년대와 1760년대 아마드 샤 압달리가 이끈 아프간 부족의 수차례 침입은 무굴 제국의 해체와 수바다르subahdar(지방 총독)들의 자치를(아예 독립까지는 아니라고 해도) 가속화했다. 무굴 제국이 이 같은 어려움을 극복하고 권위를 공고히 했다면 영국 동인도회사는 18세기 후반에 훨씬 더 만만찮은 적과 대면했을 것이다. 하지만 현실적으로 아대륙은 중앙집권적 국가가 아니었고, 중앙의 정치 리더십만이 아니라 단일한 정체성과 공통의 대의에 대한 의식도 없었다. 인도 병사들은 국가에 헌신하는 게 아니라(하나의 인도 국민이라는 개념이 없었으니까) 그들의 지도자에게 헌신했고, 그 지도자들의 정치적 야심과 경쟁관계, 시기심이 아대륙의 계속되는 내분을 지탱했다. 그 덕분에 영국 동인도회사는 다양한 인도 세력의 연합 전선에 직면한 적이 없었고 강압적 조치와 위협, 외교를 통해 현지 통치자들의 단결 투쟁을 차단할 수 있었다.

영국인들에게 그만큼 귀중한 것은 고위급과 중간급 동인도회사 관리들의 재능과 문민 규율이었다. 소속감과 공무에 대한 자부심, 대의에 대한 헌신을 통해 그들은 인도에서 영국 식민 지배를 수립하는 데 결정적인 역할을 했다. 그렇다고 동인도회사 직원들의 부실 경영과 개인적인 부패, 권력 오남용이 없었다는 뜻은 아니다. 1788년과 1795년 사이에 진행된 워런 헤이스팅스 총독에 대한 재판은 그런 것들이 존재했음을 여실히 보여주었다.[17] 하지만 클라이브, 콘월리스, 웰즐리 같은 동인도회사 지도자들은 인도 토후국들 간, 그리고 그 내부의 경쟁관계를 솜씨 좋게 이용해 그 지역에서 회사의 경제적·정치적 이해관계를 성공적으로 증진했다. 그들이 마음껏 이용할 수 있는 군사적·재정적 자원, 즉 번창하는 영국 경제와 초기 산업혁명의 성과물이 없었다면 그들은 포르투갈이나 네덜란드, 프랑스 동인도회사들 이상으로 더 나아갈 수 없었을 것이다. 영국 동인도회사는 인도아대륙이 농업 위주의 자급자족 경제로는 급성장하는 영국 자본주의 시스템과 경쟁할 수 없다는 사실을 활용했다. 조각조각 난 인도 토후국들은 영국이 동원할 수 있는 자원에 상대가 되지 않았고, 그 덕분에 동인도회사는 무시하지 못할 군사력을 유지하고 손실을 메우고, 유럽식으로 훈련받은 인도 세포이 병사들로 이루어진 군대에 갈수록 더 의존할 수 있었다.[18] 그러한 군사력은 전장에서 충분히 통했고, 더 중요하게는 유럽 정규군보다 비용이 덜 들었다. 그 결과 회사의 지배 영역을 확장하는 비용은 줄곧 비교적 낮게 유지되었다.

종속 동맹—지배 국가와 그 나라의 지배를 받는 국가 간 동맹의 한 유형—을 활용한 영국 동인도회사의 정책은 이 점을 조명한다. 18세기 중반에 클라이브 총독은 동인도회사가 져야 할 책임들을 최소화하면서 인도에서 권력을 확보하고자 했다. 그는 간접적 접근 방식, 동인도회사의 실제 권력을 보장하면서 명목상 권위는 토착 통치자들에게 남기는 방식을 선호했다. 그는 자신의 우군인 미르 자파르를 벵골의 나와브로 앉히면서 이 정책을 시작했다. 미르 자파르는 보답으로 동인도회사에 재정 지원을 제공하기로 약속했다. 동인도회사의 영향력이 커지면서 더 많은 인도 토후국들(특히 더 작고 토후국 간 전쟁에 더 취약한 국가들)이 그러한 종속적 동맹관계에 가담했는데, 이는 인도의 자주성이 점차 사라진다는 뜻이었다. 이 시스템의 본질은 동인도회사가 특정 국가를 외부적 위험과 내부적 무질서로부터 보호해주기를 약속하는 대가로 그 나라의 대외관계를 좌지우지한다는 것이었다. 이를 위해서 현지 통치자는 동인도회사의 허락 없이는 다른 어떤 세력과도 동맹을 맺지 않기로 동의했고, 그리하여 스스로를 영국 권력에 속박시키는 결과를 불러왔다. 인도의 통치자들은 또한 회사 군대의 산하 병력을 자국에 받아들이는 데 동의했는데, 이들은 보통 그 나라의 수도 인근 주둔지에 배치되었고, 그들의 주둔 비용은 현지에서 부담했다. 말하자면 그들 자신에 대한 강압 수단을 제공하는 셈이었다. 비용 부담을 대신해 그들은 흔히 자신들의 영토 가운데 일부를 동인도회사에 넘겼는데, 이로써 그 지역에 대한 회사의 지배력은 한층 커졌다.

무슬림과 힌두교 통치자들이 동인도회사와 동맹을 맺음으로써 지게 되는 위험 부담을 왜 내다보지 못했을까? 이런 궁금증이 들 것이다. 이는 어느 정도는 동인도회사의 지도자들 덕분이었다. 그들은 앞서 언급했다시피 일반적으로 유능하고 결연하고 위험을 감수하는 사람들이었고, 멀리 떨어진 본국의 간섭을 흔히 무시했다. 봄베이와 마드라스, 벵골에 있는 동인도회사 무역 사무소들 사이에 상당한 이전투구가 벌어지긴 했지만, 그럼에도 회사는 그들이 대면한 인도 어느 토후국보다 훨씬 더 중앙집권적이고 통합된 기관이었고, 중요한 순간에 사무소들은 경쟁의식을 접어두고 필요한 자원들을 동원했다.

반면에 토후국들은 동인도회사와 효과적으로 경쟁하는 데 적잖은 난관에 직면했다. 강력한 군대의 필요성을 이해한 인도 통치자들은 모든 사회 집단으로부터 세수를 증대하고자 했다. 하지만 전통적인 국가 형태에서 유럽식 형태로의 이행은 순조롭지 않았고 여러 마찰과 갈등을 낳았다. 그리고 동인도회사는 그 마찰과 갈등을 자신들에게 유리하게 이용했다. 지역 통치자들 간 간헐적인 전쟁의 와중에 동인도회사와 맺은 종속 동맹은 라이벌을 상대로 결정적인 우위를 가져올 수 있었다. 토후들은 그렇게 하면서 체면을 차릴 수 있었던 것 같은데, 회사의 총독들은 일부 인도 군주들보다 정치권력이 더 많았을지도 모르지만 제왕적인 요소들을 과시하거나 제왕처럼 처신하지 않기 때문이다. 1857년까지 동인도회사는 무굴 황제의 주권을 계속 인정하고 그의 이해관계에 따라 행동한다고 주장했다. 동인도회사는 명목적 권위를 요구하지 않았고 토착 법, 종교, 전통에 간섭하지 않기에, 일부 토착 엘리트는 동인도회사의 권위를 더 선뜻 수용할 수 있었다.

현실적으로 이 모든 것은 동인도회사가 인도의 저항을 극복하는 데 인도의 자원과 인력을 이용할 수 있었다는 뜻이다. 이것이 언제나 간단명료한 과정은 아니었다. 1770년대에 회사는 마라타 내전에 끼어들었다가 실패를 맛봤고 1차 영국-마라타 전쟁(1775~1782)에서 몇몇 좌절을 겪었다. 그 직후 회사는 마라타와 한편이 되었지만 이 동맹은 곧 좌초하고 말았는데, 마이소르의 하이다르 알리가 프랑스, 마라타, 하이데라바드와 동맹을 맺었던 것이다. 영국인들을 견제하고자 하이다르 알리는 자국의 행정을 개선하고, 군대를 개혁하며, 영국과 프랑스의 경쟁관계를 이용하면서 동인도회사를 바로 그들의 방식으로 이기려고 했다. 그는 카르나티크에서 성공적으로 전역을 수행했지만, 1784년 그의 죽음은 마이소르, 하이데라바드, 마라타 간 동맹의 붕괴를 초래했다. 동인도회사의 신임 총독 찰스 콘월리스(1786~1793)는 마이소르에 대항해 하이데라바드와 동맹을 결성했다. 마라타까지 여기에 가담해 1790년에 영국, 하이데라바드, 마라타 간 삼자동맹이 수립되자 인도에서 영국의 입지는 크게 높아졌는데, 이제는 동인도회사가 마이소르에 맞서 이 두 맹방의 지원에 의존할 수 있게 되었기 때문이다. 마이소르를 굴복시키는 데는 세 차례 긴 전역을 치러야 했지만 궁극적으로는 마이소르 지배 영역의 절반이 동인도회사와 그 동맹국의 수중에 들어오게 된다.

역사의 이 시점에서 영국의 대인도 정책에 중요한 변화가 일어났다. 두 가지 주요 원인이 있었다. 첫째, 영국 정부와 동인도회사 내에 영국의 인도 지배만이 아대륙에서 끊임없는 전쟁을 종식시키고 상업과 무역을 위한 만족스러운 여건을 창출할 수 있다는 믿음이 점차 커져갔다. 더 큰 원인은 혁명전쟁의 여파로 인한 유럽 정치 지형의 전환이었다. 프랑스의 이집트 침공은 인도에 대한 직접적인 위협 전망을 제기했고, 인도에서 프랑스인들을 환영할 이들은 많았으니 마이소르에서 하이다르 알리의 뒤를 이어 즉위한 티푸 술탄은 영국인들이 인도에서 사라지는 꼴을 보고 싶었다. 동인도회사 총독으로 웰링턴 공작의 형 리처드 웰즐리가 임명된 것은 영국이 인도 지배를 확대하게 되는 결정적 순간이었다. 5장에서 살펴본 대로 웰즐리는 유럽 대부분 나라의 발목을 잡은 혁명의 혼란을 면밀히 주시했고, 바로 지금이 인도에서 영국의 입지를 단단히 다질 순간이라고 확신했다. 그렇게 입지를 다지고 나면 인도의 방대한 자원들은 영국의 이해관계를 전 세계적으로 증진하는 데 일조할 것이다. 웰즐리는 프랑스 세력에 대한 공포를 자신의 제국주의적 구상에 대한 구실이자 영국의 팽창을 정당화하는 근거로 이용했다. 그가 인도 토후국들을 취급하는 방식에서 종속 동맹 시스템에 대한 영국의 태도 변화가 확연히 감지되었다. 이전의 동인도회사 수뇌부는 그 시스템을 회사의 이해관계와 속령들을 안전하게 지키는 방어적 수단으로 이용했다. 하지만 웰즐리의 수중에서 이 종속 동맹들은 독립적 토후국과 심지어 우방인 토후국들까지 영국의 지배에 복속시키는 공세적 도구가 되었다.

1798년과 1805년 사이에 인도에서 등장한 새로운 정치적 현실은 웰즐리의 공공연한 제국주의적 여망의 산물이었다.[19] 아닌 게 아니라 그의 활력, 결단성, 목적의식, 역동성과 더불어 그의 고압적 태도와 조급증, 오만방자에 가까운 자부심에서 웰즐리는 나폴레옹의 영국 쌍둥이와 같은 존재였다. 우리로서는 그가 실제로 제1통령과 유사한 상황에 놓이게 되었다면 무슨 일을 해냈을까 궁금해질 법도 하다. 그의 생각과 행동들은 그가 단순한 행정가이기보다는 기민한 정치가라는 점을 드러내며, 그의 주요 업적은 동인도회사를 인도 내 최고 권력의 지위로 올려놓은 것이었다.[20] 한때 막강했던 무굴 제국은 정치적 실체로서 거의 산산조각 났다. 무굴 제국을 보존하고 그 희미한 잔재들을 활용하는 것이 웰즐리의 정책의 주요 부분이기는 했다. 그러므로 무굴 황제 샤 알람은 영국의 비호 속에 다시 델리에 앉혀졌고 황제로서의 위엄을 유지하기 위해서는 많은 것이 준비되었지만 정작 정치적 권위를 위한 것은 없었다.

웰즐리의 또 다른 핵심적 유산은 동인도회사 군대의 방대한 증강이다. 그의 재임 동안 회사 병력은 19만 명 이상으로 불어나, 아시아 내에서 유럽식 훈련과 지휘를 받는 최대의 군대가 되었다.[21] 그것은 다른 어느 유럽 열강도 넘볼 수 없는 군사적 존재감을 과시했다. 병사들의 13퍼센트만이 유럽인이었다. 절대다수는 세포이 병사들로, 이 토착민 병사들은 19세기 나머지 기간 동안 동방에서 영국 군사력의 근간으로 남았다. 똑같이 중요한 것은 전례 없는 규모로 '동방의 바다'에 배치된 영국 해군의 역할이었다. 피터 레이니어 전대장처럼 유능하고 독자적인 성향의 함장들이 이끈 영국 함대는 인도 해안에서 영국 세력을 공고히 하고 다른 지역들에서 새로이 영국 세력을 수립하는 데(1796년에 네덜란드령 향신료제도와 1801년 홍해에서) 결정적이었다.[22]

하지만 이 모든 성공에도 불구하고 웰즐리는 직위에서 해임되었다. 그의 주요 정책들은 두 가지 상호 연관된 목표를 겨냥했다. 인도에서 영국의 패권을 확보하고 프랑스의 지구적인 야심을 억제하는 데 인도의 방대한 자원을 이용하는 것이었다. 프랑스가 육로를 통해 인도로 진격할 것이라고 진심으로 믿었든 안 믿었든 간에 웰즐리는 육로 침공 위협을 이용해 자신의 제국 건설을 위장했다. 1798~1800년에 영국의 내각과 동인도회사 이사들은 웰즐리의 침략적 정책을 거듭 묵인했는데 인도에 대한 프랑스의 위협이 즉각적이고 실존하는 위협이라고 믿었기 때문이다. 하지만 다음 몇 년에 걸쳐 상황은 극적으로 변화했다. 1803년 프랑스와 전쟁이 재개되었을 때 나폴레옹은 다름 아닌 영국을 위협하고 있었다. "동방에서 우리의 권력을 프랑스가 얼마나 질시하고, 언젠가 그 권력을 흔들 날을 꿈꾸며 자신들의 입지를 다질 목표를 얼마나 꾸준하게 추구하고 있든지 간에"라고 인도운영위원회 회장 캐슬레이 경은 1803년 3월에 웰즐리에게 썼다. "나로서는 프랑스가 우리가 방어하고 있는 속령들을 직접 공격할 수단을 상당한 기간 동안 보유하거나 보유할 수 있다고 믿지 않습니다."[23] 1805년에 이르면 영국 각료들은 웰즐리의 인도 정책들이, 자신들로서는 도저히 내줄 수 없는 귀중한 자원들을 요구하는 것에 골치가 아팠다. 한 영국 역사가가 적절하게 지적한 대로 "영국은 트라팔가르와 아우스터리츠의 해에 앞날이 불투명한 인도 전쟁을 치를 여력이 없었다."[24] 동인도회사는 다른 무엇보다도 이윤을 내야 하는 상업 조직이었다. 회사의 주주들이 마이소르와 마라타 전쟁들과 관련해 비용이 쌓여가는 것을 바라보면서 얼마나 짜증이 났을지 짐작이 갈 것이다. 전쟁을 치르느라 회사의 부채는 거의 두 배가 되었다. 홀카르한테 패배를 겪은 뒤 전쟁이 길어질 전망이 대두되자 참다못한 주주들은 웰즐리의 해임을 꾀했다.

동인도회사는 웰즐리가 남긴 유산을 처리하며 다음 10년을 보냈다. 이사들은 경비 절감을 요구했다. 비용이 많이 드는 영토 획득도, 영국령 인도의 기존 경계선 바깥의 국가들과 얽이는 일도 더는 있어서는 안 되었다. 웰즐리의 후임인 콘월리스 경은 마라타 전쟁을 끝내기 위해 홀카르와 협상을 개시하는 과업을 맡았지만 재임한 지 두 달여 만에 사망했다. 그래도 깃펜을 붙들고 있는 한 콘월리스는 전임자가 이룬 것을 뒤집기 위해 열심히 일했고, 이러한 정책은 1805년에 임시로 총독직을 이어받은 조지 발로 경 휘하에서도 계속되었다. 이사들이 제국적 책임들을 떠맡을 생각이 없음을 이해한 발로는 회사의 의무를 축소하고자 했고 그의 재임 기간 동안 회사는 이전의 약속

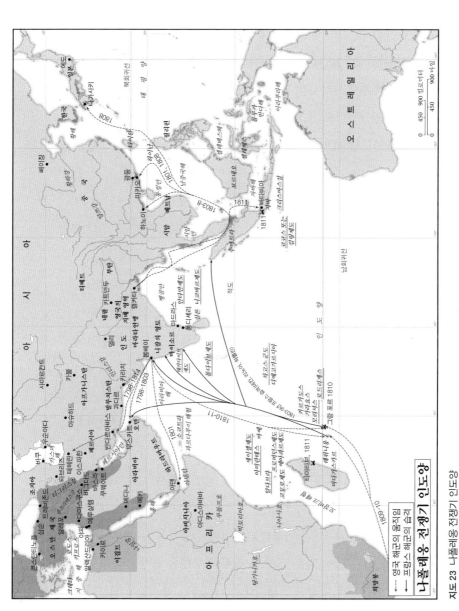

지도 23 나폴레옹 전쟁기 인도양

에도 불구하고 라지푸트 토후국들을 저버리고 중+인도에서 물러났고, 홀카르와 신디아의 마라타 군주들은 라지푸트 토후국들을 더 마음껏 유린할 수 있었다. 발로의 조심스러운 정책과 적자를 상당한 흑자로 전환한 재정적인 성공은 회사 주주들에게 환영받았다. 하지만 영국 정부를 만족시키지는 못했고, 더 역동적인 총독 민토 경 길버트 엘리엇-머리-키닌마운드가 1807년에 새로 임명되었다.

1807년 7월 31일 민토가 캘커타에 도착했을 때 인도의 상황은 일촉즉발이었다. 중인도의 계속되는 정치적 혼란뿐 아니라 영국 권력에 대한 새로운 도전들 때문이었다. 나폴레옹이 최근 연달아 거둔 성공들—1806년과 1807년에 각각 프로이센과 러시아를 상대로 거둔 승리, 그리고 페르시아와 오스만 제국에 대한 외교적 접근—로 영국령 인도에 재개된 프랑스의 위협은 당면하고 급박해 보였다. 1806년 후반에 시작된 대륙 봉쇄 체제는 대륙에서 영국의 경제적 이해관계를 난관에 빠뜨린 한편, 프랑스 사략선들은 인도양에서 영국 무역에 차질을 빚는 데 얼마간 성공을 거두고 있었다. 인도 자체에서는 세포이 병사들의 벨로르 반란(1806)이 영국인들을 향한 뿌리 깊은 원한을 드러내며 50년 뒤 일어날 대형 반란〔세포이 항쟁〕의 예고편을 선보였다.[25] 1년 뒤에는 트라반코르와 코친 토후국이 자신들이 수용했던 종속 조약의 재정적 부담에 분노해 동인도회사에 반기를 들고 일어났지만 진압되었다.

민토 행정부의 6년은 나폴레옹 전쟁의 절정기와 일치한다. 틸지트 조약(1807)과 그에 따른 프랑스-러시아 동맹은 프랑스의 후원을 받는 러시아가 중앙아시아 스텝지대를 가로질러 침공할지 모른다는 영국의 두려움을 다시금 불러왔다. 그와 동시에 가르단 장군이 테헤란에 도착해 프랑스-페르시아 협력을 다지고 프랑스 장교들이 이란의 군 감독 업무에 참여하자, 동인도회사의 많은 이들은 영국 외교관 마운트스튜어트 엘핀스톤의 말마따나 "프랑스가 전쟁을 아시아로 가져오려는 심산인 것 같다"라고 믿게 되었다.[26] 그 결과 민토 경은 다음 7년 동안 이 같은 위협에 대항하기 위해 꾸준히 노력했다. 그는 외교적 접근과 남아시아 여러 지역으로 강압적인 권력 행사를 결합한 다각적 대외정책을 추구했다.[27] 프랑스의 육상 침공 가능성에 대비해 민토는 인도 북서부 접근로를 안전하게 지키기 위해 사절단을 여러 차례 파견했다. 엘핀스톤은 아프가니스탄 왕국으로 영국의 첫 공식 외교 사절단을 이끌었고, 1809년 봄에 페샤와르에서 샤 슈자를 만났다. 양측은 영국과 아프가니스탄 간 방위동맹을 수립하는 "우호와 연합"의 조약을 협상해, 아프간인들은 프랑스 세력이 자신들의 영토를 통과하는 것을 막기로 약속했다. 하지만 합의 직후 샤의 왕정이 타도되고 유배에 내몰리면서 협정은 단명하고 말았다.[28] 그와 동시에 이란으로 파견된 두 사절단 역시 얼마간의 성과를 올렸다. 존 맬컴 경과 하퍼드 존스 경은 프랑스의 영향력에 맞대응하고 파트 알리 샤와 동맹조약에 서명했다. 이로써 러시아에 맞서 영국-이란 동맹이 수립되고, 전쟁이 계속되는 동안 영국이 12만 파운드의 연간 보조금을 지급하기로 했다. 1809년에는 동인도회사의 젊은 외교관인 찰스 멧커프가 펀자브로 가서 시크 제국의 란지트 싱과 협상을 벌여 암리차르 조약을 맺었다. 조약은 양자의 세력권을 규정하고, 프랑스의 공격 가능성에 맞서 시크인들의 지지를 확보했으며, 다음 한 세대 동안 지속될 영국-시크 관계를 합의했다.

발로와 민토 둘 다 인도양과 그 너머에 남아 있는 프랑스 전초지를 무력화함으로써 인도에서 영국의 지배를 안전히 지키고자 했다. 동방의 바다 전역에 흩어져 있는 영국 전함들은 상선을 보호하기 위해 최선을 다한 한편, 프랑스와 그 맹방의 선박들을 열심히 뒤쫓았다. 이러한 노력들은 이따금 그 지역에 존재하는 유럽 세력을 오랫동안 미심쩍게 여겨온 아시아 열강들을 침범하는 결과를 초래했다.

1800년에 이르면 해상 통상은 인도양과 서태평양 지역을 활기차고 유동적인 무역 네트워크들로 연결시켰고 동아프리카와 인도, 중국, 일본, 한국, 동남아시아의 여러 나라들이 광범위하게 서로 교역하고 있었다.[29] 유럽인들은 16세기에 등장한 이래로—처음에는 포르투갈인, 그다음에는 네덜란드인, 그 뒤로는 영국인이 왔다—이 동아시아 해양 세계에 성공적으로 침투해왔고 무역 경로들에 접근하기 위해 무력을 쓰는 것도 마다하지 않았다. 그들은 심각한 장애물에 직면했다. 유럽산 상품들은 아시아에서 수요가 없었기에 유럽 상인들은 대량의 금은을 지불해야 했다. 이것은 유럽의 상업에 큰 부담을 주었다. 또한 유럽의 무역은 흔히 선교 활동과 나란히 이루어졌다. 예수회와 여타 교단들에서 온 사제들은 해외에서 기독교로의 개종 활동에 헌신해 동아시아 여러 지역에서 상당한 불안을 초래하고 있었다.

일본은 유럽인과의 교류를 제한하는 첫 나라가 되었다. 1800년에 약 3천만 명의 인구가 살던 일본은 영국보다 세 배나 컸다. 17세기 초 봉건 영주들 간의 긴 내전을 겪은 뒤 왕국은 도쿠가와 쇼군들의 정부(막부)가 지배하게 되었고, 그들은 얼마간의 경제적·농업적 번영을 가져왔으나 바깥 세계와의 접촉은 제한했다. 이미 유럽인들의 선교 활동에 의혹의 눈초리를 보내던 도쿠가와 막부는 기독교도 사무라이들이 정치적 반대파와 한편이 되자 기독교를 국내 불안 요인으로 간주하게 되었다. 1614년 정부는 기독교도 추방령을 내려 기독교를 불법화하고 나가사키에서 소규모 무역 활동을 허락받은 네덜란드인을 제외하고는 모든 외국인과 기독교도를 추방했다. 그 뒤로 200년 넘게 네덜란드 상관은 바깥 세계로 통하는 일본의 창 역할을 했다. 1년에 한 번씩 네덜란드 동인도회사의 상인들이 자바에서 사업을 하러 일본으로 왔다.[30] 네덜란드인들은 일본과의 무역을 발전시키는 데 애로가 많았지만, 앞으로 기대할 수 있는 더 큰 이점들보다는 대체로 이 사업이 개별적 참여자들에게 가져다주는 수익 때문에 일본과의 무역을 계속 유지했다.[31]

영국인들은 이런 실상을 잘 알고 있었고, 영국 동인도회사가 일본 시장에 침투하지 않은 것은 그래서였다. 나폴레옹 전쟁은 이러한 논거를 바꿨다. 네덜란드 공화국은 이제 확고하게 프랑스 치하에 있었으므로 영국 전함들은 동아시아에서 네덜란드 해운을 공격 대상으로 삼았다. 1795년과 1806년 사이 영국 해군은 네덜란드 식민지들 주변으로 느슨한 봉쇄를 유지하고 수시로 상선들을 나포했다. 네덜란드인들은 자국 식민지들 간에 화물을 실어 나를 중립국 선박을 전세 내는 방식으로 여기에 맞섰지만 1807년 나폴레옹의 대륙 봉쇄 체제에 맞선 더 큰 투쟁의 일환으로서 영국은 중립국 선박도 공격 대상으로 삼고, 네덜란드 식민지들에 더 단단한 봉쇄를 실시했다.[32] 네덜란드인들이 데지마—1634년, 나가사키만에 현지 상인들이 건설한 부채꼴의 작은 인공 섬—를 소유한 것은 아니지만 영국은 이를 네덜란드 소유로 간주했다. 1808년 8월 중순 데지마 주민들은 수평선에 돛이 보인다는 소식을 듣고 흥분했다. 정상적인 항해 시즌보다 늦은 도착이었지만 일본 당국자들과 네덜란드 동인도회사 대표들은 수상쩍은 점을 전혀 느끼지 못했다.[33] 평소처럼 네덜란드 대표들은 배를 맞이하러 보트를 타고 나갔다. 하지만 고대한 동포들 대신 그들은 플리트우드 펠류, 영국 제독의 스물일곱 살짜리 아들이자 영국 프리깃함 페이튼호 함장의 인사를 받았다. 펠류는 데지마에 입항이 허가된 무역선처럼 보이기 위해 자신의 전함을 네덜란드 상선으로 위장했던 것인데, 영국인들은 1798년 1월 마닐라(필리핀제도)에서 이 전술을 이미 한번 써먹은 바 있다.[34] 펠류는 네덜란드 상인 대표들을 붙잡았지만 그들을 바래다주기 위해 함께 왔던 일본인들은 배에서 뛰어내려 가까스로 탈출했다. 네덜란드 선박을 전혀 발견하지 못한 펠류는 물과 식량을 갖다 줄 것을 요구하며, 요구를 들어주지 않으면 포로들을 목매달고 항구에 있는 모든 일본 배들과 중국 정크선들에 불을 지르겠다고 협박했다.[35] 영국 전함에 맞서 아무것도 할 수 없는 일본 당국자들은 영국인들의 요구를 들어줄 수밖에 없었고, 페이튼호는 이틀 뒤에 떠났다.

　비록 사소한 사건이었지만 나가사키 사건은 일본에 파장을 낳았다. 일본 정부는 영국인들의 무도함에 분노를 금치 못했다. 무엇보다도 이 행위는 현지 지사의 승인 없이는 어느 배도 나가사키 항구를 떠날 수 없도록 금지한 일본 법령을 위반하는 것이었다. 하지만 이는 막부 정부가 이 같은 침범에 아무런 대응도 할 수 없었다는 사실에 느끼는 굴욕에 비하면 아무것도 아니었다. 일본 연안 포대는 외국 선박의 접근을 눈치채지 못했다. 직접 대치 상황을 맞았다면 일본의 구닥다리 포는 일급 영국 전함에 박살났을 게 분명하다. 일본의 영토 방어 체계도 똑같이 부실했다. 안일함과 재정상의 어려움, 그리고 비항해 시즌에는 배가 들어오지 않을 것이라고 전제한 결과, 원래 요구되는 병사 1천 명 대신 60명 이하의 병사들만이 근무를 서고 있었다. 나가사키 지사는 영국군에 맞서기 위해 실제로 8천 명가량의 병력과 40척의 배를 소집했지만 그들은 페이튼호가 떠난 지 한참 뒤에야 도착했다.[36]

나가사키 사건은 그러므로 도쿠가와 막부의 군사적 허약성의 더 폭넓은 요인, 그 구조적이고 조직적인 문제를 드러냈다. 근본적인 문제는 일본의 기술적 부적절함보다는 그 문무 행정체계에 있었다. 페이튼호 공격의 여파로 막부는 연안 방어 강화를 주문하고 나중에는 일본 해안에서 외국 선박을 몰아내는 데 무력 사용을 요청하는 무니넨-우치코와시-레이 법령을 발효했다.[37] 어쩌면 그만큼 중요한 결과는 페이튼호 사건으로 일본 정부가 바깥 세상에 관한 지식에 열성을 보이게 되었다는 점이리라. 막부는 영어와 러시아어 공식 통역관의 양성을 주문했다. 1814년 네덜란드어 통역관 모토키 쇼자에몬이 최초의 영일사전을 내놓았다.[38]

이 사건은 일본이 유럽의 공격을 받은 고립된 사례가 아니었는데, 러시아의 압박이 점차 커지고 있는 와중에 일어났기 때문이다. 여타 유럽 열강과 달리 러시아는 일본에 대해 후발 주자여서, 일본 영해에 러시아 선박이 최초로 출현한 것은 1700년대 초반이었다.[39] 러시아인들은 일본의 무역을 개방하려고 여러 차례 시도했지만 늘 그렇듯이 퇴짜를 맞았다. 18세기 후반 극동에서 자국의 이익을 위협하는 것처럼 보이는 영국의 탐사 항해들에 우려를 느낀 러시아는 알래스카뿐 아니라 유라시아 본토에서 멀찍이 떨어져 있는 섬들에 대한 주권을 "이론의 여지없이" 단단히 굳히고자 했다.[40] 1786년 12월 예카테리나 2세는 희망봉을 돌아 북태평양으로 가서 러시아 속령들을 보호하도록 "영국의 쿡 선장이 탔던 배들과 똑같은 식으로 무장한" 전함들을 파견하라고 명했다.

러시아의 일본 영토 침범은, 알렉산드르 황제가 극동에서 러시아 식민화를 열렬하게 추진한 러시아 모피 상인 니콜라스 레자노프를 보내 일본과 통상조약을 교섭하도록 했을 때 새로운 단계에 진입했다. 레자노프는 1804년 후반에 일본에 도착했다. 레자노프의 오만불손한 태도는 그를 맞이한 일본인들로부터 환심을 사지 못했다.[41] 그는 몇 달을 기다리다가 빈손으로 일본을 떠났고, 자신이 받은 대접에 분통을 터뜨리며 일본인들은 러시아 황제가 보낸 사람에게 제대로 예의를 갖추는 법을 곧 배우게 될 것이라고 큰소리쳤다.[42] 아닌 게 아니라 1806년 레자노프는 무섭게 돌아와서 사할린섬과 쿠릴열도의 일본인 정착촌을 습격해 불태우고, 일본이 러시아와의 무역을 계속 거부한다면 일본 북부 전체를 유린하겠다고 협박하며 일본을 상대로 자칭 전쟁을 벌였다.[43]

도쿠가와 정권의 평화와 안정에 익숙해져 있던 일본인들은 러시아의 공격에 화들짝 놀랐다. 그들은 북부 지방을 방어하는 병사의 수를 늘리고, 사할린과 인근 섬들의 중앙 행정을 강화하고, 외국 선박에 발포해 몰아내는 행위를 허가하는 우치 나라이 시스템을 확대함으로써 이에 대처했다.[44] 페이튼호 사건은 일본 정부가 레자노프의 행동이 몰고 온 충격에서 아직 벗어나지 못하고 있을 때 일어났고, 19세기 일본의 가장 실질적인 군사개혁 조치 가운데 일부로 그 사건에 대응했다.[45] 일본인들은 해안 방어를 강화하고, 일본으로 들어오는 선박을 확인하는 시스템을 정비했으며, 장거리 연락을 개선하고 더 신속한 대응을 하도록 새로운 신호 네트워크를 수립했다. 이러한 개혁 조치들은 잘 통할 것처럼 보였지만, 장기적으로는 비효율적인 것으로 드러났다. 방어 체계에 대한 더 포괄적인 정비 대신 기간설비를 개선하는 데 초점을 맞추었기 때문이다. 그 결과 일본의 방어 체계는 여전히 분명한 책임 분배와 명문화된 절차의 부재에 시달려야 했다.

아시아 무역의 주요 원천임에도 불구하고 중국은 일본보다 더더욱 서양에 대한 문호 개방을 오랫동안 꺼려왔다. 중국 조정은 모든 외국 상인을 남부 도시 광둥에 거주하도록 규정한 특수한 '광둥 시스템'을 통해 외국과의 해양 무역을 세심하게 규제했다. 외국 상인들은 광둥에서 현지 독점 상인단 공행公行하고만 물건을 사고팔 수 있었고, 공행은 상품 가격을 임의로 정할 수 있었다. 이러한 규제 조치들에 불만을 느낀 유럽인들은 광둥 시스템을 우회하려고 했다. 그들은 더 적극적인 외교적 관여를 요청했지만 중국 황제들은 전혀 귀 기울이지 않았다. 중국 황제에게 무역이란 중국의 위성국가들에게 보상을 내리거나 응징하는 정치적 도구일 뿐이었다. 유럽이라고 예외는 아니었다. 유럽인들은 중국의 상품을 원한 반면, 중국은 유럽으로부터 원하는 게 거의 없었으므로 자신들이 수입하는 것보다 유럽에 더 많은 상품과 발명품을 수출했다. 중국인들이 금은 지불만을 고집했기 때문에 동양과 서양 간 무역 불균형은 로마 시대 이래로 서양에서 동양으로 다량의 금은이 간헐적으로 유출되면서 더욱 심화되었다.

18세기 들어 차와 도자기, 비단에 대한 그칠 줄 모르는 수요로 이번에는 영국이 커져가는 무역 불균형의 고통을 감내해야 할 차례였다. 이 무역 적자를 줄이기 위해 영국인들은 중국인들에게 팔 상품을 찾아 나섰고, 그렇게 해서 실제로 중국인들이 원하는 한 가지 상품의 불법거래가 발전했으니 바로 아편이다. 1773년부터 영국 동인도회사는 이 마약 제조를 독점해, 다양한 밀수꾼과 상인들에게 판매했다. 19세기 초가 되자 아편은 광둥의 강에 정박한 유럽 선박들의 뱃전에서 대량으로 팔려나갔다.

영국 상인들, 특히 영향력 있는 화물 관리인들은 광둥 시스템을 개정하고, 중국으로부터 새로운 양해를 얻어내기 위해 정부에 로비를 펼쳤다.[46] 그들 중 다수는 자신들이 보기에는 더 우월한 유럽 열강인 영국과의 무역 조건을 왜 중국이 마음대로 정하는지 이해할 수 없었다. 1787년 찰스 캐스카트는 영국의 통상을 위한 중계 무역항으로 마카오(또는 오늘날의 샤먼인 아모이)를 이용할 수 있도록 건륭제(재위 1735~1799)와 협상하라는 지시를 받았다. 하지만 영국 사절은 중국으로 가는 도중에 죽고 말았다. 6년 뒤에 조지 3세는 조지 매카트니가 이끄는 외교 사절단을 파견했다. 그들은 광둥의 영국 상인들에 대한 무역 규제 완화를 협상하고, 중국에서 영국과의 무역을 위해 새로운 항구들을 개방하고, 베이징에 상설 대사관을 수립할 임무를 부여받았다. 영국이 중국에 대형 사절단을 파견한 이 첫 번째 사례에서 매카트니는 80명 이상의 수행원을 대동했다. 그들은 중국인들에게 감명을 주고 방대한 중국 시장을 영국의 통상에 개방하는 데 도움이 되길 바라며, 영국산 제품—시계, 망원경, 지구본, 판유리, 웨지우드 도자기, 모직물, 카펫과 기타 많은 물품들—을 수백 상자 챙겨갔다. 하지만 사절단은 목표를 달성하는 데 실패했다. 매카트니는 고두—중국 황제 앞에서 무릎을 꿇고 머리를 땅에 대는 전통적인 절—의 예를 올리기를 거부했고, 건륭제는 그에게 베이징 자금성에서의 공식 알현을 허락하지 않았다. 영국 사절은 마침내 여름 피서산장에서 더 격식을 차리지 않고 황제를 만날 수 있었지만, 중국인들이 영국의 요청 사항에서 딱히 이점을 찾지 못했기 때문에 아무런 협상도 성사되지 않았다. 건륭제가 공식 답변에서 지적했듯이 중국은 "모든 것을 차고 넘치도록 소유하고 있으며, 그 경계 안에 없는 물건이 없었다."[47]

영국인들은 그러므로 이미 오래전에 마카오에 근거지를 수립한 포르투갈인들과 합의를 보는 수밖에 없었다. 마카오는 영국인들이 수십 년 동안 눈독을 들여온 상업 중심지 광둥(오늘날의 광저우)으로 통하는 관문이었다. 인도의 초대 총독 워런 헤이스팅스는 마카오를 공공연하게 탐냈고 포르투갈이 마카오를 잘못 운영하고 있다고 여겼다. "마카오는 고아 정부에 의해 너무 방치되어서 이제는 부랑자와 떠돌이들한테만 어울리는 피난처다. (…) 그렇게 가치 없게 여겨지는 곳이라면 리스본 궁정으로부터 쉽게 얻어낼 수 있지 않을까? 마카오가 그곳의 이점들을 확대하는 법을 아는 진취적인 민족의 수중에 떨어진다면 동방의 어느 항구도 감히 따를 수 없는, 찬란한 상태로 부흥할 것이다."[48] 이것은 물론 말로는 쉬운 일이었다. 18세기 동안 인도에서 영국과 포르투갈 당국자들 간 관계는 서서히 진화했다. 포르투갈인들은 당연히 영국의 아대륙 침투에 반발했고 동인도회사에 맞선 토착 세력들을 지지함으로써 자신들의 이해관계를 보호하고자 했다. 인도에서 영국이 거둔 승리들은 포르투갈의 이해관계를 위협했고, 포르투갈인들은 결국 영국인들과 유대를 강화하는 것 말고는 대안이 없었다. 고아의 포르투갈 부왕 프란시스쿠 안토니우 다 베이가 카브랄은 영국 동인도회사에 우호와 협력을 제의했고, 1801년 홍해에서 프랑스에 맞서 영국의 원정을 지원했다.[49] 하지만 마카오에서 양국의 관계는 사정이 달랐으니 마카오의 포르투갈인들은 여전히 자신들의 텃밭을 보호하는 데 열성적이었다. 그러므로 포르투갈 무역상들은 국가적 쟁점들에서는 영국-포르투갈 동맹을 대체로 지지했지만 현지의 쟁점 및 통상과 관련해서는 확고하게 반영국적이었다.[50] 프랑스의 포르투갈 침공으로 포르투갈 군주정이 전적으로 영국의 호의에 의존하게 되었을 때 마카오의 포르투갈 당국자들은 계속해서 중국에서 영국인들의 이해관계에 반해 행동했고 영국이 마카오 항구를 군 정박지로 이용하는 것을 허락하지 않았다.[51]

1801년 프랑스는 에스파냐의 지원을 받아 포르투갈을 침공했고 영국 동인도회사 이사들은 이것이 프랑스의 포르투갈 해외 속령의 인수로 이어지지 않을까 걱정했다. 이를 미연에 방지하고자 1802년 3월 영국 전함들은 프랑스의 침공 '가능성'에 맞서 마카오의 소규모 포르투갈 수비대를 '보호할' 의도로 병력을 싣고 왔다. 하지만 영국 전함들이 린틴섬 주변에 닻을 내렸을 때, 마카오의 포르투갈인 총독 주제 마누엘 핀투가 그들을 신뢰하지 않고 입항을 불허하자 원정군 지휘관들은 난감한 상황에 빠졌다. 인도 총독 리처드 웰즐리는 "마카오 총독 쪽에서 반대할 경우" 그 포르투갈 식민지를 "무력"으로 손에 넣어야 한다고 주장하며 강제 인수에 찬성했다. 하지만 영국 동인도회사의 선임위원회는 중국과의 대치를 피하고자 신중함과 더 외교적인 접근을 당부했다. 이런 사정을 이해하고 있던 마카오의 포르투갈 당국자들은 그러므로 우선 양광총독과 중국 수도에 있는 포르투갈 주교 양쪽에 항의하기로 결정했고, 두 사람은 항의 내용을 가경제(재위 1799~1820)에게 전달했다.[52] 예상대로 가경제는 영국 쪽의 해명을 거부하고―"짐은 그들의 말을 조금도 신뢰할 필요가 없으니, 영국인들의 의도란 그 도시[마카오]를 취하려는 것에 불과하기 때문이다"―영국군의 즉각 철수를 요구하며 결연하게 대응했다.[53] 영국인들이 요구에 응하기를 거부하자, 중국 당국자들은 그들의 식량 보급을 차단할 수밖에 없었다. 양측 간 정면충돌은 아미앵 강화 서명 소식이 마카오에 닿은 다음에야 간신히 피할 수 있었다.[54]

프랑스와 영국 간 적대행위가 1803년에 개시되자마자 포르투갈 식민지들을 어떻게 해야 하는가라는 물음이 다시 부상했다. 나폴레옹 전쟁 첫 4년 동안 인도의 영국 당국자들은 "마카오가 (프랑스에 의해 탈취될) 위험에 처해 있다고 생각하지 않았는데, 중국인들이 그곳의 허약한 포르투갈 세력을 강력한 프랑스 세력으로 교체되도록 허용하지 않을 것이기 때문이었다."[55] 하지만 영국 무역에 대한 프랑스와 네덜란드 사략선들의 위협이 계속되자 영국 동인도회사는 중국 해안 지역을 따라, 특히 광둥 인근 해역에서 순찰을 강화했으며, 광둥의 중국 지방관들도 실제로 해적 행위를 단속하는 데 영국의 도움을 요청했다. 이 요청은 한 가지 문제를 야기했다. 중국 연안에 외국 군사력의 존재를 일체 금지하는 중국 조정의 명령에 어긋나기 때문이었다. 이러한 의견을 뒷받침하듯 동인도회사의 한 관리는 "시기심과 의심이 많은 중국 정부의 성격을 고려할 때 중국 정부의 사전 동의를 받지 않고 영국 해군이 도착하면 그 정부의 심기를 대단히 거슬리지 않을까 우려된다"라고 썼다.[56] 그러한 합당한 회의주의는 마카오에까지 해당하지는 않았는데 어느 정도는 나폴레옹의 포르투갈 점령 탓이었다. 영국에서는 포르투갈의 아시아 식민지들이 프랑스의 손에 들어가는 것을 막아야 한다는 위기의식이 조성되었고, 1808년 10월에 마침내 마카오로 원정군이 파견되었다.[57]

마카오 원정 몇 달 뒤에 쓴 글에서 영국 동인도회사의 선임위원회는 "유럽에서 프랑스의 성공과 자바에 새로 도착한 프랑스 주력 부대의 활동, 그리고 프랑스의 마닐라 지배에서 보다시피, (마카오에 대한 프랑스의 위협은) (…) 포르투갈에서 장교들이나 수비대를 들여와 손쉽게 달성될 수 있는 것인 만큼 (…) 개연성이 없어 보이지 않았다"[58]라고 주장했다. 1808년 늦여름에 이르면 영국 동인도회사는 중국 무역에 대한 프랑스의 위협이 직접적이고 임박했다고 느꼈다. 대對중국 무역이 영국 정부의 전체 수입의 최대 6분의 1까지 차지하는 것을 고려할 때 강력한 해법이 필요했다. 회사 관리들은 "포르투갈 정부 쪽으로부터 어떠한 반대도 걱정할 이유가 없는 반면, 중국 쪽에서의 어떠한 반발이나 방해도 일시적인 성격을 띨 것이라고 믿을 만한 이유가 충분하다"라고 확신했다.[59]

민토 경은 행동에 나서기로 했다. 고아의 포르투갈 부왕의 지지를 받아낸 그는 베트남 응우옌 왕조의 황제 자롱에게 강요해 영국 무역에 베트남을 개항시킨 다음 마카오로 이동하라는 지시를 내려 윌리엄 오브라이언 드루리 후위제독 휘하에 해군 전대를 동아시아 해역으로 파견했다. 마카오에서 영국군은 프랑스의 위협에 맞서 그곳을 지키는 포르투갈 병사들을 돕는 보조군으로 취급될 예정이었다.[60] 만약 포르투갈인들이 거부한다면, 드루리의 명령서에 적힌 대로 "그곳이 프랑스의 수중에 떨어져서 (영국의) 중국과의 무역이 붕괴되는 것을 막아야 할 (…) 필요성" 때문에 마카오를 무력으로 점령할 작정이었다.[61] 영국인들은 자신들의 침략 행위에 중국이 반발하리라는 것을 잘 알고 있었지만 막대한 이익이 남는 광둥 무역의 중단 전망은 더 고약할 것이므로 중국 당국자들이 타협할 용의가 있을 것이라고 생각했다.[62]

드루리는 첫 번째 임무를 완수하는 데 실패했다. 우리가 현재 베트남이라고 부르는 곳은 역사적으로 둘로 분리되어 있었다. 북부는 트린 군주들이 다스린 반면, 남부에서는 응우옌 왕조가 패권을 쥐고 있었다. 18세기 후반, 떠이손 반란 당시 양측은 장기간 무력 분쟁을 겪다가 응우옌 왕조가 집권했다. 이 권력 투쟁에서 승리하기 위해 응우옌 왕조의 왕자 응우옌 안은 프랑스와의 동맹을 추구했고 프랑스 혁명이 일어나기 전 2년이 조금 못 미치는 1787년에 프랑스의 루이 16세와 동맹조약을 체결해 군사적 지원을 받는 대가로 영토를 할양하고 프랑스에 대한 각종 양보 조치를 허락했다. 프랑스 군주정은 이 조약 내용을 실행하지 못하고 무너졌다. 그래도 합의 내용은 베트남과 더 넓은 지역에서 프랑스 식민주의의 출발점이 되었다. 프랑스 선교사 피에르 피뉴 드 브엔은 자금을 모으고 여러 척의 프랑스 선박으로 응우옌 왕조를 지원하기 위한 민간사업을 조직했다. 프랑스인들이 훈련시킨 군대에 힘입어 응우옌 안은 전쟁에서 승리하고 1802년에 마침내 집권에 성공했다. 그는 인도차이나반도 전체를 지배한 첫 번째 군주로서 황제 칭호와 함께 자롱이라는 왕조를 개창했다. 베트남에서 새로운 왕조의 등장은 유럽에서 프랑스 혁명전쟁 및 나폴레옹 전쟁의 발발과 일치했다. 자롱 조정에서 프랑스인들이 행사한 영향력을 고려할 때 영국 해군이 프랑스인들이 부리는 베트남 상선들을 겨냥한 것은 놀랄 일이 아니었다. 1803~1804년 두 영국 사절이 자룡을 찾아와 프랑스와의 동맹을 파기하고 영국 무역에 베트남 왕국을 개방할 것을 설득하고자 했다. 두 사절은 임무에 실패했다. 1808년에 이르자 영국인들은 나폴레옹이 프랑스-베트남 연계를 이용해 동남아시아에서 세력을 수립하려 할지도 모른다고 걱정했다. 나폴레옹이 응우옌 군주를 도와서 남중국해에서 영국 무역을 위협할 수 있는 해군을 건설하게 할 가능성을 배제할 수 없었다. 드루리의 임무는 이런 일이 일어나지 않도록 하는 것이었다. 통킹만에 도착한 드루리는 홍강紅江을 거슬러 올라가 베트남 해군을 타격해 자룡에게 타협을 강요하려고 했다. 하지만 베트남 해군이 반격해 드루리의 배 여러 척을 파괴했고, 결국 영국 해군 전대의 주력은 마카오로 항해를 이어갈 수밖에 없었다. 이 같은 좌절을 겪은 뒤 영국은 1822년까지 베트남에 개입하려는 시도를 더는 하지 않았다.[63]

드루리는 두 번째 임무 수행에서 한층 형편없었다. 그는 1808년 9월 후반에 마카오에 도착해 포르투갈 총독 베르나르두 알레이슈 드 레무스 파리아에게 프랑스인들로부터 마카오를 보호하기 위해 이곳을 점령하겠다는 의사를 알렸다. 포르투갈인들은 이견을 내비쳤다. 리스본으로부터 아무런 지시도 받지 못한 총독은 고아에 있는 포르투갈 부왕의 재가를 마카오를 영국군에게 넘겨줄 충분한 권한으로 인정하지 않았다. 그는 또한 마카오를 보호할 책임은 영국이나 동인도회사가 아니라 중국 정부의 소관이라고 설명했다.[64]

원정을 중단할까 말까 갈팡질팡하던 드루리는 화물 관리인으로 구성되어 현지 사정에 밝은 영국 동인도회사의 선임위원회에 조언을 구했다. 위원회는 더 강력한 조치를 찬성하는 입장이었다. 영국의 해상 패권은 중국 수출 무역을 거의 좌지우지할 수 있으니 중국 조정 관계자들을 협상 테이블로 불러낼 기회를 제공했고 관계자들은 중국 정부의 세입에 차질이 생기는 것을 피하기 위해 더 유리한 무역 조건을 허락할지도 모를 일이었다. 그에 따라 드루리는 파리아에게 영국의 점령에 동의할 것을 강요했다. 결국 9월 21일 영국-포르투갈 협약이 체결되어 영국군 300명가량의 상륙을 허가했다.[65]

마카오를 점령하면서 드루리는 이 땅이 중국에 속하며 이 문제는 중국인들과 상의해야 한다는 사실을 간과했다. 영국 제독은 중국인들이 마카오 영유권을 진지하게 주장하고 있는 거라면 점령에 도전해보라고 중국인들을 사실상 도발한 셈이었다.[66] 중국의 대응은 신속하고 결연했다. 호광총독 오세광은 그 지역에 대한 중국의 주권을 주장하고, 마카오 점령에 대한 영국 쪽의 해명을 거부했다. 그는 드루리가 군사적 점령을 할 필요 없이 만에 전함을 정박시키는 것만으로 영국 정부가 주장하는 프랑스의 위협으로부터 포르투갈인들을 보호할 수 있었을 것이라고 따졌다. 드루리는 자신의 임무가 영국과 중국, "양국 국민의 우호와 평화, 행복에 상호 이해관계가 (있는) 두 대국 간"[67] 관계를 조성하는 것이라고 주장하며 철수를 거부했다. 또한 중국 관리들이 적대행위를 조장한다면 "그가 받은 지침 중에 어느 것도 그가 중국과 전쟁에 나서는 것을 막지 않는다"라고 말했다.[68] 그런 뻔뻔한 답변에 화가 난 중국 지방정부 당국자들은 영국 병사들이 물러갈 때까지 일체의 무역과 협상을 중단했다. 중국 쪽의 강경한 태도를 일시적인 것이라고 여긴 드루리는 마카오의 방어를 강화하고, 그의 표현으로는 "중국인들이 자신들이 이겼다고 느끼지 못하도록 선수를 치고, 그들한테서 추가적인 난처함을 덜어주기 위해"[69] 병사를 700명가량 더 이동시켜 마카오의 병력을 증강했다.

하지만 중국 당국자들은 허세를 부리는 게 아니었다. 11월에 그들은 마카오의 중국인 주민들을 소개시키고, 모든 상점을 폐쇄하고, 광둥 근처에 수천 명의 병력을 집결시켰으며, 어느 배도 주장珠江강 상류로 거슬러 올라오지 못하도록 수십 척의 정크선으로 강의 길목을 차단했다. 10월 28일, 광둥으로 억지로 밀고 들어오려고 했을 때 영국 배들은 강을 가로질러 늘어선 무장 정크선과 위협적인 중국 병사들과 맞닥뜨렸다.[70] 다음 몇 주 동안 양측 간에 팽팽한 긴장감이 흘렀고 동인도회사의 지휘관들은 분위기가 워낙 일촉즉발이라 "매우 위태로운 국면에 처해 중국과 심각한 전쟁에 엮일 수도 있다"[71]라고 보고했다. 하지만 중국 황제는 오로지 강경 대응만이 영국의 침해를 저지할 것이라고 믿고 마카오에서 영국군 전원이 즉각 철수하지 않는다면 협상을 아예 고려하지 않으려 했다. "영국의 대신들은 (짐의) 왕조를 공경해 보통 때는 조공을 바치러 대사를 보낸다"라고 황제의 칙서는 천명했다. "하지만 현 실정에서 그들은 겁도 없이 짐의 뜻을 거슬렀다. 정녕 그들은 도를 넘었다. 그러므로 그들을 벌함이 극히 중하다." 황제는 마카오 공격에 대한 영국의 정당화 논리를 거부했다. "중국의 전함들이 해외로 나가 너희 땅에 병사들을 상륙시키고 숙영시킨 적이 없음을 기억하라. 그런데 너희 나라의 전함들이 감히 마카오로 와서 그곳에 상륙해 살려고 하다니! 참으로 경솔하고 통탄할 짓이다. 너희는 프랑스가 포르투갈인들을 공격할지도 모른다고 말하지만 그 포르투갈인들이 중국 영토 안에 살고 있음을 어찌 모른단 말이냐?"[72] 영국군이 자진해서 떠나지 않는다면 무력으로 몰아내기 위해 8만 군사를 보낼 것이라고 황제가 위협하는 마당에 드루리는 굴복하는 것 말고 방도가 없었다. 1808년 12월 20~23일, 영국군은 마카오에서 철수했고, 함대는 동인도제도를 향해 출항했다. 드루리가 최종 보고서에서 묘사했듯이 "여태껏 그러한 군사력의 체면에 먹칠을 한, 가장 기이하고 비상하고 물의를 빚은 사건"이 끝났다.

영국의 마카오 원정은 유럽 내 혼란을 이용해 동아시아에서 교두보를 확보하고 싶어 하는 동인도회사의 소망이 점차 커지고 있음을 뚜렷이 보여주었다. 하지만 "침공한 다음 협상한다"는 태도가 영국인의 사고방식으로 자리 잡으면서, 그러한 소망은 철저한 계획 없이 무턱대고 실행되었다.[73] 두 차례의 원정 모두 유럽 열강에 의한 최초의 중국 영토 침입 행위에 중국이 어떤 반응을 보일지 고려하지 않았고, 중국인들이 마카오의 영국군을 받아들일 것이라는 희망은 완전히 잘못 짚은 것이었다. 황제에게 글을 올리면서 호광총독은 정확하게 짚었다. "영국은 다른 어느 나라보다 막강하고 교묘합니다. (…) 그들은 (마카오에) 자기들만의 생각이 있고 눈독을 들이고 있습니다. (…) 비록 지금까지 폭력 행위를 저지른 바 없고 무슨 악한 짓을 꾀할 뜻은 없을지도 모르나 만약 그들이 마카오를 소유한다면 배타적 무역을 주장하며 여타 모든 나라들에 손해를 끼칠 우려가 있습니다."[74]

프랑스의 중국학 학자 M. C. B. 메봉은 마카오 사건은 19세기 초의 중국이 잘 알려진 지나친 자만심과 더불어, "외세의 개입에 맞서 저항의 의지와 반항의 기개"를 드러내고 "유럽 열강이 물러서게 만들" 능력이 여전히 있었음을 보여주었다고 평가했다.[75] 중국의 관점에서 마카오 사건은 아닌 게 아니라 만만찮은 적수에 맞선 중요한 승리였지만 이러한 결론은 나폴레옹 전쟁 동안 영국의 개입이라는 더 폭넓은 국제적 맥락을 간과한 것이다. 육군은 유럽에 투입되어 있고 해군은 전 대양에 흩어져 있는 상황에서 영국은 또 다른 분쟁에 휘말릴 생각이 없었고, 그것이 핵심적인 세입원과 엮인 경우라면 더욱 그랬다. 마카오 사건은 자국 영토가 침해된다면 중국이 어떤 반응을 보일지 영국이 가늠해볼 기회가 되었고, 청나라 조정이 그런 일을 일체 용납하지 않으리란 점을 보여주었다. 이러한 이해가 향후 영국의 대중국 정책을 형성했다. 남은 나폴레옹 전쟁 기간 동안(그리고 그 이후로도) 영국은 중국을 향해 중립적 자세를 유지하고 영국 경제와 전쟁 수행 노력을 지탱하는 무역으로부터 계속 이익을 얻는 편을 선호했다. 광둥 무역은 계속해서, 특히 동인도회사가 아편 공급에 뛰어들면서 성장했다. 동인도회사가 면허를 받은 무역상들에게 아편 화물을 선적하면 그 무역상들이 중국 내로 아편을 몰래 들이는 방식이었다. 1805년과 1813년 사이에 동인도회사는 무려 900퍼센트에 가까운 이윤을 거둬들였고 영국의 대중국 주요 수출품이던 면화를 아편이 대체했다. 이 밀수 무역은 막대한 통화 유출을 촉진하고 중국 정부가 막으려고 필사적으로 몸부림친 재정 출혈에 기여했다. 1830년대 후반에 아편 무역을 둘러싸고 중국의 '강경' 자세에 직면하자 영국은 대치를 회피하지 않았고 해군력과 포격 능력을 이용해 중국에 빠르고 결정적인 패배를 안겼다.

18세기 후반에 이르자 인도양은 영국 경제를 지탱하는 방대한 교역망에서 없어서는 안 될 일부가 되었다. 1600년대 초반부터 매년 수십 척의 동인도인East Indiamen — 영국 동인도회사의 특허장이나 면허를 받아 항해하는 배들 — 이 봄베이나 캘커타 같은 인도 항구 도시에서 수백만 파운드어치의 상품을 싣고 영국으로 대양 횡단 항해에 나섰다.[76] 이 무역의 막대한 가치를 고려할 때 동인도회사와 영국 해군부가 나폴레옹 전쟁 동안 이 해로들의 안전 확보를 우선 과제로 삼은 것은 당연했다.[77] 1806년 희망봉 점령은 아직 남아 있는 인도양의 프랑스 속령들 — 주로 마스카렌제도의 레위니옹과 모리셔스 — 을 활동 근거지로 삼은 프랑스 습격선과 사략선들의 위협을 무력화하려는 첫 단계에 불과했다. 희망봉 동쪽의 영국 해군력은 두 지휘 기지에 나뉘어 있었다. 후위제독 에드워드 펠류 경은 인도양 동쪽 절반의 영국 해운을 보호하는 임무를 맡아 동인도 기지를 이끈 한편, 후위제독 토머스 트루브리지는 새로운 케이프 기지의 지휘를 맡았다. 안타깝게도 트루브리지는 1807년 2월에 사이클론으로 승무원 전원과 함께 사망했다. 그의 후임자로 온 앨버말 버티는 1808년부터 1811년까지 인도양의 서쪽 절반을 방어하는 임무를 맡았다. 그러한 지휘 분할은 그 지역에서 영국 전쟁 수행의 유효성을 저해했다. 방대한 지역에 흩어져 있는 영국 해군 전대들은 서로 작전을 조율하기가 힘들었다.

나폴레옹은 마스카렌제도의 중요성을 인식했지만, 대서양에서 프랑스 해군력의 지속적인 출혈 탓에 그곳에 병력과 탄약, 물자를 계속 보급하는 데 애를 먹었다. 1803년 드캉 장군이 소규모 병력을 이끌고 프랑스령 동인도로 떠난 뒤에(7장 참조) 나폴레옹은 그를 지원하기 위해 단 몇 척의 프리깃함밖에 배정할 수 없었다. 기백이 넘치지만 성미가 괴팍한 드캉은 본국의 지원이 부족했음에도 모리셔스를 인도양 내 프랑스의 핵심 군 기지로 탈바꿈시키고 8년 동안 영국의

통상을 괴롭혔다.[78]

그래도 인도양에서 프랑스의 입지는 위태로웠다. 모국으로부터 지원을 받을 희망은 거의 없었다. 1805년 6월 나폴레옹은 드캉이 "(그의) 포상금으로 먹고살아야 한다. (…) 여기서 보내는 것은 전부 돈 낭비가 될 것"이라고 알렸다. 프랑스 습격선들은 1807년과 1809년 사이에 영국 해운에 적잖은 피해를 입히고 화물을 잔뜩 실은 배를 10여 척 넘게 포획하며 나름 성과를 거두었다. 하지만 일반적인 선박의 마모와 더불어 1806년에 마스카렌제도를 할퀴고 간 것처럼 이따금 허리케인에 의한 파손을 수리하기 위해 충분한 해군 비축품을 입수하는 데 지속적인 어려움을 겪었다. 이것은 현지의 우려 사항에 불과한 게 아니었다. 물자와 식량의 부족은 1803년, 1805년, 1807년, 1808년, 심지어 근래인 1812년까지도 동방 프로젝트를 논의하는 과정에서 나폴레옹이 직면한 핵심적인 질문이었다. 프랑스 소유의 섬들이 인도로 파견되는 대형 프랑스 원정군에 충분한 식량을 보급할 수 있는가라는 질문이었다.

드캉은 눈앞의 곤경에 꺾이지 않고 영국에 맞선 싸움에 뛰어들었다. 그는 인도양 연안 지역에서 프랑스의 존재감을 강화하고자 외교적 수단을 시도했고, 오만 술탄국이 핵심 지역 행위자로 부상한 남부 아라비아로 눈길을 돌렸다. 프랑스-오만 관계는 혁명전쟁 동안 프랑스 사략선들이 현지 해운을 공격 대상으로 삼으면서 마찰을 빚었다. 이집트에 머무는 동안 인도로 가는 길의 기착점으로서 오만의 중요성을 잘 이해하게 된 나폴레옹은 이런 상황을 바로잡기 위해 드캉에게 오만과 더 긴밀한 관계를 구축하라고 지시했다. 모리셔스에 도착한 지 한 달 뒤 그 프랑스 총독은 프랑스 대리인 카베냐크를 무스카트로 파견해, 술탄 이븐 아마드를 설득해 프랑스 주재원으로 머물면서 그 지역에서 영국의 이해관계를 약화시키라고 지시했다.

카베냐크는 1803년 10월에 무스카트에 도착했지만 오만 술탄이 내륙에 머물며 부재중이라 상륙이 허락되지 않았다.[79] 마침 영국 동인도회사의 주재원인 데이비드 시튼 대위도 페르시아만을 순회하기 위해 자리를 비운 터라 프랑스인의 성공에 대한 기대감은 커졌다. 하지만 마침내 귀환한 술탄은 아미앵 강화의 와해와 프랑스와 영국 간 적대행위 재개 소식을 막 접하고서는 프랑스 사절을 만나려고도 하지 않았다. 프랑스 주재원을 받아들이면 1798년 영국과 체결한 협정을 위반하게 될 것이고 영국이 지배하는 항구에 있는 25척 상당의 대형 오만 선박들은 영국으로부터 보복의 표적이 될 수 있었다. "어떤 조건이나 상황에서든 프랑스가 무스카트에 발판을 마련하게 되면 무스카트와 인도 간 모든 연락은 단절된다"라는 영국의 경고는 오만 술탄의 마음속에 생생했다.[80] 술탄이 그런 결정을 내린 또 한 가지 이유는 자신의 지배에 대한 두 가지 커다란 위협, 즉 아라비아 중부의 와하브파와 해적 해안Pirate Coast〔오늘날의 아랍에미리트 일대를 가리키는 당대의 표현〕의 카와심 왕조에 맞서 영국의 군사적 지원을 얻어낼 수 있으리라는 희망이었다.[81]

프랑스 사절의 임무 실패는 남부 아라비아에서 영국 동인도회사의 영향력을 입증했다. 그러나 그 영향력은 프랑스인들이 무스카트를 전리품을 처리하는 청산소로 탈바꿈시키는 것을 막지 못했다. 오만 술탄은 영국과 공식 동맹을 맺기로 동인도회사와 합의했지만 프랑스와의 통상관계는 계속 이어갈 수 있다고 주장했다.[82] 영국 동인도회사는 이 문제를 물고 늘어지면 무스카트에 더 깊이 개입해야 할 것이므로 조약의 더 엄격한 해석을 주장하지 않기로 했다. 이 쟁점은 1806년에, 이븐 아마드 술탄의 뒤를 이은 사이드 이븐 술탄이 한 프랑스 사략선이 무스카트에서 물자를 재보급하고 수리 작업을 할 선원들을 모집할 수 있게 허용했을 때 전면에 부상했다. 역시 그 오만 항구에 들른 한 영국 프리깃함의 함장이 이는 1798년 영국-오만 협정에 위배된다고 공식 항의하고 프랑스 사략선의 즉각적인 추방을 요구했던 것이다. 술탄은 요구에 응하는 것 말고 도리가 없었다. 프랑스 브리그선은 바다로 나가자마자 수평선 바로 너머에서 참을성 있게 기다리고 있던 영국 프리깃함에 곧장 붙잡혔다. 프랑스 배는 봄베이로 예인되어 합법적인 전리품으로 매각되었다. 이 일은 오만 술탄을 난처한 입장에 빠뜨렸고 그는 봄베이의 영국 해사재판소에 제소함으로써 이 문제를 바로잡으려고 했다.

하지만 때는 너무 늦어버렸다. 1806년 말에 드캉은 오만 상선들을 공격하고 나포해 오만에 보복했다. 사이드 이븐 술탄은 이러지도 저러지도 못하는 형국에 빠졌다. 그가 진정으로 원하는 바는 프랑스 사략선들의 전리품을 처리할 수 있는 중립적 행위자로 남는 동시에 인도의 영국 정부와의 관계를 활용해 내외적 난제들을 처리하는 것이었다.[83] 봄베이에 사절을 파견하면서 술탄은 동인도회사에 포획된 프랑스 선박을 반환하든지 아니면 이제 프랑스인들에게 시달리고 있는 오만 선박을 영국 해군이 보호해줄 것을 요청했다. 선택지를 저울질하던 동인도회사는 남부 아라비아에서의 개입을 축소하기로 하고 사이드 이븐 술탄에게 중립적 자세를 취하고 프랑스와의 관계를 개선하라고 충고했다. 오만의 입장을 돕기 위해 동인도회사는 포획된 프랑스 브리그선을 돌려주었다. 이는 나폴레옹 전쟁에 오만이 더 이상 얽이지 않을 것이라는 뜻이었는데, 술탄이 드캉과 통상 협정을 교섭하고 1807년 후반에 프랑스 주재원을 받아들였기 때문이다.

영국-마라타 전쟁이 동인도회사 대부분의 자원을 빨아들이고 영국 함대가 드넓은 인도 해안선을 효과적으로 지킬 수 없음을 알고 있던 드캉은 더 치밀한 해군 작전을 수행하고 싶었다. 벨로르의 세포이 반란 소식을 듣고 그는 영국에 골치를 안길 상황이 무르익었다고 확신했다. 하지만 나폴레옹이 4차 대불동맹전쟁에 여념이 없었으므로 드캉은 증원을 기대할 수 없었고 증원이 없이는 인도에 간섭 작전을 수행할 수단이 없었다. 그가 가진 최대의 자원은 영국 상선들을 습격하는 임무를 맡고 있는 베테랑 제독 샤를-알렉상드르 레옹 뒤랑 리누아 휘하의 소규모 전대였다. 리누아는 임무 수행 능력이 탁월해, 몇몇 동인도회사 상선들을 포획하다가 1804년 2월 15일에 풀로아우라에서 일생일대의 기회를 만났다. 그와 조우한 영국의 중국 함대는 무려 800만 파운드어치의 화물을 실은 30척에 가까운 선단이었지만 놀랍게도 호위함이 없어서 프랑스의 공격에 고스란히 노출되어 있었다. 호송선단의 지휘관 너새니얼 댄스 전대장은 일부 상선들을 전함으로 위장해 잘 보호되는 호송선단이라는 인상을 주고, 적을 혼란에 빠뜨리기 위해 적선과 교전에 나설 의사를 보여주는 공격적인 기동을 했다.

전략은 먹혀들었다. 리누아는 적선들이 전투 대형으로 움직이는 것을 보고 호송선단이 예닐곱 척의 전함들로 호위된다고 확신하고서는 재빨리 적과의 접촉에서 벗어났다.[84] 중국 함대가 적의 손길을 무사히 피한 활약은 영국에서 널리 축하를 받았고, 댄스는 기사 작위와 넉넉한 재정적 보상을 받았다. 반면 리누아는 조롱거리가 된 것은 물론 황제에게 망신을 당했다. 나폴레옹은 영국 무역에 커다란 피해를 입힐 기회를 날려버린 이 한심한 실패에 격노했다. "내 제독들한테는 물건이 2개로 보이는 모양이야. 게다가 대체 어떻게 어디서 알아냈는지 모르겠지만 그 인간들은 위험을 감수하지 않고 전쟁을 치르는 법을 알아냈군"이라고 나폴레옹은 해군대신에게 쓴 편지에서 노발대발했다. "리누아에게 생각과 용기의 결여를, 내가 지휘관의 가장 중요한 자질이라고 여기는 종류의 용기의 결여를 보았다고 말하게."[85]

리누아는 인도양에서 순찰 임무를 수행하며 다음 2년을 보냈지만 풀로아우라의 그림자를 결코 벗어나지 못했다. 그가 벌인 습격들은 영국 당국자들한테 상당한 우려를 안기긴 했어도 영국 해운이 실제로 입은 피해는 무시해도 되는 수준이었고 그의 작전들은 성공한 것보다는 실패한 것들로 더 잘 알려지게 되었다.[86] 어느 시기에도 그는 영국 무역에 결정적인 지장을 끼치지 않았고, 상선들을 추격하는 데 기함인 74문 포함 마렝고호를 투입한 그의 결정은 한 영국 역사가의 말마따나 "호두를 까는 데 증기 해머를 쓰는 격"[87]이었다. 리누아의 결점들이 이러한 작전들의 전반적인 실패(특히 풀로아우라에서)에 기여하긴 했어도 그는 빈약한 해군 자원을 보유한 채 우호적인 항구들과 아주 멀리 떨어져 있는 어려운 상황 속에서 활동했고, 게다가 그의 상대는 1806년 초에 희망봉을 점령해 새로운 작전 근거지를 손에 넣은 훨씬 우수한 영국 함대였다.[88] 그에 못지않은 또 다른 문제는 해군 비축품의 부족이었다. 프랑스 해군은 돛대, 밧줄, 구리의 적절한 공급 체계가 없어서 교체용 자재를 얻기 위해 배를 활용해야 했다. 필수 해군 비축 물자의 가격이 치솟아서 선박을 수리할 엄두를 못 낼 정도였다. 1806년에 인도양에서 프리깃함 단 2척을 수리하는 데만도 70만 프랑이 넘게 들어갔다. 본국 프랑스에서 아예 새로 한 척을 건조하는 것이 싸게 먹혔다.[89] 불만이 쌓여가고 유럽의 상황을 모르고 있던 리누아는 프랑스로 귀환하기로 했다. 그는 귀환 도중에 1806년 3월 13일 대서양에서 영국 해군 전대에 발목이 붙들렸다.

리누아의 전대가 사라졌으니 드캉은 다름 아닌 영국 해군이 잘못을 저지르지만 않았어도 수세를 취할 수밖에 없었을 것이다. 영국 해군은 드캉이 프랑스로부터 증원을 받아 더 활발한 적국 상선 나포 guerre de course, 즉 동인도회사 상선에 큰 혼란을 야기할 수 있는 전술을 취할 수도 있다고 걱정했다. 그러한 계획을 방해하는 데 결정적인 요소는 프랑스 해군이 인도양에 가까운 근거지를 얻지 못하게 막는 것이었다. 파트 알리 샤에 대한 나폴레옹의 대화 시도를 고려할 때 영국의 관심은 자연스레 이란의 해안으로 이끌렸다. 프랑스인들은 이미 페르시아만에 있는 반다르아바스에 기지를 확보하는 데 거의 근접했다는 풍문이 들려왔다. 이러한 보고를 듣고 영국 동인도회사는 펠류 제독에게 전대를 이끌고 호르무즈 해협으로 가서 페르시아만으로 진입하는 입구를 통제하라고 지시했다. 놀랍게도 제독은 명령을 거부했다. 그는 프랑스 측의 움직임에 대한 보고들의 신빙성에 의문을 표했고, 더 중요하게는 자신이 후미진 이란 해역에서 수훈을 세울 기회가 딱히 없으리란 점을 잘 알고 있었다.

그래도 이란에서 오는 소식들은 도저히 고무적이라고 할 수 없었다. 영국의 정치 기관원들은 프랑스-이란 관계 회복과, 프랑스가 반다르아바스와 호르무즈의 섬을 지배한다는 내용이 담긴 동맹조약에 관한 논의를 보고했다. 동인도회사 이사들에게 이 같은 첩보는 다시금 프랑스의 인도 침공 전망을 제기했고, 이는 곧 페르시아만을 봉쇄해야 한다는 뜻이었다. 하지만 보고를 믿지 않은 펠류는 다시 한번 이의를 표명했다. 페르시아만 출정을 거부하는 펠류의 태도는 영국 해군 지휘관들의 야망에서 한 가지 중요한 요소를 부각시킨다. 한 저명한 영국 역사가가 지적한 대로 "인도에 있는 누구와도 마찬가지로 (펠류는) 한 재산을 벌려고 갔지만 2년 동안 더 수익성이 좋은 (인도양의) 동쪽 절반은 그의 지휘 관할 밖이었다." 페르시아만 대신에 펠류는 동인도제도의 네덜란드 식민지를 습격하는 데 열의를 보였다. 그곳에서라면 성공과 포상금이 쉽게 뒤따라올 것이었다. 그러므로 1807년 10월 후반에 그는 동인도제도로 출정했고 뒤에 남은 것은 작은 전함 몇 척과 봄베이에서 수리 중인 프리깃함 3척뿐이었다. 동인도회사 관리들은 여전히 페르시아만에서의 프랑스의 위협에 관해 걱정하고 있었으며, 민토의 표현으로는 "인도의 서쪽 절반이 가장 중요하고 즉각적인 경계의 대상"이라는 자신들의 믿음을 펠류도 곧 공유하게 될 것이라는 희망을 버리지 않았다.[90] 그들은 전함 알비온호의 함장 존 페리어가 이끄는 소규모 전대를 반다르아바스로 파견할 것을 고집해, 전대는 2월 초에 그곳에 도착했다.

펠류는 동인도제도로, 페리어는 페르시아만으로 떠나자 벵골만은 프랑스 사략선들에 노출되었고, 현지 통상에 대한 사략선들의 습격이 워낙 효과적이라 무역상들이 동인도회사 총독에게 불만을 표명할 정도였다. 민토는 테헤란으로 특사를 보내 샤에게 영향력을 행사해, 프랑스인들을 지원하거나 그들이 이란 해안에 접근하는 것을 허락하지 못하게 하려고 했다. 앞서 본 대로 그는 이 임무에 존 맬컴을 선택했지만, 특사에 4천 명가량의 병사와 강력한 영국 해군 전대를 동반시킬 작정이었던―"페르시아만에 영국 해상력이 출현해 깊은 인상을 심어주면 유익할 것이다"라고 민토는 주장했다―원래의 계획은 펠류 제독의 화를 돋았고, 그는 그런 임무에 휘하의 배를 파견하길 거부했다.[91] 그는 함대가 공세적 무기로 사용될 수 없고 자신이 받은 지침은 인도와 동인도회사의 무역을 보호하는 것이라고 주장했다. 게다가 해상무역에 크게 의존하지 않는 이란 같은 육상 강국에 해군력이 무슨 효과를 발휘하겠는가? 제독이 자기 말을 듣도록 강요할 수 없었던 민토는 "육상에 의한 적의 계획들이나 활동과 연관된 목적에는 전함들이 필요하지 않다"[92]라고 시인할 수밖에 없었다. 그래도 인도에 대한 프랑스의 위협이 임박했다고 믿은 총독은 외교적 수단에 기대어 프랑스가 취할 수도 있는 모든 육상 경로를 안전하게 지키기 위한 시도로 신드와 펀자브, 아프가니스탄으로 사절을 파견했다.

그는 모르고 있었지만 프랑스의 위협은 해상에서 등장할 참이었다. 영국의 무역을 방해하려는 드캉의 다음번 진지한 시도는 1809년에 이루어졌다.[93] 이것은 자크 펠릭스 에마뉘엘 아믈랭 함장이 도착하면서 가능해졌다. 1808년 후반에 유럽에서 프리깃함 전대를 이끌고 출발한 그는 1809년 3월에 모리셔스에 도착했고 도중에 여러 척의 적국 선박을 포획했다. 다음 수개월에 걸쳐 아믈랭은 능수능란한 전역을 수행해, 수마트라섬의 타파눌리에 있는 동인도회사 근거지를 파괴하고 영국 선박들을 포획했다. 이러한 성공에 깊은 인상을 받은 나폴레옹은 또 다른 프리깃함(영국의 봉쇄를 뚫을 수 있는 유일한 전함)을 보내 아믈랭을 증원해주었고, 프리깃함은 1810년 초에 모리셔스에 도착했다. 사이클론 시즌이 끝났으므로 아믈랭은 새로운 전역을 개시해 벵골만과 아프리카 동해안을 습격하고, 아프리카 동해안에서 1810년 7월에 동인도회사 상선단을 격파했다.[94]

희망봉에 배치된 앨버말 버티 제독은 아믈랭의 작전들에 대한 걱정이 커졌다. 그는 조사이어스 롤리 전대장에게 인도양의 프랑스 프리깃함을 추격하고, 그들이 습격 기지로 이용하지 못하도록 마스카렌제도를 봉쇄하라는 명령을 내렸다. 1809년 8월 영국 해군은 로드리게스섬을 점령했는데, 전략적 중요성이 대단히 큰 성공이었다. 희망봉과 인도는 마스카렌제도에서 4천 킬로미터 이상의(봄베이의 경우는 4800킬로미터 넘게) 망망대해로 분리되어 있었다. 반면 로드리게스섬은 모리셔스섬으로부터 고작 610킬로미터 떨어져 있었다. 그러므로 그곳은 영국 프리깃함들의 전진기지이자 침공 준비를 위한 집결지 역할을 할 수 있었다. 일찍이 1809년 9월에 롤리는 아믈랭의 배들을 전투로 끌어들일 수 없자, 레위니옹섬의 요새화된 정박지 생폴을 습격하기로 하고 거기서 아믈랭의 프리깃함 1척을 포획하고 2척의 동인도회사 상선을 구해냈다. 이 습격의 성공은 프랑스 연안 방어의 수준(또는 그 부재)과 프랑스 해군의 정박지를 직접 타격할 수 있는 영국 해군의 능력을 입증했다. 성공에 고무된 롤리는 레위니옹섬 전체를 점령하기 위한 더 큰 작전을 고려하게 되었다.

다음 여러 달에 걸쳐 롤리는 영국군 정규병과 동인도회사 세포이 병사들로 구성된 분견대를 지휘하는 헨리 키팅 중장의 지원을 받아 여러 침공 작전을 짰다. 1810년 7월 7일, 3500명이 넘는 영국 원정군은 5척의 프리깃함을 지원받아 레위니옹의 여러 지점에 상륙했다. 영국군은 소규모 프랑스 주둔군(600명 미만의 수비대와 2500명 정도의 민병대)을 손쉽게 제압하고 섬 전체를 점령했다.[95] 이것은 영국에게 중요한 승리였는데, 레위니옹섬에서 영국 해군은 안전한 정박지들을 얻고, 인도양에 남아 있는 프랑스의 유일한 영토인 모리셔스를 공략할 작전에 집중할 수 있었기 때문이다. 하지만 레위니옹을 너무 쉽게 손에 넣다 보니 영국군은 여러 가능성에 대해 과장된 기대를 품게 되었다. 레위니옹을 점령한 지 단 몇 주 뒤에 롤리는 이미 모리셔스 점령 계획을 세우느라 정신이 없었다. 임박한 침공의 사전 단계로서 그는 모리셔스섬 주변의 산호초를 통과하는 길목을 좌우하는 더 작은 섬들을 확보하고 싶었다. 8월에 롤리의 부하인 새뮤얼 핌 함장이 그랑포르 근처 일드라파스를 점령했지만 아흐레 뒤에 기-빅토르 뒤프레 함장 휘하 프랑스 전대가 항구로 밀고 들어오는 것을 막을 수 없었다. 뒤이어 벌어진 그랑포르 해전(8월 22~23일)은 영국 프리깃함 2척이 만의 얕은 여울에 회복 불가능하게 좌초하고 프랑스 전대가 다른 프리깃함 2척을 승무원 전원과 함께 포획하면서 참사로 변했다.[96]

그 시대의 대★해전들과 비교할 때, 특히 나일 해전과 트라팔가르 해전 이후라는 점을 감안하면 그랑포르 해전은 작은 사건에 불과했다. 그럼에도 불구하고 이 해전은 혁명전쟁과 나폴레옹 전쟁 동안 영국 해군이 겪은 최악의 패배 가운데 하나였다.[97] 롤리의 5척의 프리깃함은 딱 한 척으로 줄어든 한편, 2천 명 이상의 영국 선원(네 명의 함장을 포함해)이 죽거나 다치거나 포로가 되었다. 프랑스 쪽의 인명 손실은 150명이 될까 말까였다. 영국인들에게 더욱 불편한 사실은 그들의 전함이 평소 실력을 보여주지 못했다는 것인데, 당대의 한 역사가는 "우리가 아는 어느 사건도 그랑포르에서 겪은 패배보다 영국 해군의 자질에 깊은 충격을 주는 것도 없다"[98]라고 한탄했다.

그랑포르 전투는 영국의 생명줄과도 같은 인도양의 무역 선단들을 프랑스 프리깃함의 공격에 노출시킬 뻔했다. 하지만 그 효과는 오래가지 못해서 이렇다 할 전략적인 결과를 낳지 않았다. 자신의 전대가 급격하게 약화되자 롤리는 케이프타운과 마드라스의 영국 당국자들에게 다급히 증원을 요청했다. 아블랭은 영국의 증원군이 조금씩 도착해 낯선 해역을 돌아다니게 되리란 점을 유리하게 이용하고자 했다. 9월에 그는 두 차례 영국 프리깃함에 항복을 강요했지만 롤리는 두 번 다 자신의 배를 구해냈다. 두 번째 경우인 9월 18일, 영국 해군은 자신들의 전함을 구했을 뿐 아니라 아블랭의 기함 베뉘스호도 손에 넣어 프랑스 전대의 활동을 종식시켰다. 그렇게 정력적이고 유능한 프랑스 해군 지휘관의 손실은 프랑스 쪽에 심각한 타격을 주어 그들은 습격 활동을 거의 그만두고 모리셔스로 물러갈 수밖에 없었고, 그곳에서 롤리에게 봉쇄당했다.

이쯤에 그랑포르 패배의 충격으로 정신이 번쩍 든 영국군은 행동에 착수해, 가용 자원들을 재빨리 그 지역으로 돌리고 모리셔스를 침공해 복속시킬 준비 작업을 진행했다. 1810년 11월 앨버말 버티 제독과 존 애버크롬비 장군은 인도양에서 그때까지 시도된 영국 최대의 수륙 양용 작전 가운데 하나를 단행했다. 이 작전에는 6500명 이상의 병력이 참가해 70척 정도의 전함과 수송선을 타고 4800킬로미터 거리의 망망대해를 이동했다. 그들은 대양 한복판에 요새화된 자그마한 섬에 집결했다. 11월 29일, 첫 병력이 정규군 1300명에 불과한 프랑스 수비대의 제지를 받지 않고 모리셔스에 상륙했다. 고작 이틀 뒤 영국군의 침공이 한창 진행 중인 가운데 드캉은 항복하는 것 말고는 도리가 없었다. 그는 유리한 조건에서 항복할 수 있었다. 그와 수비대 전원은 무기와 군기를 소지한 채 명예롭게 고국으로 송환

되는 것이 허락되었다.[99]

　모리셔스 함락은 인도양에서 프랑스의 마지막 전초기지를 제거했다. 영국은 마지막 남은 프랑스의 프리깃함들을 압수했을 뿐 아니라 인도양 전역에 걸친 추후의 활동을 위한 핵심 기지도 손에 넣었다. [프랑스식 지명 모리스에서] 모리셔스로 재명명된 섬은 1968년까지 영제국 소속으로 남았다. 마스카렌제도의 함락 소식은 그랑포르에서 프랑스의 승리에 아직 흥분이 가시지 않은 나폴레옹이 프랑수아 로크베르 후위제독에게 소규모 전대를 이끌고 인도양으로 출항하라고 재가한 뒤에야 도착했다.[100] 로크베르는 1811년 2월에 마스카렌제도에 도착했다가 그곳이 영국인들의 수중에 있음을 알게 되었다. 영국 해군 전대가 곧 그들을 추격해 1811년 5월 20일에 타마타브(마다가스카르에 있는 교역소) 근처에서 한 척을 제외하고 모두 사로잡았다.[101] 타마타브 전투는 인도양에서 벌어진 프랑스 해군의 최종 교전이었고 영국 상선들에 대한 프랑스의 위협을 거의 다 종식시켰다. 비록 나폴레옹은 계속해서 인도양으로 다양한 소규모 원정을 계획했지만, 딱 하나—1811년 겨울에 네덜란드령 동인도제도로 파견한 원정—만 현실화했다. 결국 프랑스의 시도는 동방의 바다로 파견한 14척의 프리깃함 가운데 13척의 손실이라는 결과를 낳은 한편, 프랑스의 상선 습격 활동은 별로 효과가 없었다.[102]

　레위니옹과 모리셔스 함락으로 영국은 희망봉 동쪽 바다에 대한 지배를 확고히 하고 프랑스의 영향력이 아직 살아 있는 마지막 지역,

네덜란드령 동인도제도로 눈길을 돌렸다. 17세기에 네덜란드 동인도회사가 수립한 네덜란드령 동인도제도는 아시아에서 네덜란드 무역 네트워크의 중심지 역할을 하는 바타비아시(오늘날의 자카르타)를 중심으로 했다.[103] 네덜란드 식민지들은 1795년 네덜란드 공화국이 프랑스에 점령당한 뒤에 점차 프랑스의 영향권 안에 들어오게 되었다. 4년 뒤에 네덜란드 동인도회사의 특허장이 갱신되지 않아 네덜란드 공화국이 회사의 모든 소유(와 부채)를 인수하게 되었다. 네덜란드 당국자들은 이 방대한 식민 영토를 획득하는 것은 엄청난 책임을 떠안는 것임을 잘 알고 있었다. 본국에 수립된 새로운 사회정치적 시스템을 전파하고 영국의 약탈적 활동으로부터 속령들을 방어하는 것을 비롯해, 혁명이 가져온 변화는 식민지에서도 서서히 나타났다. 1802년 동인도제도 통치를 위해 작성된 새로운 특허장 초안은 "동인도 주민들에 대한 최대의 복지, 네덜란드 상업에 대한 최대의 이점들, 그리고 네덜란드 국가 재정에 대한 최대의 이익"을 요청했지만 특허장은 결코 시행되지 않았다.[104]

1807년 네덜란드 공화국을 네덜란드 왕국으로 재편한 뒤 나폴레옹은 헤르만 빌럼 단덜스를 네덜란드령 동인도제도의 총독으로 임명하고 그에게 식민지를 운영하고 개혁할 어마어마한 권위를 부여했다. 1808년 자바에 막 도착했을 때, 나폴레옹을 우러러보는 철저한 군인 단덜스는 지난 20년 동안 바타비아에서 동인도회사를 운영해온 파벌과는 아무런 연고가 없었다. 그러므로 그는 옛 식민지 운영 시스템을 해체하고 새 체제의 기초를 놓는 일련의 대대적인 행정·법률 개혁을 단행했다. 단덜스의 진짜 임무는 군사적 부문에 있었다. 그가 받은 37개조의 지시 사항 가운데 12개조가 군사적 사안을 다루었고, 그중 제14조는 군 개편과 식민지 방어 강화가 그의 첫 번째 책무라고 못 박았다.[105] 1808년과 1810년 사이에 단덜스는 새로운 요새 시설, 해안 포대, 군 병영, 군수공장을 건설해 현지 방어 체계를 개선했다. 또 무수한 인명을 앗아간 엄청난 토목공학적 위업의 사례로서 자바섬 북부를 가로질러 안예르부터 파나루칸까지 950킬로미터가 넘는 도로를 닦았다.

그 지역에 잔뼈가 굵은 사람들의 충고를 무시하고 야심찬 개혁들을 기꺼이 밀어붙이고자 하는 단덜스의 태도는 그의 강점이자 약점이었다. 그의 권위주의는 자바 귀족층을 멀어지게 해, 그들 중 다수는 네덜란드인과 프랑스인들에 맞서 영국인을 기꺼이 지지할 태세였다. 단덜스는 또한 개혁을 완수할 수 없었다. 그는 적을 너무 많이 만들어서, 1811년에 이르면 정적들은 그를 본국으로 소환시키고 총독을 얀 빌럼 얀선스로 대체할 만큼 힘이 셌다. 얀선스는 수백 명의 프랑스 병사들을 대동하고 1811년 4월 자바섬에 도착했다. 얀선스는 전에 케이프 식민지 총독을 역임하다가 1806년 영국군에 항복해야만 했었다. 동일한 운명이 자바에서 그에게 들이닥칠 참이었다.

모리셔스 원정에서 성공한 영국인들은 단덜스의 프로젝트가 완수되기 전에 네덜란드령 동인도제도를 반드시 장악해야 함을 알고 있었다. 1810년 8월, 인도운영위원회는 동인도회사 총독 민토 경에게, 자바섬과 동방의 바다에서 프랑스가 여전히 점령하고 있는 다른 어느 곳에서든 프랑스 세력을 축출하는 그의 계획을 전폭적으로 지지한다고 썼다. "네덜란드인들은 독립적이었거나 적어도 명목상 프랑스로부터 독립적이었던 한편, 바타비아나 그 해역에 있는 그들의 여타 정착지로부터 우리를 크게 성가시게 하는 것은 그들의 이해관계나 정책이 아니었다. 하지만 지금은 사정이 물리적으로 바뀌었다. 네덜란드는 이제 프랑스에 합병되었으니 우리는 매우 활발하고 상습적인 적대행위에 대비해야 한다."[106]

자바 원정을 준비하면서 민토 경은 먼저 네덜란드의 작은 식민지들을 겨냥했다. 에드워드 터커 함장은 1810년 봄에 암보이나섬과 인접한 작은 섬들을 점령한 한편, 크리스토퍼 콜 함장은 반다제도를 함락해, 네덜란드령 향신료(몰루카)제도 정복을 완수했다.[107] 민토는 이제 더 힘겨운 과제에 집중했다. 바로 자바섬을 침공하는 일이었다. 1811년 늦봄에 이르자 영국군은 출항할 준비를 마쳤다. 윌리엄 로버트 브로턴 전대장이 해군을 지휘하고, 1만 2천 명가량의 원정군은 새뮤얼 오크무티 중장 휘하였다.[108] 원정군은 5월에 인도의 다양한 항구들에서 출발해 말라카 해협을 지나 항해한 끝에 6월 말에 네덜란드령 동인도제도에 도착했다.

8월 4일 영국군은 마란디강 하구 근처에 상륙해, 8월 8일 얀선스가 버리고 떠난 바타비아를 향해 즉시 진군했다. 프랑스-네덜란드 연합군은 새로 건립된 코르넬리스 요새로 퇴각해 영국군에게 포위되었다. 영국군은 결국 8월 26일 요새를 정면 공격했다. 민토 경의 표현을 빌리면 프랑스 요새는 "튼튼하기가 가공할 만했고, 평범한 인간이 포환, 산탄, 포탄, 머스킷 총알이 쏟아지는 포화 속에서 살 수 있다는 게 정말이지 기적처럼 보인다. (…) 공격 당시와 이후 추적 과정에서 살육은 끔찍했다."[109] 요새에서 탈출한 소수의 사람들 중에는 얀선스도 있었다. 그는 세마랑 남쪽의 진지에서 남은 방어자들을 규합하고 자바 귀족들로부터 헛되이 도움을 구했다. 안타깝게도 네덜란드에 여전히 충성한 귀족은 단 한 명뿐이었다. 앞선 경험들로 적대감이 쌓일 대로 쌓인 나머지 사람들은 영국인들을 두 팔 벌려 환영했다. 9월 18일 얀선스는 항복조약에 서명해 부속령인 티모르, 마카사르, 팔렘방과 더불어 자바를 영국인들에게 넘겼다.[110]

자바 함락으로 동방 바다에서 전쟁은 끝이 났다. 1803년 이래로 유럽에서 프랑스가 새로 영토를 획득할 때마다 동방 바다에서는 그에 상응하는 영토 상실이 뒤따랐다. 1812년이 되자 나폴레옹은 희망봉 동쪽에 더는 작전 근거지가 없었고, 프랑스 함대가 인도양에서 매우 철저하게 일소되어 프랑스 황제는 러시아와 진행 중인 갈등관계를 해소할 때까지 그 지역에서 해군 작전에 대한 생각을 미룰 수밖에 없었다. 1812년과 1815년 사이에 영국 해군의 동인도제도 함대는 지금까지의 성과들을 단단히 다지고 가능한 위협들에 대한 경계를 늦추지 않으며, 마땅히 거둔 성공에 만족했다. 인도, 중국, 아시아의 여타 지역들을 상대로 한 영국 무역은 번창했고 이베리아반도에서 전쟁을 이어가고 중유럽에서 동맹 수립을 위해 자금이 절실한 정부의 금고를 채워주었다. 총독인 민토 경 본인이 전쟁부 장관에게 자랑스럽게 알린 대로 "희망봉부터 혼곶까지 영국의 적이나 경쟁 상대는 남아 있지 않았다."[111] 1803년과 1815년 사이에 영국의 승리들은 다양한 시기에 다양한 방식으로 얻은 잡다한 속령들을 단단히 다져서 궁극적으로 영제국이 탄생하는 데 결정적인 역할을 했다.

20장

서방문제?
아메리카 대륙 쟁탈전

1808-1815

다른 어느 지역보다 에스파냐령 아메리카는 나폴레옹 전쟁의 지구적 파급효과를 잘 드러낸다. 나폴레옹 전쟁의 전통적인 서사에서 대체로 간과되는 아메리카 대륙에서 에스파냐 제국의 붕괴는 유럽의 정치적 격랑의 직접적인 결과였다. 동방문제가 오스만 제국의 운명이라는 핵심 문제를 중심으로 돌아갔다면 거기에 상응하는 '서방문제', 즉 에스파냐와 그 제국의 영토를 중심으로 한 문제가 있었다. 나폴레옹 전쟁 동안 이 광대한 제국은 산산조각 났고 이후로 줄곧 세계 정치의 뒷전으로 밀려났다. 에스파냐 식민지의 엘리트층은 한 세대 전 북아메리카의 엘리트층처럼 유럽에서의 혼란의 순간과 정치적 허약성을 놓치지 않았고 식민 지배에서 독립해 독자적인 정치체제를 선언했다.

18세기 말에 이르자 에스파냐 식민 제국은 오늘날의 캘리포니아와 유타, 콜로라도주부터 현재의 아르헨티나 최남단에 이르기까지 수천 킬로미터에 걸쳐 뻗어 있었다. 원래는 2개의 부왕령 —멕시코시티를 수도로 삼아 1535년에 수립된 누에바에스파냐와, 리마를 수도로 삼아 1542년에 수립된 페루로 나뉘어 있던 이 제국은 나중에 두 부왕령을 더 추가했다. 보고타를 행정 중심지로 삼은 누에바그라나다와 부에노스아이레스를 수도로 삼은 리오데라플라타 부왕령이 그것이다. 각 영내에서 부왕은 군정과 민정을 모두 관장하며 에스파냐 국왕을 직접 대리하는 사람으로서 광범위한 권한을 행사했다. 부왕은 아우디엔시아audiencia라는 열두 명에서 열다섯 명의 판사로 구성된 자문회의 겸 사법기구의 자문을 받았고, 지방자치체의 운영을 관장하는 카빌도cabildo라는 행정 협의회로 뒷받침되었다.[1] 1700년대 후반에 이르면 에스파냐 식민지들은 제법 번영을 누리게 되었고 식량과 직물, 각종 소비재의 자급자족이 가능한 생산지였다. 비록 페루 은광은 거의 고갈되어버렸지만 멕시코의 은광은 여전히 세계에서 매장량이 가장 풍부해 에스파냐 세입의 최소 20퍼센트를 차지하는 정금을 꾸준히 공급했다.[2]

18세기 후반에 자유무역 정책을 채택한 에스파냐 군주정의 결정은 무역을 자극해 1778년과 1788년 사이 무역이 급속히 성장했다. 이러한 상업 발전은 에스파냐의 재정적·산업적 허약성의 심화라는 엄연한 현실을 가릴 수 없었고, 이는 부르봉 왕가가 최대한 노력했음에도 불구하고 도저히 극복할 수 없는 현실이었다. 에스파냐로서는 전시에 식민지로 가는 바닷길을 계속 열어둘 만한 능력이 없었으므로 멕시코의 은 송금량은 특히 1797~1799년 동안 사실상 0으로 줄어들고 말았다. 더욱이 식민지 제조업은 자유무역 정책 아래 큰 타격을 받았다. 자유무역 정책에 따라 전시에 식민지 항구들은 중립 외국 선박들에게 개방되었는데, 여기서 중립 외국 선박이란 실질적으로

지도 24 1808-1815년 남아메리카

미국 선박이었다. 이러한 개방 조치로 혁명전쟁 동안 미국과 카리브

해 지역, 남아메리카 식민지 사이에 통상이 활발하게 이루어져 식민

지 엘리트층이 성장하고 번영했으며, 갈수록 계몽사상으로부터 영감

을 받은 그들의 염원은 곧 그들이 살고 있는 부왕령과 지방자치체의

경계를 뛰어넘었다.[3]

    에스파냐의 제도들은 16세기에 아메리카 대륙에 접목되었지만 그 결과 탄생한 사회들은 18세기 말에 이르렀을 때 아직 국가적 실체로까지 통합, 진화하지는 않았다. 그 대신 식민지 사회는 뚜렷이 구분되는 4개의 사회 집단을 반영했다. 페닌술라레peninsulares—약 3만 명에 달하고 전부 에스파냐에서 태어난—는 다양한 방식을 통해 에스파냐 정부에 의해 임명되어 교회와 식민지 정부에서 요직을 차지한 지배 계층이었다. 그들의 주요 권력 경쟁자인 320만 명가량의 크리오요criollo(그리고 그들에 상응하는 포르투갈계 크리올루crioulo)는 식민지에서 태어난 유럽계 후손들이었다. 하지만 크리오요/크리올루 같은 표현은 단순히 출생지를 구분하는 것 이상의 의미를 가졌다. 그 단어는 기존의 카스타casta 시스템 내 뚜렷한 사회계급을 나타냈다. 이들은 식민지의 상업적·경제적 생활을 대체로 지배했지만 페닌술라레들로 채워진 정부와 교회의 고위직으로 진출하려고 아등바등하는 사람들이었다. 사회경제적 사다리의 더 아래로는 약 200만 명의 잡다한 출생 배경의 사람들—메스티소(에스파냐인과 원주민 사이에서 태어난 사람), 촐로(메스티소와 원주민 사이의 후손), 물라토(에스파냐인과 흑인 사이에서 태어난 사람), 잠보(원주민과 흑인의 혈통)와 기타—이 있었는데, 이들은 수공 장인과 농민, 병사, 소小사업자들의 대부분을 차지했다. 아메리카 대륙의 원래 거주민의 후손인 약 800만 명의 인디언들과 대략 100만 명의 아프리카 노예들은 사다리의 최하층을 차지했다. 다 합쳐서 약 1400만 명에 달하는 이 사회 집단들이 활기 넘치는 식민지 사회를 구성했다.

    인종적·종족적·계급적 특권들이 불만에 기름을 부으면서 가만히 있을 수 없다는 의식이 사회에 팽배해졌다.[4] 크리오요 엘리트는 페닌술라레들의 우월적인 태도와 지배에 분개했고 정치적 대표권의 부재와 에스파냐 군주정이 부과한 상업적 제약 둘 다를 성토했는데, 과세와 시장에 대한 통제를 통해 식민지로부터 막대한 부를 유출시킴으로써 혜택을 보는 것은 에스파냐 군주정이었다. 메스티소와 원주민들의 경우 기회 부족, 노골적인 인종주의, 만연한 차별로 인해 크리오요와 페닌술라레를 향한 원한의 감정을 키웠다.[5]

이 같은 불만들이 확연히 드러났을지라도 어떤 식으로든 혁명적인 변혁을 시도하는 것은 1789년 이전에는 어려웠을 것이다. 18세기 중반은 안데스 원주민들의 잦은 반란이 일어났는데, 가장 눈에 띄는 사례는 호세 가브리엘 콘도르칸키와 투팍 아마루 2세라는 이름을 취한 원주민 카시케(족장)가 이끈 1780~1782년의 대규모 봉기였다. 이 반란의 원인들은 18세기 라틴아메리카인들이 적대적으로 여겼던 인민주권의 계몽사상이 아니라, 에스파냐 국왕의 관리들이 원주민들을 학대하는 일이 빈번한 현실에 있었다. 식민지 정부는 후속 조치로 제한된 양보만 하면서 이 봉기와 여타 분명히 드러난 반대 움직임을 탄압할 만큼 강력했다. 투팍 아마루 반란은 원주민들에게 부과된 레파르티미엔토repartimiento 강제노동 시스템을 끝장내려 했을뿐더러 인종과 계급 전쟁에 대한 식민지 엘리트의 공포를 불러일으켰다. 심지어 불만에 찬 크리오요도 자신들에게 특권적 지위를 부여하는 기존 체제를 완전히 허무는 것은 바라지 않았다. 그 대신 그들은 자신들에게 더 큰 참여를 보장하도록 기존 체제를 개혁하고자 했다. 부에노스아이레스, 리마, 보고타 같은 식민 도시들에 존재하는 상당한 부와 문화적 교양에도 불구하고 인종적 개혁이나 에스파냐로부터의 완전한 독립에 관해 진지한 생각을 품은 지역 지도자들이나 지식인 지도자들은 극소수에 불과했다.

유럽에서 일어난 사건들은 이 모든 것을 변화시킬 촉매로 드러났다. 우리는 이미 프랑스 혁명이 프랑스 식민지 생도맹그에서 폭력의 분출을 가져왔고, 생도맹그 반란이 이웃 에스파냐 식민지들에도 영향을 미쳤음을 살펴봤다.[6] 혁명전쟁 동안 에스파냐는 아메리카 대륙과 카리브해 지역에 속령들을 유지했지만 본국의 지배권은 미약했고, 예측하기 힘든 식민지 정치와 국제관계의 변동에 좌우되었다. 프랑스 혁명 초기에 프랑스 정부는 혁명 이데올로기의 수출을 고려했고 혁명 지도자들은 에스파냐령 아메리카를 자유롭게 해야 한다고 역설한 미란다 같은 에스파냐 식민지 혁명가들의 접근 시도를 반겼다. 혁명 지도자들 가운데 적어도 브리소는 "에스파냐 식민지를 자유롭게 할 때가 왔다"라는 데 동의했다.[7] 실제로 지롱드파 지도자들 —브리소, 제롬 페티옹 드 빌뇌브, 피에르-앙리-엘렌-마리 르브룅-통뒤, 샤를 뒤무리에—은 아메리카 대륙의 에스파냐 식민지를 "자유롭게" 하여 분할하기 위해 영국과 연합하는 것을 고려하기도 했다. 그들은 영국인들이 에스파냐 식민지 해방이 가져다줄 "막대한 이득"에 구미가 당길 것이라고 확신했다.[8] 하지만 영국이 얻을 이득은 일시적일 뿐이다. 프랑스가 "네덜란드 해군의 주인"이 되고 나면 그들은 영국을 무찌를 만큼 강력해질 것이고, 어쩌면 미국의 도움을 받을 수도 있으리라.[9]

1793년 초에 프랑스 정부는 아메리카 대륙으로 원정군을 파견할까 고려했지만 그런 계획에 대한 논의는 영국과 유럽 국가들 상당수가 1차 대불동맹전쟁에 참전하면서 쑥 들어갔다.[10] 그래도 미국으로 파견된 프랑스 대사 에드몽-샤를 주네에게 보낸 지침들은 자유와 독립을 확산시키는 것이 미국의 이해관계에 부합함을 시사함으로써 에스파냐 식민지 해방에 대한 미국의 지지를 확보하라고 요청했다.[11] 비록 미국 정부는 프랑스의 제안에 미온적인 태도를 보였지만 개별 미국인들은 실제로 에스파냐 식민지에서 혁명을 일으키기 위한 방안들을 지지했다. 그들은 미국 혁명전쟁의 참전군인 조지 로저스 클라크를 중심으로 힘을 모았는데, 북서부 영토에서 수훈을 세운 바 있는 클라크는 이제 미국이 남서부로도 팽창하기를 열렬히 바라고 있었다. 미국 서부에 살고 있는 많은 이들처럼 그는 에스파냐가 계속해서 루이지애나를 지배해 미국인들이 미시시피강에 자유롭게 접근할 수 없는 현실에 불만이 컸다. 조지 워싱턴 대통령이 에스파냐를 상대로 한 어떠한 강압적 조치도 고려하길 꺼렸으므로 클라크는 자신이 원정군을 이끌고 가 세인트루이스와 뉴올리언스를 정복하고, 그런 다음 다른 에스파냐 속령들도 위협하겠다는 제안을 들고 주네에게 접근했다. 그는 프랑스 대사에게 이 원정은 "가장 중요한 부위에서 에스파냐를 굴복시키는 일"일 것이며, "뉴멕시코와 루이지애나를 정복함으로써 에스파냐령 아메리카 전부를 정복하는 일도 곧 쉽게 달성될 것"이라고 말했다.[12] 주네는 그 방안에 찬동해 클라크를 "프랑스 군대의 소장이자 미시시피 강변 프랑스 혁명 군단의 총사령관"으로 임명했다.[13] 클라크가 준비 작업에 착수한 사이, 그의 시도는 곧 워싱턴에 의해 심각한 난관에 부닥쳤다. 워싱턴은 미국 국민에 의한 미국의 중립 위반을 금지하는 선언서를 공표하고 클라크의 원정을 막기 위해 병력을 파견하겠다고 위협했다. 게다가 프랑스 정부도 주네를 소환하고 그가 에스파냐를 상대로 한 전쟁을 위해 미국인들에게 부여한 임관 사령을 철회했다. 클라크가 계획한 원정은 수포로 돌아갔다.

1793년 에스파냐는 1차 대불동맹에 가담하기로 결정해 식민지 무역을 중단 없이 이어갈 수 있었다. 불과 2년 뒤에 부르봉 정부는 바젤 조약에 의거해 일방적으로 프랑스와의 적대행위를 종결하고 영국과의 전쟁에 들어갔다. 영국이 에스파냐 해운을 공격하면서 에스파냐의 대서양 무역은 붕괴했고, 남아메리카 식민지들과의 연계가 약해지면서 외세의 침입을 부추겼다. 1796년 산로렌소 조약은 미국인들에게 미시시피강 항행권을 보장해, 오랫동안 에스파냐가 지배해온 지역에 미국의 영향력이 확대될 길을 닦았다.[14] 아닌 게 아니라 미국 지도부는 미국과 국경을 맞대는 에스파냐 영토를 유럽 열강이 일체 손 댈 수 없게 하고 싶었다.

프랑스의 루이지애나 획득 소식은 그러므로 미국 정계에 적지 않은 우려를 자아냈고, 영국은 미국의 불안감을 기꺼이 이용하고자 했다. 일찍이 1801년에 미국 대사 루퍼스 킹과 만난 자리에서 영국 외무장관 혹스버리 경은 에스파냐의 루이지애나 할양 문제를 거론하며, "프랑스가 그러한 영토를 획득할 경우 프랑스는 미시시피강을 따라 영향력을 확대하고 그 영향력은 오대호를 거쳐 캐나다까지 뻗을 수도 있다"라고 주장했다. 그렇게 되면 북아메리카에서 영국의 이해관계가 직접적으로 위협받을 텐데 "원활한 영국 무역이 (…) 지장을 받을 수 있기 때문이다. 그리고 영토 이전이 이루어진다면 심지어 (영국령 서인도) 제도가 침공당할 수도 있기에, 바로 이상과 같은 강력한 이유에서 영국은 이 영토가 프랑스의 치하로 넘겨지는 것을 꺼릴 수밖에 없다"라고 외무장관은 설명했다.[15] 따라서 영국은 북아메리카에서 프랑스의 영향력을 억제하려는 미국의 노력을 기쁘게 바라봤다. 미국 주재 영국 대사는 테네시주 상원의원 윌리엄 블라운트와 경험 많은 인디언 보호관[미국이나 캐나다 정부에 인디언 부족들을 대표하는 관리] 존 치점의 계획을 부추기고 지지했는데, 두 사람은 에스파냐령 플로리다와 루이지애나가 영국의 이해관계를 위협할 수 있는 나라의 수중에 떨어지는 것을 방지하기 위해 두 지역에 대한 영미 합동작전을 제안했다. 비록 그 모의는 최종적으로 와해되었지만 그 지역에서 영국 정책에 깔린 동기들에 관해 여전히 시사하는 바가 크다.[16] 흥미롭게도 영국 정부는 그 영토 자체를 획득하는 데는 관심이 없었다. 1803년 미국 대사와의 대화에서 애딩턴 총리는 프랑스와 그 맹방인 에스파냐와 전쟁이 날 경우 영국이 가장 먼저 취할 행동 가운데 하나는 뉴올리언스 점령일 것이지만, "우리에게 넘긴다고 모든 게 합의된다 하더라도 영국은 그 지방(에스파냐령 루이지애나와 플로리다)을 받지 않을 것이다. 영국이 그곳을 점령한다면 우리가 갖기 위해서가 아니라 다른 열강이 그곳을 손에 넣는 사태를 막기 위해서"[17]라고 말했다. 미국인들은 그 말을 듣고 기뻐했는데, 그들은 "(루이지애나와 플로리다가) 자신들이 아닌 (누구에게도) 넘겨지는 것을 보고 싶지 않기" 때문이었다. 적어도 그들은 에스파냐가 그곳을 계속 소유하는 데는 반대하지 않았다. "그들은 조용한 이웃이며 우리는 머잖아 틀림없이 이 (지역을) 미국에 병합하게 될 (…) 날을 조바심 내지 않고 고대하고 있다."[18] 유사한 논의가 1803년 5월 후반에 영국 대사 에드워드 손턴과 토머스 제퍼슨 대통령 사이에도 이루어졌다. 손턴은 "반쯤 농담으로" 영국이 "특정 조건으로 미국인들에게 내줄 목적으로" 플로리다와 뉴올리언스를 점령한다면 미국이 반대할 것인지 물었다. 제퍼슨의 답변은 북아메리카의 에스파냐 속령에 관한 미국의 장기적인 관점에 방점을 찍었다. "에스파냐인들이 이 지방을 소유하고 그 자신들(미국인들)은 미시시피강 항행과 그 하구의 이용에서 현재의 특권이나 더 큰 특권을 향유하는 상황은, 그들(미국)이 더 큰 힘을 얻고 어떠한 원인으로든 전쟁에 엮이게 되어 (이 영토들에서) 전자를 전적으로 쫓아낼 수 있을 때까지 지속"[19]될 것이다.

그러므로 19세기에 들어섰을 때 영국은 딜레마에 직면했다. 프랑스와 미국 둘 다 에스파냐 영토를 탐내는데 둘 중 어느 쪽이 더 나은가? 1801~1803년 내내 영국 정치가들은 어떤 행동 노선을 취해야 할지를 놓고 머뭇거렸다. 그들은 나폴레옹이 루이지애나 영토를 이전하도록 에스파냐를 압박하고 있음을 잘 알고 있었지만 막을 도리가 없었다. 결국 그들은 미국이 북아메리카의 에스파냐 영토를 획득하는 미래가 차악이라는 결론을 내리고, 나폴레옹이 신생 공화국을 위협할 식민 제국을 건설하는 끔찍한 그림을 그려 보이며 미국을 영국과의 동맹에 끌어들이고자 했다. 1803년 애딩턴 총리는 미국인들에게 영국 정부는 루이지애나가 "프랑스의 수중에 들어가는 것을 막는 차원"[20]에서 미국 영토에 추가되는 것을 반대하지 않겠다고 밝혔다. 그러므로 루이지애나 매입 소식을 들었을 때 영국 외무장관은 미국 쪽 상대방(미국 국무부)에게 "폐하(조지 3세)께서 이 소식을 기쁘게 받아들였다"[21]라고 알렸다. 물론 여기에 표명된 감정은 진심과 거리가 멀었다. 영국인들은 새로 획득한 영토가 캐나다 땅을 제외한 전부를 포함한다는 해석을 비롯해 미국인들의 과장된 기대를 알고 있었다. 그럼에도 다음 몇 년 동안 영국은 나폴레옹을 상대로 한 계속된 전쟁 때문에 이 문제들에—심지어 일부 미국 정치가들이 새로 획득한 영토에서 영국의 비호 속에 주권 국가를 수립하는 계획에 영국

의 지지를 구했을 때도─별로 주의를 기울이지 않았다.[22]

루이지애나 매입의 여파로, 에스파냐 영토에 대한 미국의 욕망은 더욱 커졌다. 미국 정부는 영국이 플로리다를 탐낸다고 의심했는데, 나폴레옹 전쟁 시기를 한참 지나서까지도 지속될 의혹이었다. 더 목전의 목표는 영국의 해상력을 활용해 프랑스의 식민지 염원을 좌절시키는 것이었다. 1807년에 이르면 미국인들은 이미 (제임스) 윌킨슨이 제퍼슨에게 쓴 대로 "나폴레옹과 그의 마지못한 맹방 에스파냐 국왕으로부터 서반구를 지키기"[23] 위해 영국 편에 가담할까 고려하고 있었다. 미국의 몇몇 제안들은 영미英美의 플로리다와 쿠바 점령 그리고 멕시코와 페루, 여타 에스파냐 식민지들의 독립이라는 미래를 그렸다.[24] 그와 동시에 영국의 정책들에 대한 미국의 커져가는 불만을 반영하듯 미국은 신세계에서 영국의 입지가 강해지는 것을 바라지 않았다. 1807년 4월에 제퍼슨 대통령은 에스파냐 주재 미국 대사에게 영국과 상업적이거나 정치적인 일체의 관계 회복을 경계하라고 에스파냐 식민 당국자들에게 경고하도록 지시하고, 에스파냐 식민지의 존속은 미국의 호의에 달려 있다고 적었다. "한 나라가 다른 나라에게, 에스파냐가 우리에게 지속적으로 자행한 것보다 더한 기만과 불의를 자행한 적도 없다. 그리고 우리가 지금까지 이 문제에서 줄곧 손을 떼고 있었다면 그것은 순전히 프랑스를 존중하는 마음과 우리가 프랑스의 우호에 부여한 가치에서 기인한 것이었다." 제퍼슨은 계속해서 나폴레옹이 에스파냐에 강요해 미국에 일정한 양보를 하거나 "우리에게 그것(영토)을 넘기게" 해줄 것이라는 희망을 표명했다. 후자의 경우가 된다면 "우리가 멕시코시를 차지하기까지는 한 달이면 충분하다."[25]

에스파냐령 아메리카에 관심이 있는 건 미국만이 아니었다. 에스파냐와 포르투갈의 정치적·경제적 혼란은 서반구에서 러시아의 영향력을 확장할 둘도 없는 상황을 창출했다. 일찍이 1806년 5월에 러시아의 상무대신 니콜라이 루미얀체프는 러시아가 한자동맹 상인들의 서비스를 우회해 최상 품질의 식민지 상품을 아메리카 대륙으로부터 직접 조달할 수 있고, 그가 표현한 대로 "함부르크 상인들의 수수료와 이익에" 들어간 돈은 국내 산업을 진흥하고 러시아 해운업계의 규모를 확대하는 데 쓰일 수 있다고 주장했다. 그러한 의견들은 러시아가 1807년 여름에 대륙 봉쇄 체제에 억지로 가담하게 된 이후로 특히 널리 퍼졌다.

틸지트 조약 이후 러시아에서 경제적 병폐의 뚜렷한 징후는 수입품에 대한 투기와 그에 동반한 급격한 인플레이션이었다. 상트페테르부르크 군정지사는 러시아 상류계급의 생활양식은 식민지 재화를 가장 기초적인 생필품에 다음가는 필수 소비 품목으로 만들었다고 보고했다. 그러므로 러시아가 대륙 봉쇄 체제에 가담함에 따라 발생한 품귀 현상을 완화하기 위한 효과적인 조치가 요구되었다. 커져가는 위기에 해법을 찾으려고 노력하면서 남아메리카에 대한 러시아의 관심도 높아졌다. 1808년 러시아 관리들은 상업적 고통을 경감해줄 원천으로서 남아메리카 포르투갈 식민지들의 부로 시선을 집중했다. 다채로운 식민지 산품(시트러스, 과일, 담배, 커피, 설탕, 향신료 등)을 제공하는 브라질은 갈수록 "소중한 자연의 선물을 내어주기 위해 오로지 인간의 손길을 기다리는 땅"으로 여겨졌다.[26]

다음 3년에 걸쳐 러시아 정부는 남아메리카에 러시아 상업 세력을 수립할 목적으로 상인 엘리트층이 내놓은 남아메리카 원정에 관한 여러 제안을 고려했다.[27] 이러한 상업적 연계 앞에는 중대한 장애물이 있었다. 러시아는 영국 상품의 대륙 유입을 금지하는 대륙 봉쇄 체제에 여전히 속해 있었다. 에스파냐와 포르투갈이 영국과 한편이 된 상황에서 러시아 정부는 자국 항구로 에스파냐나 포르투갈 선박(잠재적으로 영국 상품을 싣고 있는)의 입항을 허락하는 문제에 관해 당연히 프랑스로부터 질문을 받을 수밖에 없었을 것이다.

러시아의 결정은 단순하면서도 기가 막힌 해법이었다. 1809년 12월 루미얀체프는 포르투갈 통상대신에게 러시아 정부가 "포르투갈" 선박의 입항은 금지할 것이지만 이 제한 조치가 "브라질" 선박에까지 확대되지는 않을 것이라고 알렸다. 그는 포르투갈 궁정이 브라질의 러시아 상인들에게 상응하는 대접을 해주는 한이라고 덧붙였다. 이 결정은 라틴아메리카와 더 긴밀한 연계를 맺기를 바라는 알렉산드르 황제의 소망을 반영했다. 포르투갈과 에스파냐가 혼란에 빠진 상황에서, 황제는 아메리카 대륙에서 심대한 변화를 예상했고, 미국으로 파견한 공사에게 쓴 편지에서 드러나듯 아메리카에서 조만간 여러 독립 국가들이 들어설 수도 있다고 내다봤다. "그런 사건이 유럽의 정치적·통상적 관계들에 어떤 변화를 가져올지를 짐작하기는 어렵지만 그 변화들이 대단히 중요하리라는 것은 쉽게 예측할 수 있다."[28] 1810년 1월 국무회의에서 루미얀체프는 러시아-브라질 연계를 논의하면서, 러시아가 해외로 통상적 이해관계를 확대하고 영국의 통상적 이해관계를 약화시킬 수 있는 둘도 없는 순간을 맞았다고 지적했다.

회의는 그의 주장을 받아들이고 러시아-포르투갈 무역협정 체결 제안에 찬성했다. 협정은 1810년 5월에 체결되었고 1811~1812년에 수정되었다. 그와 동시에 러시아 정부는 남아메리카에 러시아 상업 세력을 수립하고자 했다. 1811년 베네수엘라 반란 소식을 듣자마자 러시아 정부는 카라카스에서 수차례 보내온 특사들을 환영하고, 직접적인 무역 관계 수립 가능성을 타진했다.[29] 하지만 알렉산드르 황제는 결국 에스파냐령 식민지들과의 연계를 추구하지 않기로 했다. 그는 반란 식민지 당국자들을 인정해주는 전망이 마뜩찮게 느껴졌고, 그보다 더 중요하게는 1812년 프랑스-러시아 전쟁이 발발해 그의 우선적 관심사가 바뀌었다. 다음 몇 년 동안 러시아는 유럽의 미래를 둘러싼 투쟁에 사로잡혀 있어서 에스파냐 식민지와의 관계에 주의를 (설사 기울였다 하더라도) 거의 기울이지 않았다. 그럼에도 라틴아메리카에 대한 러시아의 접근 시도는 유산을 남겼고, 그 유산은 수십 년 안에 중요한 역할을 하게 된다.

에스파냐-아메리카 세력 투쟁, 그리고 궁극적으로는 독립을 촉발한 사건은 1808년 프랑스의 에스파냐 찬탈이었다. 1808년 나폴레옹은 에스파냐의 카를로스 4세와 그의 아들 페르난도를 마드리드의 권좌에서 몰아내고 자기 형 조제프 보나파르트를 에스파냐 국왕으로 임명했지만 에스파냐인들은 새로운 군주를 받아들이기를 거부했다. 한 영국 역사가의 표현을 빌리면 "그들의 공분은 마치 산고를 겪는 화산처럼 한동안 부글부글 끓다가 마침내 걷잡을 수 없이 폭발했다."[30] 1808년의 위기는 왕가 전체를 쫓아내고 중앙 권위를 해체함으로써 기존 통치 수뇌부를 사실상 잘라냈다는 점에서 유례없었다. 이 정치적 진공으로 에스파냐 각 지방을 다스리는 회의체(훈타)들이 들어왔다. 그들은 프랑스의 지배를 거부하고 국왕이 부재하므로 합법적인 정부는 지역 수준으로 이양되었다고 주장했다. 에스파냐 전역에서 등장해 주권을 주장한 무수한 훈타들은 혁명적 성격을 띤다기보다는 군주정과 전통적 특권이라는 개념을 여전히 고수하는 집단적 주권자처럼 행동했다.[31]

포르투갈 군주정이 브라질로 탈출하고 에스파냐 부르봉 궁정이 혼란에 빠졌다는 소식은 에스파냐 식민지들에서 큰 화젯거리였다. 1808년 3월 페르난도가 즉위해 식민지 정부들이 새로운 국왕에게 충성을 맹세했을 때 한바탕 애국적 열정이 타올랐다. 하지만 불과 몇 주 뒤에 그들은 바욘에서 벌어진 희비극—에스파냐 왕실이 포로가 된 것—과 뒤이은 전국적 봉기, 그리고 가장 결정적으로 바일렌에서 거둔 에스파냐의 승리에 관해 알게 되었다. 에스파냐의 아메리카 식민지 곳곳에서 나폴레옹 정권에 저항하는 움직임이 나타났고, 그들은 행정 개혁과 근대화에 대한 프랑스의 약속들을 들은 척도 안했다. 프랑스 외무대신 장-바티스트 드 농페르 드 샹파니와 에스파냐의 신임 서인도대신 미겔 호세 데 아산사는 변화가 통치 왕조에만 국한될 것이며, 에스파냐 국가는 "그 영토와 독립을 보전"하며 "그렇게 찬란한 군주정이 그 소중한 속령을 하나라도 잃는 일은 없을 것"[32]이라고 식민지 관리들을 안심시켰지만 헛수고였다. 조제프 국왕의 즉위를 알리기 위해 영국 해군의 봉쇄를 빠져나가 아메리카 대륙에 도착한 프랑스 특사들은 에스파냐에 들어선 나폴레옹 군주정을 지지하도록 식민지 행정관들을 설득하려고 했다.[33] 하지만 군주정의 교체가 "오랫동안 지속되어온 본국의 병폐를 치유"하고 바욘 의회의 소집은 "이 나라의 재생"으로 가는 첫걸음이라는 그들의 주장은 프랑스의 영향력에 관한 일체의 제안과 더불어 일언지하에 거부당했다.[34] 한 특사가 보고한 대로 부에노스아이레스의 관리들은 "페르난도 7세가 아닌 다른 어느 왕도 원치 않았다. 그들 중 다수는 나를 상대로 폭력적인 조치를 취해야 한다고 생각했다."[35]

합법적 권위를 주장할 수 있는 부르봉 군주의 부재는 유례없는 상황을 만들어냈다. 일부 식민지 지도자들은 부르봉의 대의에 계속 충성해야 한다고 주장했다. 일부는 군주의 부재라는 상황을 이용해 더 큰 독립성을 확보할 수 있기를 바랐다. 후자의 주장은 아메리카 대륙이 통치 군주하에 인적人的인 연합으로 에스파냐와 이어져 있으며, 페르난도 7세의 폐위로 식민지들과 본국을 하나로 묶는 그 끈이 끊어졌다는 전제에 근거했다. 예를 들어 칠레 애국파는 나중에 "부르봉 왕가는 인민의 의지에 반해 나라를 저버렸고, 이 행위로 인해 심지어 왕조를 떠받친 까마득한 옛 권리들도 상실했다. 수장이 없는 나라는 자체의 국내적인 다툼 때문에 저 이민자들에게 속할 수 없다. 페르난도는 (발랑세의) 성으로부터 올가미의, 더 정확히 말하자면 아메리카를 속박하고 있는 사슬의 끄트머리를 쥐고 있을 수 없다"[36]라고 주장했다. 일찍이 1808년 7월 중순에 누에바에스파냐 부왕령에 있는 멕시코시티와 베네수엘라 사령관령의 카라카스에 대의기구를 수립하려는 움직임이 있었다.[37]

게다가 안전한 브라질로 피신한 포르투갈 군주정은 이 혼란상을 이용해 남아메리카에서 자신들의 지배력을 확대하려고 했다. 포르투갈의 전쟁·외무대신 호드리구 지소자 코치뉴는 원래 부에노스아이레스의 "카빌도와 민중", 그리고 리오데라플라타 부왕령 전체에 프랑스에 맞서 포르투갈 군주정의 보호를 받아들일 것을 호소했다. 시드니 스미스 후위제독이 이끄는 영국 해군 전대가 1808년 5월에 리우데자네이루를 찾았을 때 포르투갈인들은 폐위된 에스파냐 국왕

카를로스의 딸이자 브라질 섭정 주앙 6세의 부인인 카를로타 호아키나 왕녀(1775~1830)가 작금의 분쟁이 계속되는 동안 에스파냐 왕실의 일원으로서 섭정으로 다스릴 수 있다고 주장하며, 이웃 에스파냐 부왕령에 대한 합동 군사작전을 제안했다.[38] 부에노스아이레스에서 영국이 예전에 겪은 실패들을 도외시한 채 스미스는 이러한 계획들을 지지했다.[39] 이 계획은 어느 정도는 리우데자네이루에 영국 대사로 새로 부임한 스트랭퍼드 자작 퍼시 클린턴 시드니 스마이스가 도착하면서 수포로 돌아갔다. 스트랭퍼드는 시드니 스미스와 달리 에스파냐 제국의 영토 보전을 지지할 책무를 지고서 에스파냐 식민지 사안에 간섭하려는 포르투갈의 어떠한 시도도 반대했다. 그는 "식민지와의 우호를 유지하는 가장 효과적인 방법은 외부 간섭 없이 (에스파냐) 식민지인들이 자신들의 방식대로 상황을 정리하게 하는 것"[40]이라는 논지를 폈다. 그러므로 그는 스미스 후위제독을 지휘에서 물러나 영국으로 소환되게 하고, 왕녀는 포르투갈 군주정에 영국의 지지가 얼마나 중요한지를 오해의 여지 없는 말투로 통고받은 남편한테서 질책을 듣도록 손을 썼다.

스트랭퍼드의 입장은 주목할 만한데, 그것이 남아메리카에서 영국 정책의 변화를 조명하기 때문이다. 영국은 에스파냐 식민지들에 침투하려고 오랫동안 노력해왔고, 양국은 잊지 못할 이름이 붙은 젠킨스의 귀 전쟁(1739~1748)을 비롯해 18세기에 여러 차례 전쟁을 벌였다.[41] 1796년부터 에스파냐가 프랑스와 한편이 되자 영국은 서반구에서 에스파냐의 헤게모니에 도전하기 위해 그동안 열심히 찾았던 구실을 발견했다. 에스파냐 식민지들에 대한 미국의 침범 위협 또한 영국의 사고에서 차차 큰 자리를 차지하게 되었다. 윌리엄 피트가 이끄는 동안 영국 내각은 에스파냐 식민지의 해방을 자국 외교정책의 일환으로 진지하게 고려했었다. 그러한 사건이 가져올 경제적 이점은 어마어마했을 것이고, 그러한 발상은 상인계급에서 인기가 높았다. 비록 피트는 1806년 초에 죽었지만 그의 지지자들은 계속해서 영향력을 행사해 1806~1807년에 미란다의 베네수엘라 원정과 라플라타 부왕령(현대의 아르헨티나)의 수도이자 안데스 산지의 은광으로 통하는 대서양의 관문인 부에노스아이레스 원정을 지지하는 형태로 에스파냐령 아메리카 시장으로 비집고 들어가려는 시도를 낳았다.[42]

이 같은 무력을 동원한 '해방 정책'은 1807년에 이르면 새로운 포틀랜드 내각이 그 쟁점에 대해 더 섬세한 접근법을 선호하면서 사실상 사망선고를 받았다. 전쟁과 식민지부 신임 장관 캐슬레이가 그 기조를 설명한 대로 영국은 군사적 정복을 통해서가 아니라 에스파냐 식민지 주민들에 대한 지지를 제공함으로써 정책을 달성하고자 했다. "남아메리카를 해방시키기 위한 계획을 모색하고자 할 때, 보조자나 보호자가 아닌 다른 형태로 우리를 내세우지 않는 것이 무엇보다도 중요한 듯하다. 이 같은 측면에서 우리의 진심을 입증하기 위해서는 우리의 목표를 토착 세력을 통해 추구하고, 그 세력이 우리의 지지 아래 생겨나도록 준비해야 한다. 우리가 은밀히 도모해야 할 특별한 이해관계는 우리의 적에게서 그의 주요 자원들 가운데 하나를 빼앗는 것과 우리의 제품들에 저 거대한 대륙의 시장을 개방시키는 것이어야 한다."[43]

남아메리카에서 무엇을 해야 할지 모색하고 있던 바로 그때 캐슬레이와 다른 영국 정치가들은 자신들의 공식 정책을 재평가하게 만드는 사건과 직면했다. 아스투리아스와 갈리시아, 세비야 훈타들이 보낸 특사들이 프랑스에 저항하기로 한 자신들의 결정을 알리고 영국의 지원을 요청한 것이다. 에스파냐가 프랑스로부터 등을 돌리게 만들고 싶었던 영국의 여러 해에 걸친 소망이 마침내 실현된 셈이었다. 영국의 반응은 즉각적이었다. 의원들은 의회에서 영국이 "설탕 섬들이나 훔치고", "껍질이나 야금야금 뜯어먹는" 것만으로는 안 된다고 유명하게 공언한 한편, 신문들은 "약탈하고 습격하는 원정은 질렸다"라고 외쳤다. 모두가 영국이 커다란 하나의 프로젝트에 헌신하고 세상을 구해야 한다는 데 동의했다.⁴⁴ 영국 정부가 훈타 정부들을 지지하겠다고 약속하면서 기존의 남아메리카 프로젝트는 모두 중단되었다. 이제부터 런던은 남아메리카의 포식자보다는 보호자로 자리매김할 것이었다. 물론 아메리카 대륙에서 영국의 경제적 이해관계를 지킨다는 최종 목표는 줄곧 변함이 없었다. 이를 위해 영국은 우세한 해군력을 이용해 프랑스의 위협으로부터 에스파냐 식민지들을 격리하는 한편으로 그들이 더 큰 독립성을 추구하도록 은밀히 부추길 수 있었다. 프랑스가 영국에 맞서 에스파냐령 아메리카의 지지를 얻어내고자 한 것처럼 영국은 캐슬레이가 한 편지에 적은 대로 "에스파냐의 아메리카 속주들이, 에스파냐 자체를 예속시키고 있는 술책에 의해 똑같이 프랑스의 수중에 떨어지는 것을 막고자 모든 노력을 기울이는 것"이 "의무"라고 느꼈다.⁴⁵

　　1810년 말이 되면 남아메리카에서 벌어지는 사건들을 주시해 온 영국 정치가들은, "라틴아메리카 무역을 확대하고 안정시키는 방향과 (에스파냐) 식민지인들이 최근에 보여주기 시작한 영국에 대한 호감을 계속 유지시키는 방향으로" 힘써야 한다고 확신했다. "정복에 대한 생각은 각료들의 마음에서 자취를 감췄다. 심지어 무력 간섭이라는 수단을 통해 식민지 독립을 부추긴다는 전망도 매력이 없어졌다."[46] 영국의 정책은 그러므로 식민지 시장을 영국의 통상에 개방하고 프랑스나 미국 어느 쪽도 남아메리카에서 발판을 마련하지 못하게 하는 것을 겨냥했다. 시장 개방 목표는 포르투갈 섭정이 리우데자네이루에 도착하자마자 영국의 통상에 브라질 항구들의 개방을 선언했을 때 어느 정도 달성되었다. 리우데자네이루는 이제부터 외무장관 캐닝의 말마따나 "남아메리카 전체에서 소비될 영국산 제품을 위한 브라질의 상업 집산지"[47]가 될 터였다. 영국이 식민지의 혁명가들을 지원할까 봐 걱정이 태산 같은 카디스의 에스파냐 섭정위원회는 전쟁 기간 동안 식민지와 직접 교역할 수 있게 허용함으로써 영국인들의 비위를 맞춰주려고 했다.

한편 나폴레옹은 에스파냐 식민지에서 각종 시도를 이어갔다. 에스파냐 국왕에게 충성하는 당국자들로부터 계속되는 저항에 직면한 그는 정책을 조정해 이베리아 에스파냐와 아메리카 에스파냐 간의 공식적 단절을 재촉하고자 했다. 그는 1809년 12월 12일 입법원 연설에서 "(나는) 아메리카 대륙 나라들의 독립에 결코 반대하지 않을 것"이라고 선언했다. "독립은 사태의 자연스러운 추이다. (…) 멕시코와 페루 인민이 스스로를 고귀한 독립의 지위로 격상시키겠다면, 이 국민들이 영국과 어떠한 관계도 맺지 않는 한 프랑스는 그들의 염원을 결코 반대하지 않을 것이다."[48] 다음 몇 년 동안 식민지 훈타 정부와 에스파냐 훈타 정부(그리고 나중에는 섭정위원회) 간의 관계가 악화되자 나폴레옹은 반란을 부추기고 선언서를 발표하도록 수십 명의 대리인을 아메리카 대륙으로 파견했다. 그는 남아메리카 군사 원정 계획을 고려하고 반란자들에게 재정적·군사적 원조를 제공했으며, 1811~1812년에 베네수엘라 독립을 인정할지를 두고 고민했지만 이 문제는 결국 러시아 침공 준비로 뒷전으로 밀려났다.[49] 궁극적으로 이러한 시도들 중 어느 것도 뚜렷한 혜택을 가져오지 않았다. 영국 해군의 보호 속에서 해상을 통한 일체의 위협으로부터 벗어난 에스파냐 식민 정부는 내부의 난제들에만 집중했다.

1809년부터 에스파냐 훈타 정부를 본뜬 식민지 훈타 정부가 에스파냐령 아메리카의 여러 도시들에서 등장했다. 그들은 외세의 간섭 가능성에 맞서 에스파냐의 식민지 운영 체제와 이해관계를 지키는 임무를 스스로 떠맡았다. 1809년 5월 25일, 알토페루의 추키사카를 시작으로 7월 16일에는 알토페루의 라파스에서, 8월 10일에는 누에바그라나다의 키토에서, 1810년 5월 25일에는 리오데라플라타의 부에노스아이레스에서 훈타가 수립되었고, 9월 18일에는 전국 훈타 정부가 칠레에 수립되었다.[50] 비록 이 훈타 정부들은 처음에는 에스파냐 국왕 페르난도 7세를 지지하기 위해 생겨난 것이었지만 자신들이 누리는 독립성과 자율성에 대담해진 식민지 훈타 정부 지도자들은 국왕 정부의 감독이 사라지고 그에 따라 식민지 재원도 유출되지 않으니 자신들의 정부 운영 노력이 현지의 여건을 지탱할 뿐만 아니라 개선시킬 수도 있음을 금방 깨닫게 되었다. 식민지들이 정치적 혼란에 빠진 첫해 내내 두 가지 핵심 질문이 남아 있었다. 첫째, 이러한 훈타 정부들이 존재해야 하는가? 둘째, 만약 존재해야 한다면 이 정부들은 부르봉 왕정복고와 동시에 해체되어야 할 한시적인 조직인가, 아니면 마드리드에서 아메리카 대륙으로 영구적인 권력 이전을 위한 선행 조직인가? 근왕파 페닌술라레들은 식민지들이 식민지를 다스리는 부왕과 행정가들의 모습을 빌려 국왕 정부의 관료제를 이미 올바르게 승인했고, 그에 따라 훈타들은 기껏해야 군더더기이거나 최악으로는 반역적인 조직이라고 지적하며 전자의 주장을 펼쳤다. 그러나 더 독립적인 성향의 크리오요들은 군주정이 부재하므로 식민지들은 에스파냐 훈타들의 예를 따라 자체 운영위원회를 수립해 페르난도 7세가 복귀할 때까지 다스려야 한다고 주장했다. 더욱이 계몽주의의 이상들은 물론 미국과 프랑스의 혁명들에 영감을 받은 크리오요 지도자들은 더 큰 자치와 식민지 사회의 개조를 추구하기 위해 유럽의 혼란을 이용하고 싶은 마음이 굴뚝같았다.[51]

이러한 분파들 간의 갈등은 거의 20년 동안 맹위를 떨칠 싸움으로 재빨리 비화했다. 크리오요와 페닌술라레 엘리트들이 시작하고 이끌어간 전쟁들은 에스파냐령 아메리카를 구성하는 4개의 부왕령 내부에서 거의 독자적으로 진행되었다. 지위 고하를 막론한 카스타 체제의 모든 일원들이 이 무력 분쟁에 가담했지만, 자신들을 '애국파'라고 부르기 좋아한 크리오요가 혁명 정부의 정치·군사 지도부 대부분을 구성했다. 그들은 거의 다 유럽에서 태어난 근왕파를 상대로 수적인 우위는 물론 주요한 이점들을 누렸다. 사회·경제 피라미드의 최상층에 있는 이 집단들은 전쟁 결과에 따라 얻거나 잃을 게 많았고 식민지 인구의 압도적 다수를 차지하는 하층 집단들의 마음을 사로잡고자 최선을 다했다. 그러므로 양측은 다양한 혼혈 출신과 인디언들을 자신들의 기치 아래 끌어들이려고 노력했다. 예를 들어 근왕파는 인디언 부역 관행을 변화시킨 한편, 애국파는 군 복무에 대한 대가로 법적 평등과 노예 해방을 거론했다. 근왕파와 애국파에 대한 현지의 지지는 지역마다 달랐다. 내란의 시대에 그렇듯이 충성은 흔히 기존의 현지 지도자에 대한 충성을 의미할 뿐이었다.

근왕파가 직면한 여러 난관 중 하나는 이베리아반도에서 계속되는 전쟁이었다. 본국의 전쟁 탓에 근왕파의 신규 증원군 파견은 극도로 어려웠다. 나중에 에스파냐에서 병력이 도착했을 때 근왕파는 국왕의 장교들과 베테랑 식민지 장교들 간의 라이벌 의식에 시달려야 했는데, 식민지 장교들은 새로 온 에스파냐 장교들이 거만하고 현지 사정에 무지하다고 생각했다. 더욱이 근왕파의 대의는 일체의 변화 없는 옛 군주정의 복귀를 원하는 보수적인 절대왕정파와 부르봉 왕가의 실정과 부패를 규탄하고 입헌군주정을 바라는 자유주의적 입헌파 사이의 내부 분열로 복잡해졌다. 최고 중앙 훈타 정부가 "에스파냐 국가의 특별 코르테스와 일반 코르테스"에 참석하도록 각 지방과 해외 속령의 대표들을 초청하기로 한 결정은 에스파냐 식민지들을 오랫동안 규정해온 절대주의적 관행들로부터 대대적인 이탈을 알렸다. 이는 에스파냐에서 새로운 정부 형태가 생겨나고 있음을 보여주면서 근왕파의 입지를 약화시키고 식민지에 더 큰 자치와 대표권에 대한 요구를 부추겼다. 정부의 성격을 둘러싼 이러한 정치적 논쟁은 중앙 훈타의 해체와 섭정 회의의 수립으로 더욱 영향을 받았는데, 섭정 회의는 히스패닉 세계 전역의 지지를 얻어내기 위한 시도로서 식민지들에 정치적 평등과 대의 정부를 확대하기로 약속했다.

크리오요들도 내부 분열과 집안싸움에 시달렸다. 영토의 경계선과 입헌적 쟁점들을 둘러싸고 그들은 의견이 갈렸다. 연방주의자들은 강한 개별 주들로 구성된 느슨한 연합체 속 약한 중앙정부를 선호한 반면, 중앙집권주의자들은 제한된 권리를 보유한 주 정부들과 강력한 연방정부를 선호했다. 근왕파를 상대로 먼저 승리를 거두고 나면 크리오요들은 때로 서로에게 무기를 겨누며 급속히 내전으로 빠져들었고, 이 내전들은 불화와 갈등의 영구적인 유산, 식민지들이 독립을 달성하고 오랜 시간이 지나서도 현지 사회들을 지배하게 되는 유산을 남겼다.[52]

에스파냐 상황에 대한 소식은 처음에는 누에바에스파냐 부왕령에서 정치적 위기를 촉발했다. 1808년 7월에 부왕 호세 데 이투리가라이는 자신의 정치적 후원자인 고도이의 몰락 소식에 불안한 마음을 품은 채 새로운 국왕 페르난도 7세에게 조심스레 충성을 맹세했다. 한편 크리오요가 지배하는 시정협의회는 누에바에스파냐 자치정부 수립(이투리가라이를 수장으로 하여) 제안을 들고 그에게 접근했다. 자치정부는 부르봉 왕가가 에스파냐에 완전히 복귀할 때까지 누에바에스파냐를 다스릴 예정이었다. 이 제안은 이투리가라이가 에스파냐에 일체 의존하지 않는 정부의 수립을 시도하고 있다고 확신한 근왕파 페닌술라레들과, 대표자 회의의 구성과 식민지 명사들과의 권력 공유를 요구하며 부왕에게 압력을 넣는 더 개혁적인 성향의 크리오요들 사이에서 권력 투쟁을 불러왔다.

양측의 갈등은 결국 1808년 9월 16일 무장한 페닌술라레들이 멕시코시티의 부왕궁으로 쳐들어가 부왕을 폐위하고, 구舊군주정에 충성하는 것으로 여겨지는 페드로 데 가리바이라는 80대의 육군 원수(마르시칼 데 캄포)를 부왕으로 앉히는 사건으로 이어졌다.[53] 정치적·사회적 불만은 계속 곪아 들어가 1810년에 극에 달했다.[54] 만연한 궁핍과 곤경으로 고통 받던 돌로레스라는 작은 마을의 사제 미겔 데 이달고 이 코스티야는 멕시코 남녀들에 대한 불의라고 여겨지는 것을 바로잡기 위한 첫걸음을 내디뎠다. 1810년 9월 15일, 그는 남아메리카에 지금도 널리 알려져 있는, 그리토 데 돌로레스('슬픔의 외침') 연설을 통해 페르난도 7세와 과달루페 성모의 이름으로 무기를 들고 페닌술라레들을 몰아내자고 부르짖었다. 단 며칠 뒤에 이달고는 수천 명의 농민과 여타 지지자들을 이끌고 멕시코시티로 향했다. 반란은 전적으로 농촌에 국한되었고 도시 지역에서는 아무런 지지를 이끌어내지 못했다. 반란자들의 반군주정적 태도는 그들이 몰고 온 폭력과 더불어 크리오요 엘리트층을 경악시켰고, 그들 중 다수는 원래 반식민지 대의를 지지했으나 이제는 거기에 등을 돌렸다.[55] 반란자들은 처음에 토르콰토 트루히요 장군 휘하의 근왕파 군대를 10월 30일 몬테 데 라스 크루세스 전투에서 무찔렀다. 하지만 이달고는 반란군을 돌려 세웠다. 비록 그들은 국왕 군대를 수적으로 압도했지만 훈련받은 병사의 규율 같은 게 없었고, 마체테와 집에서 만든 조잡한 무기밖에 없었다. 이달고의 결정은 치명적 실수로 드러났는데, 근왕파 병력이 다시 힘을 모아 반격에 나설 기회를 허용했기 때문이다. 1811년 1월, 그들은 칼데론 다리(과달라하라에서 동쪽으로 65킬로미터 거리)에서 반란군을 박살냈다. 정부군의 복수에 대한 갈증은 반란의 흉포함에 맞먹었다. 이달고를 비롯해 수천 명이 처형되었다.[56]

혁명은 이달고의 죽음으로 막을 내리지 않았다. 그가 누에바에스파냐 곳곳으로 파견한 부관들 주변으로 혁명 세력이 다시 뭉쳤다. 가장 두드러진 인물은 사제직을 박탈당한 신부인 호세 마리아 모렐로스 이 파본으로서 그는 처음에 태평양 연안 아카풀코 항구를 장악하도록 파견되었다. 더 우세한 근왕파 군대에 직면한 모렐로스는 군사적 경험이 전무했음에도 불구하고 상당한 재능을 과시하며 오합지졸 병사들을 이끌고 연달아 승리를 거두었다. 1811년 말에 이르면 그의 군대는 9천 명가량으로 불어나 남서부 해안 지역 상당 부분을 장악했다.[57] 비록 1812년 5월에 쿠아우틀라에서 근왕파 군대에게 패했지만 모렐로스는 다시 병사들을 규합해 새로운 공세를 개시했고 우아후아판과 오악사카시를 손에 넣을 수 있었다.

공격에 취약한 멕시코시티를 공격하는 대신 그는 새로운 정부를 세울 초석을 닦기로 했다. 1813년 모렐로스는 반란 세력이 지배하는 지방들에서 보내온 대표들을 포함한 칠판싱고 전국입헌의회를 소집했다. 의회는 야심찬 정치·사회 개혁 프로그램을 승인했으니, 바로 프랑스 혁명으로 영감을 이끌어낸 센티미엔토스 데 라 나시온 (국민의 의견들)이다. 대표들은 대의 정부를 수립하고, 노예제와 인종적·사회적 차별을 철폐하고, 고문과 독점 금지 등 여러 개혁 조치를 단행했다. 가장 급진적인 개혁 조치의 일환으로서 모렐로스는 가톨릭교회의 특권과 가난한 교구민들을 상대로 한 강제 십일조 수취의 폐지를 주장하고, 대토지의 국유화를 요구했다.[58]

1813년 11월 6일, 전국입헌의회는 독립을 선언해, 에스파냐령 아메리카 최초로 그런 종류의 공식 문서를 내놓았다. 하지만 이 같은 사태 전개가 멕시코 개혁가들을 흥분시키긴 했어도 전쟁에서 이기는 데 실패함으로써 그들의 염원은 궁극적으로 좌절되었다. 이달고의 봉기가 부유한 크리오요 계층을 충격에 빠뜨렸다면, 급진적인 사회·정치적 변혁을 향한 모렐로스의 비전은 그들의 적의를 키우고 투지를 다지게 했다. 모렐로스는 1813년 12월 23~24일 바야돌리드와

1814년 1월 5일 푸루아란에서 패했다. 봄의 중반에 이르면 애국파는 남부에서 획득한 영토를 모두 잃었고, 전국입헌의회는 더 안전한 장소로 소개할 수밖에 없었다. 근왕파 영토를 관통해 입법부를 이끌고 가던 중에 모렐로스는 테스말라카에서 근왕파의 공격을 받아(1815년 11월 5일) 결정적으로 패배하고, 붙잡혀 처형당했다. 그의 죽음은 누에바에스파냐에서의 혁명에 전환점이 되었다. 유능하고 카리스마 넘치는 지도자들을 잃은 반란 세력은 새로운 부왕 후안 호세 루이스 드 아포다카의 더 유화적인 정책들을 수용하기로 했고, 부왕은 무기를 내려놓는 애국파에게는 사면을 내렸다. 1차 멕시코 혁명은 막을 내렸다.[59]

한편 남쪽으로 1500킬로미터 이상 떨어진 리오데라플라타 부왕령에서는 프랑스가 에스파냐를 탈취했다는 소식이 불과 2년 전 두 차례 영국 원정군에게 거둔 승리를 여전히 자축하고 있던 현지 당국자들을 깜짝 놀라게 했을 뿐 아니라 구질서로 복귀하기를 바라는 페닌술라레들을 대담하게 만들었다. 리오데라플라타의 혁명 과정은 다면적이어서 외부의 간섭뿐 아니라 부왕령 내의 지역적 해체도 뒤따랐다. 이런 측면에서 식민지의 두 중심지—부왕령의 수도 부에노스아이레스와 리오데라플라타의 반다오리엔탈주의 수도 몬테비데오—의 갈등은 특히 중요하다. 1806~1807년에 두 도시는 영국의 침공에 저항하며 침략군을 몰아내는 데 물적·인적 자원을 제공했다. 그다음 두 도시는 서로 다른 길을 걷게 됐다. "부에노스아이레스의 막강한 상인들은 (…) 몬테비데오의 상업적 자치, 그 도시에 대리인을 두어야 하는 실정, 현지 당국자들에게 필수적으로 내야 하는 수수료와 세금에 분개했다.”[60] 1807년 영국군의 침공 당시 몬테비데오는 리오데라플라타에서 영국산 상품의 집산지 역할을 했고 미국, 포르투갈과의 무역으로 크게 이득을 봐서 부에노스아이레스의 이웃들은 분통이 터질 수밖에 없었다.[61]

프랑스의 에스파냐 점령으로 촉발된 정치 위기 동안 두 도시는 갈수록 서로 대립했다. 1808년 나폴레옹의 특사 사스네 후작 클로드 앙리 에티엔이 부에노스아이레스에 도착해 현지 당국자들로 하여금 조제프 보나파르트에게 충성 서약을 할 것을 요청했다. 리오데라플라타의 과도過渡 부왕인 프랑스 태생의 자크 드 리니에르는 여기에 어떻게 대응해야 할지를 두고 오락가락하는 모습을 보였다. 몬테비데오의 총독 프란시스코 하비에르 데 엘리오와 그곳의 카빌도가 부왕의 충성심에 관해 의혹을 제기하고 그의 합법성에 도전해 나폴레옹의 요청을 거부하고 에스파냐 최고 훈타에 충성을 맹세하자, 리니에르는 몬테비데오에 자신의 권위를 주장하려고 했는데 이는 부에노스아이레스의 상인 엘리트 계층에게 환영받았다. 하지만 몬테비데오는 리니에르의 권력 장악 시도에 맹렬하게 저항했다. 리니에르의 대리인 후안 앙헬 데 미켈레나가 1808년 9월 후반에 도시에 도착했을 때 그를 맞이한 것은 엘리오 총독의 해임을 막으려는 민중 반란이었다. 반란은 이내 부에노스아이레스의 권위를 거부하고 페르난도 7세에게 충성을 맹세한 훈타 구베르나티바junta gubernativa(운영협의회)의 구성으로 이어졌다.[62]

1809년 6월 세비야(에스파냐)의 최고 중앙 훈타 정부는 발타사르 이달고 데 시스네로스 이 라토레 제독을 파견해 리오데라플라타의 질서 회복을 명령했다. 제독이 도착하자마자 리니에르는 자리에서 물러났고 시스네로스는 그 지역에서 근왕파의 지배를 회복해, "프랑스 이데올로기" 지지자들을 뿌리 뽑는 정치 감시 재판소를 구성했다.[63] 하지만 그는 알토페루에서 새로운 도전들에 직면했는데, 추키사카와 라파스에서 각각 5월 25일과 7월 16일에 훈타가 수립된 것이다. 10월에 시스네로스는 근왕파 병력을 보내 두 지역에서 질서를 회복하게 했다. 하지만 그 과정에서 그는 무심코 부에노스아이레스의 수비대 병력을 끌어가서 크리오요가 장악한 민병대에 상대적으로 더 큰 힘을 실어주고 말았다. 1810년 5월 세비야 훈타의 해체와 에스파냐 섭정위원회의 수립 소식이 들려오자 많은 크리오요들은 이제 국왕과 훈타 둘 다 권력에서 밀려났으니 시스네로스에게는 더 이상 이곳을 다스릴 합법성이 없다고 확신했다. 부왕은 정치적 현상유지를 원했지만 일단의 크리오요 법률가들과 군 관리들이 공개적인 카빌도를 조직했고, 카빌도는 일주일 동안(5월 18~25일) 일련의 논의 끝에 에스파냐 섭정위원회를 인정하지 않기로 하고 부에노스아이레스의 프리메라 훈타 휘하에 리오데라플라타 연합주United Provinces of Rio de la Plata의 수립을 선언했다.[64]

이것은 남아메리카 최초의 성공적인 혁명이었다. 연합주의 수립은 다음 8년 동안 격렬하게 전개될 아르헨티나 독립전쟁을 불러왔다.[65] 프리메라 훈타는 리오데라플라타 부왕령 전역에 대한 권위를 주장해 다른 지역 중심지들과 정치적 갈등을 빚었다. 그러므로 부에노스아이레스가 에스파냐에서 이탈하려고 하는 바로 그때에 몬테비데오는 부에노스아이레스의 권위를 거부하고 근왕주의를 끌어안으며, 남아메리카에서 에스파냐 근왕주의와 군주정주의의 아성이 되었다. 더욱이 에스파냐 섭정위원회는 부에노스아이레스를 불량 도시로 선언하고 부왕령의 수도를 몬테비데오로 옮겼으며, 엘리오는 그곳에서 새로운 부왕으로 임명되었다. 그와 동시에 이전 부왕 리니에르는 코르도바(부에노스아이레스에서 약 730킬로미터 떨어진)에서 근왕파 봉기를 조직하고 이웃 페루 부왕령(여전히 근왕파 세력권)으로부터 부에노스아이레스 반란을 진압할 증원군을 기대했다.

프리메라 훈타가 내린 첫 번째 결정은 알토페루의 봉기를 진압하는 것이었다. 7월 초에 프란시스코 오르티스 데 오캄포 대령이 이끄는 소규모 원정군이 그곳으로 파견되었다. 원정군은 먼저 코르도바에 들러 리니에르와 여타 코르도바 반혁명 지도자들을 격퇴해 생포했다. 오캄포가 이 포로들을 처형하길 망설이자 그는 자리에서 쫓겨났다. 정치위원 후안 호세 카스텔리가 1810년 8월 26일 코르도바 포로들을 처형한 한편, 오캄포를 대체한 안토니오 곤살레스 발카르세는 알토페루에서 프리메라 훈타의 권위를 공고히 하고자 그곳으로 이동했다. 코타가이타(1810년 10월 27일)에서 패했음에도 불구하고 애국파는 이후 수이파차 전투(11월 7일)에서 승리를 거두어, 그 지역에 대한 부에노스아이레스의 지배권을 확립했다. 비센테 니에토, 프란시스코 데 파울라 산스, 호세 데 코르도바 이 로하스 장군을 비롯한 근왕파 지도자들은 붙잡혀 처형되었다. 카스텔리가 데사과데로 강을 건너 페루 부왕령 침공을 고려하고 있을 때 근왕파 총사령관 호세 마누엘 데 고예네체가 페루 병사들을 이끌고 반격에 나서 1811년 6월 20일 우아키(과키)에서 애국파를 격파해 근왕파의 리오데라플라타 침공의 길을 열었다.[66]

파라과이와 알토페루에서 겪은 패배들로 인해 1811년 9월 프리메라 훈타는 마누엘 데 사라테아, 후안 호세 파소, 펠리시아노 치클라나로 구성된 삼두체제로 대체되었다. 신정부는 페루가 근왕파 수중에 남아 있는 한 남아메리카 전역의 독립이 위협받으리라고 확신했다. 이에 따라 삼두체제는 북부군을 재편하고 마누엘 벨그라노 장군을 임명해 북부군을 이끌게 했다. 후안 피오 데 트리스탄 장군 휘하의 훨씬 강한 근왕파 군대에 직면한 벨그라노는 초토화 전술에 의존하고 후후이 대탈출 작전을 기획해 후후이주와 살타주의 주민 수천 명을 소개하는 동시에 그 지역 농촌 일대를 파괴했다. 이 전략은 통했다. 벨그라노는 투쿠만 전투(1812년 9월 24~25일)에서 근왕파를 확실하게 격파한 다음 1813년 2월 20일 살타에서 태반이 넘는 근왕파 군대의 항복을 받아냈다. 이러한 승리들은 부에노스아이레스의 애국파 정부를 안전하게 지켰을 뿐 아니라 그 권위가 이전 리오데라플라타 부왕령 북부 영토 대부분에 미치도록 했다. 물론 빌카푸히오(1813년 10월 1일)와 아요우마(11월 14일)에서 거둔 근왕파의 승리는 이곳에서 전쟁이 간헐적인 성공과 더불어 지속되었음을 의미했다.

　　내전은 반다오리엔탈(오늘날의 우루과이)에서도 터져 나왔다. 몬테비데오는 오랫동안 리오데라플라타 부왕령 내에서 더 큰 자치를 추구해왔지만 그곳의 상업 엘리트층이 뜻을 이룰 수 있게 된 것은 나폴레옹 전쟁이 야기한 정치적 위기 덕분이었다.[67] 그들이 선호한 정치적 선택지는 근왕주의였고, 1809~1810년 내내 몬테비데오의 근왕파는 엘리오 부왕의 지도 아래 권력을 다졌다. 하지만 반다오리엔탈에서 모두가 한목소리로 근왕주의를 지지한 것은 아니었다. 호세 헤르바시오 아르티가스 아르날이 이끄는 공화주의 분파들의 완강한 저항에 직면했던 것이다. 1811년 2월 28일, 현지 공화주의 애국파는 유명한 '그리토 데 아센시오Grito de Asencio'(아센시오의 외침)를 발표해, 근왕파에 맞선 투쟁에서 아르헨티나 형제들에게 도움을 촉구했다. 이 호소는 한창 진행 중인 내전들에서 새로운 우루과이 전장을 열었고, 아르헨티나 침공군이 1811년 4~6월 내내 근왕파 세력과 충돌했다. 5월 18일 라스피에드라스에서의 승리로 애국파는 몬테비데오로 곧바로 진군할 수 있었지만 뒤이은 포위전은 10월에 실패로 끝났다. 혁명가들에게 항전하기 위해 엘리오는 포르투갈 왕비 카를로타 호아키나에게 원조를 구했다. 반다오리엔탈을 얻으려는 염원을 오랫동안 품어온 포르투갈인들은 지체 없이 기회를 붙들었다. 왕비는 반다오리엔탈에 개입하도록 남편을 설득했고, 영국 대사 스트랭퍼드가 미처 손을 쓰기 전에 4천 명 병력의 브라질의 포르투갈 군대가 1811년 7월에 그 지역을 침공해 애국파가 포위를 풀게 만들었다.

엘리오는 이 성공에 흥분했으나 곧 자신이 포르투갈인들을 불러들이면서 중대한 실수를 저질렀음을 깨달았다. 포르투갈 지휘관 디에구 지소자는, 포르투갈 군주가 그 지역을 정복할 의사가 없다고 현지 주민들을 안심시켰지만 한편으로는 그 지역을 공화파의 공격으로부터 방어해야 할 필요성을 주장하며 철수할 의사를 보이지 않았다. 1812~1813년 내내 소규모 충돌이 지속되다가 결국 영국의 중재로 리오데라플라타 연합주와 포르투갈 제국 간 레이드메이커-에레라 조약이 체결되어(1812년 5월 26일) 반다오리엔탈에 대한 포르투갈의 간섭은 종식되었다.[68]

포르투갈인들이 1812년 여름에 물러가자 마누엘 데 사라테아가 이끄는 아르헨티나 애국파는 반다오리엔탈에 새로운 침공을 단행해 몬테비데오를 두 번째로 포위했다. 전년도처럼 그들은 성벽을 정면 공격할 육상 전력이나 항구를 봉쇄할 해군이 없었다. 후자의 문제를 해결하기 위해 리오데라플라타 연합주는 미국으로부터 선박을 얻어 이전에 프랑스에 맞서 영국 해군에서 복무한 적이 있고 이제는 '아르헨티나 해군의 아버지'로 떠오른 아일랜드인 윌리엄 브라운 휘하에 자체 전대를 구성했다. 1814년 6월, 영국인과 미국인 선원들이 복무하는 브라운의 함대는 라플라타강에서 체계적인 전역을 수행하고 몬테비데오를 해상 봉쇄했다. 브라운의 함대 덕분에 1814년 6월에 아르헨티나 군대가 도시를 점령해 반다오리엔탈에서 근왕파 세력을 끝장냈다.[69] 그러나 리오데라플라타 연합주의 아르헨티나에 합류하는 대신 아르티가스는 반다오리엔탈이 독립적으로 남을 것이라고 결정했다. 1814년에 그는 우니온 데 로스 푸에블로스 리브레스(자유민족연합)를 결성하고, 자신을 그 수호자로 선언했다. 이듬해 그는 아르헨티나 침공군을 무찌르고 우니온을 연맹Federal League으로 재편했다. 연맹은 리오데라플라타 연합주는 물론 에스파냐로부터도 독립적이었다.[70]

한편 프리메라 훈타는 파라과이 감독관령 문제에 사로잡혀 있었는데, 파라과이는 훈타의 권위를 거부해 마누엘 벨그라노 장군 휘하 애국파 군대의 침공을 촉발했다. 별다른 저항을 예상하지 않은 애국파는 1810년 12월에 캄피추엘로에서 일찍이 승리를 거두었다가 파라과리 전투(1811년 1월 19일)와 타쿠아리 전투(1811년 3월 9일)에서 대패해 퇴각할 수밖에 없었다. 이러한 승리들에 많은 파라과이인들은 더욱 대담해졌다. 호세 가스파르 로드리게스 데 프란시아를 비롯한 그들은 침공에 대항했지만 그렇다고 근왕주의가 승리하는 것을 보고 싶은 마음도 없었다. 국왕의 도움 없이 거둔 승리에 의기양양해진 그들은 벨그라노의 패배를 자신들의 해방을 위한 발판으로 삼기로 했다. 그러므로 파라과이 전역은 크리오요들 사이의 충돌로 비화했다. 프리메라 훈타를 지지하는 크리오요들이 부에노스아이레스의 지배를 원치 않는 파라과이 크리오요들과 충돌했다. 1811년 5월 17일, 파라과이는 에스파냐 군주정과 부에노스아이레스를 기반으로 한 훈타와 절연하고 독립을 선언했다.[71]

❖

누에바그라나다(오늘날의 콜롬비아)에서는 안토니오 호세 아마르 이 보르본 부왕이 크리오요들의 요구를 거부하고 훈타 운동과 대립했다. 1809년 8월 10일에 키토에서 훈타가 구성되었다는 소식을 듣자마자 그는 근왕파 군대를 파견해 질서를 회복하게 했으나 다른 곳들에서 생겨나는 훈타를 진압하느라 애를 먹었다. 하지만 7월 후반에 이르자 그 자신이 폐위되고 훈타가 다름 아닌 보고타에서 수립되었다.[72] 부왕령은 곧 훈타를 지지하는 지역들과 근왕파 지역들로 나뉘었다. 부왕령의 동부와 서부 지역인 가이아나와 마라카이보주는 계속해서 근왕파 지역이었고 근왕파 세력은 남부(포파얀과 파스토를 포함)와 북부(카르타헤나 근처 산타마르타)의 요충지들도 계속 지배했다. 훈타들은 공동전선을 펴지 못하고 곧 부왕령의 미래를 위한 상반되는 비전들을 둘러싸고 반목하기 시작했다. 어떤 훈타들은 각자 내부 정책을 추구하면서 누에바그라나다 연합주 연방정부의 권위를 인정하는 느슨한 주 연합을 주창했다. 일부 훈타들, 오랫동안 부왕령의 수도였고 따라서 지방 분권 체제에서는 잃을 게 많은 보고타 훈타는 특히 더 중앙집권적인 지도부를 주장했다. 보고타 지도자들은 연합 방안을 거부하고 그 대신 자체의 쿤디나마르카 국가를 수립했는데, 쿤디나마르카는 안토니오 나리뇨의 "반‡독재적인 권위" 아래 들어가게 되었다.[73] 이웃 베네수엘라 사령관령에서는 카라카스 훈타가 근왕파 성향의 코로시로부터 저항에 직면했으니 그곳의 총독 호세 세바요스는 카라카스 훈타의 권위를 수용하지 않으려 했다.[74] 훈타는 세바요스는 앞잡이라고 규탄하며 4천 명가량의 병력을 동원해 그에 맞서 싸웠으나 1810년 11월 28일 코로시 외곽에서 수는 훨씬 적지만 더 분발한 근왕파 군대에 불시의 패배를 당했다. 이 패배로 카라카스에서는 정치 위기가 촉발되어, 장래의 정부를 결정하기 위한 특별 의회가 소집되었다.

의회에서의 정치 논쟁들은 프란시스코 데 미란다와 시몬 볼리바르 같은 급진적 목소리들이 갈수록 호소력을 얻고 있음을 반영했다. 영국의 인정과 원조를 구했지만 성과 없이 귀환한 볼리바르는 에스파냐 군주정과의 완전한 단절을 주장했다.[75] 1811년 7월 5일에 1차 베네수엘라 공화국이 선포되었지만 공화국은 단명하고 말았다. 강력한 지진이 1812년 3월 공화파 주들을 강타해 수천 명이 사망하고 기간시설 대부분이 파괴되었다. 그다음 도밍고 데 몬테베르데 휘하 근왕파가 반격을 개시해 산마테오 전투(1812년 6월 20일과 29일 라빅토리아)에서 혁명군을 무찌르고 수도 카라카스를 다시 에스파냐 치하로 복귀시켰다. 1812년 7월 25일 항복 협정을 수용하기로 한 미란다의 결정은 공화파 지지자들을 충격에 빠뜨렸다. 이를 반역 행위라 규탄한 볼리바르는 다른 장교들과 함께 미란다를 체포한 다음 에스파냐 군대에 넘겼다. 한때 식민지 독립의 위대한 옹호자였던 미란다는 생애 마지막 5년을 에스파냐 감옥에서 보냈다.

볼리바르는 누에바그라나다 연합주 의회 휘하에 베네수엘라 군대의 사령관으로 임명되었다. 1813년 여름 그는 베네수엘라를 에스파냐 지배로부터 해방시키기 위한 "아드미라블레[훌륭한] 전역"을 개시했다. 5월 후반에 볼리바르가 이끄는 군대는 메리다시에 입성해 그를 "엘 리베르타도르"(해방자)로 선언했고, 볼리바르는 남아메리카 전역에서 그 별명으로 알려지게 된다. 2주 뒤에 그는 트루히요를 붙잡고 6월 15일에 악명 높은 포고령 "게라 아 무에르테Guerra a Muerte" (최후까지 결전)를 공표해, 편을 바꿔 혁명을 지지하길 거부하는 에스파냐인들의 전멸을 지시했다. 이 무자비한 조치는 반대파인 근왕파의 분열이라는 특정한 정치적 목적을 도모하고자 전시 규칙을 고의적으로 부정하는 행위였다. 공화파 세력이 카라카스를 수복하고 볼리바르를 수반으로 한 2차 베네수엘라 공화국을 수립했으니 이 조치는 단기적 이득을 가져오긴 했다. 그러나 공화파는 근왕파가 계속해서 상당한 지지를 받고 있던 농촌 지방을 장악하는 데 실패했다. 또 에스파냐 증원군이 푸에르토카베요에 상륙하는 것도 막지 못해, 근왕파 세력은 한층 힘을 얻었다.

모스키테로스(1813년 10월 14일)와 아라우레(12월 5일)에서 거둔 승리에도 불구하고 공화파는 내부 분열과 각종 암투에 시달리느라 공동전선을 펼 수 없었다. 1814년, 근왕파 장군 호세 토마스 보베스가 새로운 반격 작전을 개시해 1814년 6월 15일 라푸에르타에서 볼리바르에게 참패를 안기고 베네수엘라 상당 부분을 장악했다. 2차 공화국도 무너지자 볼리바르는 누에바그라나다로 도망칠 수밖에 없었고, 거기서 지지자들을 규합하려고 했지만 라이벌 공화파들과의 싸움에 휘말리게 되었다. 좌절한 그는 불명예스럽게 나라를 떠나 아이티에서 안식처를 찾았다. 새롭게 수립된 독립 아이티 공화국의 대통령 알렉상드르 페티옹은 볼리바르를 환영하며 물적·군사적 지원을 약속했다.[76] 1816년 볼리바르의 베네수엘라 귀환은 10년 가까이 이어질 독립전쟁의 새로운 국면을 열었다.

누에바그라나다, 누에바에스파냐, 리오데라플라타에서 혁명이 격렬히 펼쳐지는 동안 페루 부왕령은 확고하게 근왕파 지역으로 남았다. 페루 부왕 호세 페르난도 데 아바스칼 이 수사는 유능한 행정가로서, 군대를 조직해 알토페루의 봉기를 진압하고 아르헨티나 훈타의 열망을 성공적으로 억누르는 데 결정적 역할을 했다. 하지만 그도 훈타 운동이 자신의 부왕령으로 확산되는 것을 막을 수는 없었다. 1778년 이래로 자치 지역이었던 칠레 사령관령은 1810년 9월에 산티아고에 훈타가 수립되는 것을 목격했다. 산티아고 훈타는 페르난도 7세에 대한 충성을 서약했지만 칠레가 에스파냐 군주정 내 자치 공화국이라고 선언하고 1811년 최초의 칠레 국민회의를 조직했다. 이때쯤이면 더 급진적인 애국파는 칠레의 완전한 독립을 요구하며, 호세 미겔 카레라(반도전쟁에서 갓 귀환한 참전군인)와 그의 쌍둥이 형제들인 후안 호세와 루이스 카레라가 이끄는 쿠데타를 기획했다. 하지만 친독립파 진영은 인물과 후원 관계에 따라 깊이 분열되어 있었다. 1813년 초에 아바스칼 부왕은 안토니오 파레하 휘하 6천 명가량의 병력을 산티아고로 파견해 칠레에 근왕파의 권위를 회복시키려 했다. 뒤이어 벌어진 전역에서 카레라는 근왕파 상대에게 전술적으로 밀리며 패배해 해임되었다.

칠레 크리오요들은 이제 에스파냐와 아일랜드 혈통을 타고난 걸출한 크리오요 베르나르도 오이긴스 휘하에 결집했다. 오이긴스는 근왕파에 맞선 싸움이 교착상태에 빠지자, 적대행위를 종식시켰지만 칠레를 에스파냐 군주정의 일부로 재확인한 리르카이 조약을 교섭했다. 이러한 양보 조항에 격분한 카레라 형제들과 그들의 지지자들은 조약을 거부하고 오이긴스의 권위에 도전했다. 애국파 진영은 내전에 빠져들었다가 1814년 가을 근왕파의 공세 소식에 일단 의견 차이를 접었다. 카레라와 오이긴스는 공동의 적에 맞서 힘을 합치기로 약속했지만, 그들의 불화는 1814년 10월 2일 랑카과에서 근왕파의 승리를 불러왔다.

이 마지막 전투는 애국파에게 참담한 패배였다. 1700명가량의 병사들 가운데 오이긴스는 600명을 잃고, 300명은 부상을 당했으며, 400명은 포로가 되었다. 근왕파가 산티아고에 입성하면서 그와 얼마 안 남은 병사들은 (그들의 가족들과 더불어) 안데스산맥을 넘어 리오데라플라타 연합주로 도망치는 수밖에 없었고 연합주에 당도해 쿠요주의 신임 총독인 호세 데 산마르틴의 환영을 받았다. 프랑스군에 맞서 반도전쟁에서 복무한 베테랑인 산마르틴은 1812년 남아메리카의 정치적 격동에 관한 소식을 듣자마자 에스파냐를 떠났다. 애국파 세력에 합류한 그는 기마 근위 연대를 창설하는 혁혁한 공을 세웠고, 산마르틴의 기마 근위 연대는 뛰어난 규율과 훈련으로 남아메리카를 통틀어 최고의 부대 가운데 하나가 되었다. 쿠요 총독으로 임명된 그는 현지 병력을 재조직하고 전 지역을 배급제와 강제 공채, 강제노동으로 이루어진 전시 경제 체제로 운영했다. 칠레 애국파가 그에게 도움을 간청하자 산마르틴은 전쟁에서 승리할 원대한 계획을 제시했다.

알토페루를 통과하는 일반적인 경로를 택하는 대신 그는 안데스 북
중부의 그랑코르디예라의 눈 덮인 고갯길을 넘어 공세를 개시하는
방안을 제시했다. 다음 2년에 걸쳐 산마르틴은 연합주의 최고 지도
자 후안 마르틴 데 푸예레돈으로부터 귀중한 정치적·물적 지원을 받
아 근왕파 세력권인 칠레를 궁극적으로 재정복하기 위한 기틀을 마
련했다.

21장

_____

전환점

1812

19세기의 두 번째 10년대에 이르자 나폴레옹은 지난 천 년 동안 누구도 이룩하지 못했던 것을 해냈다. 바로 유럽 대륙의 패권을 거머쥔 것이다. 프랑스 치하 영토의 면적 측면에서 1810년은 나폴레옹 제국의 정점이었다. 전년도에 오스트리아가 패배하면서 나폴레옹은 아드리아해 연안을 따라 남쪽으로 지배력을 뻗쳤고 동생인 루이가 프랑스의 이해관계보다는 네덜란드의 이해관계에 더 동조하는 모습을 보이자 네덜란드 왕국을 프랑스 제국 직속으로 편입시켰다. 북해 해안을 따라 새로운 영토를 획득하면서 프랑스 자체만 130개 도에 달한 한편(원래는 83개 도), 제국의 권위는 광대한 영역에 뻗어 있었다. 덴마크 반도의 발트해 바닷가부터 이탈리아와 달마티아의 아드리아 해안선까지, 에스파냐 안달루시아부터 러시아 제국의 경계까지, 나폴레옹은 사실상 대륙에서 누구의 도전도 받지 않았다.

하지만 제국의 강성함과 안정성의 표면 아래로는 여러 가지 걱정스러운 징후들이 도사리고 있었다. 1811년 마스카렌제도와 자바섬 함락은 나폴레옹에게 더 이상 해외 식민지가 남아 있지 않다는 뜻이었다. 영국의 승리는 사실 워낙 완전해서 아시아에서 200년이 넘게 진행된 유럽 해양 제국 간 경쟁의 종식을 알렸다. 영국은 또한 앞에서 우리가 본 대로 이란과 아라비아에서 우위를 누린 한편, 영국 해군은 바다를 지배했다. 나폴레옹에게 더 이상 아무런 교두보가 없는 서반구에서도 상황은 똑같이 프랑스의 이해관계에 몹시 심각했다. 루이지애나는 미국 영토가 되었고, 아이티는 독립했으며, 카리브해에 남아 있는 프랑스령 섬들은 영국에 점령당했고, 나폴레옹이 영향력을 행사할 수 있길 바랐던 에스파냐령 아메리카는 재빨리 내전으로 빠져들었다.

그렇다면 이런 물음이 떠오른다. 나폴레옹이 유럽에서 자신의 권위를 계속 유지할 수 있었다면 이러한 지구적인 사태 전개에 비추어 볼 때 나폴레옹 전쟁의 결과는 달라졌을까? 프랑스는 지구적 전쟁에서 졌고 이제 지역적 전쟁에서 승리하기만 바랄 수 있을 뿐이었다. 그러나 심지어 유럽에서도 나폴레옹은 상당한 난관들에 직면했다. 그는 교황을 홀대해 많은 가톨릭교도들로부터 지독한 증오를 샀다. 에스파냐에서의 전쟁은 이렇다 할 성과도 없이 재정적·인적 자원만 빨아들였다. 오스만 제국은 전쟁으로 지치긴 했어도 공식적으로 나폴레옹의 맹방으로 남아 있었지만 갈수록 프랑스와 거리를 두고 있었다. 대륙 봉쇄 체제는 널리 원성을 자아냈고, 프랑스도 예외는 아니어서, 1810~1811년의 경제 위기는 그때까지 나폴레옹의 가장 강력한 지지자였던 부르주아 계급 사이에 불만이 쌓여가는 기색이 역력했다. 프랑스식 통치와 행정 모델은 효율성과 일률성을 대표했을지 몰라도 농촌이나 도회지의 서민들에게는 그다지 매력이 없었다. 그들은 늘어난 과세와 징병제, 그에 동반한 효율적인 경찰력을 싫어했다. 개혁은 아무리 계몽되고 진보적일지라도 총구에서 나오는 순간 호소력을 크게 상실했다.

아닌 게 아니라 프랑스의 제국적 권력은 이탈리아와 네덜란드, 독일 국가들에서 민족의식의 기운을 일깨웠고, 프랑스의 점령은 교육 받은 엘리트층과 궁극적으로는 서민들로부터 애국적인 반응을 불러일으켰다. 프로이센에서는 민족 정서가 꿈틀대고 있었고 이곳의 저명한 독일 작가와 철학자들은 나폴레옹에게 등을 돌리고 민족주의 선전과 자유에 대한 새로운 의식을 일깨우는 데 위대한 재능을 바쳤다.[1] 앞서 겪은 군사적 패배들과 그에 따른 깊은 낭패감과 굴욕감은 독일 계몽사상의 성격 자체를 변화시키는 데 일조해, 이전의 세계시민주의와 합리주의 요소를 희생시켜가며 독일 계몽주의에 낭만적이고 민족주의적인 특색을 가미했다. 독일과 오스트리아 정치 지도자들은 나폴레옹 제국주의에 맞선 무기로서 이러한 민족의식을 조장해, 프로이센의 개혁적 시책들은 국가를 강화하는 데 애국적 감정의 급증을 활용한 한편, 합스부르크 군주정은 민족적인 프로파간다 운동이 문제없다고 생각했다.[2] 이와 비슷하게 이탈리아 작가와 사상가들, 심지어 1796~1797년에는 프랑스인들을 환영했던 이들도 갈수록 나폴레옹에 환멸을 느끼고 산문과 운문을 통해 격렬한 비판과 논쟁에 뛰어들었고, 이탈리아 통일에 대한 그들의 호소는 한 세대에 걸쳐 반향을 일으켰다.[3]

1812년 여름 나폴레옹의 러시아 침공 결정은 유럽에서 프랑스의 지배권을 유지하기 위한 그의 가장 커다란 시도였다. 그것은 엄청난 규모의 전쟁으로 이어졌고, 프랑스 황제가 얻고자 한 것과 정반대

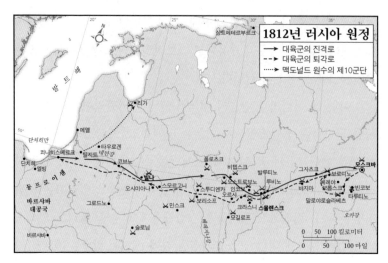

지도 25 1812년 러시아 원정

의 결과를 낳았다. 6개월에 걸친 전역은 승리와 고난, 비범한 용기와 방종한 타락을 보여주는 무수한 일화들로 점철되어 있으나 군사적 교훈도 다수 제공했다. 구상과 실행, 나락과도 같은 종말에서 이 전쟁은 1941년 6월 독일의 소련 침공 때까지 유례가 없었다.

러시아와 프랑스의 무력 분쟁은 공식적인 선전포고 없이 시작되었지만 당대인들에게는 뜻밖의 일도 아니었다. 두 제국의 관계는 1808~1811년에 갈수록 긴장이 높아졌다.[4] 알렉산드르가 틸지트 조약에 의거해 가담하기로 동의한 나폴레옹의 대륙 봉쇄 체제는 러시아 경제에 대단히 불리한 것으로 드러났다. 러시아는 여전히 농업 근간의 제국이었으며 핵심 원자재 수출에 크게 의존했다. 제조업 공장 수가 점차 늘어나기는 했어도 프랑스나 영국과 비교할 때 러시아의 산업적 기반은 한참 뒤처져 있었다. 러시아는 자원을 수출하기 위해 자국 상선보다는 외국 상선에 더 의존했고, 영국이 러시아의 주도적인 무역 상대국이었다. 그러므로 영국과의 무역이 사라짐에 따라 대륙 봉쇄 체제는 상당한 경제적 곤경을 초래했고 영국의 구매력을 대체하기란 쉽지 않았다. 1802년, 아미앵 평화 동안 러시아의 상트페테르부르크 항과 크론슈타트 항을 찾은 986척의 상선 가운데 477척이 영국 선박이었고 고작 5척만이 프랑스 선박이었다.[5]

대륙 봉쇄 체제의 부정적 효과는 러시아-스웨덴 전쟁과 러시아-오스만 전쟁의 시작으로 러시아의 무역 파트너가 더욱 제한되면서 그만큼 증대되었다. 러시아 항구에는 내다 팔 수 없게 된 원자재(곡물, 대마, 아마, 수지, 목재, 가죽, 소, 철 등)가 쌓여갔다. 수출품은 가격이 급락한 반면 수입품은 가격이 치솟았다.[6] 러시아가 대륙 봉쇄 체제로 인해 느끼는 답답함은 영국이 흉작으로 고생하고 있는 반면 러시아는 풍작을 누린 1810년에 극에 달했다. 나폴레옹은 프랑스가 지배하는 항구들에서 영국으로 곡물 수출을 허용했지만(그러면서 무거운 세금을 매겼다) 러시아는 대륙 어느 곳보다 최저가였음에도 불구하고 곡물을 영국에 단 한 톨도 팔 수 없었다. 두말할 필요도 없이 러시아 지주들은 이런 상황에 분을 삭이지 못했다.

1807년에 프랑스 상인들은 러시아 시장에서 영국 경쟁자들을 대체할 거라는 부푼 기대를 품고 있었다. 3년 뒤에 그들은 그곳에서 발판을 잃을 암울한 현실에 직면했다. 영국과의 계속되는 전쟁으로 프랑스는 러시아와 해상 직교역을 유지할 수 없었고, 러시아는 1808년에 프랑스 선박을 단 한 척도 받지 못했다. 육로 무역만이 유일한 대안이었지만 중유럽과 동유럽을 거쳐 화물을 운송하는 것은 훨씬 느리고 비용이 더 많이 들었으므로 이윤이 크게 깎일 수밖에 없었다. 러시아 경제에서 커져가는 위기는 프랑스 산업의 많은 부분이 러시아 시장에 의존하는 상황을 고려할 때 프랑스에도 커다란 걱정거리였다. 대륙 봉쇄 체제가 시작된 직후에 일례로 리옹 상무회의소는 프랑스 견직 산업이 러시아 시장의 상실로 인해 붕괴 직전이라고 나폴레옹에게 경고했다. 양국 무역에 소요되는 엄청난 원거리는 차치하고라도 프랑스-러시아 통상관계는 신용 부족과 러시아 화폐 가치의 급락 탓에 저해되었다.[7] 영국과의 무역 단절은 하필이면 최악의 시기에 러시아를 강타했다. 러시아 경제는 이미 무거운 외채를 떠안고 있었던 한편, 1801년 약 700만 루블이었던 국가 적자는 1809년에 1억 4300만 루블에 달했다.[8] 이는 루블화 지폐 가치의 붕괴에 일조했고, 더 많은 지폐를 찍어냄으로써 늘어나는 적자를 메우려는 정부의 시도로 인해 상황은 더욱 악화됐다.[9] 그 결과 루블화 지폐 가치는 1807년 6월에 은화 67코페이카에서 1810년 12월에 고작 25코페이카로 곤두박질쳤다. 통화 가치 하락은 광대한 제국의 머나먼 오지들에서 러시아 군대를 유지하고 전쟁을 치르는 데 들어가는 비용에 극적인 영향을 미쳤다. 1812년에 이르면 국세 수입의 실제 가치가 틸지트 조약 이전 국세 수입의 3분의 2에 불과할 정도로 러시아는 경제적 재앙과 마주하고 있었다.[10]

1810년부터 러시아 정부는 경제를 안정시키기 위해 지폐 발행량을 줄이고, 세금을 인상하고, 지출을 삭감하고, 어마어마한 관세를 물리는 방식으로 사치재 수입을 제한하는 등의 조치를 취했다. 알렉산드르는 사치재(대부분 프랑스산 제품이었다)에 관세를 부과하고 (어느 나라 화물을 적재했든지 간에) 중립국 깃발을 단 선박에 대한 제한을 완화하는 데 동의했다. 러시아 항구들에서 무역이 다시 활기를 띠자 나폴레옹은 "에스파냐, 포르투갈, 미국, 스웨덴, 심지어 프랑스 깃발마

저 영국 무역을 위장하는 데 이용된다. 이 선박들은 전부 다 영국 선박이다. 그 배들은 통상을 위한 영국의 상품을 싣고 있다"라고 분노를 터뜨렸다. 러시아가 그러한 무역을 단속하기 위한 진지한 노력을 기울이기만 한다면 그는 영국이 1년 안에 무릎을 꿇을 것이라고 믿었다.[11] 진지한 노력 대신, 1811년 알렉산드르의 새로운 칙령들은 러시아를 실질적으로 대륙 봉쇄 체제에서 이탈시켰다.

폴란드는 양국 지도자 간 마찰의 결정적 원인 가운데 하나였다. 나폴레옹의 바르샤바 공국 창설은, 알렉산드르 황제가 "러시아라는 몸에 박힌 가시"라고 표현한 대로, 폴란드 국토와 국가 정체성의 온전한 복원에 대한 러시아의 두려움을 일깨웠다. 나폴레옹은 폴란드가 복원되지 않을 것이라는 문서상의 보장을 받아내려는 러시아의 시도에 퇴짜를 놨다. 그는 바르샤바 공국이 러시아에 맞선 전략적 장벽으로 유지되어야 한다고 믿었다. "프랑스의 이해관계, 독일과 유럽의 이해관계가 그것을 필요로 한다. 정책이 그것을 명령한다. (…) 그리고 명예가 그것을 요구한다."[12] 프랑스-러시아 이해관계는 오스만 제국의 미래를 놓고도 충돌했다. 다르다넬스 해협을 확보하려는 알렉산드르의 야심을—지중해에서 러시아의 간섭을 우려해—가로막으려고 나폴레옹은 작심한 것 같았다. 러시아와 프랑스는 발칸반도 분할에 관한 구상에서도 뜻이 일치하지 않았다. 더욱이 나폴레옹의 라인연방 재편은 유럽에서 러시아의 핵심적 이해관계에 영향을 미쳤다. 러시아 황실은 독일 군주들과 오랫동안 친인척관계를 맺어왔는데 그 가운데 일부는 나폴레옹에 의해 지위 변화를 겪었다. 1810년 나폴레옹이 올덴부르크 공국을 프랑스에 병합했을 때 다름 아닌 알렉산드르의 매부가 영지를 상실했다. 영국 상품이 공국 내로 밀반입되도록 허용함으로써 올덴부르크 공이 대륙 봉쇄 체제를 위반한 것이 병합의 실제 이유였지만 알렉산드르는 이를 고의적인 모욕으로 받아들였다.[13]

19세기 첫 10년대가 끝날 무렵 틸지트에서 합의된 정치적 타협은 수명이 다했고, 새로운 유럽 전쟁이 곧 불붙을 것이라는 점이 명백했다. 프랑스 외무대신 장-바티스트 드 농페르 드 샹파니의 "대륙 사안에 관한 보고"(1810)는 러시아와의 동맹이 그 목적을 다했고, 프랑스는 "러시아 제국이라는 거인"을 견제하기 위해 오스만 제국, 스웨덴, 폴란드와의 전통적 동맹관계로 복귀해야 한다고 주장했다.[14] 알렉산드르와 그의 자문들도 프랑스와의 전쟁이 임박했으며, 그러므로 베를린과 빈이 나폴레옹에 등을 돌리게 해야 한다는 결론에 도달했다. 하지만 독일 국가들에 배치된 프랑스의 군사력과 1809년 오스트리아의 패배로 이들 나라들은 나폴레옹에 복종하는 것 말고는 선택의 여지가 없었다.[15] 1812년 2월 24일에 체결된 조약에 따라 프로이센은 러시아 원정이 벌어질 경우 프랑스와 그 동맹국의 군대에 자국 영토 통과를 허용하고 2만 명의 병력을 제공하기로 동의했다. 프로이센은 프랑스 군대에 필요한 보급품을 제공할 예정이었다.[16]

프랑스는 오스트리아와도 마찬가지로 동맹을 협상했다. 지난 15년 사이에 나폴레옹에게 네 차례나 패배한 터라 오스트리아는 딱히 프랑스의 뜻을 거스르고 싶지 않았고, 1809년 러시아가 오스트리아에 맞서 프랑스를 지지했던 기억은 여전히 생생했다. 1810~1812년에 나폴레옹은 오스트리아를 프랑스에 더 가깝게 묶어놓으려고 노력했다. 오스트리아 대공녀 마리-루이즈와 결혼한 것은 이런 방향으로 가는 첫걸음이었고, 오스트리아 황제 프란츠 1세를 설득해 동맹을 수용하게 하려는 대화 시도가 뒤따랐다. 오스트리아 외무대신 메테르니히는 이 기회를 놓치지 않고 더 유화적이지만 실용적인 노선, 즉 프랑스와 좋은 관계를 유지하는 정책을 추구했다. 나폴레옹이 잘나가고 있는 한 말이다. 새로운 파리 조약(1812년 3월 14일)에서 프랑스와 오스트리아는 상호 지원을 약속했고, 오스트리아는 슈바르첸베르크 후작 카를 필리프 휘하에 3만 명 병력의 보조 군단을 편성해, 러시아와 전쟁 시 최종적으로 나폴레옹의 통솔을 받게 하기로 동의했다. 하지만 오스트리아는 이중 게임을 벌이고 있었다. 한 달 뒤에 메테르니히는 알렉산드르 황제에게 오스트리아는 어떤 침략적인 전쟁도 추구하지 않을 것이라고 안심시켰다.[17]

러시아를 상대로 한 어떤 전쟁에서든 나폴레옹의 전체적인 전략은 스웨덴과 오스만 제국을 이용해 자신의 최측면을 보호하는 것을 고려하고 있었지만, 그는 두 나라 어느 쪽에도 영향력을 행사할 수 없었다. 전직 프랑스 육군 원수 베르나도트가 이끌고 있었음에도 스웨덴은 1812년 4월에 러시아와 동맹을 결성했다. 상트페테르부르크 조약에 의거해 두 나라는 "프랑스의 야심차고 약탈적인 계획들로 똑같이 위협받고 있는 양국 영토의 안전과 북방의 독립을 지킬 것"을 약속했다. 상트페테르부르크와 스톡홀름은 연합군을 구성해 프랑스에 점령된 스웨덴령 포메른에 상륙시키기로 했고, 러시아는 덴마크와 협상하거나 군사적 지원을 제공함으로써 스웨덴의 노르웨이 병합을 돕기로 동의했다.[18] 조약은 러시아의 북방 변경의 안전을 보장하고 핀란드에 배치된 병력을 자유롭게 풀어주었던 만큼 즉각적인 결과도 가져왔다. 오스만 제국의 경우, 프랑스와의 전통적인 동맹관계 덕분에 그들은 나폴레옹의 자연스러운 우방이었지만 6년에 걸친 러시아와의 전쟁은 오스만튀르크에 재앙이나 다름없었다. 오스만 군대는 패배하고 국고는 텅텅 비었다. 앞서 서술한 대로 러시아는 1812년 5월에 오스만튀르크가 부쿠레슈티 조약 서명에 동의했을 때 의미 있는 외교적 성공을 거두었다. 비록 도나우 공국에서 정복한 땅 대부분을 내놓아야 했지만 러시아는 그래도 베사라비아와 서부 조지아를 계속 보유할 수 있었고 무엇보다도 도나우군 전체가 자유롭게 풀려나 나폴레옹에 맞선 군사작전에 참여할 수 있게 되었다.[19]

1810년 봄과 1812년 여름 사이에 나폴레옹은 이전의 어느 전쟁보다 더 큰 규모의 전쟁 준비에 착수했다. 대중적인 인식은 그가 자신 앞에 놓인 어려움을 과소평가했다는 것이다. 사실 그는 러시아에서 직면하게 될 과제들을 잘 알고 있었고, 이 시기에 그의 서신에서 논의된 다방면의 쟁점들은 이를 증명한다. 그는 러시아의 지리와 역사를 공부했을 뿐만 아니라 과거 폴란드에서 수행한 전역들을 통해 도로 사정이 열악하고 물자가 부족한 인구 과소 지역에서의 싸움을 경험했다.[20] 그는 러시아에서 전쟁이 "오스트리아에서의 전쟁과 조금도 비슷하지 않을 것이다. 운송 수단이 없다면 모든 게 쓸모없을" 것이며, "우리는 시골 지방에서 아무것도 기대할 수 없으니 하나부터 열까지 챙겨가야 한다"라고 경고했다.[21] 신병들이 징집, 소집되었고 북독일, 특히 단치히와 함부르크에 있는 프랑스 주둔군이 증강되었다.[22] 나폴레옹은 그다음 수만 명 병사들의 무장과 이동 그리고 그들을 지원할 막대한 양의 탄약 보급창 설립을 꼼꼼하게 감독하며, 새로운 대육군을 구성하는 12개 군단의 조직과 재배치를 조율했다. 비스와강 유역은 대육군의 병참 기지가 되었다. 물자와 탄약 보급창이 단치히, 글로가우, 퀴스트린, 슈테틴, 바르샤바, 모들린, 토른, 마리엔부르크에 들어섰고, 엄청난 수의 수송대가 구성되어 침공 동안 40일 치 물자를 수송하는 임무를 맡았다.[23]

러시아가 1811년 후반에 루세에서 오스만튀르크를 상대로 결정적 승리를 거둬 술탄이 어쩔 수 없이 정전 협정에 서명한 뒤, 나폴레옹은 작업에 박차를 가해 조기에 준비를 마쳤다. 1812년 봄에 이르자 60만 명가량의 대육군이 1372문의 포와 18만 마리의 말을 이끌고 북독일과 바르샤바 공국에 집결했다.[24] 전력의 대략 절반은 오스트리아와 프로이센, 작센, 에스파냐, 바이에른, 폴란드, 이탈리아를 비롯해 나폴레옹의 동맹국에서 온 병사들이었다. 군대는 틸지트부터 루블린까지 뻗어 있는 지역에 세 군데 주요 휘하로 나뉘어 배치되었으나, 중앙과 우익은 전쟁 권역의 방대함에도 불구하고—그의 군대는 약 450킬로미터에 걸쳐 흩어져 있었다—지휘의 통일성이라는 원칙을 고집하는 황제의 직접적인 통솔 아래 있었다. 1812년에 러시아는 약 65만 명의 병력을 배치했지만 몰다비아와 크림반도, 캅카스, 핀란드와 여타 지역에 흩어져 있어서 25만 명만이 나폴레옹의 침공을 막기 위해 900문 정도의 포를 가지고 서부 지방에 배치되어 있었다. 이들은 3개의 대형 군대와 여러 개별 군단으로 조직되어 있었고 미하일 바르클라이 드 톨리가 제1서부군을, 표트르 바그라티온 공이 제2서부군을 맡았다.

6월 23~24일에 대육군은 네만강을 건넜다. 러시아 제국의 광대한 영역을 알고 있던 나폴레옹은 최대한 빨리 러시아군과 맞붙을 계획을 세웠고, 변경 지역에서 결전을 치러 3주 내로 승리할 수 있을 거라 자신했다. 네만강을 건너자마자 그의 첫 번째 계획은 빌나를 관통하는 측면 우회 기동으로 적을 에워싸는 것이었다.[25] 이 작전이 성공적으로 수행되었다면 대육군은 러시아군을 무찔렀을 것이다. 하지만 제1서부군을 에워싸기 위한 나폴레옹의 빌나 진격도, 제2서부군을 꼼짝 못하게 붙들기 위한 동생 제롬의 시도도 성공하지 못했다. 6월 28일 나폴레옹은 빌나에 당도해 폴란드 주민들의 열렬한 환호를 받았다. 하지만 그는 자축할 때가 아니라는 것을 알았다. 빌나 기동은 러시아 원정에서 나폴레옹의 첫 주요 작전이었고 그것은 실패로 드러났으니, 다음 두 달 반 동안의 전역은 대체로 이 작전 실패로 결정되었다. 제1서부군과 제2서부군은 더 우세한 적군과의 직접 대결을 피하고 중단 없는 퇴각 작전을 개시해 적군을 결국 스몰렌스크 코앞까지 데려왔다. 퇴각 중에 러시아군은 적군에 자원을 내주지 않기 위해 물자와 식량을 파괴하는 초토화 전술에 의존했다. 타는 듯한 더위와 억수같이 내리는 비는 나폴레옹의 계획을 한층 방해해, 대육군의 병력 손실은 예상 밖으로 컸다. 7월 1일에 이르자 썩어가는 수백 마리의 동물 사체가 코브노에서 빌나로 이어지는 도로를 가득 메웠다.

빌나 주변에서 벌어진 사건들은 대육군의 엄청난 규모 자체가 눈앞의 과제에 대처하는 지휘부의 능력을 점차 갉아먹고 있었음을 보여준다. 부대 규모의 급증으로 임관 장교와 비임관 장교를 위한 공석이 대단히 많았고, 이 자리는 당연히 능력이 떨어지는 후보자들로 채워질 수밖에 없었다. 원정이 시작된 지 8일 만에 나폴레옹 본인이 휘하의 참모 장교들과, "제대로 처리되는 일이 하나도 없다"는 사실에 대해 불평을 늘어놓았다.[26] 아닌 게 아니라 내부 보고서와 서신은 나폴레옹의 사령부가 전쟁의 안개 속에서 활동했음을 드러낸다. 노련한 군사 첩보 기구와 강력한 기병 군대를 보유했음에도 프랑스군 사령부는 적의 위치에 대해 다소 제한된 지식만 갖고 있었고 그 의도에 관해서는 사실상 아무것도 몰랐다. 심지어 마을과 경로를 확인하는 단순한 임무마저도 어려워져서, 베르티에 원수는 "현재 우리가 이용하는 지도들이 너무 대략적이라 정말이지 우리는 (부대들이) 어디에 있는지 알 수가 없다"[27]라고 투덜거렸다. 하루 뒤에는 나폴레옹이 불평할 차례였다. "우리가 갖고 있는 지도들이 너무 부실해서 사실상 쓸모가 없다."[28]

더 걱정스러운 것은 병참이었다. 러시아로 넘어가자마자 대육군은 작전을 방해하는 문제들과 직면하기 시작했다. 이전의 전역들에서 나폴레옹의 군사는 현지로 퍼져서 자체 보급을 했고, 흔히 끊임없이 이동해 한 지역의 자원을 고갈시키는 일을 피했다. 러시아 원정도 이런 관행에 예외가 될 수 없었고, 침공 시점 자체가 추수기를 활용하려는 의도였음을 보여준다. 늦여름은 그의 보급품을 다시 채워줄 막 수확한 건초와 귀리를 제공했을 것이다. 하지만 나폴레옹이 이전에 치른 전역들은 중유럽에서 인구가 밀집한 선진적인 지역에서 수행되었다. 농업 혁명과 일급 도로(많은 경우 포장 가도)들의 촘촘한 네트워크가 나폴레옹이 선호하는 기동전에 유리한 환경을 제공했다. 그에 비해 러시아의 서부 지방은 유럽에서 가장 낙후된 지역이었다. 나폴레옹과 그의 지휘관들은 네 마리 말이 끄는 무거운 탄약차는 그 중량과 도로 사정 때문에(폭우가 내린 뒤에는 특히) 러시아에서 거의 쓸모없다는 것을 재빨리 깨달았고, 결국 현지 주민들한테서 징발한 더 작은 수레로 바꿀 수밖에 없었다. 하지만 이는 지연과 혼란을 야기했다. 그러므로 전쟁 첫 몇 주 사이에, 나폴레옹의 병사들을 괴롭힌 것은 물자 부족보다는 때맞춰 보급품을 보내줄 운송 능력의 부족이었다.

전쟁의 첫 몇 달은 러시아에게도 엇갈린 결과를 가져왔다. 외교 전선에서 러시아는 스웨덴과 오스만 제국은 물론 영국과도 조약을 협상했다. 1812년 7월 18일에 러시아와 스웨덴, 영국 사이에 체결된 외레브로 조약은 세 나라 사이에 지속된 갈등을 종식시키고 프랑스에 맞서 협력하는 길을 닦아, 사실상 1813~1814년에 나폴레옹에 맞서 싸울 6차 대불동맹 수립의 기틀을 놓았다.[29] 이틀 뒤에 체결된 벨리키에 루키 조약으로 러시아는 나폴레옹에 맞서 피비린내 나는 게릴라전을 이끌고 있던 에스파냐 코르테스 대표들을 공식적으로 인정한 첫 열강이 되었다. 양측은 프랑스에 맞선 투쟁에 협조하기로 뜻을 모았다.[30]

하지만 이 같은 외교적 성공들이 핵심적이긴 해도 외교상의 승리는 러시아가 가장 필요로 하는 것, 즉 대육군의 침공에 맞서 즉각적인 군사적 지원을 가져다주는 데는 실패했다. 스웨덴은 나폴레옹에 공공연하게 맞서기 전에 가만히 지켜보며 전쟁의 결과를 기다리는 편을 택했다.[31] 영국의 입장은 더 복잡했다. 그동안 역사서들에서 영국의 무기 전달이 중요하게 논의되어왔지만 머스킷총 15만 정을 제공한다는 약속에도 불구하고, 전쟁이 끝나기 전까지 러시아에 실제로 전달된 양은 그 3분의 1에 불과했다. 그나마도 영국은 부풀려진 가격에 구식 무기를 팔아서, 도착한 무기들은 기존 러시아의 탄약보다 구경이 더 큰 것으로 드러났다.[32] 그 결과 추가 비용을 들여 러시아 병기창에서 부품을 새로 장착해 갱신해야 했다.[33] 영국은 러시아의 군비 부담을 덜어주기 위한 보조금도 선뜻 지급할 용의가 없었다. 캐슬레이는 러시아 특사에게 전쟁으로 영국도 재정적인 고충이 크다고 설명했다.[34] 영국의 재정 사정은 실제로 대륙 봉쇄 체제와

1810~1811년의 흉작(미들랜드와 잉글랜드 북부 지방의 대중 소요 사태에 기여했다), 신산업 기술에 반발하는 대규모 러다이트 폭동의 영향으로 악화되었다.[35] 게다가 영국은 러시아가 나폴레옹에 맞서 항전할 수 있을지 확신하지 못했고, 알렉산드르 황제가 또 다른 틸지트 조약 같은 협정을 수용해야 할지도 모른다고 우려했다. 그러므로 영국의 입장은 러시아가 프랑스와 전쟁을 벌인다면, 직접적이고 즉각적인 원조는 제공하지 않는 선에서 최대한 돕겠다는 것이었다. 영국의 정치가들은 자신들의 전쟁 수행 노력이 주로 투입되어야 할 곳은 이베리아반도이며, 영국은 그곳에서 프랑스의 전쟁 수행을 저해하는 데 더 많은 일을 할 수 있고 그리하여 간접적으로 러시아를 도울 수 있다고 여겼다.

스몰렌스크에 군대가 집결하는 사이, 러시아는 구 귀족계급과 궁정 및 군 본부에서 영향력을 얻게 된 외국 출신 장교들 간의 불화로 인한 지휘의 위기에 직면했다. 갈등의 직접적인 원인은 대립하는 두 파벌을 대표하는 선임 장교들 간의 명백한 전략적 견해 차이였다. 명목상 총사령관인 바르클라이 드 톨리는 수세적 전략을 지지하며 나폴레옹을 약화시키기 위해 지속적인 퇴각을 촉구하는 일단의 장교들(그들 중 다수는 독일 태생이었다)에게 둘러싸여 있었다. 그들에 반대하는 훨씬 다수의 "러시아 파벌"은 바그라티온 공(본인은 조지아 출생이었다)을 필두로 하여 즉각적인 반격을 촉구했다. 선임 장교들 사이에서 반反바르클라이 정서가 워낙 강해 바그라티온을 총사령관으로 임명할 것을 요구하는 목소리가 터져 나왔고 심지어 일부는 무력으로 바르클라이 드 톨리를 대체하라고 바그라티온을 부추길 정도였다.

이 같은 압력에 굴복해 바르클라이 드 톨리는 프랑스군의 중앙을 돌파해 남아 있는 프랑스 군단을 야금야금 전멸시키는 시도로서 스몰렌스크에서 공세를 펼치는 데 동의했다. 하지만 지휘관들의 의견 차이―설상가상으로 바르클라이 드 톨리의 망설임이 의견 차이를 심화했다―탓에 무익한 기동에 귀중한 시간을 허비했고 나폴레옹이 러시아군의 의도를 알아차리고 주도권을 잡을 기회를 허용했다. 작전상의 기량을 다시금 과시한 기동에서 나폴레옹은 드네프르강을 가로질러 10만 명이 넘는 병력을 이동시켜 러시아군의 측면을 우회해 스몰렌스크로 신속히 진격했다. 하지만 크라스니에서 소규모 러시아군 후위의 결연한 사수(8월 14일)는 프랑스군의 이동을 막아섰고 러시아군이 스몰렌스크 방어를 준비할 시간을 벌어주었다. 8월 15~16일, 러시아군은 스몰렌스크에 대한 적의 공습을 격퇴했지만 도시를 포기하고 모스크바를 향해 동쪽으로 퇴각할 수밖에 없었다.

스몰렌스크에서 여러 날을 보낸 나폴레옹은 좌절감을 감출 수 없었다. 네만강을 건넌 이래 5주 사이에 그는 적을 전투로 끌어들이는 데 실패하고 몇몇 도시와 마을을 점령하는 데 그쳤다. 보급 시스템은 이미 붕괴하기 시작했고, 식량 부족은 군대 내 심각한 무질서를 야기해 부대를 이탈한 병사들이 먹을 것을 구하러 시골을 떠돌았다. 더운 한여름에 식수가 워낙 귀하다 보니 병사들은 습지대의 개울과 웅덩이에서 오염된 물을 마실 수밖에 없었고, 이는 자연스레 이질과 여타 질병을 일으켜 수만 명의 병사들을 고통에 빠뜨렸다.[36] 뷔르템베르크 출신의 한 의사는 "설사가 워낙 심해서 훈련은 고사하고 정상적인 복무를 장담할 수 없다. 집집마다 환자들이 가득하고, 진지 자체에서는 전선과 후방을 오가는 흐름이 끝없이 이어져서 전 연대에 하제下劑 처방이 내려진 것 같다"라고 개탄했다.[37] 영양실조와 질병,

여타 요인들에 기인한 소모율이 유독 높아서 어떤 부대들은 이미 전력의 절반을 잃은 상태였다.[38]

　나폴레옹은 어떤 방침을 취해야 할지 마음을 정하지 못한 것 같았다. 그는 작전을 중단하고 전력을 재정비할 수도 있었다. 그는 빌나에서 이미 그런 생각을 고려했었고, 한 휘하 장교에게 스몰렌스크까지 진격했다가 빌나로 귀환해 국경과 더 가까운 곳에 동계 숙영지를 차릴 작정이라고 말했었다. 하지만 그는 그때쯤이면 러시아군이 이미 패배할 것이라 가정하고 이 계획을 세웠다. 그때까지 나폴레옹은 거의 두 달 동안 원정을 치렀지만 딱히 보여준 게 없었다. 더욱이 여러 가지 새로운 요인들이 상황을 복잡하게 만든 것 같다. 그는 측면의 러시아군이 본진의 움직임을 따를 것이라고 생각했지만 알렉산드르 토르마소프 장군이 이끄는 제3서부군은 위치를 지키면서 심지어 남부에서 슈바르첸베르크를 상대로 대승을 거둔 한편, 표트르 비트겐슈타인 장군은 우디노 원수와 생시르 원수를 상대로 자기 위치를 지키며 버티고 있었다. 더 중요하게도 러시아와 오스만 제국 간 강화가 체결되어 그동안 발이 묶여 있던 파벨 바실리예비치 치차고프 제독 휘하 도나우군이 이제는 도나우 공국에서 북쪽으로 올라와 대육군의 우익을 위협할 의도를 분명히 드러냈다. 러시아-스웨덴 간의 협상은 북부에서 동일한 움직임을 약속했는데, 그곳에서는 프랑스-프로이센 군단이 이미 리가 근처에서 교착상태에 빠져 꼼짝 못하고 있었다. 회전會戰과 전략적 소모로 원정군 중앙의 전력은 이미 18만 명 이하로 감소했다.

　병참과 작전에 대한 걱정거리는 제쳐두고라도 나폴레옹은 전쟁의 정치적 측면도 고려해야 했다. 그는 총사령관에 그치는 게 아니라 광대한 제국을 다스리는 국가수반이기도 했다. 그의 머릿속에서 오가는 정치적 고려들은 뒤로 물러서는 어떠한 움직임도 생각할 수 없게 만들었다. 일체의 퇴각은 유럽의 눈앞에 실패나 다름없이 보일 테고 프랑스의 지배를 위험에 빠뜨릴 수도 있었다. 나폴레옹에게 유일한 노선은 러시아군이 결전을 피할 수 없게 만들기를 바라며 진격을 계속하는 것이었다. 결전을 치르면 그가 원하는 대로 강화 조건을 강요할 수 있을 터였다. 날씨가 좋은 기간이 아직도 최소 두 달은 남아 있으므로 그는 목표를 달성할 시간이 충분하다고 생각했다.

스몰렌스크를 내준 것은 러시아군과 러시아 사회 일반에 엄청난 논란을 일으켰고, 그에 따라 알렉산드르 황제는 바르클라이 드 톨리를 7년 전에 아우스터리츠에서 러시아군을 이끌었던 미하일 쿠투조프 장군으로 교체했다. 8월 말에 지휘를 맡은 쿠투조프는 러시아 합동군을 동쪽으로 더 멀리 퇴각시켜, 모스크바에서 서쪽으로 약 110킬로미터 떨어진 마을 보로디노 근처에 자리를 잡았다. 이곳에서 9월 7일에 나폴레옹은 드디어 그렇게 오랫동안 원했던 결전을 치렀다.

보로디노는 아우스터리츠도 바그람도 아니었다. 30만에 가까운 병사가 참가한 참혹하고 피비린내 나는 싸움에서 양측은 커다란 용기와 의연함을 보여주었지만 끔찍한 인명 손실을 겪었다. 열두 시간 동안 벌어진 싸움에서 프랑스군은 3만 5천 명 이상, 러시아군은 4만 5천 명 이상이 죽거나 다쳤다.[39] 보로디노 전투는 군사적으로나 정치적으로 결정적인 결과를 가져오지 않았다. 러시아 황제는 싸우겠다는 결의가 흔들리지 않았고, 그의 군대는 아직 꺾이지 않은 채 모스크바를 향해 질서정연하게 후퇴했다. 나폴레옹은 러시아군이 모스크바를 방어할 것이라고 예상했다. 러시아 최대의 도시인 모스크바는 이전 수도이자 유럽인들이 오랫동안 "머스커비"〔중세부터 근대 초까지 존재한 모스크바 대공국의 줄임말)[40]로 불러온 곳으로서 그야말로 러시아 전체를 대표하는 곳이었다. 하지만 나폴레옹은 러시아인들이 어떻게 나올지에 대해 착각했다. 러시아군은 25만 명의 모스크바시 주민 전체에 소개 명령—근대 역사에서 그런 소개가 시도된 적은 처음이었다—을 내리고 싸우지 않은 채 도시를 포기했다. 9월 14일, 프랑스 황제는 그 위대한 러시아 도시의 버려진 거리를 말을 타고 달렸고, 도시는 곧 뒤이은 불길에 완전히 파괴된다. 모스크바 화재는 나폴레옹의 고의적 행위는 분명히 아니었다. 그에게는 도시를 보존해야 할 이유가 차고 넘쳤기 때문이다. 그렇다고 오랫동안 주장되어온 대로 러시아군이 장기적으로 염두에 두었던 계획의 소산도 아니었다. 화재는 러시아군이 여전히 도시를 통과해 퇴각하고 있을 때 시작되었고, 어느 러시아 지도자도 잠재적으로 그런 파국적인 행위를 의도적으로 승인하지는 않았다. 대화재는 여러 요인들이 합쳐져서 일어났다. 모스크바 총독 표도르 로스톱친은 보급 창고를 파괴하도록 지시하고 선전 활동을 통해 화재에 일조했다. 그가 뿌린 선전물은 모스크바 소개를 몇 주 앞두고 대중 심리를 조성해, 주민들에게 자신의 집이 적에게 유린당하는 꼴을 보느니 차라리 파괴하라고 부추겼다. 모스크바 총總소개는 러시아 당국자들로서는 전례 없는 조치였는데, 유럽 어느 주요 도시도 여태껏 적을 앞두고 완전히 소개된 적이 없었기 때문이다. 침공 군대는 입성하자마자 약탈을 시작해, 화재가 발생할 기회를 제공했다. 그리고 일단 불꽃이 타오르자 한동안 이어진 건조한 날씨와 세찬 바람, 소방 장비의 부재(소방 장비도 소개되었다) 등이 겹쳐 불길이 번져 나갔고 수천 채의 목조 건물이 풍성한 땔감을 제공했다. 러시아 수도의 전소는 대육군의 병사들에게 심대한 영향을 미쳤다. 쉴 곳과 양식을 구할 수 없는 병사들은 폐허 한가운데서 노영을 해야 했다. 규율이 느슨해지고 많은 병사들이 약탈 행위로 눈길을 돌렸다.[41]

나폴레옹은 모스크바에서 36일을 보냈다. 나중에 한 프랑스 장군이 평가한 대로 "그가 신속한 강화 체결을 거의 확신하고 있었다고 가정하지 않고서는 러시아 심장부에, 연기가 피어오르는 유서 깊은 수도의 폐허 한복판에 군대를 그렇게 오래도록 주둔시킨 고집스러움"을 설명하기는 어렵다.[42] 모스크바를 버리고 퇴각하는 것은 나폴레옹의 생각으로는 패배를 자인하는 것이나 다름없었다. 하지만 불타버린 도시에 머무는 것은 전쟁을 끝내는 데 암울한 전망만 제공할 뿐이었다. 강화조약 체결은 이 상황에서 빠져나갈 길을 열어주었겠지만 나폴레옹의 거듭된 제의는 거절당했다. 당대의 많은 사람들처럼 나폴레옹은 알렉산드르의 성격을 잘못 파악했고 러시아 황제의 의지력이 약하다고 여겼다.[43] 그는 틸지트와 에르푸르트에 대한 기억을 떠올리며 강화의 희망을 이어갔다. 러시아 궁정 내 친프랑스파가 알렉산드르를 강화 체결 쪽으로 몰아가 주리라.[44] 그러므로 나폴레옹은 그와 알렉산드르의 관계가 러시아 사회의 전반적 분위기와 더불어 얼마나 심대하게 변화했는지 알아차리지 못했다. 차르는 자신이 나폴레옹에게 굴종한다고 러시아 사회에 불만이 팽배한 것을 잘 알고 있었다. 그러한 정서는 러시아 군대의 계속되는 퇴각과 국토 상실의 여파로 한층 강해졌다. 모스크바가 함락되고 나서 며칠 뒤에 대공녀 예카테리나는 황제에게 사람들이 얼마나 화가 나 있는지를 경고했다. 누이는 "불만이 하늘을 찌르고 있고, 오빠도 비난을 피해가지 못해요"라고 적었다. "그런 말이 나한테까지 닿을 정도면 나머지는 오빠도 상상할 수 있겠지요? 오빠는 오빠의 제국에 재앙을 초래하고, 나라 전체의 파멸과 개인들의 파멸을 야기하고, 마지막으로는 나라의 명예와 오빠 자신의 명예를 잃었다는 비난이 공공연하게 나오고 있어요. 지도자가 그렇게 경멸받는 나라의 사정이 어떨지는 오빠의 판단에 맡기겠어요."[45] 알렉산드르가 타협을 바랐다고 하더라도 그로서는 국토를 침공하고 짓밟은 자와 타협할 수 있는 여지가 없었다. 여론이 거기에 반대했고, 알렉산드르가 조금이라도 약해지는 기미를 보인다면 비극적인 결과로 이어질 수도 있었다. 제2의 틸지트는 그의 재위에 대한 악평을 확실하게 굳힐 것이고, 알렉산드르는 러시아에서 인심을 잃은 군주들에게 무슨 일이 벌어졌는지를 잘 알고 있었다. 지난 80년 동안 러시아 사회는 여러 차례의 궁정 쿠데타와 알렉산드르의 아버지를 비롯해 제위에 앉아 있던 군주들의 시해를 목격했던 것이다.

강화 제의를 했음에도 러시아의 답변이 오지 않자 나폴레옹은 모스크바를 떠나는 것 말고 도리가 없었다. 10월 18일 타루티노 북쪽 체르니시니야강에서 프랑스 군단의 갑작스러운 패배가 경종을 울렸다. 황제는 겨울이 찾아오고 러시아군이 들이닥치기 전에 황폐화된 모스크바를 버리고 시급히 떠나야 함을 깨달았다. 원정군은 고작 10만 명가량으로 줄어든 데다 수천 명의 민간인과 낙오병, 전리품을 잔뜩 실은 거대한 수송대가 딸려 있었다. "프랑스 군대가 모스크바를 떠나는 모습을 보지 못한 사람은 그리스와 로마 군대가 트로이와 카르타고에서 돌아올 때 어떤 모습이었을지 아주 희미한 인상만 떠올릴 수 있을 것"[46]이라고 한 목격자는 말했다. 이 정도의 교통량은 군대의 이동을 늦출 뿐 아니라 병사들에게 한눈을 팔게 했는데, 그들 중 다수는 규율을 지키는 것보다 자기 몫의 약탈품을 챙기는 데 더 관심이 많았던 것이다.

잔뜩 짐을 짊어진 대육군은 시냇물과 좁은 길을 만날 때면 정체로 인해 힘겹게 나아가야 했다. 설상가상으로 가을비가 내려 도로는 진흙탕이 되었다. 나폴레옹은 10월 24일 말로야로슬라베츠에서 전술적 승리를 거두긴 했지만, 러시아군은 이 전투로 나폴레옹이 자원이 풍부하고 아직 온전한 러시아 남부 지방에 도달할 수 없게 막았으므로 사실은 황제에게 전략적 패배였다. 남부로 가는 대신 대육군은 스몰렌스크를 통과하는 황폐해진 길을 따라서 왔던 길을 되짚어가야 했다.[47] 이 전투는 또한 원정의 성격을 완전히 변화시켰다. 나폴레옹의 전략적인 모스크바 퇴각은 이제 완연한 후퇴로 바뀌었고, 대육군은 공세 작전을 그만두고 점령한 지방을 오로지 최대한 빨리 빠져나가고자 했다. 늑대에게 반쯤 뜯어 먹히거나 까마귀들에게 파먹힌 시신들이 여전히 뒤덮고 있는 보로디노 전장을 가로질러 행군하는 사이 군의 사기는 곤두박질쳤다.

11월 초가 되자 사방에서 러시아군에게 시달려가며 나폴레옹은 간신히 스몰렌스크에 당도했고, 춥고 굶주린 병사들―많은 병사들이 지난 며칠 동안 말고기로 연명해왔다―은 스몰렌스크의 창고를 약탈해, 군대를 먹일 식량이 사실상 전혀 남지 않았다. 바로 이곳에서 나폴레옹은 그가 죽었다는 잘못된 보고가 파리에 전해져 클로드 프랑수아 말레 장군이 쿠데타를 일으켰지만 실패했다는 소식을 들었다. 이 사건은 제국의 본질을 드러냈고, 큰 충격을 받은 나폴레옹은 군대를 버리고 최대한 신속히 파리로 귀환해 제국에 대한 지배를 다시 공고히 할 필요성을 의식하게 되었다.[48]

나폴레옹은 여러 선택지를 저울질했다. 전략적 상황은 분명히 그에게 어렵게 바뀌었다. 모스크바를 출발한 뒤 14일 동안 대육군은 수천 명을 잃었다. 하루하루가 지날수록 전투 능력이 있는 병사들의 수는 줄어든 반면 낙오병의 수는 불어났다. 스몰렌스크에 머무는 것은 의미 없어 보였다. 도시는 지킬 수 없었고 비축 창고는 고갈되었다. 러시아군이 북쪽과 남쪽, 동쪽에서 서서히 좁혀 오는 가운데 프랑스 황제는 이 궁지를 빠져나갈 유일한 길은 스몰렌스크를 버리고, 한곳으로 집결하는 러시아군을 앞질러 베레지나강에 도달해, 그보다 서쪽에서 더 나은 동계 숙영지를 구하는 것이라고 믿었다.

스몰렌스크를 출발한 뒤 프랑스군은 크라스니 근처에서 러시아군의 공격을 받았고 양측은 11월 15~18일에 연달아 교전을 벌였다. 프랑스군의 개별 군단들은 일시적으로 서로 연락이 두절되었으나 싸움을 계속해, 역경 앞에서도 굴하지 않는 프랑스 군대의 조직력과 리더십을 증언했다. 특히 미셸 네 원수의 경우, 본대로부터 고립되었음에도 영웅적인 싸움을 이어가며 드네프르강을 건너 후퇴하는 데 성공했다. 나폴레옹은 러시아군의 포위에서 빠져나왔으나 3만 명가량의 군사와 포대 거의 전부를 잃는 대가를 치러야 했다. 군대는 여전히 '군단'과 '사단'으로 불렸지만, 많은 군단과 사단이 연대 수준으로 쪼그라들어 전투 능력이 있는 병사는 총 3만 명을 넘지 못했을 것이다. 여기에 수만 명의 낙오병이라는 무거운 짐이 지워져 있었다.

나폴레옹이 서쪽으로 후퇴하는 동안 러시아군은 베레지나강에서 그를 덫에 빠뜨릴 둘도 없는 기회를 잡았다. 쿠투조프 휘하 러시아군의 본진은 동쪽에서 대육군을 추격한 한편, 비트겐슈타인의 군단은 북동부 방면에서 합류했고, 치차고프의 군대는 남서부에서 진군해왔다. 그들은 베레지나 강변의 보리소프라는 소읍에서 적군을 포위했다. 11월 25~29일에 벌어진 필사적인 싸움에서 나폴레옹은 군대의 중핵만 이끌고 베레지나강을 건넜지만 최대 4만 명의 병사를 잃었는데 그 대다수는 낙오병들이었다. 나폴레옹의 탈출은 그 자신의 천재성보다는 헌신적이고 기량이 뛰어난 휘하 병사들과 프랑스 장교단의 견실한 지도력 덕분이자, 가장 결정적으로 러시아 군부의 과감한 진취성과 협조의 부족 덕분이었다.[49]

베레지나강에서 네만강까지의 퇴각에는 군사적으로 특기할 만한 점이 별로 없었다. 대육군의 대부분은 이제 사라졌다. 비록 지휘계통은 비교적 그대로 남아 있었지만 장교들 간의 관계, 특히 군단 사령관들과 원수들 간의 관계는 악화되었다. 나폴레옹 본인은 군사 지도자로서 자신이 할 일은 거의 끝났다고 보고, 파리로 귀환해 얼마 전 쿠데타 시도로 흔들린 정치 지도자의 자리를 되찾기로 했다. 12월 5일 그는 매부인 뮈라 원수에게 남은 군대를 맡긴 뒤 프랑스로 떠났다.[50]

그리하여 한 영국인 목격자가 표현한 바로는 "세계 역사에 기록된 가장 혹독한 6개월의 전역"이 막을 내렸다.[51] 정말이지 그렇게 어마어마한 군사와 방대한 거리, 병참상 난관들이 개입되고 그렇게 짧은 기간 안에 결정적인 결과가 나온 전쟁의 실례도 드물다. 러시아 원정은 나폴레옹 제국에 참사에 가까운 결과를 가져왔다. 제국은 전에도 시험에 들었지만 이전의 어느 실패도 러시아에서 당한 패배의 규모에는 근접하지 않았다. 대육군은 전멸하다시피 했다. 침공에는 궁극적으로 60만 명가량이 투입되었지만—주력 침공군은 45만 명이었고 나중에 약 15만 명의 증원군이 더 불려왔다—12월에 네만강을 다시 건넌 병사는 10만이 채 못 됐다. 50만 명의 병력 손실 가운데, 아마도 무려 10만 명 정도는 이탈병일 것이고 12만 명 이상이 포로로 잡혔다.[52] 나머지는 질병이나 전투에서 입은 부상으로, 또는 혹독한 환경에 노출되어 죽었다. 그만큼 파국적인 것은 군사 장비의 손실이었다. 나폴레옹은 약 1300문의 대포 가운데 920문을 잃었고, 기병은 사실상 일소되었다. 훈련된 말 대략 20만 마리가 러시아 벌판에 쓰러져 있었다. 포병과 기병 어느 쪽도 향후의 전역 동안 완전히 회복되지 못했다.

러시아에서 나폴레옹을 패배시킨 것은 '동장군'이었다고 오랫동안 얘기되어왔다. 하지만 그런 주장들은 근거가 의심스럽다. 기상관측소에서 나온 당대의 관측 자료들은 그해 겨울이 사실 11월 후반까지 온화했음을 드러내는데, 그때쯤이면 나폴레옹은 이미 전쟁에서 졌다. 대육군은 전력의 거의 절반을 전쟁의 첫 8주 사이에 수비대 배치와 질병, 탈영, 사상자로 인해 상실했다. 또 이번 원정군에는 이전의 전역들에서 볼 수 있었던 수준 높은 규율이나 전폭적인 헌신이 없었다. 7~8개국에서 온 병사들이 원정군을 구성했고, 따라서 그들은 패배의 부침 앞에서 단결력과 규율을 상실할 수밖에 없었다. 비록 나폴레옹은 병참에 철저하게 대비했지만, 그의 보급 시스템은 제대로 작동하지 못했다. 주요 보급 창고는 군대에서 너무 멀리 떨어진 곳에 세워진 한편, 러시아 내 수송 기간시설의 미비는 가용한 물자를 병사들에게 때맞춰 전달하는 것을 가로막았다. 전략적인 퇴각과 초토화 작전을 통한 러시아의 소모전 전략으로, 적군은 시골에서 식량, 특히 마초를 구하기가 어려웠고 이로 인해 짐을 나르는 동물과 군마가 엄청나게 희생되었다.

나폴레옹은 군사적 천재성을 언뜻언뜻 내보이기는 했고, 빌나와 민스크, 스몰렌스크에서의 훌륭한 작전들은 결정적 승리를 가져다줄 수도 있었을 것이다. 하지만 몇 번이고 황제는 그 작전들이 결실을 맺게 하는 데는 실패했다. 그의 부하들은 번번이 진취성의 결여를 보여주거나 한심한 전술적 선택을 했고, 이는 작전 수준에 영향을 미쳤다. 마지막으로 나폴레옹은 분명한 정치적 전략을 염두에 두지 않은 채 방대한 원정을 개시했다. 그러므로 우리는 그가 확신이 없는 태도를 보이며 빌나(18일)와 비텝스크(12일), 모스크바(35일)에서 너무 오래 미적거리는 모습을 보게 된다.

러시아 쪽에도 정당한 평가가 돌아가야 한다. 러시아 병사들은 훌륭한 모습을 보이고 꿋꿋한 용기와 헌신을 입증한 한편, 장군들은 잦은 내분과 질시에도 불구하고 전술, 작전, 전략에서 전쟁을 이길 충분한 혜안을 갖고 임무에 임했다. 러시아 외교관들은 프로이센 및 오스트리아와 은밀히 접촉을 유지하고, 오스만 제국 및 스웨덴과는 조약을 협상해 프랑스 외교관들을 한 수 앞질렀고, 그 결과 러시아 군대 2개가 대육군의 양익에서 활동할 수 있었다.

제국의 국경에 도달하자마자 러시아 수뇌부는 국경을 건너 나폴레옹을 추격해야 할지 이곳에 머물며 전력을 재정비해야 할지를 두고 논쟁을 벌였다. 일부 고위 인사들은 나머지 유럽을 해방시키는 것은 러시아가 할 일이 아니라며 국경을 넘는 데 반대했다. 반대파 가운데 대표적인 인물은 군사적 요소들만 엄격하게 고려하는 것을 넘어서, 나폴레옹을 약화시키는 것이 러시아의 이해관계에 최상은 아니라고 믿은 쿠투조프였다. "나폴레옹과 그의 군대를 완전히 파괴하는 것이 세상에 크나큰 은혜일지 잘 모르겠다"라고 쿠투조프는 말했다. "그의 권좌는 러시아나 다른 어느 유럽 열강이 아니라 이미 바다를 제패한 열강(영국)에게 떨어질 것이며, 그렇게 되면 그 나라의 지배는 참을 수 없게 될 것이다."[53] 게다가 프랑스를 상대로 전쟁을 계속할 경우 향후 유럽의 정세 변화에서 러시아가 일정한 역할을 하기 위해 군대를 보존하는 것이 중요한 시점에 추가적인 병력 손실을 불러올 터였다. "다혈질의 우리 젊은이들은 내게 화가 났다"라고 러시아군 총사령관은 한탄했다. "내가 길길이 날뛰는 그들을 뜯어말린다고 말이다. 하지만 그들은 (…) 우리가 빈손으로(즉 군대 없이) 국경에 가닿을 수는 없다는 사실을 깨닫지 못한다."[54]

하지만 러시아 황제는 생각이 달랐다. 얼어붙은 네만강 강둑에 서서 알렉산드르는 눈앞에 펼쳐지고 있는 중차대한 순간을 만끽했다. 프랑스의 거인이 휘청거리고 있었고, 유럽의 미래가 걸려 있었다.

나폴레옹의 러시아 침공은 흔히 '잊힌 분쟁'이라는 딱지가 붙은 미국의 캐나다 공격과 거의 동시에 시작되었다.[55] 1812년 미영전쟁은 영국에서 애초에 알려지지 않았으니 잊힌 것이 아니라는 19세기 말 역사가 윌리엄 킹스퍼드의 평가는 대체로 맞는 말인데, 북아메리카의 사건들은 오랫동안 유럽의 거대한 투쟁들에 가려 있었기 때문이다. 그럼에도 불구하고 이 사건들은 북아메리카의 운명에 중대한 의미를 띠었고 나폴레옹 전쟁에도 직접적인 파장을 가져왔다.

1812년 전쟁에 대한 (흔히 신화화된) 대중적 인식과는 반대로 이 것은 평화로운 아메리카 공화국 대 오만한 제국 간의 충돌이 아니었다. 그보다는 여러 결정적인 상황들로부터 발생한 분쟁이었다. 영국은 나폴레옹 프랑스를 상대로 결전을 벌이고 있었고 그 적수를 이기기 위해서는 미국이 주도하고 있는 중립 무역을 부정하는 것을 비롯해 무엇도 서슴지 않을 태세였다. 미국의 지도자들은 중립적 지위가 부여하는 이점을 놓치지 않기 위해 유럽의 이전투구에서 한발 물러나 있기로 했다. 게다가 그들은 팽창 정책을 추구해왔고 북아메리카에서 제국적 현상 유지에 도전하기 위해 유럽에서 벌어지는 사건들을 이용했다. 1805년 7월 워싱턴에 파견된 프랑스 대사 루이 마리 튀로는 미국은 에스파냐령 아메리카에 대한 영유권을 주장하기 위해 알맞은 때를 기다리고 있을 뿐이라고 주목하고, "배는 잘 익으면 저절로 떨어질 것"이라는 국무장관 제임스 매디슨의 발언을 인용했다.[56] 이 분쟁은 역사가 트로이 비컴이 근래에 평가한 대로 과거의 주인인 제국에 맞서 미국의 국가 주권 주장을 대변했다.[57]

미국 의회를 상대로 한 비밀 담화에서 제임스 매디슨 대통령은 그간의 불만 사항을 길게 늘어놓았지만 전쟁의 원인은 세 가지 쟁점으로 압축될 수 있다. 영국의 아메리카 원주민 선동, 영국 해군의 미국 선원 강제 징발, 영국의 미국 무역 간섭이다.[58] 미국과 아메리카 원주민들 간의 관계는 대놓고 적대적이지는 않았다 해도 긴장이 흘렀다. 그 문제는 전혀 새로운 게 아니라 미국이 탄생하기 전부터 존재했다. 백인 정착 인구의 증가는 토지 수요도 증가한다는 뜻이었고, 토지는 원주민 인구를 희생시킴으로써만 확보될 수 있었다. 일부 역사가들이 묘사한 것처럼 "땅에 대한 허기"가 심해지고 있었고 많은 미국인들이 원주민 부족들을 쫓아내는 것은 물론 주변 유럽 국가들의 속령들도 노려야 한다는 생각에 공공연하게 찬동했다. 1812년 6월, 토머스 제퍼슨은 매디슨에게 버지니아의 젊은이들은 싸우고 싶어서 안달이 났고, "그들이 물어보는 말은 자신들이 갈 곳이 캐나다인가 플로리다인가 하는 것뿐이다"[59]라고 썼다. 크리크족, 체로키족, 여타 부족들은 땅을 내놓으라는 심한 압력에 직면했다. 1790년대에 미국은 백인 정착민의 침범에 저항하는 부족들을 상대로 여러 차례 군사 원정을 단행했다. 유능한 마이애미 부족장 리틀터틀은 1791년 11월 워바시 전투에서 미국 병사들에게 처참한 패배를 안기며 그러한 원정들 가운데 일부를 성공적으로 격퇴했다. 쇼니족의 젊은 전사 테쿰세는 이때 혁혁한 공을 세워 나중에 미국의 영토 침범에 맞서 싸우는 아메리카 원주민 연맹의 지도자가 되었다. 1810년 8월에 그는 오늘날의 일리노이주와 인디애나주로서, 쇼니족과 여타 부족들이 오랫동안 살아온 땅을 미국 정부가 빼앗아가는 것에 반대해, 테쿰세 전쟁으로 알려지게 되는 전쟁을 개시했다. 비록 이 분쟁의 정점은 미국의 승리로 끝난 1811년 티퍼카누 전투였지만, 테쿰세는 캐나다에서 영국인 우군들을 얻어서 1812년에 터진 더 광범위한 북아메리카 분쟁 안에서 저항을 이어갔다. 미국의 야심을 저지하기 위해 많은 원주민들은 영국으로 고개를 돌려 도움을 구했다. 당연히 영국은 이러한 접근 시도를 환영하고, 1812년 런던의 《타임스》가 표현한 대로 미국의 팽창주의에 맞서 "자연스러운 우리 편"이라고 여긴 원주민 부족들에게 무기를 제공했다.[60]

미국 정부의 두 가지 불만 사항은 상호 연관되어 있었는데, 둘 다 해상 쟁점을 다뤘기 때문이다. 원칙적으로 불법이고 관행상으로

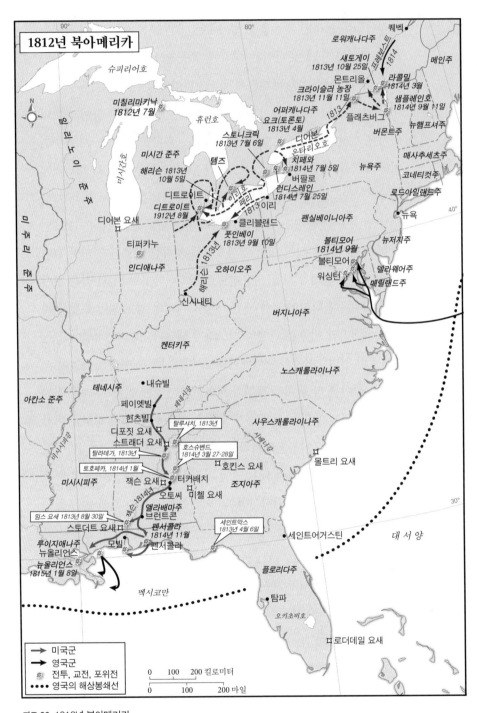

부당한 강제 징모는 영국과 미국의 관계를 긴장시켰다. 이는 1793년 과 1812년 사이에 프랑스에 맞서 영국의 지속적인 해상 활동 수행에 서 기인했는데, 그 사이 영국 해군의 규모는 전함 235척에서 584척 으로 증대했고, 해군에 복무하는 선원의 수도 3만 6천 명에서 11만 4천 명으로 증가했다. 영국은 지구 곳곳에 해군기지를 유지하는 한 편 프랑스가 장악한 유럽 항구들을 봉쇄하는 데 필요한 선원 부족에 시달렸다. 하지만 이 문제는, 전통적인 서사가 오랫동안 주장해온 것 과 달리, 혹독한 복무 환경이나 박봉, 혹은 윈스턴 처칠의 촌철살인 처럼 "럼주, 남색, 채찍질"[61]이 넘쳐나는 떠다니는 지옥이라는 전함 에 대한 이미지 탓이 아니었다. 영국 해군은 사실 경험 있는 뱃사람 과 특별한 기술이 없는 뭍사람들 모두에게 인기가 많았고, 이들은 해 군 복무가 출세를 할 수 있는 좋은 기회라고 여겼다. 자원자가 부족 한 것도 아니었다. 근래의 연구는 영국 전함에서 복무하던 선원의 무 려 70퍼센트가 자원자라는 것을 보여주었다. 인력 문제는 그보다는 숙련된 선원을 구하기 힘들다는 사실로 야기되었는데, 숙련된 선원 들 다수가 더 돈벌이가 좋은 미국 상선을 선호하면서 전함 위에서의 위험한 삶에 등을 돌렸던 것이다. 유럽에서 혁명전쟁이 시작된 이래 로 미국의 전체 상선대의 규모는 꾸준히 증가해, 총 톤수에서 영국 함대에 다음가게 되었다. 1812년에 이르면 영국 정부는 무려 2만 명 의 영국 선원들이 미국 상선에서 일하고 있다고 추산했다. 그러므로 영국 해군은 정기적으로 미국 상선을 가로막고 승선해 징모할 수 있 는 영국 국적자를 수색했다. 미국 선박에서 징모된 선원의 수를 정확 히 파악하기는 어렵지만 나폴레옹 전쟁 동안 무려 6500명의 선원이 영국 해군에 의해 끌려갔을 것이다.[62]

1793년 이후로 중립 기간 동안 미국 경제는 활기를 띠고 통상이 증가해 조선과 수출 산업에서 가시적인 혜택이 뚜렷했다.[63] 하지만 영국의 추밀원 칙령과 나폴레옹의 대륙 봉쇄 체제 둘 다 1806~1807년에 상황을 극적으로 변화시켰다. 미국 선박을 비롯해 중립국 선박들은 갈수록 목적지로 가기 전에 영국 항구에 입항해야만 했고, 영국 항구에 입항하면 프랑스의 보복 행위에 노출될 수밖에 없었는데 나폴레옹은 영국의 요구에 응한 일체의 선박들을 나포하도록 허가했기 때문이다.

　　영국의 추밀원 칙령은 미국과 급속히 악화되는 마찰을 야기했고, 1807년 6월 22일 양국은 체서피크-레퍼드호 사건으로 전쟁 직전까지 갔다. 미국 프리깃함 체서피크호가 버지니아주 노퍽에서 출항해 지중해로 향하던 중에 영국 전함 레퍼드호가 체서피크호를 가로막고 탈영 선원을 수색할 권리를 주장했다. 미국 프리깃함이 요구를 거부하자 영국 전함이 발포해 스물한 명의 미국 선원이 죽거나 부상을 당했다. 레퍼드호는 배를 수색해 선원 네 명을 징모한 뒤 유유히 떠났고 체서피크호는 상처투성이가 되어 버지니아로 되돌아왔다.[64] 이 사건이 알려지자 미국 전역에서 공분이 터져 나왔고 국민 정서가 들끓어 많은 이들이 영국과 전쟁을 벌이자고 목청을 높였다. 런던과의 무력 대치라는 위험을 무릅쓰고 싶지 않은 토머스 제퍼슨 대통령은 더 우회적인 접근법을 선호했다. 7월에 그는 모든 영국 전함에 미국 영해에서 떠날 것을 주문했다.

　　이후에도 프랑스와 영국이 계속 미국 상선을 괴롭히자, 제퍼슨은 미국의 수출을 금지하는 통상금지법(1807년 12월 28일)으로 더 강경하게 대응했다. 이 금수조치의 목적은 영국과 프랑스가 미국의 무역에 접근하지 못하게 함으로써 두 나라가 칙령을 완화하도록 강요하는 것이었다. 금수조치는 프랑스보다는 영국에 타격이 컸다. 또한 미국 경제에도 해로운 것으로 드러났다. 해양력을 주창한 미국인 앨프리드 세이어 매헌 후위제독은 훗날 이 금수조치가 적국에 의한 봉쇄 조치의 나쁜 점만 갖고 있고 영국 선박을 나포하거나 영국 영토를 위협할 기회와 같은 실제 전쟁의 이점은 하나도 없었다고 평가했다. 이 자체 봉쇄는 미국 항구들에 심각한 충격을 미치며, 미국 경제의 번영을 저해하고 미국 정부의 세수를 반 토막 냈다. 1808년 봄에 뉴욕을 방문한 영국인 여행객 존 램버트는 "사람들의 얼굴에 우울한 수심이 가득하니, 이전의 명랑함과 쾌활함은 모조리 사라져버린 것 같다"라고 묘사했다. 뉴욕 부둣가에는 풀이 자라고 있었다.[65] 나폴레옹의 대륙 봉쇄의 경우처럼 제퍼슨의 금수조치를 온전히 실시하는 것은 불가능했다. 금수조치로 밀수가 성행해 노바스코샤의 영국 항구들은 덕을 봤지만 뉴잉글랜드에서는 불평의 목소리가 상당히 컸다.

금수조치에 대한 반대가 심해지자 1809년 3월 미국 의회는 통상금지법을 폐기하고 이를 관계단절법Non-Intercourse Act으로 대체했는데, 이에 따라 영국과 프랑스 선박은 미국 영해에 접근이 금지되지만 미국 선박들은 자유롭게 무역을 할 수 있었다. 그와 동시에 영국의 외무장관 조지 캐닝은 D. M. 어스킨을 파견해 미국과 협상에 나섰다. 그 결과 합의된 어스킨 협정(4월 18~19일)은 어스킨이 본국의 지침을 위반하며 체결한 것으로, 추밀원 칙령을 종식시키고, 미국과 영국 간 자유로운 무역을 수립하고, 체서피크-레퍼드호 사건에서 발생한 불만 사항을 시정하기로 약속했다. 매디슨 대통령은 영국의 추밀원 칙령이 철회되는 대로 미국의 교역 금지 입장을 철회하기로 했다.

이 가운데 어느 것도 시행되지 않았다. 어스킨이 영국의 추밀원 칙령 시행을 미국이 용인하고 식민지 무역 법률을 수용하게 하라는 캐닝의 지시를 따르지 않았다는 이유로 영국 정부는 협정 내용을 공식 부인했다.[66] 이 같은 입장 후퇴는 양국 관계를 더욱 틀어지게 했다.

나폴레옹은 이 상황을 이용해 미국 선박의 압류를 재가했다. 그의 빈 칙령(1809년 8월 4일)과 랑부예 칙령(1810년 3월 23일)은, 모든 미국 선박은 프랑스와의 교역이 금지되어 있으므로, 프랑스 항구에 들어온 미국 국적 선박은 밀수에 종사하는 것이라고 볼 수밖에 없다고 주장했다. 1810년 5월에 미국은 노스캐롤라이나주 의원 너새니얼 메이컨의 이름을 딴 메이컨 법안 제2호를 채택했는데, 이는 유럽 교전국들이 미국 선박을 나포하는 것을 중단시키기 위한 법안이었다. 메이컨 법안 제2호는 1809년의 관계단절법을 철회하고, 미국은 두 교전국과 무역을 재개할 것이라고 공표했다. 메이컨 법안은 유럽의 전쟁에 직접적이고 유의미한 충격을 주었다. 다음 몇 달에 걸쳐 미국산 밀과 밀가루가 대량—밀가루만 50만 배럴 이상—으로 이베리아 반도로 실려가 프랑스에 대항하는 영국의 군사작전을 뒷받침했다.[67] 이는 반도전쟁에서 결정적인 순간이었다. 1810년 여름에 프랑스군의 앙드레 마세나 원수는 약 7만 병력을 이끌고 포르투갈 국경을 넘어 토레스 베드라스 방어선까지 웰링턴을 추격했고, 앞서 본 대로 그곳에서 두 동맹 영국과 포르투갈 병사들이 숨죽이고 있는 동안 프랑스군은 황폐해진 주변 시골 일대에서 몇 달을 보내며 근근이 버텨나갔다. 미국에서 온 물자는 이 시기 내내 웰링턴의 군대를 지탱하는 데 결정적이었다.

나폴레옹은 영국과 미국 간 통상관계가 되살아나면 자신의 대류 봉쇄 조치가 약화될 게 뻔했으므로 그 부활 전망에 경각심을 느꼈다. 그러므로 그는 메이컨 법안의 단서 조항을 이용하려고 발 빠르게 움직였다. 단서 조항은 프랑스가 칙령을 철회하면 미국은 영국을 상대로 한 수입 거부 정책을 재개할 것이지만 반대로 영국이 추밀원 칙령을 철회한다면 미국은 프랑스를 상대로 한 수입 거부 조치를 재부과할 것이라는 내용이었다. 1810년 8월 5일, 프랑스 외무대신은 프랑스 주재 미국 대사 존 암스트롱에게 나폴레옹이 이전의 칙령들을 철회할 것이라고 알려서 영국의 추밀원 칙령 철회에 사실상 선수를 쳤다.[68] 묘하게도 나폴레옹은 미국의 이해관계에 맞춰서 대륙 봉쇄를 재정비할 생각이 전혀 없었고, 프랑스 외무대신의 간단한 각서 하나로 그렇게 근본적인 규제 조치들이 유예될 수도 없는 일이었다. 매디슨은 그럼에도 프랑스의 제의를 미국 정부의 외교적 승리라 생각하며 액면 그대로 받아들였다. 영국은 프랑스의 철회 조치를 유효한 것으로 인정하길 거부하고, 단서 조항 시행에 앞서 더 명확한 증거를 요구했다. 나폴레옹이 칙령을 철회했다는 증거가 여전히 없는데도 미국 의회는 1811년 3월 1일자로 관계단절법 단서 조항의 발효를 선언하고, 영국 선박과 화물의 미국 입항을 금지했다.[69]

여전히 포르투갈에 있던 웰링턴 공작은 이베리아반도에서 자신의 전쟁 수행 노력에 직접적 영향을 줄 수도 있을 미국의 경제 정책을 면밀히 주시했다. 앞서 본 대로 미국의 물자 공급은 포르투갈과 에스파냐에서 영국의 전쟁 수행에 결정적이었다. 미국 곡물의 선적량은 1807년 8만 부셸에서 1810년 23만 부셸 이상으로 증가했고 1812년에는 90만 부셸이라는 엄청난 양에 달했다. 1812년 전쟁 전야에 리스본에 도착한 선박의 3분의 1은 미국 선박이었다. 한 영국인 관찰자는 "미국에서 오는 물자가 없었다면 군대는 유지될 수 없었을 것이다"라고 지적했다.[70] 그러므로 1811년 3월에 웰링턴은 미국 항구의 폐쇄가 이곳의 병사들에게 심각한 식량 부족을 야기할까 봐 당연히 근심했고, "여하튼 간에 그렇게 바람직한 대상(곡물)을 확보하기 위해 취할 수 있는 모든 수단을 강구하는 일을 게을리 하지 말아야 한다"라고 생각했다.[71] 미국 정부의 수입 거부 정책에 속을 끓이긴 했어도 영국 정부는 선택지가 거의 없음을 알고 있었다. 미국의 물자는 영국의 전시 경제에, 특히 1810년의 흉년 직후에는 너무도 중요했다. 영국의 사업계, 특히 제조업계는 미국과 무역을 재개하는 데 필요한 무슨 조치든 취하라고 정부를 닦달했다. 의회에서 논의한 끝에 영국 정부는 1812년 6월 16일에 중립 무역을 제한한 추밀원 칙령을 철회했다. 이 소식이 워싱턴에 알려지기까지는 몇 주가 걸릴 터였고, 그때는 이미 때가 늦어버렸다. 1812년 6월 18일 미국 상원은 영국을 상대로 한 선전포고를 승인했다.[72]

북아메리카 전역은 거대한 지리적·작전적·병참적 난관을 제시했다. 캐나다의 총독이자 총사령관 조지 프레보스트의 지휘 범위는 진정으로 어마어마했다. 노바스코샤 할리팩스부터 어퍼캐나다 남서부의 애머스트버그까지 뻗어 있는 그의 관할 범위는 대략 1900킬로미터에 달하는 광활한 공간이었으니, 이는 파리부터 바르샤바까지의 거리보다 3분의 1 이상 긴 거리였다. 한편 런던은 캐나다 내 영국 정부 소재지로부터 약 5100킬로미터 떨어져 있었다. 프레보스트한테는 이 방대한 지역을 방어하기 위한 영국군 병력이 1만 명밖에 없었고, 여기에 캐나다인 민병대와 영국 편에 가담한 아메리카 원주민 세력의 지원을 기대할 수밖에 없었다. 유럽과 달리 이 지역은 조밀한 도로망이 없었지만 다행히 오대호와 대양에 면한 해안선이 있어 어느 정도 교통 혜택을 누렸다. 그래도 어퍼캐나다와 나이아가라 유역의 다양한 작전 지역들 간의 연락은 대단히 힘들었다.[73]

영국의 전쟁 방안은 이 전쟁의 초점이 일차적으로 유럽에서 나폴레옹에 맞선 투쟁에 맞춰져 있음을 드러낸다. 전쟁과 식민부 장관 리버풀 경은 프레보스트에게 "유럽에서 공무의 긴박함 때문에 먼 곳의 우리 속령들에 파견된 영국군의 수를 한 명이라도 줄이는 것이 바람직하다는 사실은 제가 군이 지적할 필요도 없을 것입니다"라고 썼다. 영국은 나폴레옹에 맞서 전 세계에 걸쳐 무력 분쟁에 얽혀 있고, "그중에서도 나라의 이해관계가 (…) 더 직접적으로 걸려 있는 지역에서 싸움을 한층 더 열심히 수행하는 데" 자원이 투입되어야 했다.[74] 리버풀의 편지는 캐나다가 스스로 건사해야 하며, 캐나다에서 영국의 전략은 순전히 미국에 영토를 뺏기지 않는 수세적인 전략이어야 함을 분명히 했다. 심지어 영국군이 나중에 멕시코만 연안지역과 체서피크만에 공세를 감행했을 때에도 이 군사작전들의 전반적인 목적은 캐나다 전선의 압력을 덜어주는 것이었다.[75] 반대편 미국의 전쟁 목표는 선원의 강제 징모와 해상에서 중립국의 권리 쟁점을 놓고 영국의 양보를 얻어내는 것뿐 아니라 쇼니족의 테쿰세와 텐스크와타와가 수립한 대연맹 같은 친영파 원주민 부족과 캐나다를 상대로 한 영토 팽창도 있었다.[76]

전쟁 발발 전야에 헨리 클레이 상원의원은 상원 회의장 연설에서 "켄터키 민병대만으로도 몬트리올과 어퍼캐나다를 (우리) 발아래 능히 굴복시킬 수 있다"라고 공언했다.[77] 그는 한참 잘못 짚었다. 하지만 그러한 의견들이 많은 미국 정치가들 사이에 팽배했고, 그들은 전쟁을 벌이고 싶어서 안달이 났음에도 충분한 전비를 마련하는 데는 인색했다. 그들은 전쟁 수행 노력을 지탱하기 위해 필요한 세금 인상은 극도로 인기가 없을 것이라는 점을, 특히나 연방 하원의 많은 의석이 걸려 있는 1811년 선거철에는 표를 깎아먹으리라는 점을 잘 알고 있었다. 그러므로 미국은 유럽 열강 가운데 가장 강력한 나라를 상대로, 제한된 자금과 작은 해군만 가지고 군사적으로 통 준비가 안 된 상태로 전쟁에 나섰다. 미국이 구상한 전쟁 방안은 삼면 캐나다 침공—주로 이리호 주변과, 이리호와 온타리오호 사이 나이아가라강 근처, 세인트로렌스강과 샘플레인호 근처—과 오대호에 주둔하고 있는 영국 해군력의 파괴였다. 미국에서는 미군 병력이 수적으로 우세하고 영국은 유럽에서 나폴레옹에 맞선 투쟁에 깊이 빠져 있으므로, 이 같은 목표들을 쉽게 달성할 것이라고 믿는 분위기였다. 또 이민자들에 대한 무상 토지 불하 제의 덕분에 국경 지대로 상당한 이민자들이 몰려들었고, 이 정착민들은 당연히 미국의 대의에 더 동조할 것이라는 전망이 높았다. 캐나다 침공은 "순전히 행군의 문제에 불과할 것"이라고 1812년 8월에 전임 대통령 토머스 제퍼슨은 낙관적으로 내다봤다.[78]

그러나 순전히 행군의 문제가 아니었다. 전쟁의 첫 다섯 달은 미국의 연전연패였다. 더 노련하고 지휘가 더 뛰어난 영국군은 치밀하지 못한 전략 때문에 애를 먹고 병참 지원의 미비에 시달리며 경험이 일천한 상대방을 압도했다. "전체적으로 미국의 패배에 대한 최상의 설명은, 그들이 캐나다 어느 한 곳이라도 빼앗아 영구적으로 지킬 수단도 없이 거기 전부를 차지하려 달려들었다는 것이다"[79]라고 한 미국 역사가는 결론 내린다. 7월 중순에 영국군은 미시간호와 휴런호 사이 전략적 수로를 좌우하고, 더 나아가 오대호의 모피 무역을 지배하는 매키노 요새를 손에 넣었다. 윌리엄 헐 장군의 캐나다 침공은 영국의 활발한 반격—테쿰세가 이끄는 아메리카 원주민 부족들의 적극적인 지원을 받아 소장 아이작 브록 경이 이끌었다— 으로 좌절되어, 미군은 디어본 요새(오늘날의 시카고)를 포기하고 미시간 준주 전체를 영국의 수중에 넘겨준 채 후퇴할 수밖에 없었다. 8월 16일 영국 병사들은 디트로이트에 입성해 미국 북서부 변경지대 전역에 충격파를 몰고 왔다.[80] 9월에는 에스파냐인 및 영국인들과 오랫동안 관계를 유지해온 역사를 자랑하는 세미놀 인디언과 블랙 세미놀 인디언들이 조지아주를 습격하고 플로리다 북부에서 대니얼 뉴넌 대령 휘하 미국의 반격을 격퇴했다. 인디언들의 공격은 인디애나와 미주리 준주에서도 일어났다.

한편 브록 소장이 병력을 이끌고 이리호 동단으로 진군하는 사이, 10월에 뉴욕 민병대의 지휘관 스티븐 반 렌슬리어 소장이 이끄는 3천 명가량의 미국 병사들(그 가운데 정규병은 900명뿐이었다)은 퀸스턴하이츠에서 나이아가라강을 건너려고 시도했다.[81] 10월 13일 브록은 수적 열세였음에도 불구하고, 미국 영토 경계를 벗어나지 않으려하는 민병대원들로 인한 미군 내 분열을 놓치지 않고 캐나다 쪽으로 건너오고 있던 소규모 미국 정규군을 공격했다. 뒤이어 벌어진 전투는 영국군의 승리로 이어졌지만 안타깝게도 유능하고 카리스마 넘치는 지휘관으로서 전쟁에 중대한 영향을 미칠 수도 있었을 브록의 전사로 다소 빛이 바랬다. 헨리 디어본 소장이 이끄는 미군이 온타리오주, 샘플레인 근처 래컬밀스에서 캐나다를 침공하려고 한 시도도 그만큼이나 성공적이지 못했다. 영국군 정규병과 캐나다 민병대원, 모호크족 전사들로 구성된 연합군에 패한 미군은 플래츠버그로 되돌아올 수밖에 없었다. 같은 달 나중에 알렉산더 스마이스 준장이 이끄는 미군은 구상도 엉성하고 실행도 엉성한 여러 차례 시도에서 나이아가라강을 건너 어퍼캐나다를 침공하려고 했지만 프렌치맨스 크릭 전투에서 패배했다(11월 28일).[82]

미국 육군의 참담한 성적과는 극명하게 대조적으로, 소규모이지만 효율적인 미국 해군은 영국의 해양력을 상대로 전함 대 전함 전투에서 여러 차례 성공을 거뒀다.[83] 아마도 1812년 8월 19일 미 해군 전함 컨스티튜션호가 영국 전함 게리에르호를 격파한 것보다 더 유명한 교전도 없을 것이다. 미국 프리깃함은 영국의 봉쇄를 빠져나갔고, 사흘에 걸친 영국 해군 전대의 장대한 추격을 뿌리친 끝에, 영국 프리깃함을 맞닥뜨려 단 30분 만의 교전으로 적함을 전파全破했다. 1812년 가을 내내 미국 해군은 일대일 전투에서 자신들의 조종술과 포격술이 명성이 자자한 영국 함대를 상대하고도 남는다는 사실을 보여주었고, 미국 전함 설계의 우수성 — 적의 어느 프리깃함과도 맞붙을 수 있을 만큼 강력하지만 어느 전열함도 피할 수 있을 만큼 빠른 '슈퍼프리깃함' — 을 부각시켰다. 미국 전함들을 승리로 이끈 이러한 극적인 일대일 교전들은 영국의 제해권을 위협하지는 못했을지라도 여전히 더 넓은 차원에서 영국의 통상과 전쟁 수행 노력에 파급 효과를 미치는 방해 요인이었다. 미국의 상선 습격의 효과는 특히 인상적이었다. 한번은 습격선 아거스호가 단 몇 달 사이에 21척을 포획해 영국 무역상들을 공황에 빠뜨린 적도 있다. 그러한 공격을 억제하는 데는 상당한 해군 자원이 요구되었고 — 예를 들어 1813년 여름 영국 해군은 존 로저스 전대장과 그의 프레지던트호를 수색하느라 15척이 넘는 전함을 투입했다—영국 해군의 활동은 해군부의 고위 관료들과 북아메리카 해군기지의 여러 지휘관들 사이 연락 문제로 더욱 어려웠다.[84]

1812년 미국 해군의 빈번한 승리에 영국 정부는 충격에 빠졌고, 서둘러 대서양 서부의 해군 전력 증강에 나서서, 1813년 여름 이후로 영국 해군은 바다에서의 전쟁을 다시금 지배하게 되었다. 더욱이 영국의 전략에는 미국 해안선 거의 전부를 봉쇄하는 것도 포함되어 있어서 신속하고도 심각한 효과를 야기했다. 영국 해군은 농산품과 식민지 상품의 수출을 막아 미국의 대외무역을 방해했다. 해상 연락이 점차 위태로워짐에 따라 미국 통상은 내륙으로 향할 수밖에 없었는데, 저렴한 연안 운송의 부재로 더 값비싼 (그리고 시간이 더 많이 드는) 육로 운송에 의지해야만 했다. 이는 농부들이 농산품을 인근 시장에서 처분해야만 해서, 현지에서는 농산물 가격이 하락한 반면 먼 도시의 소비자에게는 가격이 상승할 수밖에 없었다는 뜻이다. 이 모든 것은 자연히 연방정부의 주요 수입원인 관세 수입에도 영향을 미쳐서, 대규모 재정 적자를 불러오고 정부가 공채에 더 의존하게 만들었다. 이는 전쟁으로 인한 경기 후퇴와 국가의 재정 정책을 조율할 수 있는 국립 중앙은행의 부재를 고려할 때 다소 위태로운 (그리고 신뢰도를 떨어뜨리는) 사태 전개였다.[85] 여기에 1812년 미영전쟁이 가져온 중대한 결과 가운데 하나가 있다. 알렉산더 해밀턴과 토머스 제퍼슨, 여타 미국 정치가들이 유명한 설전들을 통해 격하게 논쟁해온 주제이기도 한 효과적인 금융 시스템의 부재가 결국 재정 탈집중화와 규제받지 않는 통화의 위험을 드러낸 것이다. 이 문제는 궁극적으로 (비록 한시적이긴 하지만) 1816년 중앙은행의 설립을 통해 바로잡았다.

북아메리카의 전쟁은 나폴레옹 전쟁에 직접적인 영향을 주었다. 그것은 영국의 자원을 분산시키고 미국 무역이 러시아, 포르투갈, 에스파냐 항구로 도달하는 것을 막았다.[86] 1812년 4월, 선전포고로 점점 다가가고 있을 때 미국 의회는 90일간의 금수조치안을 통과시켜, 미국으로부터 모든 수출을 중단시켰다. 곧 에스파냐에서 웰링턴은 "미국인들이 모든 선박에 전면적인 통상 금지 조치를 내렸다"는 사실을 알고 깜짝 놀랐다. "반도의 이 지역은 올해 내내 미국의 밀가루에 의지해서 살아왔으므로 이것은 대단히 중대한 조치다."[87] 그는 즉시 "미국과의 교역 중단이라는 당시(1812년 3월) 예상되던 사태에 대비해" 브라질과 이집트를 비롯한 다른 잠재적 식량 공급원을 고려했다.[88] 웰링턴에게는 다행스럽게도 미국과 영국 간 적대행위의 개시는 그의 군사작전에 영향을 주지 않았는데, 선전포고 이후에도 한동안 미국으로부터 물자 공급이 지속되었기 때문이다. 식량 부족 사태로 포르투갈과 에스파냐의 곡물 가격이 상승했으므로, 많은 미국 상인들이 이윤을 거두기 위해 의회의 제한 조치를 우회할 용의가 있었다. 영국은 면허 무역을 재개해, 면허를 받은 미국 선박들이 영국 해군의 간섭을 받지 않고 중요한 물자를 전달할 수 있게 허용했다.[89] 하지만 이것은 한시적인 조치였고, 1812년 11월에 이르러 영국 정부는 면허 무역 정책을 중단시켰다. 이 결정은 한편으로는 미국에 더 큰 경제적 압력을 넣으려는 시도이자, 다른 한편으로는 바바리 국가들과 이집트의 메메트 알리로부터 충분한 물자를 확보할 수 있다는 자신감의 발로였다.

22장

프랑스 제국의 몰락

나폴레옹이 러시아에서 패배했다는 소식은 세력 균형을 극적으로 변화시키고 프랑스의 헤게모니를 무너뜨릴 기회를 알리면서 유럽 전역에 충격파를 몰고 왔다. 1812년 12월 러시아 협상가들과 프로이센 장군 요한 폰 요르크 사이에 체결된 타우로겐 협약은 나폴레옹 전쟁의 새로운 국면이 이미 시작되었음을 알리는 신호탄이었다. 프랑스 군대 내 자신의 휘하에 있는 프로이센 분견대는 중립을 유지한다고 선언한 프로이센 장군의 결정은 프랑스 상관들과 프로이센 국왕 프리드리히 빌헬름 3세에 대한 분명한 반역 행위였다. 여태까지 프로이센 국왕은 더 애국적 성향의 프로이센 장교들과 정치가들이 공공연하게 나폴레옹에 반대하는 것을 줄곧 말려왔다. 비록 국왕은 협약을 공식 부인했지만 주사위는 이미 던져졌다.[1] 요르크의 결정은 프랑스군이 동프로이센에서 더 이상 버틸 수 없게 만들며, 군사적 상황을 바꾸었다. 1813년 1월 4일 맥도널드 원수는 쾨니히스베르크(지금의 칼리닌그라드)를 포기했고, 러시아군은 같은 날 나중에 도시에 입성했다.[2] 1월 22일 쾨니히스베르크에 당도한 알렉산드르 황제는 현지 당국자들로부터 그 지방을 접수하고 현지 의회를 소집해달라는 간청을 받았다. 일단 소집되자 동프로이센 신분제 의회는 프로이센 국왕의 지시를 기다리지 않고 자신들은 나폴레옹에 대항한다고 선언하고, 다가올 전쟁을 위해 군대를 일으키기 시작했다. 프리드리히 빌헬름 3세의 공식적 규탄에도 불구하고 유사한 행위들이 프로이센 전역에서 되풀이되어 광범위한 봉기를 촉발했고, 결국 프로이센 군주정도 편을 바꿀 수밖에 없었다.

나폴레옹 전쟁의 역사에서 흔히 간과되는 칼리슈 조약은 대단히 중요한 결과를 낳았다. 프로이센 재상 카를 아우구스트 하르덴베르크 후작과 러시아 육군 원수 미하일 쿠투조프 사이에 체결된 협정의 14개 조항들은 러시아와 프로이센 간 적대행위의 중지를 선언하고 군사동맹을 수립했다. 양측은 프랑스에 맞서 대규모 분견대(프로이센은 8만 명, 러시아는 15만 명)를 전장에 배치하고, 나폴레옹과 일방적으로 협상하거나 어떠한 협정도 체결하지 않기로 약속했다. 처음부터 러시아는 이 동맹에서 자신들이 상위 파트너가 될 것이란 점을 분명히 했다. 조약의 비밀 단서 조항은 특히 주목할 만하다. 러시아는 프로이센을 1806년과 동일한 "전략적·지리적·재정적" 세력과 지위로 복귀시키겠다고 약속했지만 프로이센이 1772년 1차 폴란드 분할에서 얻은 영토와 그곳을 슐레지엔과 잇는 좁고 길쭉한 땅을 보유하는 것만 허용했기 때문이다. 그러므로 프로이센은 1793년과 1795년에 2차, 3차 폴란드 분할에서 얻었던 영토를 박탈당했고 폴란드에서 러시아의 헤게모니를 인정해야 했다. 위로 차원에서 1813년 3월 19일, 러시아는 별도로 서명한 브레슬라우 조약에서 프로이센에게 프랑스

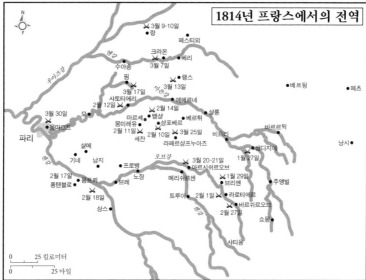

지도 27 1813-1814년 독일과 프랑스에서의 전역戰域

와 여전히 동맹관계인 다른 독일 국가들에서 빼앗은 영토로 보상해 주기로 동의했고, 작센이 재빨리 그 먹잇감으로 떠올랐다.[3]

러시아-프로이센 조약들은 6차 대불동맹의 수립으로 나아가는 첫 단계였고, 6차 대불동맹은 결국 나폴레옹을 무찌르게 된다. 조약들은 전쟁에 대한 러시아의 실용주의적 접근법에서도 눈여겨볼 만하다. 프로이센이 독일인들에게 나폴레옹에 맞서 들고일어나 해방전쟁에 참여할 것을 호소하는 선언문을 내놨을 때 러시아는 "정치적으로 무책임하게" 행동한다고 동맹을 나무라며 반대했다.[4] 알렉산드르와 그의 자문들에게 이 전쟁은 독일 해방전쟁에 그치는 것이 아니었다. 그것은 대륙을 재편하고 러시아의 이해관계를 동유럽으로 (그리고 아마도 그 너머로) 확대할 기회였고, 러시아는 그 기회를 절대 놓치지 않으려 했다. 러시아-프로이센 조약들은 해방이나 자유, 독일의 통일에 관해서는 침묵했다. 또 1807년에 거론된 입헌적인 독일연방에 관한 논의를 비롯해 이전의 외교적 논의들도 반영하지 않았다. 그 대신 알렉산드르 황제는 중앙행정위원회Zentralverwaltungsrat를 구성해 독일 내 정복된 지역들의 군사적·재정적 자원에 관해 '무제한적' 권한을 부여한 가혹한 점령 규정을 승인했다.[5] 일부 독일 군주들이 프로이센과 러시아, 그리고 향후 그들의 파트너들로 이루어지게 될 동맹 세력을 지원하길 거부하자 그들은 프랑스의 도구로 지탄받고 자신들의 나라에서 떠나야 했다. 심지어 작센과 바이에른 국왕도 오스트리아의 지지와 보호를 구해야 했다.

알렉산드르와 프리드리히 빌헬름은 오스트리아 황제 프란츠 1세가 자기들 편에 가담하기를 바랐지만 독일에서 그들의 행보는 빈의 우려만 불러일으킬 뿐이었다. 합스부르크 궁정은 러시아에서 프랑스가 패배했다는 소식을 반겼고, 나폴레옹이 유럽에 부과한 제국적인 합의 내용들을 변경할 수 있으리란 전망이 대두되었다. 하지만 이러한 변화가 반드시 오스트리아에게 유리할 것인가? 프랑스 황제가 확실하게 패배한다면 프랑스 헤게모니가 러시아의 지배로 대체될 게 빤했고, 이는 오스트리아에게 전혀 반가운 전망이 아니었다. 따라서 오스트리아 외무대신 메테르니히의 안보 목표들은 오스트리아가 1813년 봄 내내 와일드카드〔예측 불가능한 수〕로 남는 데 초점을 맞췄다. 오스트리아는 나폴레옹에 진저리를 쳤을지도 모르지만 그렇다고 러시아에 반한 것도 아니었다. 메테르니히는 러시아가 오스트리아 사안에 간섭하는 것을 잘 알고 있었다. 최근의 사례로는 티롤과 일리리아에서 반란 선동 직전까지 간 요한 대공의 음모가 있었다. 2월 후반에 메테르니히의 첩자들은 공모자들이 러시아에 보낸 메시지를 가로챘고, 증거를 손에 쥔 외무대신은 음모를 재빨리 진압했다. 빈에게 똑같이 걱정스러운 것은 독일 군주들에게 러시아 황제의 보호를 받아들이고 프랑스가 좌우하는 라인연방을 해체해 새로운 독일을 건설하라고 촉구하는, 러시아 최고사령부가 3월 후반에 발표한 선언이었다. 만일 협조를 거부한다면 개별 군주들은 "여론의 힘과 의로운 군사의 힘으로" 파멸할 것이다.[6] 오스트리아에게 핵심 질문은 이것이 과연 어떤 종류의 "새로운 독일"이 될 것인가였다. 메테르니히는 독일 군주들을 협박하는 러시아의 선언이 한편으로 오스트리아에 독일의 수호자라는 잃어버린 지위를 얼마간 되찾을 기회를 창출하고 있음을 잘 알았다.

하지만 오스트리아의 위태로운 처지를 의식하고 있던 메테르니히는 오스트리아 국경에서 전쟁을 멀리 가져가고 러시아와 프랑스를 중재하기 위한 무장중립을 지지하는 논변을 폈다.[7] 이러한 중립 지향에 따라 오스트리아는 1813년 1월 30일 빌렌베르크에서 러시아와 정전에 합의했고 프랑스로서는 매우 유감스럽게도 갈리치아에서 자국 병력을 철수시켰다.[8] 1813년 봄 내내 프로이센, 러시아, 프랑스가 오스트리아의 보헤미아 국경지대 근처 언덕들에서 충돌하던 바로 그 때, 메테르니히는 합스부르크 권력을 되살리기 위한 원대한 프로젝트를 향해 서서히 작업해나갔다. 그의 전체적인 목표는 프로이센과 오스트리아, 그리고 결정적으로 양자 사이에 중립적인 '독일'로 구성된 3분할 독일을 구성하는 것이었다. 이 목표를 달성하기 위해 오스트리아 외무대신은 라인강 동쪽에서는 프랑스의 지배를, 비스와 강 서쪽에서는 러시아의 영향력을 제거해야 했다. 오로지 유럽의 평형 상태의 회복을 통해서만 오스트리아와 유럽 대륙의 더 작은 국가들은 독립과 권위를 다소나마 유지할 수 있을 터였다. 이런 측면에서 오스트리아의 의사는 영국의 염원과 일치했다. 1812년 후반에 이르자 이미 리버풀 내각은 오스트리아가 나폴레옹에 맞선 적대행위에 가담한다면 빈에 50만 파운드의 보조금을 지급할 의사가 있었다.[9] 오스트리아가 나폴레옹에 등을 돌리게 만들려는 그때의 시도는 수포로 돌아갔지만 1813년 4월에 이르자 오스트리아는 무장 중립 정책을 추구하고, 만일 나폴레옹이 협상을 거부한다면 대불동맹 세력에 합류할 의사가 확고했다.[10]

　나폴레옹은 1812년 12월 18일에 파리로 돌아왔고, 이튿날 대육군 공보 제29호는 국민들에게 프랑스가 내보낸 역사상 최대의 군대가 얼어붙은 러시아 벌판에 쓰러져 있다고 알렸다. 이 소식은 프랑스 대중을 충격에 빠뜨리고 라인연방 내에서 나폴레옹의 위신에 타격을 주었는데 그곳의 독일 민족주의자들은 해방전쟁Befreiungskrieg을 부르짖었다. 에스파냐 상황은 더 일촉즉발이었다. 하지만 나폴레옹은 결코 태연함을 잃지 않았고, 그의 공개적인 발표와 그가 자신의 동맹들과 원로원에 내놓은 설명들은 승리자의 자신감을 보여준다. "나의 군대는 얼마간 손실을 겪긴 했지만 때 이른 혹한 때문이었다"라고 그는 12월 20일 원로원 연설에서 주장했다.[11] 그는 덴마크 국왕에게 보낸 편지에서 러시아군은 "항상 격퇴되었고", "나의 군대에서 독수리 휘장이나 대포 하나" 빼앗지 못했다고 주장해 러시아 참사에 대한 그의 공식적인 입장을 보여준다. 어떠한 패배도 겨울 탓이었다. "나의 군대는 커다란 고초를 겪었고 지금도 겪고 있지만, 이 참사는 추위와 더불어 끝날 것입니다"라고 황제는 편지를 마무리했다.[12]

파리로 매일같이 들려오는 끔찍한 소식들에도 불구하고 나폴레옹은 새로운 전역을 준비하기 시작했다. 21장에서 언급한 대로 러시아 원정에 참가한 대략 60만 명 가운데 10만 명 미만이 귀환했고 그중 거의 절반은 오스트리아나 프로이센에서 파견된 병사들이었다. 그러므로 새로운 프랑스군을 건설해야 했다. 나폴레옹은 여전히 방대한 자원을 거느리고 있었고 1813년 초에, 바로 그해에 나폴레옹 제국의 붕괴를 목격하게 되리라고 예측한 사람은 거의 없었을 것이다. 러시아군은 거의 적군만큼 손실을 입어서 네만강에 도달했을 때 전력이 4만 명이 될까 말까 했다. 나폴레옹에게 필요한 것은 시간이었다. 그는 폴란드에서 10만이 조금 넘는 병력을 거느리고 있던 외젠 드 보아르네에게 엘베와 오데르, 비스와강을 따라 배치된 프랑스 주둔군의 지원을 받아 최대한 위치를 사수하라고 촉구했다. 모든 이들에게 그는 승리를 장담했다. 한 편지에서 나폴레옹은 "자네는 다음 전역에서 내가 러시아군을 네만강 너머로 다시 몰아낼 것이라고 항상 말하고, 또 자네 자신도 그렇게 믿어야 하네"라고 지시했다.[13]

나폴레옹이 명령을 내리고 있는 동안 폴란드 상황은 급속히 바꿔고 있었다. 2월 말에 이르자 러시아군이 동프로이센에 진입하면서 보아르네는 비스와강과 오데르강 너머로 물러날 수밖에 없었다. 나폴레옹은 프랑스와 라인연방, 이탈리아에서 신병의 소집과 물자 동원을 강력하게 밀어붙였다. 동원 조치들은 대단히 인기가 없었지만 나폴레옹은 여전히 서부를 확고하게 지배하고 있었고 자신의 뜻을 거역하는 위성국들에 맞서 무력을 비롯해 효과적인 수단을 광범위하게 동원할 수 있었다. 게다가 이 군주들 다수는 정치적 존립 자체를 나폴레옹에게 빚지고 있었으므로 나폴레옹이 승리하길 바라야 할 이유가 충분했다.[14] 4월 말에 이르자 프랑스 황제는 14만 명이 넘는 군대를 창설했고, 추가적인 부대들도 8월 말에 소집을 완료했다. 새로운 군대는 젊고 경험 없는 병사들의 비율이 높았고 포병대와 기병대가 몹시 부족했다. "내게 기병이 1만 5천 명만 더 있어도 사안을 신속하게 해결할 수 있겠지만, 이 병과에서 나의 입지는 다소 약하다"라고 황제는 뷔르템베르크 프리드리히 국왕에게 고충을 토로했다.[15] 그럼에도 단 넉 달 만에 그렇게 거대한 군대를 창설한 것은 나폴레옹의 행정적 천재성과 그가 지난 10년에 걸쳐 다진 관료제의 효율성을 증언한다.

전역은 4월에 러시아-프로이센 군대가 베를린을 해방시키고, 그 국왕이 여전히 나폴레옹에게 충성하고 있던 작센을 침공하면서 본격적으로 재개되었다. 4월 후반이 되자 동맹군은 라이프치히 근처 잘레강 동쪽에 집결했다. 그곳에서 알렉산드르 황제는 4월 28일 병으로 세상을 떠난 쿠투조프 원수를 대신해 표트르 비트겐슈타인 장군을 동맹군의 새로운 총사령관으로 임명했다. 이때쯤이면 나폴레옹도 새로 구성된 마인강 군대를 이끌고 독일로 진입해 대육군의 잔존 병력과 연락을 수립했다. 그의 계획은 러시아-프로이센 동맹군을 최대한 빨리 무찌르고, 러시아군을 비스와강 너머로 몰아내며, 북독일에서 급속히 퍼져나가는 민족적 소요를 진압하는 것이었다.[16]

5월 1일 프랑스군은 잘레강을 건너 라이프치히로 진군해 동맹군의 내선內線을 위협하고자 했다. 하지만 기병의 부족으로 나폴레옹은 강력한 정찰을 수행할 수 없었고, 따라서 그는 비트겐슈타인 휘하 9만 명에 가까운 동맹군이 자신의 우익에 집결하고 있음을 몰랐다. 나폴레옹은 1632년 뤼첸 전투에서 스웨덴 국왕 구스타브 아돌프가 승리한 유적지를 방문하던 중 포성을 듣고서 미셸 네 원수가 적과 마주쳤음을 알게 되었다. 그는 즉시 네의 전력을 보강하고, 다른 군단들을 뤼첸 근처 그로스괴르센 방면으로 돌려, 그곳에서 비트겐슈타인을 중포로 강타한 다음 제국 근위대를 투입했다. 근위병들이 동맹군의 중앙을 돌파하는 가운데 나폴레옹이 동맹군의 양익을 포위 기동으로 위협하자 비트겐슈타인은 후퇴할 수밖에 없었다.

전투는 프랑스군의 승리로 끝났지만 완승과는 거리가 멀었다. 기병의 부족으로 프랑스군은 동맹군을 추격할 수 없었고, 동맹군은 질서정연하게 퇴각했다. 사실 동맹군 장교와 병사들은 자신들이 패했음을 인정하려 하지 않았고, 프로이센의 한 고위 장교의 표현으로는 "조국에 대한 열렬한 사랑에 사로잡힌 두 나라의 합동 군대의 결연함과 용맹"을 거론했다.[17] 전투는 다시 한번 나폴레옹의 군사적 재능과, 심지어 경험 없는 병사들을 데리고도 즉석에서 짜낸 효과적인 전술로 새로운 상황에 대처하는 능력을 부각시켰다. 기병이 부족하지만 않았어도 나폴레옹은 양익 포위 기동을 완성해 동맹군을 박살내고 어쩌면 전쟁이 본격적으로 시작되기 전에 끝낼 수 있었을 것이다.

뤼첸에서의 패배는 러시아군과 프로이센군이 서로를 탓하게 하면서 동맹군 수뇌부에 잠시 균열을 냈다. 프로이센군 지도부는 베를린을 경계하기 위해 북쪽으로 이동하자고 주장한 반면, 러시아군 지도부는 러시아 영토에 더 가깝게 있고자 동쪽의 브레슬라우로 진군하기를 원했다. 두 군대가 막 갈라서려는 참에 이것이 가져올 처참한 결과를 이해한 프리드리히 빌헬름 국왕이 뜻을 굽혔다. 베를린 방어를 뷜로 장군의 허약한 군단에 맡겨둔 채 프로이센-러시아 연합군은 드레스덴에서 북동쪽으로 약 50킬로미터 떨어진 바우첸으로 이동했다. 그리고 그 도시 뒤편의 고지대에 진을 쳤고 미하일 바르클라이 드 톨리 장군이 이끄는 증원군이 그곳에 합류했다. 5월 16일 프로이센 재상 하르덴베르크와 러시아 외무대신 카를 로베르트 폰 네셀로데는 칼리슈-브레슬라우 조약의 전쟁 목표를 확대해 라인연방의 해체와 에스파냐와 네덜란드, 이탈리아에서 프랑스 지배의 종식까지 목표에 포함시켰다.

드레스덴에서 전력을 정비한 나폴레옹은 처음에는 동맹국들을 분열시키기 위해 베를린을 위협하는 것을 고려했다. 하지만 동맹군이 바우첸에서 노영 중이라는 것을 알자마자 주력 군대를 이끌고 그곳으로 진군했다.[18] 그는 우세한 병력의 집중이라는 자신의 원칙을 다시금 성공적으로 실행해, 9만 6천 명의 러시아-프로이센 연합군은 나폴레옹 휘하 14만 4천 명가량의 병력과 맞서게 되었다. 황제는 뤼첸에서 놓쳤던 결전을 치를 작정이었고, 미셸 네 원수로 하여금 동맹군의 우익에 후위 기동을 펼치게 하여 동맹군의 퇴로를 차단하고 결정타를 날릴 작전을 구상했다.

5월 20일 바우첸 전투 첫날은 나폴레옹이 예상한 대로 전개되었다. 바우첸의 서쪽과 북서쪽에 배치된 프랑스군의 본진은 프로이센-러시아군을 공격해 정면에 묶어두고 적의 좌익을 포위하는 척해 비트겐슈타인이 예비 병력 대부분을 그쪽에 투입하게 만들었다. 이제 필요한 것은 미셸 네가 이튿날 성공적으로 기동을 완수하는 것이었다. 하지만 네 원수는 자신이 맡은 임무의 전략적 중요성을 망각하고 말았다. 5월 21일 정오에 전장에 당도하자마자 그는 황제의 지시를 오해하고 그 대신 동맹군의 위치의 핵심이라고 여긴 프라이티츠 마을 근처 크레크비츠 언덕에 병사들을 투입했다. 다음 몇 시간 동안 그는 위치를 꿋꿋하게 방어하는 프로이센군과 싸우며 귀중한 시간과 병력을 허비했다.[19]

　　바우첸 전투는 날이 어두워지며 끝났다. 비록 프랑스군의 승리였지만 이번에도 불완전한 승리였다. 네가 나폴레옹이 의도한 대로 계속 전진했다면, 동맹군은 확실하게 패배했을 것이다. 하지만 기회는 지나가버렸고 동맹군은 난타당하긴 했어도 여전히 멀쩡해 다시금 싸울 태세였다. 물론 동맹군의 수뇌부는 또다시 깊이 분열되었다. 두 차례 패전의 여파로 동맹군의 총사령관 비트겐슈타인은 도저히 자리를 지킬 수 없었고, 바르클라이 드 톨리로 교체되었다. 바르클라이는 병사들에게 휴식을 주고 지친 군대에 제대로 된 보급 시스템을 확립하기 위해 러시아 국경지대로 물러날 것을 제안했다. 거의 1년 내내 전역을 치러온 러시아 장교단은 휴식의 전망을 반겼지만 프로이센 쪽은 당연히 반대했다. 그들로서는 슐레지엔을 버리고 베를린을 적의 위협에 노출시킬 수 없었다. 두 곳 다 프로이센의 전쟁 수행 노력에 결정적인 곳인 데다, 이는 프랑스 병사들에 의해 프로이센 영토가 유린될 또 한 번의 위험을 감수하는 일이었다. 결국 알렉산드르 황제가 프로이센과의 동맹을 깨뜨리지 않는 것이 얼마나 중요한지를 이해하고 러시아군이 슐레지엔에 남도록 명령했다. 하지만 프로이센의 북부 지방들은 프랑스의 수중에 버려졌다. 여전히 야전에 배치된 적의 군대에 관심이 쏠린 나폴레옹은 우디노에게 프로이센 수도를 점령하라고 명령했지만, 그 원수는 루카우에서 뷜로 장군 휘하 프로이센군의 꿋꿋한 저항을 돌파할 수 없었다.[20]

동맹국들의 상황은 퍽 위태로웠다. 그들은 연달아 두 번 패배했고, 단 한 달 만에 잘레강에서 오데르강까지 400킬로미터나 밀려났다. 군대는 보급 부족에 시달려왔다. 비록 동맹군 병사들은 잘 싸웠지만 행군으로 힘이 바닥났다. 병으로 인한 전력 소모율이 상당히 높았다. 그보다 더 사기를 꺾는 것은 함부르크에서 들려온 소식으로, 그곳은 원래 3월 18일 카를 폰 테텐보른 대령이 이끄는 동맹군이 함락한 곳이었다.[21] 동맹군이 프랑스 제국의 영토를 침공한 것은 이번이 처음이었고—함부르크는 1810년에 프랑스에 병합되었다—이 주요 항구 도시의 함락은 동맹 파트너들에게, 특히 그곳을 북유럽의 관문으로 이용할 수 있는 영국에게 반가운 소식이었다. 함부르크가 함락된 지 고작 2주 뒤에 영국은 소규모 원정군을 파견해 함부르크 항에서 북서쪽으로 110킬로미터 떨어진 쿡스하펜에 상륙시켰고 그 지역에 교두보를 마련하게 했다.[22] 하지만 동맹국들의 자축은 성급한 것으로 드러났다. 나폴레옹으로부터 함부르크를 탈환하라는 명령을 받은 "철의 원수" 다부는 5월 30일 동맹군을 함부르크에서 몰아냈다.

끊임없이 들이닥치는 난관은 동맹군이 휴식과 특히 외부의 도움이 필요함을 시사했다. 프랑스 원수였다가 스웨덴 왕위 계승자가 된 베르나도트는 비록 1812년 이래로 러시아를 지지해왔지만 누구도 그가 충분한 군사적 지원을 제공하리라고는 기대하지 않았다. 영국은 보조금을 제공하기로 약속했지만 반도전쟁에 매여 있었기 때문에 실제 병사의 측면에서는 이렇다 할 지원을 할 수 없었다. 그러므로 오로지 오스트리아만이 전쟁의 추이에 진정으로 결정적인 영향을 미칠 수 있었다. 하지만 13년 사이에 네 차례의 굴욕적인 패배를 겪은 합스부르크는 나폴레옹에 도전하려고 서두르지 않았다. 그 프랑스 지배자는 여전히 거대한 군대를 거느린 가공할 적이었고, 프란츠 황제는 러시아-프로이센 동맹이 그를 무찌를 수 있을지 여전히 확신하지 못했다. 오스트리아가 프랑스군에 맞서 싸움에 나섰다가 지기라도 하면 프랑스는 이미 줄어든 합스부르크 지배 영역에 복수를 할 게 뻔했다. 더욱이 앞서 언급한 대로 나폴레옹의 패배가 곧 러시아가 유럽의 결정권자가 됨을 의미한다면 오스트리아로서는 나폴레옹의 몰락을 돕고 싶은 마음이 없었다. 그럼에도 불구하고 이 갈등에서 물러나 있는 것도 선택지가 될 수 없었는데, 러시아-프로이센의 승리(5월 후반에는 까마득한 일로 보였을지라도)는 오스트리아를 정치적 뒷전으로 몰아냈을 것이기 때문이다.

프랑스와 동맹국 간 휴전 가능성에 대한 소식은 그러므로 빈에서 환영받았고, 빈은 재빨리 중재자로 나설 의사를 표명했다. 양측은 휴전에 합의했다. 6월 4일에 플라이슈비츠에서 정전 협정이 서명되어 7월 20일까지 적대행위를 중지하기로 했는데, 휴전은 궁극적으로 8월 중순까지 이어지게 된다.[23]

이제 와서 보면 플라이슈비츠 정전은 나폴레옹의 최대 실수 가운데 하나다. 그는 자신의 결정을 해명하려고 했다. "이 정전이 나의 승리의 흐름을 중단시키긴 하지만, 나는 두 가지 이유에서 휴전을 하기로 결심했다. 바로 내가 적에 결정적 타격을 입힐 수 없게 만드는 기병의 부족과 오스트리아의 적대적 태도다."[24] 나폴레옹이 휴전을 기꺼이 고려한 데에는 다른 이유들도 있었다. 그는 초기의 전투들에서 승리했을지는 몰라도 이 전투들로 최대 4만 명의 사상자가 났고, 그보다 두 배나 많은 병사들이 아프거나 병원에서 회복 중이었다. 이러한 전력 손실은 재빨리 대체되어야 했다. 그의 보급 시스템도 미흡했고, 적의 분견대들은 독일 전역에서 프랑스의 연락선을 괴롭히고 있었다. 특히 한 배짱 좋은 사건에서는 신속한 어느 러시아 분견대가 6월 7일에 라이프치히를 실제로 장악하기도 했었다. 똑같이 문제적인 것은 군단장들과 원수들의 맥없는 리더십으로서, 그들 중 다수는 말 그대로 전쟁에 지쳐 있었다. "운명의 수레바퀴가 돌면서 이 철의 영혼들을 짓밟고 갔다"라는 것이 나폴레옹의 서기장 아가통 장 프랑수아 팽 남작이 진지에서 오가는 그들의 이야기를 듣다가 낙심해서 내린 평가였다.[25]

하지만 정치적 동기가 나폴레옹의 정전 합의에서 가장 결정적인 요인이었다. 그는 오스트리아가 갈수록 적대적인 태도를 보인다는 사실을 알고 있었고, 협상 말고는 선택의 여지가 없다고 느꼈다. 근래의 승리들로 자신감을 되찾은 그는 이 휴지기를 이용해 장인인 오스트리아 황제를 자기편에 묶어둘 수 있기를 바랐다. 그렇게만 되면 프로이센을 분쇄하고, 러시아를 네만강 너머로 쫓아내는 데 힘을 집중할 수 있으리라. 이것들은 모두 타당한 고려 요인이긴 하지만 그래도 동맹국들이 나폴레옹보다 휴식으로 얻을 게 더 많았다는 사실을 가릴 수는 없다. 동맹군은 기운이 바닥났고, 슐레지엔에서 전략적으로 막다른 길에 몰려 있었으므로 또 한 차례의 강타는 동맹의 붕괴를 가져왔을 가능성이 크다. 프로이센과 러시아에게 정전은 하늘이 내려준 선물이었으니, 절실했던 휴식을 이용해 군대를 재정비하고 증강할 수 있을 뿐 아니라 새로운 동맹을 공식화할 수 있기 때문이었다.

오스트리아는 이 모든 것에서 결정적인 역할을 했다. 메테르니히는 나폴레옹으로 하여금 협상에 나서도록 설득하는 동시에 동맹국들이 유럽에서 일반적인 합의를 이룰 강화 조건을 정식화하는 데 도움이 되길 바라며, 오스트리아가 어느 편으로든 참전할 전망을 내보이는 데 최선을 다했다. 이를 위해 오스트리아 외무대신은 얽히고설킨 외교적 책략을, 러시아와 프랑스의 고집 앞에서 이따금씩 난관에 봉착하기도 한 책략을 구사해야 했다. 더욱이 그 과정 내내 오스트리아는 중립을 가장해 은밀한 병력 동원을 진행했고, 동원령은 6월 14일에 예비군과 란트베어[향토방위군]의 소집으로 세상에 공개되었다. 7월 후반에 이르자 20만 명 정도가 보헤미아 지방에 집결한 한편, 도나우강 유역을 따라 군대 2개가 더 소집되었다.

그 사이 동맹 세력은 외교적 협상에 전념했다.[26] 영국 정부는 오랫동안 대불동맹에 돈줄 역할을 해왔고, 얼마간의 장애 조건에도 불구하고 다시금 그 재정적 영향력을 이용해 대륙의 세 열강을 하나로 뭉치게 하고 나폴레옹을 무찌르는 공통의 목표를 향해 나아가게 하도록 노력했다.[27] 러시아에 파견한 사절에게 쓴 서신에서 외무장관 캐슬레이는 "프랑스의 권력을 축소시키고 독일의 독립을 회복하는 데 모든 열강의 참여를 유도하도록 신뢰를 주는 일반적 원칙에 입각해" 동맹 세력의 전쟁 수행을 도모하기 위해 가능한 모든 기회를 이용하라고 촉구했다.[28] 이런 목표를 달성하기 위해서 런던은 영국의 금을 약속했다. 하지만 보조금의 세부 조건을 조율하는 일은 생각보다 훨씬 힘겨웠다. 알렉산드르 황제는 런던 주재 러시아 대사 크리스토프 하인리히 폰 리벤 백작에게 러시아군 20만 명을 유지하는 데 700만 파운드를 요구하라고 지시했지만, 그중 절반을 무기와 탄약으로 제공받는다는 조건으로 요구액을 400만 파운드로 깎을 용의가 있었다.[29] 영국은 이미 스웨덴과 포르투갈, 에스파냐에 (무려 약 400만 파운드의 거금으로) 재정적인 약속을 한 상태였고 프로이센, 오스트리아와도 개별적으로 보조금 지급을 교섭 중이었다. 그러므로 영국 정부는 러시아가 요구한 막대한 보조금 액수에 난감한 기색을 표했고, 런던의 러시아 사절은 보조금을 삭감하는 문제로 영국 각료들이 "애걸복걸"하고 있다고 보고할 정도였다.[30] 캐슬레이는 개별 열강과의 보조금 조약만으로는 충분하지 않음을 알고 있었다. 영국에 필요한 것은 나폴레옹이 외교로든 무력으로든 깨뜨릴 수 없는 동맹으로 모든 참전 열강을 묶어낼 조약이었다.

그러므로 동맹을 결성하는 것은 1813~1815년에 영국이 추구한 전체적인 전략에서 결정적 요소였다. 영국의 전략은 세 가지 폭넓은 목표로 이루어져 있었다. 첫 번째이자 가장 중요한 것은 영국이 식민지와 해상에서 패권을 유지하는 것이었다. 이때쯤에 영국은 이미 프랑스, 네덜란드, 덴마크 식민지들을 모조리 점령했고, 아직 영국의 지배 아래 들어오지 않은 유일한 해외 영토는 영국 맹방들의 식민지였다. 이같이 방대한 해외 영토를 지배하는 것은 영국에 커다란 가치가 있는 외교적 무기를, 자신이 원하는 대로 대륙의 전후 타협을 이끌어내기 위해 휘두를 수 있는 무기를 제공했다. 이것은 영국이 프랑스뿐 아니라 미국과 러시아를 상대로 그토록 노심초사하며 지켜온 해상에서의 권리들과 관련해 특히 중요했다. 그러므로 협상 테이블에서 애초에 해양 관련 쟁점들은 논의되지 않아야 한다는 것이 영국 정책의 요점이었다. 두 번째로, 영국은 이전 협정들에 의거해 떠맡은 책무들을 이행해야 했다. 여기에는 노르웨이에 대한 스웨덴의 영유권 주장을 지지한다는 약속은 물론 포르투갈, 에스파냐, 나폴리에서 이전 정부들을 복귀시키는 것이 포함되어 있었다. 마지막으로 세 번째 과제는 프랑스를 나폴레옹 이전 국경선으로 축소하고, 부상하는 러시아 세력을 억제함으로써 대륙에서 항구적인 정치 체제를 수립하는 것이었다. 이 점에서 런던은 오스트리아와 어느 정도 공통의 기반을 공유했다.[31]

6월 14~15일에 라이헨바흐 협약을 통해 영국은 러시아와 프로이센에 200만 파운드의 지급을 약속했고, 이전의 지급 제의를 갱신해 오스트리아가 동맹에 가담하게 하는 유인책으로서 50만 파운드의 보조금 지급을 제안했다. 뒤쪽의 제안은 흥미로운 변화인데, 불과 몇 달 전만 해도 영국 정부는 오스트리아령 티롤에서 반란을 지원하기 위해 수만 파운드를 제공했기 때문이다. 오스트리아는 이번에도 영국의 제의에 응하지 않았다. 메테르니히는 폴란드와 세르비아 쟁점을 놓고 러시아와 정치적 줄다리기를 하고 있었다. 오스트리아와 러시아의 입장 사이에는 여전히 상당한 간극이 있었다. 러시아는 오스트리아를 1805년의 지위로 복귀시키는 것을 지지하기로 약속했지만 1805년에 이르면 오스트리아는 이미 이탈리아 영토 대부분을 상실한 상태였으므로 이는 합스부르크 궁정이 기대한 바에 훨씬 못 미쳤다. 똑같이 결정적인 것은 독일에서 두 열강의 상충하는 목표였는데, 합스부르크는 현존하는 러시아-프로이센 관계 회복을 독일 사안에서 오스트리아를 배제하는 신호로서 의혹의 눈초리로 바라봤다. 메테르니히는 처음에 자신을 러시아-프로이센의 약탈에 맞서 독일 군소국들의 보호자로 내세우려 했고 그 시도들은 어느 정도 성공을 거두었다. 프라하 조약(4월 20일)은 오스트리아의 보호를 이미 프로이센의 영유권 주장으로 위협받고 있던 작센으로 확대했다.[32] 하지만 이 성공은 찰나에 불과했다. 5월에 나폴레옹이 연달아 승리를 거두자 독일 군주들은 다시 프랑스의 기치 아래로 우르르 몰려갔다.

여름의 정전 기간 동안 메테르니히는 동맹국들과 프랑스 양측과의 협상에서 주도적인 역할을 맡았다. 그의 전체적인 목표는 프랑스의 지배를 축소하고, 그 자리에 러시아가 지배적인 세력이 되는 일을 막는 것이었다. 이 목표를 달성하기 위해 그는 러시아와 프랑스가 각각 비스와강과 라인강 경계선 뒤편으로 물러나고, 독립적이고 세력이 증강된 중유럽에 의해 양측이 계속 분리되어 있어야 한다고 역설했다. 이러한 계획에 따르면 나폴레옹은 오스트리아와 프로이센을 각각 1805년과 1806년의 지위로 복귀시키도록 영토를 내놓아야 하고, 그렇게 되면 러시아에 폴란드 지방을 할양하는 대가로 양국에 보상해줄 영토는 남지 않을 터였다. 동맹국들과의 협상에서 메테르니히는 폴란드에 관한 러시아-프로이센의 요구를 모두 수용하는 듯이 보였고, 자신이 "좋은 평화"라고 부른 핵심 요소들의 골자를 제시했다. 그것은 러시아가 오랫동안 바라온 대로 바르샤바 공국의 해체, 프로이센의 지위 복원, 프랑스가 라인강 동쪽에서 병합했던 모든 영토들의 복원, 네덜란드 독립, 프랑스가 점령한 이탈리아 영토 전부 할양, 교황령 복원, 뤼네빌 조약에서 오스트리아가 상실한 모든 영토 반환, 독일과 이탈리아에서 나폴레옹 패권의 종식이었다.[33] 메테르니히는 또한 동맹국들이 나폴레옹을 강화 테이블로 끌어들이기 위해 최소한의 프로그램만 제시해야 한다고 믿었다. 그러므로 "좋은 평화" 제안들과는 별개로 오스트리아는 예비 교섭을 개시하기 위해 꼭 필요한 두 가지 요구 사항을 제시했다. 오스트리아에게 이것은 일리리아 지방의 회복과 바르샤바 공국의 해체, 바이에른과 새로운 국경선 조정이었다. 러시아-프로이센 동맹에게 최소 조건들은 프로이센의 지위 복원, 나폴레옹의 라인강 동안 전 영토의 할양, 그리고 가장 결정적으로 라인연방에서 프랑스 영향력의 제거였다.[34]

5월 내내 동맹국들은 무엇보다도 네덜란드와 이탈리아의 독립을 최소 요구 사항 목록에 추가해야 한다고 주장하며 이러한 조건들의 최종 세부 사항을 토론했다. 6월 중순에 라이헨바흐 협약이 체결된 이후 추가적인 장애 요인이 등장했다. 재정 지원의 대가로 영국은 하노버의 복원과 동맹의 일원 누구도 개별적으로 나폴레옹과 강화를 체결하지 않는다는 약속을 요구했다. 영국의 개입은 추가적인 요구 사항들, 특히 에스파냐, 포르투갈, 나폴리와 관련한 사항들이 프랑스와의 향후 협상 과정에서 불가피하게 제기될 수밖에 없다는 뜻이었다. 그래도 깊은 불신과 상호 의심이 팽배한 가운데 어느 쪽도 혼자서 끝까지 갈 수 있는 처지가 아니었다. 나폴레옹과 맞서려면 단체행동이 필요했다.

6월 26일, 메테르니히는 드레스덴에서 나폴레옹과 긴 면담을 가졌다. 그것은 전쟁 전체의 진실이 드러나는 순간이었다. 오스트리아 대신이 전달한 예비 제안들과 나중에 7월 12일과 8월 10일 사이에 프라하 강화 회의에서 논의된 내용들은 바르샤바 공국의 해체(바르샤바 공국은 동맹 열강에 의해 분할될 예정이었다), 라인연방의 재편,

오스트리아에 일리리아 자치주 반환, 1810년 프랑스가 병합한 한자동맹 도시들의 복원, 1806년 이전 상태로 프로이센의 지위 복귀 등이었다.[35] 메테르니히가 타협을 하고 문제에 대한 외교적 해법을 수용하도록 나폴레옹을 설득했다면 역사는 퍽 다른 경로를 밟게 되었을 것이다. 하지만 나폴레옹은 열띤 대화를 이어가다가 제의를 거부했고, 그의 발언은 러시아 참사를 겪은 뒤에도 아무도 자신을 꺾을 수 없다는 자신감을 분명히 드러냈다. "그래, 당신들은 전쟁을 원한단 말이지?" 그는 메테르니히에게 말했다. "그럼, 전쟁을 하게 될 거요. 나는 이미 뤼첸에서 프로이센군을 전멸시켰소. 바우첸에서는 러시아군을 패퇴시켰고. 이제 당신들 차례를 원하는가 보군. 좋소. 우린 빈에서 만나게 될 거요."[36] 메테르니히는 프랑스 군주와 진정한 협상은 불가능하다는 확신을 품고 드레스덴을 떠났다. 그는 이 사실을 면담하기 전에 이미 알고 있었다고 말할 수도 있다. 드레스덴으로 떠나기 전에 그는 이미 외교관들에게 6월 27일에 라이헨바흐 협약에 서명하라고 지시해두었다. 그에 따라 오스트리아는 동맹 세력에 가담해—그리하여 6차 대불동맹 수립을 완결하고—나폴레옹에게 제시한 강화 조건들이 수용되지 않는다면 프랑스에 선전포고를 하기로 약속했다.[37]

사후적으로 보면, 드레스덴 제안에 대해 나폴레옹이 보인 반응은 그에게 요구된 양보의 범위를 고려할 때 전혀 놀랍지 않다. 러시아와 에스파냐에서 프랑스가 패배를 겪은 뒤라고 해도 이 요구 조건들은 종종 주장되어온 것만큼 관대한 조건과는 거리가 멀었다. 군사적인 이점들을 쥐고 있고 (적어도 독일에서는) 중유럽과 이탈리아 상당 지역을 여전히 지배하고 있음에도 나폴레옹은 지난 20년간 프랑스가 정복한 것을 포기하고 대륙 전역에서 누려온 지위를 내놓으라는 요구를 받았다. 나폴레옹 같은 유형의 국가수반은 말할 것도 없고 어느 국가수반이 근래의 연승들로 자신감이 오른 때에 그런 큰 양보 사항을 고려했겠는가? 과연 동맹국의 어느 지도자가, 그곳이 인도건 캅카스건 도나우 공국이든 간에 자국의 제국적 이해관계와 관련해 그와 유사한 제안들을 고려했겠는가? 영국의 정치가들은 제국이란 '무력'으로 얻어내고 유지해야 하며, 그렇지 않으면 동일한 수단에 의해 더 우세한 열강에게 넘어갈 것이라고 믿었다. 나폴레옹의 태도가 영국의 태도와 조금이라도 다른 게 있는가?[38]

나폴레옹이 협상을 내켜하지 않은 점은 부인할 수 없지만 그가 싸우는 것 말고는 다른 목표가 없었다거나 동맹국들이 최소 조건들을 바탕으로 나폴레옹과 강화를 맺는 데 합의했다는 주장은 상황을 잘못 짚은 것 같다.[39] 상대방들처럼 프랑스 황제도 유럽 대륙의 평화에 관해 자신만의 특정한 비전을 추구하고 있었고, 여기서 승리는 결정적인 요소였다. 드레스덴에서 제시된 일단의 요구 사항은 오로지 예비 교섭을 시작하기 위해 정해진 것이었고, 만약 나폴레옹이 요구들을 수용했다면 동맹국들은 최종 협상에서 새로운 요구 사항들을 더 제기했을 것이다. 나폴레옹은 그 점을 알았으며, 자신이 군사적으로 비교적 우위에 있는 한 그러한 조건들에 동의할 수 없다고 느꼈다. 그의 비타협성은 두 가지 구체적인 목적을 감추고 있었다. 동맹의 가장 강력한 구성원인 러시아와 직접 해결을 보겠다는 것과, 프랑스와의 동맹에서 이탈한 오스트리아를 혼내주겠다는 것이었다. 나폴레옹은 협상을 하도록 프라하로 파견된 콜랭쿠르에게 준 지침에서 이 점을 명시적으로 밝혔다.

하지만 프라하 회담은 아무런 돌파구도 도출하지 못했다. 그것은 종종 소극으로 묘사되며 러시아 대표였던 카를 네셀로데 본인이 "어느 쪽도 강화에 딱히 열성적이지 않았다. 회의는 속임수에 불과했다"라고 시인했다.[40] 여기에는 어떤 진실이 있다. 참석한 4자 가운데 오스트리아만이 전면 평화회담을 조직하는 데 열렬한 관심이 있었고, 메테르니히는—심지어 맹방들을 호도하는 대가를 치르고서까지—프랑스 황제에게 자신의 평화로운 의도를 확신시키려고 최선을 다했다.[41] 나폴레옹은 오스트리아가 한 손으로는 올리브 가지를 내놓으면서 다른 한 손으로는 칼을 갈고 있다고 믿고 줄곧 의심을 떨치지 못했다. 그는 이 점에서 착각한 게 아니었는데 합스부르크 궁정은 실제로 군대 동원을 완료하는 데 정전을 이용했기 때문이다. 하지만 나폴레옹의 행동은 다른 점들도 고려한 것이었다. 우선, 가족 간 의리에 대한 그의 생각 때문이든 오스트리아의 군사적 능력을 얕보는 시각 때문이든 간에 나폴레옹은 프란츠 황제가 설마 사위와 싸우지는 않을 것이라고 진심으로 확신했다. 이러한 왕조적 결합을 강조하기 위해 나폴레옹은 마리-루이즈 황후—프란츠의 딸—에게 자신이 프랑스에 부재한 동안 섭정의 지위를 부여했다.[42] 두 번째로 "불명예스러운" 강화를 수용하는 전망이 황제의 마음을 무겁게 짓눌렀다. 그는 프랑스 국민들이 국가적 영광의 상실을 용납하지 않을 것이라고 믿었는데, 국가적 영광은 한 영국 역사가의 표현으로는 "그의 지배를 떠받치는 네 가지 대들보—국민의 소유권, 낮은 과세, 중앙집권적 권위와 더불어—가운데 하나"였다.[43] 나폴레옹은 틀렸다. 정전 소식에 프랑스의 많은 지역에서 대중이 기쁨을 표출했다는 사실을 그가 몰랐을 리는 없다. 지사들의 보고서는 "평화에 대한 갈망이 매일

같이 더 강해지고 있으며, 이 희망이 단단한 근거를 갖고 있는 것처럼 보인다면, 황제를 향한 대중의 환희와 감사가 어디서나 터져 나올 것"⁴⁴이라고 언급했다.

나폴레옹이 8월 9일에 받은 최종적인 일단의 요구 사항(기한은 10일까지였다)은 비교적 강력한 입장에서 협상을 할 수 있는 마지막 기회였다.⁴⁵ 조건을 수용하는 것은 그가 지난 13년에 걸쳐 이룩한 것을 상당 부분 포기하는 것을 의미했을 테고, 수만 명의 목숨이 헛되이 희생되었다는 것을 의미했을 테다. 물론 나폴레옹이 유럽의 전쟁 피로감과 동맹 구성원들의 상호 불신과 질시, 전쟁이 풀어 헤칠 수 있는 민중운동에 대한 군주들의 두려움을 이용해가며 능란한 외교와 시의적절한 양보를 통해 상황에 대처할 길은 여전히 열려 있었다. 하지만 그러한 접근법은 또한 대제국의 포기 선언을 뜻했을 것이며, 따라서 나폴레옹으로서는 도저히 받아들일 수가 없는 것이었다. 그는 더 단순하지만 위험 부담이 높은 전쟁의 길을 선호했다. 고작 몇 달 전에 그는 "이 세상에는 두 가지 대안밖에 없다. 명령하거나 혹은 복종하거나"⁴⁶라고 냉엄하게 말했었다. 그래도 나폴레옹은 일부는 수용하고 일부는 거절하면서 동맹 세력이 제시한 조건들을 고려하기는 했었다. 예를 들어 라인연방의 보호자라는 지위를 포기하는 문제에는 침묵했지만 바르샤바 공국의 해체(공국은 동맹국들에 의해 분할될 예정이었다)와 오스트리아에 일리리아 자치주를 반환하는 데는 동의했다. 단치히를 프로이센에 주는 것은 거부했지만 그곳을 자유시로 전환하는 데는 동의했다. 이것들은 비록 동맹국들의 기대에는 못 미치더라도 중요한 양보 사항이었다. 게다가 나폴레옹이 이런 결정을 프라하에서 바로 전달했다면 동맹국들은 예비 교섭을 위한 기반으로 수용했을 가능성도 있다. 하지만 자존심 때문인지 단순한 시간 끌기인지 그는 자신의 역제안을 전달하는 것을 미뤘고, 결국 전달 사항은 기한이 지난 8월 11일에야 프라하에 도착했다.[47] 러시아와 프로이센의 사절들은 저명한 미국 역사가 이노 크레이의 표현을 빌리면 "눈길은 시계에 단단히 고정시키고, 얼굴에는 자신들의 선견지명이 틀리지 않았음을 확신하는 미소를 띤 채 밤 12시 정각이 되자마자 단 1분도 기다리지 않고 자신들의 권한은 만료되었다고 선언했다."[48] 바로 이튿날 오스트리아는 프랑스를 상대로 선전포고를 했다.[49] 나폴레옹 전쟁이 시작된 이래로 처음으로 프랑스는 유럽 열강의 단합된 노력에 직면했고, 그들의 군대는 이미 전장에 배치되어 서로 작전을 조율할 준비를 마쳤다.

플라이슈비츠 정전은 그러므로 전쟁의 전환점이었다. 휴전이 발효되었을 때 나폴레옹이 적들보다 더 우세했고 실제로 전역에서의 승리에 가까이 있었다면, 휴전이 종료되었을 때 동맹 세력은 그보다 최소 두 배 이상 강했고 중유럽에서 그를 최종적으로 확실히 몰아내겠다는 목표로 뭉쳐 있었다. 그들은 최근의 좌절과 후퇴에도 불구하고 전례 없는 협력적 시도만이 유럽을 나폴레옹의 지배에서 해방시킬 수 있다는 것을 이해했다. 그들의 사명감은 이베리아반도에서 영국의 계속되는 성공 소식으로 더욱 고무되었다.

1812년 가을 살라망카에서 승리한 이후로 포르투갈로 후퇴했던 웰링턴은 군대를 재정비하며 겨울을 보냈다. 8만 명가량으로 늘어난 군대의 절반 이상은 영국 병사들이었다. 한편 에스파냐에 있던 프랑스 군대는 독일에서 전역을 수행하기 위해 수천 명의 병력을 불러들이기로 한 나폴레옹의 결정으로 약해졌다. 프랑스군의 전력 약화를 제대로 이용하기 위해 웰링턴은 1813년 5월에 새로운 에스파냐 침공을 개시했다. 그는 중장 롤런드 힐 경에게 3만 명의 병사를 주어 분산 작전을 펴도록 살라망카로 파견한 한편, 영국-연합군의 주력 군대는 북부 포르투갈을 가로질러 진격하다 프랑스 방어선 뒤편을 덮쳤다. 6월 초에 이르자 그의 전군은 이미 두에로강 북안에 진을 치고 있었고, 깜짝 놀란 프랑스군은 북부에서 새로운 위협에 대처하기 위해 황급히 병력을 재배치하기 시작했다. 하지만 영국군의 진격 속도가 워낙 빨라서 조제프 국왕 휘하의 프랑스군은 6월 13일 부르고스를 포기할 수밖에 없었고, 일주일 뒤에는 비토리아 근처에서 대비되지 않은 상태로 발목이 붙들렸다. 뒤이어 벌어진 전투는 프랑스군의 확실한 완패였고, 병사들은 수송대 전부, 즉 400대의 카이송(탄약 운반 마차)과 153문의 대포 가운데 2문을 제외한 전부를 버리고 패주했다. 그보다 더욱 기가 막힌 것은 조제프 왕이 전장에서 달아나면서 버리고 간 막대한 양의 보물—티치아노와 벨라스케스, 무리요의 회화를 비롯해 6년간 자행한 약탈의 산물—이었다.

비토리아 이후로 영국군은 에스파냐 북부를 휩쓸었고, 프랑스군은 혼란과 무질서 속에서 후퇴를 거듭했다. 산재한 몇몇 수비대와 카탈루냐와 아라곤에서 쉬셰 원수가 거느린 군대만이 에스파냐의 나폴레옹 왕국에 남아 있는 유일한 프랑스 세력이었다. 비록 프랑스군은 산세바스티안과 팜플로나에 포위된 요새들을 구조하려고 애썼지만 소라우렌(7월 28~30일)과 산마르시알(8월 31일)에서 격퇴당해 피레네산맥 너머로 밀려났다. 어느 모로 보나 반도전쟁은 끝났다. 웰링턴은 이제 프랑스 자체를 침공할 수 있는 입장이었다. 에스파냐 상황은 나폴레옹의 마음을 무겁게 짓눌렀다. 그는 독일에 있는 동맹군에게 시급히 결정타를 날려야 함을 잘 알고 있었다. 그래야만 피레네산맥 쪽으로 주의를 돌릴 수 있을 터였다.[50]

평화적인 해결을 거부했으니 이제 나폴레옹에게 남은 유일한 대안은 과거에 흔히 그랬던 것처럼 신속하고 가차 없는 군사행동이었다. 하지만 이번에 그는 다소 다른 적을 상대하고 있었다. 동맹국들은 과거의 잘못으로부터 학습하는 능력을 보여주었고, 어쩌면 정전 기간 동안 그들이 트라헨베르크와 라이헨바흐에서 개최한 전쟁 회의보다 이 점을 더 예시하는 것도 없으리라. 여기서 그들은 나폴레옹의 군사적 천재성에 맞서기 위해 고안된 소모적 전략을 발전시켰다. 동맹 세력은 3개의 주력 군대로 나눠 최대 50만 명의 병사들을 전장에 투입하기로 약속했다. 23만 명가량의 보헤미아군은 오스트리아 원수 카를 슈바르첸베르크 후작이 맡았다. 14만 명이 넘는 북독일군은 스웨덴 왕위 계승자 베르나도트 휘하였다. 10만 5천 명의 슐레지엔군은 프로이센 장군 블뤼허가 이끌었다.[51] 이 군대들은 어느 동맹 구성원이든 자국의 이익에 따라 행동하는 것을 억지하고 나폴레옹이 그들을 하나씩 무찌르는 것을 방지하기 위한 다국적 군대였다. 이 군대들은 자기 쪽 전력이 확실히 우세할 때에만 전투를 벌이기로 했다. 만약 한 군대가 나폴레옹에게 공격을 받는다면 그 군대가 퇴각하는 사이 다른 동맹 군대들이 진군해 나폴레옹의 측면과 연락선을 압박하고, 가능하다면 프랑스 황제로부터 개별 임무를 부여받아 파견된 그의 부관 휘하의 다른 병력들을 파괴할 작정이었다. 이런

식으로 나폴레옹의 전력을 충분히 약화시키면 동맹 세력은 군대들을 집결해 결전을 벌일 수 있게 될 터였다.[52]

새로운 전략으로 무장한 동맹군은 곧 주도권을 잡고 초기에 연전연승을 거두었다. 8월 23일 나폴레옹에게 다시금 베를린을 점령하라는 지시를 받은 우디노 원수는 그로스베렌에서 베르나도트의 북독일군에게 패하고 프로이센의 수도에서 밀려났다.[53] 이것은 나폴레옹이 부하들에게 권한을 위임하면 무슨 일이 생길지를 보여주는 불길한 징조였다. 이틀 뒤에 블뤼허는 프랑스 맥도널드 원수를 카츠바흐강에서 무찌르고 프랑스군을 슐레지엔에서 몰아냈다.[54] 나폴레옹은 슈바르첸베르크의 실수를 이용해, 8월 26~27일에 드레스덴에서 노출된 보헤미아군의 허를 찔렀을 때 힘의 균형을 살짝 자신에게 유리한 쪽으로 바꾸었다. 수적으로 거의 2 대 1로 밀렸음에도 황제는 적을 한 수 앞섰고, 동맹군에게 무려 3만 명이 넘는 병력 손실을 안기는 인상적인 전술적 승리를 거두었다.[55] 만약 그 승리의 기세를 놓치지 않고 더 활발한 공세를 이어갔다면 드레스덴은 나폴레옹의 결정적 승리 가운데 하나로 자리매김할 수도 있었으리라. 하지만 기병의 부족과 궂은 날씨, 나폴레옹 본인의 결단력 부족이 합쳐져 드레스덴 전투는 궁극적으로 피로스의 승리가 되었다. 적어도 황제는 동맹군을 지원하기 위해 망명 생활에서 복귀한 자신의 오랜 적수 장 모로 장군이 프랑스군의 대포알에 전사했다는 소식을 듣고 위안을 얻을 수 있었다. 모로는 죽기 직전에 아내에게 쓴 편지에 "그 불한당 녀석 보나파르트는 항상 운이 좋지"라고 적었다.[56]

모로는 자신의 적수가 행운이 다하는 모습을 볼 만큼 오래 살지 못했다. 드레스덴 전투 이틀 뒤에 나폴레옹으로부터 슈바르첸베르크를 추격하는 임무를 맡은 도미니크 방담 장군은 쿨름에서 적에게 포위되어 지휘부 전부와 함께 생포되었다. 9월 6일에는 미셸 네 원수의 차례였다. 베를린을 점령하도록 파견된 네는 데네비츠에서 패했다. 한편 트라헨베르크 계획에 따라서 동맹군은 나폴레옹과 직접 대치하자마자 퇴각했고, 황제는 결정적 승리를 얻기 위한 헛된 시도로서 적을 쫓아 엘베강과 보베르강 사이를 오갈 수밖에 없었다. 그동안 내내 슈바르첸베르크는 작센으로 진격했다.[57] 동맹군의 계획은 분명히 효과를 보고 있었다. 전역이 시작된 지 한 달도 지나지 않아 프랑스군은 뚜렷한 성과를 보지 못한 채 벌써 수천 명의 병력 손실을 입었다. 남은 병사들은 끊임없는 행군과 싸움으로 기진맥진했고, 여기에 보급선을 무너뜨리다시피 한 폭우까지 겹쳤다. 이러한 성공들에 고무된 동맹국들은 9월 9일 퇴플리츠 조약을 체결해 이전의 합의 내용들을 보강하고, 전후 처리의 토대가 될 일반 원칙들을 더 제시했다. 일반 원칙들은 1805/1806년 이전의 지위로 오스트리아와 프로이센의 물리적 복원, 라인연방 해체, 1803년 이전 지위로 북서부 유럽 국가들의 복원, 나중에 결정될 방침에 따라서 바르샤바 대공국의 분할을 요구했다. 세 나라 정부는 나폴레옹과 개별 강화를 하지 않기로 약속하고 전쟁이 끝날 때까지 각자 전장에 군대를 계속 두기로 동의했다.

데네비츠 이후로 나폴레옹은 전략을 조정했다. 그는 블뤼허의 슐레지엔군과 베르나도트의 북독일군을 한 차례 더 추격했지만 둘 다 전투를 회피하고 잘레강 너머로 후퇴했다. 이는 이 전역을 통틀어 가장 결정적인 순간 가운데 하나였다. 블뤼허와 베르나도트는 베를린을 사실상 버리다시피 했고, 소규모 프로이센 수비대만이 수도를 지키고 있을 뿐이었다. 나폴레옹이 슐레지엔을 떠나서 병력을 북쪽 방면으로 돌리기로 결심했다면 전역은 완전히 다른 경로를 밟았을 것이다. 이 시점까지 프랑스군의 작전들은 드레스덴을 중심으로 전개되었는데 그 도시가 특히 중유럽의 중심부라는 이점 외에도 여러 이점들을 제공했기 때문이다. 하지만 드레스덴은 요새화된 도시가 아니라서 동맹군에게 쉽게 위협받을 수 있었다. 작전을 북쪽으로 이동시킴으로써 나폴레옹은 마그데부르크와 토르가우, 비텐베르크, 퀴스트린, 슈테틴의 요새들을 작전 근거지로 삼고, 동맹군을 유린당한 작센 시골 지방에 남겨둘 수도 있었을 것이다. 하지만 그는 다른 전략을 택했다. 요리조리 빠져나가는 적을 몇 달 동안 쫓아다니던 나폴레옹은 라이프치히에 자리를 틀고, 동맹군이 자신이 있는 곳으로 찾아오게 할 작정이었다. 그는 라이프치히로 집결하러 오는 동맹 군대들을 하나씩 칠 기회를 엿보았다.

동맹군은 라이프치히에 있는 나폴레옹을 서서히 좁혀 들어왔다. 10월 15일 슈바르첸베르크는 남쪽에서, 블뤼허는 북쪽에서 도시로 접근해오고 있을 때, 프랑스 황제가 이전처럼 활기차게 움직였다면 정말로 성공의 기회가 있었을 것이다.[58] 하지만 16일이 되자 너무 늦어버렸다. 10월의 우중충한 그날 아침 전투가 시작되었을 때 동맹군의 수효는 나폴레옹의 17만 명에 맞서 이미 20만 명이 넘었다. 필사적이고 피비린내 나는 전투는 어느 편도 확실하게 승기를 잡지 못한 채 마무리되었다. 하지만 병력 수가 고정된 나폴레옹의 군대는 이제 계속해서 증강되고 있는 적군을 상대하고 있었다. 베니히센 휘하 4만 명의 러시아 증원군에 뒤이어 베르나도트가 이끄는 6만 명의 병사가 도착해, 동맹군의 전력은 총 38만 명가량에 대포 1500문이었던 반면, 나폴레옹이 끌어낼 수 있는 전력은 20만 명에 대포 900문이 될까 말까 했다. 프랑스 황제는 공격을 하든지 후퇴를 하든지 어느 쪽으로든 움직여야만 했지만 결단을 내리지 못한 채 17일을 보냈다. 그는 오스트리아 황제에게 정전을 제안하며 애매모호하게 양보를 암시하는 편지를 보냈다. 하지만 나폴레옹의 적들은 그가 마침내 올가미에 걸려들었다는 것을 알았고, 이번만큼은 그를 놓아줄 생각이 없었다.

10월 18일, 승산은 이제 프랑스군에게 불리한 가운데 전투가 재개되었다. 더욱이 작센과 뷔르템베르크 분견대도 동맹군 쪽으로 넘어왔다. 프랑스군은 땅을 한 뼘도 내주지 않으려고 싸우면서 꾸준하게 도시 쪽으로 밀려났다. 날이 어두워지자 나폴레옹은 총퇴각을 명령했고 밤새도록 병사들이 드레스덴시로 밀려 들어가 도시의 서쪽 성문들이 막힐 정도였다. 놀랍게도 나폴레옹은 퇴각 준비를 전혀 하지 않아서 플라이세강과 엘스터강을 건널 임시 다리가 하나도 설치되지 않았다. 원래 있던 단 하나의 다리에 후퇴하는 프랑스 병사들이 대거 몰려들면서 다리는 금세 막히고 말았다. 참사로 점철된 이날에 화룡점정을 찍기라도 하듯, 엘스터강의 다리를 폭파하기 위해 남겨진 한 상병이 다가오는 적군에 놀라서 프랑스 병사들이 여전히 다리를 건너고 있을 때 성급히 퓨즈에 불을 붙이고 말았다. 화약이 폭발하면서 마침 다리를 건너고 있던 불운한 말과 사람들은 말할 것도 없고, 하늘로 솟구친 교각과 수송대의 파편들이 공중에 가득했다.[59] 도시 안에서 오도 가도 못하던 수천 명의 프랑스 병사들이 포로로 붙잡혔다. 일부는 헤엄을 쳐서 도망치려 했다가 요제프 포니아토프스키 원수처럼 물에 빠져 죽었다.[60] 어둠이 찾아오면서 전투가 막을 내렸다. 동맹군이 거둔 어마어마한 대승 앞에 나폴레옹 전쟁의 이전 모든 전투들은 빛이 바랬다. 프랑스군은 무려 6만 명 이상을 전사나 부상, 포로로 잃었고, 장군 36명이 포로가 되었으며, 대포의 3분의 1을 잃었다. 동맹군의 병력 손실도 그만큼 피로 얼룩져 있어서, 5만 명이 넘었다.

민족들의 전투Battle of the Nations로 알려지게 되는 라이프치히 전투는 하나의 전환점이자, 아우스터리츠와 예나의 유산을 산산조각 내는 사건이었다. 전투 전에 나폴레옹이 이 전쟁에서 승자가 될 가능성이 일말이라도 남아 있었다면 라이프치히는 그 희망의 불빛을 꺼 버렸다. 나폴레옹 제국의 구조 전체가 무너져 내렸다. 이 패배로 나폴레옹의 독일 맹방들은 대불동맹 편에 가담하는 것 말고는 도리가 없었다. 그다음 달(11월 18~24일)에 러시아, 오스트리아, 프로이센은 라인연방의 해체를 선언하고 독일 군주들과 새로운 협정을 협상했는데, 이들은 이제 과거의 주인에 맞선 계속되는 전쟁에서 엄청난 자금과 물자, 병력을 제공해야 할 임무를 떠맡게 되었다. 각 독일 국가들이 파견할 병력은 그들이 전에 나폴레옹에게 제공한 수의 두 배로 책정되어, 작센과 하노버는 2만 명, 헤센과 뷔르템베르크는 1만 2천 명, 바덴은 1만 명의 병력을 파견해야 했다. 궁극적으로 독일 국가들은 10만 명이 넘는 정규군과 그만한 수의 예비군(란트베어)을 제공하게 된다.[61]

더 중대한 것은 이 독일 국가들이 이제는 러시아, 프로이센, 오스트리아 간의 지독한 권력 투쟁의 일부가 되었다는 사실이다. 합스부르크 궁정은 일부 독일 국가들(즉 헤센-다름슈타트와 뷔르템베르크)과 개별적 군사 협약을 협상하는 데 성공해, 오스트리아가 지배하는 남독일이라는 전망을 제기했는데 러시아와 프로이센 둘 다 자국의 이해관계에 저해된다고 여긴 미래였다. 다수의 독일 군주들과의 왕조적 인맥을 이용해 알렉산드르는 1813년 11월 2일에 오스트리아-뷔르템베르크 동맹에 억지로 끼어들었고, 오스트리아-바이에른 조약에서도 자신의 몫을 주장했다. 더욱이 11월 20일과 12월 2일 사이에 러시아 외교관들은 바덴, 슈바르츠부르크-존더스하우젠, 헤센-카셀과 개별 협정을 협상하고, 러시아 총독들이 행정 구역을 수립하기로 되어 있는 작센과 튀링겐, 헤센-다름슈타트, 나사우에 대해서도 자신들의 권리를 주장했다. 야욕을 드러내기는 프로이센도 마찬가지였다. 프로이센은 작센에서 방대한 영토 보상을 요구하고 마지막 프랑스 병사가 떠난 뒤에도 베르크 공국을 계속 점령했다.[62]

혹자들은 의기양양한 동맹국들이 자신들을 그렇게 오랫동안 괴롭혀온 인간을 서둘러 무너뜨리기 위해 프랑스로 쳐들어갔을 거라고 예상할지도 모르겠다. 그 대신 라이프치히 전투 직후에 그들은 작전을 중단하고 전열을 가다듬었다. 라인강을 따라 진을 친 뒤 대불동맹 대표들은 프랑크푸르트에 모여 다음 방침을 논의했다. 그들은 모두 프랑스 침공의 앞날에 대해 걱정이 컸다. 프랑스의 국민 총동원과 1790년대의 민중봉기의 기억이 여전히 생생했고, 동맹국들은 인력과 물자에서 프랑스 침공이 요구할 높은 대가를 지불하고 싶은 마음이 없었다. 더 중요하게도 대불동맹 내부의 상충하는 목표와 소망들이 다시금 고개를 쳐들었다. 동맹이 중유럽을 차지하기 위해 분투하는 동안에는 의견 불일치가 드물었다. 하지만 이제 그 목표가 달성되었고 동맹군이 라인강 강둑에 서 있게 되자 그들의 단합도 약해지기 시작했다. 스웨덴 왕위 후계자 베르나도트는 이따금 동맹의 대의에 전적으로 헌신하지 않고 어물쩍거리는 태도를 보였고, 프랑스 침공 계획을 반대했다. 그의 반대는 그가 한때 프랑스인이어서가 아니라, 일단 나폴레옹이 타도되면 프랑스를 차지할 생각을 비롯해 훨씬 더 큰 야심들을 품고 있었기 때문이다. 그 계획이 실패한다면 그는 북유럽에서 스웨덴의 입지를 강화하고 싶은 마음이 컸다.[63] 이러한 정치적 동기들이 자신의 왕조적 관심사와 더불어 이 전쟁을 통틀어 베르나도트의 전쟁 수행 노력을 결정지었다.[64] 아닌 게 아니라 스웨덴 왕위가 전적으로 노르웨이 획득이라는 목표 달성에 달려 있음을 그는 누구보다 잘 알고 있었다. 그러므로 그는 동맹국들이 나폴레옹의 맹방 덴마크로부터 노르웨이를 얻어내는 것을 도와준다는 조건에서만 동맹 측에 가담하기로 결심했던 것이다. 전역 내내 그는 종종 일부러 스웨덴 병력을 전투에 투입하지 않았는데, 나중에 북쪽에서 영토를 정복하기 위해 그 병사들이 필요할 수도 있다고 생각했기 때문이다.

1813년의 사태 전개에서 그렇게 결정적인 역할을 한 오스트리아는 독일에서 프랑스의 영향력을 제거하면서 사실상 목표를 완수했다. 빈의 궁정은 이러니저러니 해도 프란츠 황제의 딸과 결혼한 나폴레옹의 완전한 타도에 관심이 없었다. 전쟁을 계속하는 것은 인명과 돈의 추가적인 희생을 의미한 반면, 그 결과는 불가피하게 빈보다는 상트페테르부르크와 베를린의 이해관계를 도모하게 될 터였다. 메테르니히에게 라인강 도달은 강화를 협상할 시간임을 알리는 신호였고, 그가 염두에 둔 강화는 프랑스를 러시아에 대한 균형추로 삼아서 열강 간에 균형 상태를 만들어낼 강화였다. 오스트리아에게 그만큼 중요한 것은 폴란드와 작센에 대한 러시아-프로이센의 구상은 물론 두 나라가 독일에 대해 염두에 두고 있을지도 모를 다른 계획들, 즉 오스트리아의 이해관계를 위협할 계획들을 좌절시키는 것이었다.

그러므로 전쟁의 속행을 부르짖는 자들은 알렉산드르 황제와 프로이센의 고위 장교들—프리드리히 빌헬름 국왕은 호전적인 것과 거리가 멀었다—이었다. 러시아 통치자에게 전쟁의 이점은 명백했다. 적의 수도에 입성하는 것의 상징적 중요성은 둘째치고라도 그는 그 혁명의 화신을 양순하게 만드는 데 자신의 역할이 두드러질수록 최종적 전후 처리에서 자신의 목소리가 힘을 얻으리란 점을 알고 있었다. 전후 유럽에서 러시아가 차지할 위상에 대한 알렉산드르의 원대한 비전은 에너지 넘치는 전쟁 수행과 프랑스 권력의 파괴를 요구했다. 나폴레옹이 여전히 프랑스의 제위에 앉아 있고 프랑스 군대가 전장에 있는 상태에서 나폴레옹과의 협상에 의한 평화는, 빈이 러시아가 지배하는 폴란드 땅에 갈리치아를 내주는 것에 대한 보상으로서 프랑스가 알자스 지방을 오스트리아에 할양하도록 강요하는 것을 비롯해 알렉산드르가 원하는 목표들을 이루는 데 필요한 영향력을 제공할 수 없으리라. 더욱이 오스트리아와의 계속되는 마찰 때문에 협상 참가국들로부터 러시아가 충분한 지지를 얻을 수 있을지 확신하기 어려웠다. 심지어 프로이센의 지지도 흔들리는 것처럼 보였기에, 작센으로 베를린에 보상을 해주는 대가로 프로이센령 폴란드를 자신의 폴란트 영토로 편입시키려는 알렉산드르의 근본적인 요구가 과연 실행 가능할지 의문이 제기되었다.

주전파의 요구에도 불구하고 메테르니히와 주화파가 뜻을 관철했다. 동맹국들은 나폴레옹에게 프랑크푸르트 제안으로 알려지게 되는 제안을 했다. 메테르니히의 면밀한 감독 아래 작성된 조건의 수용은 확장된 자연 경계선을 수용하는 대가로 프랑스에서 나폴레옹 군주정의 생존을 보장했을 것이다. 나폴레옹은 네덜란드와 독일, 이탈리아, 에스파냐를 내놓아야 하지만 여전히 벨기에와 라인강 서안, 그리고 이탈리아 북서부의 사보이, 다시 말해 혁명전쟁의 원래 정복지들을 보유할 수 있었다. 나폴레옹이 이미 독일과 이탈리아, 에스파냐에서 지배력을 상실했음을 고려할 때 이는 매우 관대한 조건이었고, 거기에 동의하는 것은 눈앞의 현실을 확인하는 일에 불과했을 것이다. 프랑스의 영토는 여전히 샤를마뉴 시대 이래로 어느 때보다 컸을 것이며 나폴레옹 군주정은 확실히 1815년 이후에도 살아남았을 것이다. 그리고 그것이 정확히 프랑크푸르트 제안의 목적이었다. 그 제안은 러시아가 향후 유럽의 평형 상태에 위협이 될 것이라는 메테르니히의 확고한 믿음을 반영했다. 전쟁을 계속하고 프랑스의 정권 교체를 이루자는 러시아의 주장은 오스트리아의 불안만 가중시킬 뿐이었는데, 오스트리아는 그것이 프랑스를 러시아의 위성국으로 탈바꿈시키려는 알렉산드르의 속셈이라고 해석했다. 프로이센이 이미 러시아의 보조 파트너 역할을 하고 있는 마당에 이러한 전후 처리는 대륙에서 러시아의 지배를 가져올 터였다. 야심 넘치는 차르들을 억제하려면 프랑스를 열강으로 보존하고, 프랑스가 유럽에서 러시아의 팽창을 저지하기에 충분한 자원을 보유할 수 있을 만한 자연 경계선을 부여할 필요가 있었다.

프랑크푸르트 제안이 과연 얼마나 진심이 담긴 제안이었는지에 관해서 역사가들은 오랫동안 논쟁해왔지만 열강들 사이에 지속적인 이견의 존재를 고려할 때 제안을 즉시 수락했다면 나폴레옹은 이러한 조건들로 강화를 맺을 수 있었으리라. 하지만 그는 머무적거렸다. 에스파냐와 독일을 내놓을 용의는 있었지만 이탈리아와 네덜란드를 내주는 것은 망설였는데, 그의 표현으로는 이탈리아는 "오스트리아의 주의를 분산시킬 수 있는" 좋은 수단이고 네덜란드는 "대단히 많은 자원을 내놓는" 곳이었다.[65] 그에게 그 못지않게 중요한 것은 프랑스가 이러한 조건을 수용한다고 할 때 동맹국들이 요구하는 대가는 적대행위의 중단이 아니라 새로운 협상들의 시작이라는 깨달음이었으며, 동맹국들은 이러한 협상들이 군사작전을 유예시키지는 않을 것임을 명확히 했다. 그러므로 자신이 정복한 땅을 공식 포기한 뒤에도 나폴레옹은 프랑스가 침공을 받지 않는다는 확약을 얻어낼 수 없었을 것이다. 대불동맹이 자신을 "죽은 사자"로 간주하고 있다고 투덜거리면서도 나폴레옹은 협상을 하는 데 동의했고, 대불동맹 측에 파견한 사절에게 대화를 위한 "일반적이고 개략적인 토대들"을 수용한다고 알리도록 지시했다.[66] 1813년 11월 내내 사절들이 협상 개시를 위한 예비 조건들을 논의하면서 양측을 부지런히 오갔다.

영국의 개입은 곧 이러한 협상들을 의미 없게 만들었다. 이때쯤이면 웰링턴은 이미 남프랑스에 있었고, 그의 군사적 존재감은 동맹국들이 런던으로부터 계속 받고 있는 막대한 보조금과 더불어 영국에 상당한 협상력을 부여했다. 프랑크푸르트 제안 소식에 영국 정부는 크게 우려했는데, 영국 측 협상 대표인 애버딘 백작이 전후 평형 상태에 대한 메테르니히의 비전을 수용했을뿐더러 영국이 점령한 프랑스 식민지들을 되돌려주겠다고 약속했기 때문이다. 게다가 애버딘은 영국의 해상 관련 이해관계는 논의 대상이 될 수 없다고 적극적으로 주장하는 일을 등한시했다. 내각은 외무장관 캐슬레이 경이 즉시 동맹군의 본부로 가야 한다고 결정했다. 피트 총리의 애제자였던 캐슬레이는 영국의 외교정책에 오랫동안 관여해왔고, 나폴레옹

이후 유럽의 평화 정착에 관한 피트의 폭넓은 비전을 공유했다. 여기에는 프랑스를 1792년 국경으로 복귀시키고, 나폴레옹 전쟁 동안 타도된 군주들을 복위시키며, 오스트리아와 프로이센이 보상을 받는 한 러시아의 팽창을 수용하고, 향후 침략을 방지하기 위해 프랑스 주변으로 완충 지대를 구성한다는 계획과 열강의 상호 방위와 안보를 위한 일반 협정의 체결이 포함되어 있었다.[67] 이것이 캐슬레이가 1813~1815년에 실현시키려고 애쓴 전체적인 구상이었다. 그가 내린 지침들은 또한 네덜란드와 에스파냐, 포르투갈의 독립을 명시했고, 프랑스가 저지대 지방의 어느 일부(특히 안트베르펜)라도 지배하게 만들 합의에는 애버딘이 단호하게 반대해야 함을 분명히 했는데, 저지대 지방에서 프랑스의 존재는 브리튼제도를 위협할 터였다.[68] 영국의 이해관계에 중차대한 것은 해상 권리들의 문제였다. 해상 권리들이 전 세계에 걸쳐 영국의 제국적 이해관계를 뒷받침하기 때문이었다. 캐슬레이는 영국의 해군력이 매우 강력하므로 동맹국들은 협상 테이블에서 해상 권리와 관련한 문제는 애초에 거론하지 않아야 한다고 강조했다.[69]

프랑크푸르트 제안에 영국 정부의 우려가 커졌다. 이로써 메테르니히가 대불동맹을 영국의 여러 전쟁 목표들을 충족하지 않는 방향으로 이끌어가고 있다는 것이 분명해졌기 때문이다. 대륙 열강으로서 오스트리아는 해상무역 권리들이나 저지대 지방처럼 영국과 긴밀하게 관련된 쟁점들에는 딱히 관심이 없었다. 반면에 남부 이탈리아에서 영국의 영향력은 이탈리아반도가 자국의 권위 아래 있기를 바라는 빈에 깊은 근심을 안기고 있었다. 러시아를 억제하고 정치적 평형 상태를 유지하며 향후 혁명들을 방지한다는 목표를 이루기 위해 메테르니히는 영국을 고립시키려 했다. 또한 가능하다면 프랑스에서 나폴레옹의 제위를 계속 유지시키고 영토를 자연 경계선으로 제한할 협상 과정에서 영국을 배제하고자 했다. 이것은 영국을 매우 불안하게 만드는 전망이었다.

대륙에 도착하자마자 캐슬레이는 동맹국들이 군사적·외교적 단합이 부족함을 알아차렸다. 자신의 목표를 명확히 정하지 않으려는 러시아 황제의 태도는 그의 의도가 전쟁을 이용해 중유럽 깊숙이 러시아의 영향력을 확대하려는 것임을 암시했다. 알렉산드르와 메테르니히의 관계가 하도 악화되어서 오스트리아는 러시아가 야심을 줄이지 않는다면 추가적인 군사작전을 중단하겠다고 위협할 지경이었다. 캐슬레이는 즉시 의견 차이를 해소하고, 동맹국들을 더 가깝게 하나로 묶고, 무엇보다도 나폴레옹에 맞서 대불동맹이 합심하게 만들어 전쟁으로 한 세대를 보낸 끝에 유럽 대륙을 재편할 수 있는 메커니즘을 창출하는 과제에 착수했다. 여기에 나폴레옹 전쟁에 대한 캐슬레이의 최대 공헌 중 하나가 있다. 그는 영국 정치가들 가운데 가장 섬나라 근성이 없었고, 걸려 있는 쟁점들에 대한 훌륭한 이해력과 건전한 양식을 과시했다. 그는 동맹국들 간 이견에 다리를 놓기 위해 부지런히 노력했고 그의 궁극적인 성공은 국제관계에서 명실상부한 외교 혁명을 낳았다.[70]

캐슬레이는 나폴레옹이 제관을 계속 쓰고 있는 한 어떠한 평화도 오래가지 않을 것이라고 믿었다. 영국과 오스트리아는 그러므로 이 쟁점에 관해 정반대의 입장인 것 같았고, 영국-러시아 관계의 균열이 영국-오스트리아 관계 개선으로 가는 길을 닦아주지 않았다면 그 입장 차이는 극복이 불가능했을지도 모른다. 동맹국들이 싸움을 이어가도록 격려하기 위해 캐슬레이는 영국이 500만 파운드를 제공하고 영국의 파트너로서 러시아가 주도적인 역할을 할 대동맹Grand Alliance을 수립할 용의가 있음을 밝혔다. 하지만 알렉산드르는 자신의 주요 목표인 폴란드를 보장해주지 않는 일체의 제의에 퇴짜를 놓았다. 그러고는 1월 16일에 메테르니히를 바젤에 남겨둔 채 전선을 향해 떠났다. 오스트리아 외무대신은 이렇게 열린 기회의 창을 영리하게 이용해 그의 말마따나 캐슬레이와 "생각과 정서의 일치"를 추구했다. 영국 외무장관이 그 스위스 도시에 도착하자마자 오스트리아 외무대신은 그와 여러 차례 사적인 만남을 가졌고 그런 만남 중에 대불동맹이 안고 있는 문제점들에 대한 더 깊은 시각을 제시했다. 메테르니히는 이제 영국이 끼어들었으니 프랑크푸르트 제안은 더 이상 실행이 불가능하다는 점을 이해했다. 비록 그는 영국을 신뢰하지 않았지만 러시아의 책동에 맞서 영국의 도움이 필요했고, 그래서 자신을 독불장군 러시아와 극명히 대조되는 영국–오스트리아 상호 이해의 유연한 주창자로 내세웠다. 그는 러시아를 견제하지 않는다면 러시아의 헤게모니가 프랑스 헤게모니를 대체할 것이라고 캐슬레이를 설득했다.

협상 과정에서 영국 외무장관은 이전 네덜란드 영토와 벨기에를 합쳐 오라녜가家가 다스리는 네덜란드 왕국을 수립하는 한편, 에스파냐와 포르투갈에 이전 군주정들이 복위해야 한다고 주장했다. 이 쟁점들에서 오스트리아가 지지해주는 대가로 영국은 이탈리아 사안에서 빈을 돕고, 독일에서도 타협을 볼 용의가 있었다. 메테르니히는 저지대 지방에 관한 영국의 계획이나 영국이 해상 권리를 논의할 생각이 없는 것에 이의를 제기하지 않았고, 두 정치가는 유럽에서 항구적인 평화를 위해서는 러시아 제국에 대한 균형추로서 강한 프랑스를 유지하는 것이 중요하다는 데 뜻을 모았다. 캐슬레이는 캐슬레이대로 영국의 여론은 나폴레옹의 퇴위를 원한다고 주장했다. 메테르니히는 나폴레옹이 제위에 남아 있는 쪽을 선호했는데, 그렇다면 그 황제의 아들(이자 프란츠 황제의 손자)이 궁극적으로 제위를 물려받게 될 터였다. 하지만 메테르니히는 영국이 분명하게 자국의 이해관계에 핵심이라 간주하는 이 쟁점에 관해서 타협할 용의가 있었다. 오스트리아로서는 나폴레옹을 황제로 놔두는 것에 대한 유일한 대안은 부르봉 왕가의 복위였는데, 이는 러시아에 대한 대위선율이라는 프랑스의 전통적인 입장의 부활을 가져올 터였다.

이러한 논의들은 대불동맹 내 힘의 균형점을 러시아에 불리하게 이동시켰다. 캐슬레이는 러시아가 유럽의 세력 균형에 제기하는 잠재적 위협에 관한 메테르니히의 시각을 공유하게 되었고, 러시아의 방대한 인적 자원과 천연자원이 나폴레옹 전쟁 기간 동안 증대되었다는 데 그의 이복동생인 찰스 스튜어트 경(영국의 대對프로이센 대사)과 의견이 일치했다. 런던데리 후작 찰스 윌리엄 베인[바로 위에 나오는 찰스 스튜어트를 말한다. 형인 캐슬레이의 뒤를 이어 제3대 런던데리 후작이 되었다]은 다음과 같이 평가했다. "우리가 이러한 상황들을 관련 사항과 부대 사항들과 함께 모두 고려한다면, 유럽에서 진지하고 사리를 아는 사람치고 유럽을 잠식해오는 이 가공할 만한 세력(러시아)에 경계를 설정해야 할 필요성을 모를 사람이 있을까? 그리고 유럽 정치의 전 체제가 그 주도 원칙과 특징으로서 그 같은 필요성을 하나의 공리로 유지해야 한다고 인정하지 않는 사람이 있을까?"[71]

✦

1814년 1월에 이르자 프랑스의 군사적 전망은 암울해 보였다. 한때 두에로강부터 네만강까지 뻗었던 대제국은 단 1년 사이에 와해되었다. 나폴레옹의 자원과 인력은 한계에 다다랐다. 10만 명이 넘는 병사들이 라인강 너머 포위된 요새들에 발이 묶여 있었고, 외젠 드 보아르네 휘하 5만 명 정도는 북이탈리아와 프랑스의 알프스 경계를 따라 갇혀 있었다. 독일 군소국들은 자진해서든 마지못해서든 전부 동맹 세력에 가담했다. 이탈리아에서는 조아생 뮈라 원수가 나폴리 왕관을 지킬 희망에서 아내 카롤린(나폴레옹의 누이)의 부추김을 받아 동맹국 편으로 넘어가 자신의 이전 시혜자의 "미친 야망들"을 규탄하는 성명서를 내고, 북이탈리아를 수복하기 위한 오스트리아의 시도를 지원하고자 3만 명의 군사를 이끌고 진군했다.[72] 에스파냐는 해방되었고, 웰링턴의 영국 연합군은 이미 남프랑스 바욘 근처에 견고하게 자리를 잡았다.[73] 동맹 세력은 3개의 군대로 프랑스 침공을 개시했다. 슈바르첸베르크의 보헤미아군(20만 명)은 스위스에서 진격하고, 블뤼허의 슐레지엔군(5만 명 이상)은 독일에서 메츠를 향해 진군했으며, 베르나도트의 북독일군(12만 명)은 북서부 프랑스로 향했는데, 이 가운데 일부 부대는 저지대 지방을 침공했다.

이러한 위협들에 맞서기 위해 나폴레옹은 새로운 징집령을 내려 거의 12만 명에 달하는 군사를 일으켰는데, 그들 중 다수는 앳된 황후의 이름을 따 마리-루이즈들이라는 별명으로 불린 소년들이었다.[74] 거의 10만 병력이 남프랑스에서 영국군을 막는 데 투입되고 2만에서 3만 명 정도는 알프스 경계를 방어하는 데 투입되었으므로, 나폴

레옹은 동맹군의 주요 침공 방면인 동부와 북동부 국경을 방어하는
데 7만 5천에서 8만 명 정도밖에 할애할 수 없었다. 그는 1793년의
정신을 되살리려고 얼마간 시도했지만—〈라마르세예즈〉의 공개 연
주를 허용하고 새 세대의 정치위원들을 각 도로 파견했다—사회 불
안정과 혼란을 두려워하여 대중의 지지에 의존하자는 제안은 거절
했다. 어쨌거나 프랑스 국민들은 1793년을 재연할 각오가 되어 있
지 않았다. 거의 끊임없이 전쟁을 치르며 10년을 보낸 뒤 경제는 기
울고 산업은 정체상태였으며, 수년 사이에 2개의 대군이 전멸하고
나라가 외침의 위협에 직면했으니 평화를 향한 대중의 열망은 열정
적이고 보편적이었다. 나폴레옹은 "조국이 위험에 처했다"라는 부름
에 대중이 어떤 반응을 보일지 더 이상 확신할 수 없었다. 이러한 불
확실한 분위기를 반영하듯 원로원과 입법원은 처음으로 반항의 기미
를 보였고, 입법원은 황제에게 동맹 세력과 타협을 하라고 촉구하고
정치적·시민적 자유를 요구했다.[75] 나폴레옹의 반응은 예상대로 신
속하고 고압적이었다. 그는 입법부를 정회하고 자신의 비판자들에게
맹비난을 쏟아냈다.

당신들이 국민의 대표라고? 그렇지 않아. (…) 나만이 국민의 진정한
대표지. 두 번이나 2400만의 프랑스인이 나를 이 제위로 불렀소. 당신
들 가운데 누가 과연 그런 짐을 짊어질까? (…) 당신들은 대체 뭐요?
아무것도 아니야. 모든 권위는 제위에 있어. 제위가 뭐냐고? 벨벳으로
덮인 나무판자 몇 개? 아니! 내가 바로 그 제위야! (…) 내가 평화를 얻
기 위해 자부심을 희생해야 할까? 나는 당당해. 용감하니까. 나는 당
당해. 프랑스를 위해서 위대한 일들을 해냈으니까. 한마디로 내가 프

랑스를 필요로 하는 것보다 프랑스가 나를 더 필요로 해. 석 달 안으로 우리는 평화를 얻든지 아니면 내가 죽을 것이오.[76]

이렇게 중차대한 나날에 나폴레옹은 다시금 그의 성격의 이중성을 드러냈다. 한편으로는 명석함과 기민함, 명료한 정신에도 불구하고 거듭 합리적 생각을 거부하고 자존심과 자기중심주의에 따라 처신하는 사람이 있었다. 때때로 나폴레옹은 대륙 봉쇄 체제가 "키메라"이고, 라인연방은 "잘못된 계산"이며, 대제국은 실패한 대의라고 인식했었다.[77] 그러나 그는 그에 관해 아무것도 하지 않았고 그 대신 감히 "내가 일으켜 세운 프랑스를 그 꼭대기에서 내려와서 당당한 제국 대신에 다시금 그냥 하나의 왕국이 되길" 바라는 자들을 비난했다.[78] 그는 자신에게 등을 돌린 의존국들에게 툭하면 분노를 쏟아냈다. 바이에른의 변절을 이야기하던 중에 그의 눈은 분노로 이글거렸다. "뮌헨은 불타야 해! 그리고 불타게 될 거야!"[79] 이 고집스러운 성미가 그의 몰락에 결정적인 역할을 했다. 국가 이익이 아니라면 건전한 상식에 따라서라도 그는 강화를 체결했어야 했다.

하지만 이 모든 것의 표면 아래로는 20년 전 유럽을 깜짝 놀라게 한 눈부신 젊은 장군이 여전히 남아 있었다. 그는 여전히 재능이 넘치고, 깊은 생각에 잠기고, 부지런한 사내였고, 운명의 여신의 총아라기보다는 스스로 그 운명을 만들어내는 사람이었다. 여전히 옛 천재성이 이따금씩 번뜩였다. 자신 앞에 놓인 온갖 장애에도 불구하고 새로운 전역은 더 젊고 활력 넘치는 나폴레옹의 귀환을 불러왔다. "내 이탈리아 장화를 신었다"라고 그는 1796~1797년의 위대한 이탈리아 전역을 가리키며, 그 유명한 말을 던졌다. 그는 자신의 제국의 심장, 파리를 지키기 위한 전략을 바탕으로 전역 준비를 서둘렀다. 1814년 2월 그의 수세적인 전역은 적은 병력을 가지고 지략을 동원하면 수적으로 우세한 적에게 어떻게 패배를 안길 수 있는지를 보여주는 여전히 훌륭한 사례다. 물론 나폴레옹의 과제는 전쟁의 결과와 유럽의 향후 전망을 둘러싸고 동맹 세력 내 계속되는 이전투구로 크게 용이해졌다. 중유럽을 해방시킨 뒤에 이미 그들은 나폴레옹의 패배가 제기한 문제들을 어떻게 처리해야 할지를 둘러싸고 커다란 의견 차이를 드러냈다. 이러한 정치적 불화는 동맹국 지도자들 간 개인적 마찰로 더욱 심각해졌다. 그러므로 침공이 시작되었을 때도, 대불동맹 사령부는 여전히 자신들의 궁극적 목표에 관해 토론 중이었다. 궁극적 목표는 나폴레옹을 완전히 타도하는 것인가, 아니면 그를 여전히 프랑스의 국가수반으로 놔둘 수도 있는 강화를 수용하도록 강요하는 것인가? 그러므로 군사작전은 종종 엇박자로, 태만하게 진행되었다.

1814년 전역의 시작 국면에서 나폴레옹은 다양한 동맹 군대들을 차례로 공격해 몰아내기 위해 자신이 중앙에 위치한 이점을 활용했다. 1월 29일 그는 브리엔르샤토(그는 학창 시절 거기서 공부한 적이 있었다)에서 블뤼허가 이끄는 슐레지엔군의 허를 찔러, 4천 명의 사상자를 안기고 프로이센 장군이 남쪽으로 물러나게 했다. 사흘 뒤에 나폴레옹은 라로티에르에서 블뤼허에게 공격을 받았다. 심한 눈보라가 몰아쳐 양측의 시야를 가린 가운데 나폴레옹은 해가 질 때까지 위치를 사수했지만 결국에는 후퇴해야만 했다.[80] 이 군사적 좌절은 황제를 정신 차리게 만들었던 것 같은데, 2월 4일에 그는 콜랭쿠르에게 동맹 세력과 대화해도 좋다고 허락했다. 하지만 여러 요인들이 콜랭쿠르의 임무를 불가능하게 만들었다. 이미 6일 전에 랑그레에서 4개 동맹국(러시아, 영국, 오스트리아, 프로이센)은 유럽의 전후 처리와 관련한 모든 중요한 결정들을 자신들이 내리기로 합의하는 비밀 의정서에 서명했던 것이다. 이 합의는 세력 균형을 지도 원리로 확인하고 전후에 개최될 회의에서 "유럽 내 진정하고 영구적인 세력 균형 체제"를 발전시키기로 약속했다.[81]

하지만 동맹 세력은 여전히 단합이 부족했다. 러시아 군주의 커져가는 야심을 감지한 오스트리아는 동맹의 군사작전 속도를 늦추려고 했다. 알렉산드르는 오스트리아의 연막작전을 꿰뚫어보고 일체의 지연을 허용하지 않으려 했다. 라로티에르에서 프로이센이 성공을 거둔 뒤에 그는 러시아 대표에게 협상을 유예하라고 지시하고, 자신이 곧장 파리로 가서 나폴레옹을 폐위시킬 수 있다고 주장했다. 그는 나폴레옹이 패퇴할 때까지 어느 것도 명확하게 정해져서는 안 된다고 주장하고, 프랑스의 향후 왕조와 관련해 모든 선택지를 고려해야 한다고 천명하며, 전쟁 목표들과 관련한 어떠한 공식 선언에도 구속되지 않으려 했다. 캐슬레이는 러시아 군주와 험악한 말이 오가는 면담을 몇 차례 가진 끝에 간신히 협상 재개를 위한 동의를 이끌어낼 수 있었다.[82]

이것은 이번 전역의 중대한 순간 가운데 하나였다. 러시아 황제는 오스트리아의 군사적 지원과 영국의 보조금 없이는 전쟁에서 이길 수 없음을 깨달았다. 반대로 메테르니히는 영국-오스트리아 상호 이해가 확고한 한, 러시아의 야심을 억제할 수 있으리라는 점을 알았다. 캐슬레이는 알렉산드르를 "비협조적이고 고마운 줄 모르는 맹방"으로 인식하게 된 뒤로 그러한 생각을 공유했다.[83] 1814년 1월

29일, 동맹 세력은 지난 4주에 걸쳐 논의한 내용을 반영한 랑그레 의정서에 서명했다. 의정서는 〔국가 간〕 주권 평등이 아닌 세력 균형이 핵심 관념임을 확인하고, 전후 재건과 관련한 모든 중대한 결정을 열강들 자신에게 맡겼다. 프랑스는 "유구한 국경선"(다시금 1792년의 국경선) 안쪽으로 제한되어야 하고, 해상 권리들을 제외한 다른 모든 문제들은 빈에서 개최될 회의에서 정리될 것이라는 합의가 이루어졌다.[84]

    2월 5일 샤티용쉬르센에서 열린 강화 회담에서 나폴레옹은 동맹 측이 내놓은 조건이 더 이상 1797년의 국경선(프랑크푸르트 제안에서 그려진 대로)이 아니라 1792년의 국경선으로 대체된 것을 알고 깜짝 놀랐다.[85] 그는 이것이 받아들이기 힘든 조건이라고 여기고, 프랑스를 구체제의 국경선으로 축소할 어떠한 조건도 수용하길 거부했다. 동맹 세력이 독일과 이탈리아를 위해 마련한 방안과 관련해 그의 거듭된 요청이 무시되자 나폴레옹의 외고집은 더욱 심해질 뿐이었다. 동맹 세력은 이탈리아와 독일에 관한 전후 계획이 무엇인지 말해 줄 수 없었는데 자신들도 아직 그 쟁점에 합의하지 못했기 때문이다. 하지만 독일과 이탈리아 사안은 프랑스가 상관할 바 아니라는 그들의 답변은 프랑스 황제를 더욱 적대적으로 몰아갈 뿐이었다.

    샤티용쉬르센 회담은 전쟁이 계속되는 동안 외교 협상을 수행하는 게 얼마나 힘든지를 여전히 예시하는 고전적인 사례다. 나폴레옹은 지고 있을 때는 기꺼이 조건을 받아들일 태세였다가 조금이라도 승리의 희망이 비치면 마음을 바꾸곤 했다. 그러므로 샤티용쉬르센으로 협상을 하러 특사를 보낸 뒤 고작 몇 시간 만에 그는 이미 마룻바닥에 쭉 펼쳐놓은 지도를 열심히 들여다보며 여기저기에 핀을 꽂고 있었다. 이렇게 태도가 변한 이유는 새로운 보고가 도착한 탓이었다. 동맹 세력이 군대를 쪼갰고, 슈바르첸베르크의 보헤미아군이 파리를 향해 남쪽 경로를 따라 느릿느릿 진군하고 있는 동안 블뤼허의 슐레지엔군은 지원을 받지 못한 채 북쪽의 마른강 유역에 있다는 소식이었다. 나폴레옹은 프로이센군을 격파하는 쪽으로 마음이 끌렸는데, 그렇게 되면 동맹 세력과의 협상에서 자신의 입지가 강화될 것 같았다. 트루아에서 황급히 달려와 나폴레옹은 가장 뛰어난 작전 가운데 하나를 개시해 러시아-프로이센군을 상대로 샹포베르, 몽미레이, 샤토티에리, 보샹에서 2월 10일부터 14일까지 닷새 사이에 연달아 승리를 거두었다. 그다음 프랑스군은 그 사이 느긋하게 진군을 개시한 슈바르첸베르크의 오스트리아군으로 눈길을 돌려, 2월 17일과 21일 사이에 모르망, 몽트뢰, 메리에서 그들을 무찔렀다.[86]

이 승전들은 대단한 위업이기는 하나 그 전체적인 영향은 실은 나폴레옹이 전쟁에서 이기는 것을 불가능하게 한다. 비록 프랑스군은 동맹군을 바르쉬르오브로 몰아냈고 자신들이 입은 피해보다 더 많은 사상자를 안겼지만 프랑스군의 병력 손실은 수중의 제한된 자원을 감안할 때 여전히 무시할 수 없는 수준이었다. 게다가 이 승전들에 대담해진 나폴레옹은 샤티용 회의에 보낸 사절에게 이전에 제시된(그리고 거절된) 프랑크푸르트 제안보다 못한 것은 절대 받아들이지 말라고 주문했다.

하지만 6일간의 전역이 동맹을 깨뜨릴 것이라는 그의 희망은 결실을 맺지 못한다. 실제로 동맹 세력은 자신감이 꺾였고 새로운 균열이 여기저기서 드러나며 전쟁 수행 노력을 위협하기 시작했다. 알렉산드르가 오스트리아군의 맥없는 전쟁 수행 노력에 배신당했다고 느끼면서 러시아와 오스트리아 간 맞비난은 최고조에 달했다. 저마다 상대방이 전후 전리품을 둘러싼 협상에서 더 큰 영향력을 행사하기 위해 자국 군대를 아끼려 한다고 의심했다. 하지만 캐슬레이의 시의 적절한 개입이 이번에도 대불동맹을 위기에서 건져냈다. 그는 동맹 세력 대표들에게 군사적으로 동맹 세력의 입지가 여전히 강력하다고 지적하고, 상호 불신을 누그러뜨렸으며, 가장 결정적인 공헌으로서 대륙에 영국이 바라는 바와 같은 평화가 이뤄지지 않는다면 해외 식민지들을 원상복귀시키지 않을 것이라고 경고했다. "영국이 없다면 평화를 달성할 수 없다는 인식이 아닌 다른 어느 것도 각 열강을 확고하게 유지시켜주지 않는다"라고 캐슬레이는 2월 후반에 내각에 보고했다.[87]

캐슬레이의 노력은 곧 반목하는 동맹 세력을 다시 규합하고 나폴레옹에 맞서 싸운다는 공동의 목적의식을 되찾아주었다. 그들은 캐슬레이의 도움을 받아 체결한 쇼몽 조약(3월 1일)에서 이러한 목적 의식에 대한 헌신을 확인하고 4국 동맹으로 알려지게 되는 것을 구성했다. 동맹 세력은 나폴레옹이 정전에 대한 대가로 프랑스의 "유구한 국경선" 제의를 수용할 때만 그의 제위 보유를 허용하기로 합의했다. 만약 그 조건이 거부된다면 프랑스에 맞서 끝까지 싸울 것이며, 승리를 위해 각국이 병력을 15만 명씩 투입하기로 약속했다. 영국은 이러한 전쟁 수행을 위해서 500만 파운드의 보조금을 내놓기로 약속했다. 더 중요하게도 동맹의 각 구성원은 나폴레옹과 개별 합의를 추구하지 않기로 동의했고—그리하여 그가 동맹을 깨뜨릴 일체의 가능성을 제거하고—적대행위의 종식 이후에도 프랑스가 강화 조건들을 준수하도록 20년 동안 단합하기로 합의했다. 이러한 강화 조건들에는 연방을 이룬 독일, 독립 스위스, 독립적인 (하지만 오스트리아의 영향력 아래 있는) 국가들로 나뉜 이탈리아, 부르봉 왕가 아래 자유로운 에스파냐, 오라녜 왕가 아래 확대된 네덜란드 등이 포함되어 있었다.[88] 여기에 향후 30년 동안 유럽 정치를 지배하게 될 동맹의 기원이 있었다. 그것은 그 주된 기획가〔영국 외무장관 캐슬레이 경〕의 표현대로 "주도적인 열강 사이에 화합을 유지하는 체계적인 서약일 뿐 아니라 모든 약소국들, 특히 라인강에 위치한 국가들이 평화의 복귀와 함께 안전을 구할 때 의지할 수 있는 수단"으로 설계되었다.[89]

나폴레옹은 여전히 군사작전이 전쟁 흐름을 바꾸고 동맹의 붕괴를 야기할 수 있다고 굳게 믿으며 제의를 거부했다. 나폴레옹의 거부는 동맹 관계자들 다수가 품어온 의혹, 즉 프랑스 황제는 성실하게 협상에 임할 의도가 애초에 없었고 그를 다루는 방법은 순전히 무력밖에 없다는 생각을 확인시켜주었다. 3월 초에 그는 다시금 블뤼허의 슐레지엔군을 겨냥해 마르몽 원수와 모르티에 원수에게 러시아-프로이센군을 추격하라고 지시한 한편, 자신은 그들의 퇴로를 차단하기 위한 측면 우회 기동을 시도했다. 블뤼허는 사방으로 에워싸였고 포위를 빠져나갈 유일한 길은 프랑스군이 지키고 있는 수아송 요새를 통과하는 것뿐이었다. 도저히 믿기 힘든 일이지만, 동맹군 장교들은 수아송 요새를 버리도록 그곳의 지휘관 장 모로 장군을 간신히 설득해냈고, 블뤼허의 지친 병사들은 엔강을 건너 포위를 빠져나갈 수 있었다.[90]

3월 3일 수아송 함락은 1814년 전세에 결정적인 영향—나폴레옹의 표현으로는 "헤아릴 수 없는 피해"—을 미쳤다.[91] 이 요새가 없었다면 블뤼허의 병사들은 배수진을 친 채 싸울 수밖에 없었을 테고, 프리틀란트 같은 또 한 차례 패배를 겪었을 가능성도 배제할 수 없다.[92]

하지만 그럴 기회는 사라졌고 수아송 함락은 동맹 세력에게 행운의 선물이었다. 일단 슐레지엔군이 무사히 강을 건너자 그들은 수아송에 강력한 수비대를 주둔시켜 프랑스의 작전을 차단하고 나폴레옹이 크라온으로 방향을 틀 수밖에 없게 만들었다. 나폴레옹은 슐레지엔군의 측면을 에워싸기 위해 크라온에서 엔강을 건너려고 했다. 기병 정찰대가 베리오바크에서 아직 멀쩡한 다리를 점거한 뒤 나폴레옹은 동맹군이 크라온 근처 고원에서 집결 중이라는 첩보를 받았다. 블뤼허가 여전히 후퇴하려고 애쓰고 있다고 생각한 나폴레옹은 이것이 슐레지엔군을 엄호하는 병력일 것이라 판단하고 이 군대를 격파하기로 했다. 하지만 예상과 달리 그는 블뤼허의 전군과 맞닥뜨리게 된다.

3월 7일 크라온 전투는 어느 쪽이 계획한 대로도 흘러가지 않았다. 블뤼허는 휘하의 전 병력을 전투에 투입할 수 없었던 반면, 나폴레옹은 상대편 전력이 얼마나 강한지 아직 알아차리지 못했다. 러시아의 미하일 보론초프 장군 휘하 병사들이 특히 두각을 나타낸 몇 시간의 싸움 끝에, 블뤼허는 전투를 중단하기로 하고 병사들을 북서쪽으로 약 10킬로미터 떨어진 랑에 있는 본진으로 물러나게 했다. 나폴레옹이 전장을 차지했으므로 크라온에서 승리했다고 말할 수도 있겠지만 그의 군대는 크나큰 병력 손실을 입었다. 전투가 끝난 뒤 양측은 상대편의 실제 전력과 의도에 관해 까맣게 몰랐다. 블뤼허가 여전히 후퇴 중이라고 믿은 나폴레옹은 슐레지엔군의 일부를 전멸시킬 또 한 번의 기회를 추구했다. 이것은 랑에서 이틀간의 전투로 이어졌고, 동맹군은 프랑스군의 공격을 성공적으로 격퇴해 나폴레옹이 물러나게 만들었다.[93]

곧 프랑스 황제의 상황은 암울하게 바뀌었다. 사방에서 나쁜 소식이 들려왔다. 나폴레옹이 크라온과 랑에서 블뤼허와 싸우고 있는 동안 슈바르첸베르크는 계속 파리로 다가가고 있었다. 남프랑스에서는 웰링턴이 포강을 건너 2월 27일 오르테즈에서 술트 원수를 무찔렀다. 3월 중순에 이르자 부르봉 왕가의 깃발이 보르도에 등장했고, 머지않아 도시는 싸우지 않고 영국군에 항복했다.[94] 조금이나마 좋은 소식을 찾고 있던 나폴레옹은 마침 들어온 첩보를 덥석 물었다. 근래의 성공들에 고무된 동맹군은 조심성이 없어졌고, 블뤼허와 슈바르첸베르크 사이 연락을 유지하고자 프랑스 망명 귀족 에마뉘엘 생프리스트 장군 휘하 러시아 1개 군단을 랭스시에 남겨두었다. 파리로 통하는 주요 경로의 교차점에 위치한 랭스는 프랑스 국왕의 대관식이 거행되는 유서 깊은 장소였기에 상징적으로도 중요성이 작지 않았다. 나폴레옹은 러시아 군단(소규모 프로이센 분견대가 딸린)이 고립되어 있고, 동맹군의 지원을 받을 수 없다는 것을 즉시 알아차렸다. 따라서 그는 랭스를 탈환하고 러시아군을 격파하도록 군대의 일부를 돌렸다. 그가 파견한 병사들의 첫 행렬이 24시간의 고된 행군 끝에 마침내 랭스에 당도했다. 3월 13일, 거의 해 질 녘이었고 생프리스트는 자기 앞에 무엇이 기다리고 있는지 전혀 몰랐다. 그는 처음에 적군과 맞붙기 위해 출격했지만 병사들은 곧 더 우세한 프랑스군의 거친 반격에 도시로 다시 밀려왔다. 뒤이어 벌어진 랭스 전투는 동맹군의 패배였고, 그들에게 무려 5천 명의 병력 손실을 안겼는데 생프리스트를 포함해 거의 절반이 전사했다.[95]

랭스에서 프랑스군이 승리하자 동맹 세력은 아연실색했다. 나폴레옹은 이미 끝났다고 여겼는데 그가 다시 살아나 동맹군의 군단을 또 하나 박살낸 것이다. 더욱이 한 차례 신속한 진군으로 나폴레옹은 동맹 세력의 두 군대 사이에 자리를 잡고 그 둘의 후위를 위협할 수 있게 됐다. 잠시 동안 동맹 세력은 다음 행보를 두고 갈팡질팡했다. 하지만 프랑스군의 새로운 공세에 그들은 싫든 좋든 행동에 나설 수밖에 없었다. 나폴레옹은 랭스에서 승리의 여세를 몰아 타격 부대를 이끌고 더 동쪽으로 이동해 동맹군에게 차단당한 라인강 근처 프랑스 수비대와 연락선을 잇기로 했다. 이렇게 되면 프랑스 동부에서 파르티잔 활동도 점차 커지고 있으니 동맹군의 보급선을 끊을 터였다. 하지만 이 대담한 전략적 움직임을 취하기 전에 나폴레옹은 우선 파리에 위험할 만큼 가까이 온 슈바르첸베르크의 보헤미아군을 먼저 겨냥하기로 했다. 마르몽과 모르티에 원수에게 북쪽의 블뤼허를 주시하는 임무를 맡긴 뒤 그는 보헤미아군의 후위를 노리며 남은 군대를 이끌고 남쪽으로 진군했다. 프랑스군의 움직임을 알게 된 슈바르첸베르크는 평소답지 않게 후퇴를 중단하고 맞서 싸우기로 결심했다. 뒤이어 벌어진 아르시쉬르오브 전투(3월 20일)는 동맹군의 승리였는데, 주로 나폴레옹이 상대편의 전력을 과소평가한 탓이었다. 슈바르첸베르크는 전투 첫날 2만 명의 병력만 가지고 시작했지만 끝날 때쯤에는 그보다 네 배나 많은 전력을 끌어왔다.[96]

전세를 회복하려고 나폴레옹은 동맹군의 보급선을 끊기 위해 동쪽으로 진군해 수비대들과 접촉하는 이전의 계획으로 다시 눈길을 돌렸다. 이것은 정말이지 대담한 행보였고, 나폴레옹은 현재로서 이용 가능한 최상의 방안이라고 여겼다. 3월 23일 그는 아내 마리-루이즈에게 보낸 짧막한 편지에서 자신의 구상을 간략히 설명했다. 편지는 동맹군의 정찰대에게 가로채였다. 편지에는 프랑스 황제의 계획과 의도, 심지어 초기 행군 경로에 관한 첩보까지 있었다. 덕분에 동맹 세력은 프랑스 수도로 주의를 돌릴 수 있게 되었는데, 동맹군의 수중에 추가로 들어온 각종 전문들에서 드러난 대로 그곳의 정치적 상황은 매우 불안정했다. 나폴레옹의 신료들은 전복 활동이 걱정스러울 만큼 만연하며 수도의 방어가 허약하다고 말하고 있었다. 알렉산드르 황제는 이제 동맹군이 즉시 파리로 진군해야 한다고 주장했다. 3월 30일 정오가 되자 동맹군은 뷔트쇼몽에 도달했고 인근 언덕에 올라 멀리 눈앞에 펼쳐진 프랑스 수도를 훑어봤다. 숙적의 수도로 위풍당당하게 입성하기까지는 이제 몇 시간 거리밖에 남지 않았다.

파리는 마르몽과 모르티에 원수 아래, 전역에서 난타당한 군단들이 방어하고 있었다. 동맹군은 유리한 고지를 제공해줄 몽마르트 언덕을 점령하는 것을 목표로 도시 북부를 노렸다. 그들은 수적으로 수도 방위군을 크게 압도했지만 넓은 전선에서 공격을 감행해 곧 수도 북부 지구들에서 서로 조율되지 않은 강습에 연달아 휘말렸다. 필사적이고 피비린내 나는 싸움이 온종일 이어졌고, 특히 팡탱 지구 주변에서 격렬했다. 해 질 녘이 되자 프랑스군은 동맹군이 파리로 진입하는 것은 막아냈다. 그럼에도 도시의 운명이 이미 결정되었다는 점은 분명했다. 그날 밤 마르몽과 모르티에는 대불동맹의 교섭을 수용하고 1814년 3월 31일 새벽 2시에 항복 조건에 동의했다. 그와 동시에 나폴레옹의 권력 부상에 그토록 결정적 역할을 한 탈레랑이 이제 그의 몰락에도 똑같이 중요한 역할을 하게 된다. 전직 외무대신은 사실상의 쿠데타를 도모해, 동맹 세력과 협상을 개시하는 임시정부를 구성했다. 프랑스 왕위에 부르봉 왕가를 복위시키도록 동맹 세력 지도자들을 설득하고 1814년 4월 2일 원로원으로 하여금 나폴레옹을 퇴위시키는 특별 선언문을 채택하게 한 것은 탈레랑과 그의 동료 변절자인 전직 치안대신 조제프 푸셰였다.

풍텐블로에 갇힌 나폴레옹은 여전히 싸울 결심이었다. 하지만 그의 원수들은 생각이 달랐다. 이제 가망 없는 명분을 지키는 데 지친 미셸 네, 우디노, 르페브르, 몽세와 다른 원수들은 전쟁을 끝낼 것을 요구했다. 동맹군은 이미 북프랑스 상당 부분을 점령했으며, 영국군은 남쪽에서 상당히 진격해온 터였다.[97] 원수들은 너무 늦기 전에 자신들의 장래 안위를 지키고 싶었다. 4월 초에 일단의 원수들이 나폴레옹과 직접 대면해 따졌다. 그들은 나폴레옹이 아들을 위해 퇴위하고 그리하여 자신들도 혜택을 입었던 나폴레옹 정권의 생존을 이어갈 희망을 품었다. 나폴레옹은 우선 아들이 후계자로 인정되어야 한다는 조건을 달아 퇴위 문서에 서명하기로 마지못해 동의했다. 콜랭쿠르와 원수들은 이 제의를 동맹 측에 가져갔다.

4월 4일, 콜랭쿠르가 러시아 황제에게 간청하고 원수들이 군대는 나폴레옹 곁을 지키며 끝까지 싸울 것이라고 역설하는 동안 그들의 논의를 전부 무위로 돌리는 청천벽력 같은 소식이 알렉산드르에게 들어왔다. 마르몽 원수가 휘하의 전군을 이끌고 동맹군에 항복했다는 것이다. 동맹 세력은 이제 무조건적 퇴위를 요구했다. 나폴레옹은 4월 6일 퇴위 문서에 서명했다.[98] 닷새 뒤인 4월 11일 그의 운명은 풍텐블로 조약의 조건들로 공식적으로 정해졌다. 나폴레옹은 프랑스 왕위를 공식 포기하고 그 대신 엘바섬의 군주로 인정되며 프랑스로부터 연 200만 프랑을 받기로 했다. 동맹 세력과 그렇게 지독하게, 그렇게 오랫동안 싸웠던 사람에게 이것은 딱히 가혹한 처우라고 할 수 없었지만 나폴레옹에게는 큰 몰락이었다. 이튿날 그는 음독자

살을 시도했지만 수포로 돌아갔다. 4월 20일, 이제는 프랑스 화가 앙투안 알퐁스 몽포르의 묘사로 유명한 광경에서 나폴레옹은 퐁텐블로 궁전에서 제국 근위대에게 작별을 고하고 동맹군 병사들의 호위를 받아 엘바섬으로 출발했다. 엘바로 가는 길은 수치스러운 여정이었다. 대중의 적대감에 직면하고 한번은 돌팔매질을 당했다. 이 때문에 그는 잠깐 동안 러시아군 제복과 부르봉 왕가를 상징하는 흰색 코케이드를 단 둥근 모자로 변장을 해야 했다.[99]

그렇게 나폴레옹 전쟁에서 가장 긴 대불동맹 전역이 끝났다. 1814년 5월 30일에 서명된 파리 조약은 6차 대불동맹전쟁을 공식 종결시켰고, 22년 만에 처음으로 유럽 대륙 전역에 "항구적인 평화와 우호"가 찾아왔다.[100] 이 조약을 기안하면서 동맹 세력은 세 가지 주요 질문을 고려했다. 프랑스가 전전 영토와 위상을 보유하는 것을 허용할 것인가, 아니면 프랑스의 권력을 영구적으로 깨뜨리기 위해 영토의 상당 부분을 박탈해야 하는가? 전 대륙을 10년 가까이 착취한 프랑스인들에게 똑같은 취급을 하고 배상금을 물려야 하는가? 동맹 세력은 전후 유럽의 안정과 평화를 어떻게 유지할 수 있는가? 다시금 조약 협상 과정에서 동맹 구성원들 간의 의견 차이들이 드러났다. 그동안 프랑스에 경제적 착취를 당했고 향후에도 프랑스의 침략을 받기 쉽다고 느끼는 프로이센과 독일 국가들은 프랑스의 핵심 국경지대를 박탈하고 상당한 액수의 배상금을 물리는 더 가혹한 조건들을 요구했다. 러시아와 오스트리아, 영국은 과거의 숙적을 이류 국가로 전락시키는 것은 아무런 도움도 되지 않으며 대륙에서 이제 간신히 도달한 위태로운 정치적 안정을 더욱 해칠 뿐이라고 판단해 좀 더 유화적이었다. 물론 어느 쪽도 또 다른 민중의 동란을 촉발할 수 있는 노골적으로 가혹한 강화 조건을 부과함으로써 막 복구된 프랑스 정부의 발목을 잡고 싶지 않았다. 결국에는 온건파의 뜻이 관철되었다. 아마도 최종 조약에서 가장 두드러진 특징은 참패를 당한 프랑스에 대해 동맹 세력이 놀랄 만큼 관대했다는 점일 것이다. 중요한 양보로서 그들은 최종 조약이 공식 비준되기도 전에 프랑스 영토에서 군대를 철수하기로 합의했다. 더 나아가 프랑스 군대의 향후 규모에 아무런 제한을 부과하지 않았고, 프랑스가 내야 할 배상금을 산정하거나 프랑스 군대가 점령지와 정복지에서 뜯어낸 막대한 액수를 배상하라고 요구하지도 않았다. 놀랍게도 나폴레옹이 정복전쟁 동안 탈취한 막대한 양의 예술품을 반환하라는 요구도 없었다.

프랑스는 네덜란드와 독일, 이탈리아, 스위스에 남아 있던 정복지의 상실을 인정해야 했지만 1792년 1월 1일의 국경선을 보유하는 것이 허락되었다.[101] 이는 패전국이 자기 영토를 내놓기는커녕 사실은 사보이, 오스트리아령 네덜란드(벨기에), 라인란트의 일부와 프랑스 영내 교황령인 아비뇽과 브네생 백작령을 계속 보유하게 된다는 뜻이었다. 프랑스는 패배했지만 전쟁이 시작될 때 보유하고 있던 영토보다 더 넓은 영토—면적은 390제곱킬로미터, 인구는 45만 명이 증가했다—를 보유한 채로 전쟁을 마감했다.[102] 동맹 세력은 또한 프랑스의 해외 식민지들을 모두 반환했는데, 눈에 띄는 예외는 서인도제도의 토바고와 세인트루시아, 인도양의 일드프랑스(모리셔스), 로드리게스섬, 세이셸제도였다. 그 섬들은 전부 영국이 보유했다. 프랑스와 체결한 조약은 유럽의 재편을 향한 첫걸음일 뿐이었고, 동맹 세력은 재편을 통해 "유럽 내 실제적이고 영구적인 세력 균형"을 토대로 한 체제를 탄생시키길 희망했다.[103] 그에 따라 합의문은 동맹 열강이 일반 협정을 도출하기 위한 특별 회의를 개최할 것이라고 규정했다.

✣

빈에서 펼쳐지는 외교적 암투의 세계로 뛰어들기 전에, 영국과 미국의 전쟁이 2년째를 맞이한 북아메리카로 잠시 고개를 돌려보자. 1812년에 초창기 여러 좌절을 맛본 미국은, 영국이 줄곧 나폴레옹 전쟁에 몰두해 있는 사이 곧 전세를 회복했다. 수만 명의 영국 병사들이 계속 이베리아반도에 투입되어 있었던 한편, 수백만 파운드가 독일에서 대불동맹을 지탱하는 데 들어갔다. 미국은 그런 상황의 덕을 보았다.

1813년 봄에 윌리엄 H. 해리슨 소장(이자 장래 대통령)은 북서부군을 맡아 오하이오 페리스버그 근처 메이그스 요새에서 영국군을 무찔렀다. 9월에는 미국 해군의 올리버 해저드 페리 함장이 분명한 계획을 발전시키거나 부하들에게 적절한 지침을 내리지 못했음에도 불구하고 상대편 영국 전함 6척을 모두 포획하고 이리호 해전에서 승리를 거두어, 오대호에서 미국 해군력의 우위를 확립했다.[104] 페리 휘하 전대의 지원을 받아 해리슨은 이제 7천 명의 노련한 병사들을 이끌고 공세를 재개할 준비가 되었다. 그는 9월 29일에 디트로이트를 탈환했고 영국군과 원주민 동맹군을 템스강을 따라 어퍼캐나다로 몰아냈으며, 10월 5일에는 온타리오주 채텀 인근에서 승리를 거두었다.[105] 템스강 전투(또는 모라비안타운 전투)로 알려지게 되는 이 전투는 북서부 국경지대에서 미국의 지배를 공고히 했지만 전쟁의 향방에 영향을 줄 수는 없었다. 사실 미국 전쟁부는 해리슨의 민병대를 해체해 고향으로 돌려보내라고 주문한 한편, 해리슨 휘하 정규군은 나이아가라 전선으로 돌려졌다. 분을 참지 못한 해리슨은 자리에서 사임하고 민간인 신분으로 돌아갔다.

한편 템스강에서 패배한 사실은 영국의 핵심 우군인 아메리카 원주민 부족 연맹에 말할 수 없는 충격을 가져왔는데, 이 전투에서 연맹 지도자인 쇼니족 족장 테쿰세가 전사해 연맹이 붕괴한 것이다. 더 처참한 사태는 영국의 또 다른 아메리카 원주민 우군인 '레드스틱' 크리크족에게 일어났다. 크리크족은 점점 몸집이 커지는 미국과 아직 마지막 숨을 몰아쉬는 에스파냐 제국, 영국의 무역상들과 정부 대리인들 사이에 낀 형국이었다. 어느 편에든 가담해야 하는 압박을 받던 크리크 부족 연합체는 전쟁을 벌이는 문제를 두고 의견이 깊이 분열되어 있었다. 이 점은 영미 분쟁이 일어나기 직전에 테쿰세가 크리크족에게 범凡인디언 무력 투쟁의 제의를 들고 접근해왔을 때, 일부 크리크족 족장들이 반미의 대의 아래 규합하지 않았을 때 특히 분명했다. 비록 영국이나 에스파냐 정부 어느 쪽도 공식적으로 원주민 부족들을 지원하지 않았지만 양국의 개별 무역상들은 십중팔구 국가의 암묵적 승인 아래 부족들을 지원했다. 영국은 멕시코만 국경지대 부족들과 오랫동안 관계를 유지해왔고, 미국의 인력과 물자를 북부의 주요 전선에서 다른 곳으로 돌릴 수 있게 그들을 이용하는 데 당연히 관심이 많았다.[106]

1813년 7월에 미시시피 민병대원들과 텐소 지역에서 온 정착민들이 레드스틱 전사들이 펜사콜라에서 탄약을 재보급하는 것을 막으려는 헛된 시도로서 그들을 번트콘 크리크 근처에서 공격했다. 새뮤얼 밈스 소유의 정착지로서 이제는 밈스 요새라고 불리던 곳에 감행된 보복 공격은 레드스틱의 승리였다. 250명가량의 민간인이 죽임을 당한 이 강습의 잔혹함에 당대인들은 경악했다. 학살은 미국 대중을 격앙시키고, "밈스 요새를 기억하라"는 국가적인 투쟁 구호가 되었다.[107] 미국 정규군이 캐나다 전선에 투입되어 있었으므로 테네시와 조지아, 미시시피 준주는 자체 민병대를 소집해 앤드루 잭슨 대령에게 지휘를 맡겼다.[108] 1년간의 전역에서 잭슨은 크리크족에게 연달아 패배를 안겨—가장 두드러진 경우는 1814년 3월 27일 호스슈벤드 전투(앨라배마주 대드빌 근처)에서—군사적으로 거의 전멸시키다시피 했으나 마침내 영국이 나폴레옹 전쟁에서 풀려나자 크리크족에게 다시 물자를 대고 상당한 재무장을 시킬 수 있었다. 하지만 이미 실컷 얻어맞은 크리크족은 8만 5천 제곱킬로미터 이상의 땅(앨라배마의 절반과 남부 조지아의 일부)을 잭슨 요새 조약(1814년 8월 9일)으로 미국 정부에 내놓아야 했다.[109]

크리크족을 상대로 한 승리는 때맞춰 찾아왔으니 미국이 영국과의 전쟁에서 얼마간 숨 돌릴 틈을 누렸다 하더라도 이제는 그런 유예 기간도 나폴레옹의 패배와 함께 끝났기 때문이다. 드디어 영국은 대서양 너머에 상당한 해군과 육군 자원을 배치할 수 있게 되었다. 파병된 44개 부대 가운데 거의 절반이 반도전쟁에서 싸운 웰링턴의 베테랑 연대 출신이었다.[110] 그들의 도착으로 북아메리카에서 영국군의 규모는 급격히 증가해 5만 명이 넘었고(미군은 3만 5천~4만 명 사이), 로워캐나다 방면에서 뉴욕주 침공과 체서피크만 지역에서의 야심찬 작전들, 그리고 미시시피강 하구의 무역을 통제해 뉴올리언스에서 미국의 이해관계를 위협하기 위한 작전들을 신속하게 수행할 수 있

게 되었다.[111]

　뉴욕에서의 싸움은 1814년 여름에 시작되었다. 미국 전쟁부 장관 존 암스트롱은 영국의 증원군이 도착하기 전에 캐나다에서 승리를 얻어내고자 했다. 새로 재조직된 미국 북부군에서 제이콥 브라운 소장은 좌左사단의 지휘를 맡아 온타리오호에서 영국군의 주요 근거지인 킹스턴을 위협하라는 명령을 받았다. 브라운은 나이아가라강을 건너 분견대 공격을 이끌라는 지시를 받았다. 킹스턴을 공격하려면 해군 지원이 필요했지만, 브라운은 뉴욕 새킷츠하버에 있는 해군 전대를 지휘하는 전대장 아이작 천시의 협조를 얻어낼 수 없었다. 천시가 추가적인 전함을 받기 전까지는 꼼짝도 하지 않으려 했기 때문이다. 그러므로 브라운은 제2의 공격 방안에 만족해야 했다. 7월 초에 그는 병사들을 이끌고 나이아가라강을 건너 이리 요새의 항복을 받아내고 7월 5일에 치파와 전투에서 어퍼캐나다의 영국군 우右사단을 이끌던 피니어스 라일 소장을 무찔렀다.[112] 이 승리는 미국 병사들의 전투 실력이 크게 향상되었음을 보여주었지만 전쟁에서 돌파구를 마련하는 데는 실패했다. 7월 25일에 벌어진 런디스레인 전투—미영전쟁에서 가장 유혈이 심했던 전투 가운데 하나—도 마찬가지였다.[113]

　여러 성공에도 불구하고 미국은 영국의 저항을 극복할 수 없었고 영국의 반격은 유럽에서 새로 도착한 병력으로 뒷받침되었다. 사실 미국의 승전들에는 너무 많은 사상자가 뒤따라 미군은 궁극적으로 물러날 수밖에 없었고, 나이아가라 전역은 전체적으로 전세를 영국 쪽에 유리하게 바꾸었다. 캐나다 총독이자 총사령관인 조지 프레보스트는 웰링턴의 반도군 소속 수천 명의 베테랑 병사들을 비롯해 유럽으로부터 상당한 병력을 증원받아, 이들을 샘플레인 호수 연안을 따라 배치하고 또 어퍼뉴욕 침공에도 투입할 작정이었다.[114] 그의 계획은 새로 구성된 해군 전대를 동원해 샘플레인 호수에서 해군력 우위를 확보하는 한편, 육상 병력은 플래츠버그를 손에 넣는 것이었다. 9월 6일에 이르러 영국군은 플래츠버그에 당도해 알렉산더 머콤 준장 휘하 고작 1700명 정규군의 저항과 맞닥뜨렸다. 영국군이 공격에 나섰다면 승리했을 수도 있다. 하지만 프레보스트는 조지 다우니 함장 휘하 해군 전대의 공격을 기다리기 위해 육상 공격을 늦췄다. 다우니는 토머스 맥도너 함장이 이끄는 미국 해군 선단을 격파하고 샘플레인호를 장악하는 임무를 맡았다. 하지만 9월 11일에 벌어진 양측의 충돌에서 미국 해군은 영국 해군을 한 수 앞서서 확실한 승리를 거두었다. 프레보스트는 이 패전에 매우 낙심해, 플래츠버그를 함락하더라도 샘플레인 호수를 장악하지 못하면 병사들이 보급을 받을 수 없다고 주장하며, 머콤의 방어에 대한 육상 공격을 포기하고 캐나다로 퇴각했다.[115]

한편 영국군은 프레보스트와 대치하고 있는 미국 병력을 다른 쪽으로 끌어내기 위해 체서피크 지역에서 대형 분산 작전을 감행했다. 부제독 알렉산더 코크런 경과 로버트 로스 소장은 체서피크만에 가까워서 수륙 양용 공격에 취약한 워싱턴 DC(워싱턴 특별구)를 대담한 작전으로 함락하기로 했다. 코크런은 패터선트강에서 조슈아 바니 전대장이 이끄는 미국 해군 전대를 성공적으로 구석에 몰아넣고 로스의 육상 병력이 침공할 길을 열어, 8월 하반기에 이르면 침공이 한창 진행 중이었다. 영국군은 블레이든스버그 전투에서 미군을 격파해 8월 24일 워싱턴을 함락했고, 전년도에 미군이 캐나다 수도 요크(토론토)와 뉴어크를 파괴한 것에 대한 보복으로 관공서에 불을 질렀다. 영국군은 이튿날 수도를 떠났다가 워싱턴에서 북동쪽으로 65킬로미터 정도 떨어진 핵심 항구이자 사략 활동의 중추인 볼티모어를 점령하기 위해 몇 주 뒤에 다시 돌아왔지만 9월 13~14일 그 도시를 겨냥한 육상과 해상 공격은 모두 실패했다.[116] 영국군의 맥헨리 요새 포격은 영국 전함에 억류되어 있던 미국 측 협상가 프랜시스 스콧 키가 "새벽녘 이른 햇살에", "로켓탄의 빨간 불꽃과 공중에 터지는 폭탄"을 보고 영감을 받아 나중에 미국 국가가 되는 시를 짓게 된 것 말고는 별다른 성과를 거두지 못했다.

샘플레인호와 플래츠버그, 볼티모어에서 미국의 승리는 중대서양 주들에서 영국군의 진격을 막고 영국 교섭가들이 헨트(벨기에)에서 막 열린 강화 협상장에서 점유 보유 원칙uti possidetis, 즉 적대행위가 종식될 당시에 점유하고 있는 땅을 보유할 권리에 근거해 미국에 영토를 요구할 만한 협상력을 내주지 않았다. 볼티모어 공격 실패 이후로 영국군은 서인도제도로 철수해 전력을 재정비하고 증원군을 기다렸다. 가을에 영국군은 멕시코만의 목표 지점들을 상대로 육상과 해군 합동 전역을 개시했다. 이 전역은 만 주변의 핵심 지역들에 미국의 접근을 차단해, 궁극적으로 그 지역에서 영국의 이해관계를 보호할 강화 협상에 영향을 미치기 위한 것이었다. 전역의 초점은 멕시코만 지역 미국 상품들의 배출구 역할을 하며, 미시시피강 유역으로의 접근을 좌우하는 대형 상업 중추인 뉴올리언스였다. 영국은 또한 이 지역들이 근래에야 미국에 편입된 사실을 이용해 미국에 맞서 아메리카 원주민 부족들은 물론 에스파냐와 프랑스계 주민들의 지지를 얻어낼 수 있기를 바랐다. 일찍이 1814년 봄에 코크런은 에스파냐령 플로리다에서 미국에 맞서 싸우도록 세미놀족을 선동하고자 했다.

8월 중순에 영국 해병대 에드워드 니콜스 소령이 이끄는 소규모 영국군 분견대가 웨스트플로리다 펜사콜라만의 해군 정박지를 함락하고 일부 현지 인디언들로부터 지원을 받았다. 한 달 뒤에 니콜스는 윌리엄 H. 퍼시 함장 휘하 해군 전대의 지원을 받아 모빌만 입구 보이어 요새로 진군했지만 윌리엄 로런스 소령이 이끄는 요새 수비대를 제압할 수 없었다. 배 한 척을 잃고 수십 명의 사상자가 발생한 영국군은 9월 중순에 물러날 수밖에 없었다. 영국군의 공격은 곧 미국의 반격을 불러왔다. 11월에 멕시코만 연안의 미군 지휘관 앤드루 잭슨 소장은 현지의 저항을 쉽게 제압하고 펜사콜라시를 탈환했다. 다음으로 그는 영국군이 보유한 요새들로 진군해 영국군이 펜사콜라만에서 철수하게 만들었다. 그다음 뉴올리언스로 이동해, 임박한 영국군의 공격을 앞두고 12월 1일에 때마침 당도하여 뉴올리언스의 방비를 지휘했다.

　　7척의 전열함과 다수의 프리깃함 및 소형 선박들, 그리고 훨씬 더 많은 수의 수송선들로 구성된 영국 함대는 6500명가량의 정규군과 1천 명의 해병대원, 대략 1천 명의 서인도제도 병사들을 태우고 코크런 제독 휘하에 자메이카에서 출항해 폰차트레인 호수 동쪽 멕시코만에 닻을 내렸다. 12월 중순에 이르자 영국 원정군은 뉴올리언스를 향해 진격하기 시작했고, 1815년 1월 8일에 그곳에서 결전이 벌어졌다. 영국군 지휘관 에드워드 페이크넘 중장은 잭슨의 강력한 진지에 정면 공격을 감행했지만 미군의 머스킷 소총 사격과 포격에 병사들은 우수수 스러져 나갔고 페이크넘 자신도 전사했다. 수 시간의 싸움 끝에 영국군은 전체 병력의 40퍼센트 정도를 사상자로 잃은 채 물러날 수밖에 없었다. 미군 측 손실은 전사 13명, 부상 58명에

불과했다.[117]

　뉴올리언스 전투는 미국의 대승리였지만 전후 세계에서 이 중요한 상업 중추를 누가 지배할 것인지는 결정짓지 않았다. 영국은 미국이 헨트에서 논의되고 있는 조건을 받아들이는 한 그 지역의 정착지 어느 곳도 보유할 생각이 없었다. 뉴올리언스를 탐내기는커녕 리버풀 총리는 그 정착지를 "아메리카 어느 지역과 비교해도 사람이 살기에 건강에 가장 나쁜 곳"이라고 일축했다.[118] 게다가 때로 "필요 없는 전투"로 불리기도 하는 뉴올리언스 전투는 당시 진행 중이던 영미 강화 협상 조건에 직접적 영향을 전혀 미치지 않았는데, 협상은 1814년 12월 24일에 헨트 조약 서명으로 이미 마무리되었기 때문이다. 하지만 조약 체결 소식은 범선에 실려 대서양을 건너가야 했으므로 1815년 2월에야 미국에 당도했다.[119]

　비록 "필요 없긴" 했지만 뉴올리언스 전투는 영국이 최종 강화 조건을 준수하도록 강요하고 뉴올리언스를 획득하거나 미시시피강 하구와 그 지역의 무역을 지배하는 데 향후 어떠한 관심도 버리게 만들었기 때문에 의미가 있다. 양측은 전전 상태status quo ante bellum로 복귀하기로 합의했다.[120]

　미영전쟁은 그러므로 무승부로 끝났지만 항구적인 유산을 남겼다. 미국 쪽에 전쟁은 제임스 매디슨 행정부가 내세우는 것과 달리 전혀 압도적인 승리가 아니었다. 미국의 전쟁 목표 가운데 거의 어느 것도 달성되지 않았고 최종 조약은 미국 시민의 강제 징모와 영국의 해상 관행을 비롯해 전쟁의 직접적 원인들을 전혀 언급하지 않았다. 하지만 전쟁은 미국의 정치를 재편했다. 연방파의 붕괴에 기여하고 전쟁의 여파로 새로운 국가적 목적의식과 미국인들 사이에서 일치단결을 반영한 이른바 호감의 시대Era of Good Feelings를 열었다. 이 전쟁은 또한 미국의 산업화에 박차를 가하고 앞으로 수십 년 동안 치열하게 논의될 경제적·재정적 개혁의 필요성을 조명했다. 전쟁에서 미국의 명명백백한 성공 한 가지는 강력한 군사력이자 미국 국가 안보의 근간으로서 미국 해군의 부상이었다. 이런 의미에서 전쟁은 북아메리카에서 미국의 헤게모니를 보장하고 최초의 탈식민 열강으로서 미국의 부상을 촉진하며, 1775년에 시작되었던 것을 완수했다.

그와 비슷하게 전쟁은 캐나다 역사에서 중추적인 순간이었다. 캐나다는 영토의 일부, 특히 어퍼캐나다의 일부를 미국에 잃게 될 것이라는 당대의 예측을 보기 좋게 깨뜨렸다. 영토를 잃기는커녕 캐나다는 미국의 침공을 격퇴하고 전쟁에서 멀쩡하게 살아남았다. 하지만 캐나다인들이 남쪽의 이웃 나라에 맞선 투쟁에서 단결해 국가를 주조해냈다는 관념은 신화에 지나지 않는다. 절대다수의 캐나다인들이 전쟁에 보인 반응은 무관심, 징발에 대한 반발, 탈영이었다. 캐나다 엘리트 계층이 미국 침략자들을 격퇴하는 데 캐나다 자원병들과 민병대원들이 보여준 "흔들림 없는 충성과 신의, 애착"에 관한 프로파간다 서사를 발전시킨 것은 전후 시절에 들어와서다.[121]

영국으로 말하자면, 1812년 전쟁은 나폴레옹 프랑스에 맞선 투쟁의 직접적인 소산으로서, 그 전쟁의 수행 과정은 유럽에서 벌어지는 사건들과 본래부터 연결되어 있었다. 이 무력 분쟁은 북아메리카에서 결코 영국의 지위를 심각하게 위협하지 않았지만 일부 관찰자들은 "우리가 아메리카와 유럽 양쪽에서 어느 정도는 패배하고, 어느 정도는 겁을 먹어 화평으로 내몰렸다고 여겨지게 될 것"이라고 우려했다.[122] 1814년 후반에 이르면 영국은 유럽보다 캐나다에 더 많은 병력을 두었고 상대편을 따끔하게 응징할 기회가 있었다. 하지만 때는 이미 늦어버렸다. 앞서 빚어진 군사적 차질들이 이 먼 곳에서 비용이 많이 드는 분쟁을 이어갈 의지를 갉아먹었다. 많은 영국인들, 특히 미국 무역의 손실로 인해 어려움을 겪던 항구 도시에 거주하는 사람들이 이 전쟁에 반대하며, 전쟁을 신속히 마무리 짓지 못하는 정부를 혹독히 비판했다. "이 나라의 행복과 평온은 에스파냐에서 거둔 승전들이나 러시아에서 싸우는 군대들의 움직임보다 이 주제〔미영전쟁〕와 더 긴밀하게 연결되어 있다"[123]라고 《리즈 머큐리》는 천명했다. 전쟁은 나폴레옹을 무찌르기 위한 영국의 노력을 크게 분산시키는 역할을 해서 긴요한 인적·물적 자원들을 빨아들이고, 근대 최대의 외교적 장관을 연출하기 위한 무대가 마련된 빈에서 영국의 외교적 노력을 제약했다.

23장

전쟁과 평화

1814-1815

빈 회의는 유럽 역사상 가장 쟁쟁한 인물들이 한자리에 모인 순간이었다. 그 독특한 성격은 패전국과의 강화는 이미 파리 조약에서 이루어졌고, 회의는 특정 무력 분쟁의 해소만이 아니라 유럽 전반의 평화 정착을 다루기 위해 개최되었다는 사실에서 기인한다.

빈 회의는 엄밀하게 말해서 대형 회의가 전혀 아니었다. 각국 대표들은 총회에서 만난 적이 없었다. 전원 총회 대신 최강대국을 대표하는 일단의 대표들은 오스트리아 수도의 활달하고 생기 넘치는 사교계로부터 떨어져 무대 뒤에서 부지런히 움직였다. 황제와 국왕, 각종 군주들이 무수한 궁정인들과 쾌락을 좇는 이들을 대동하고 빈에 몰려왔고, 빈 궁정은 그들의 바람을 충족시켜주기 위해 최선을 다했다. 반쯤은 파산 상태로 전쟁에서 빠져나왔음에도 오스트리아의 프란츠 황제는 이 모임을 주최하는 데 국고의 남은 절반을 걸었다. 그는 수천 명 방문객들의 지위와 서열에 따른 의전은 말할 것도 없고, 각양각색의 취향과 기호를 염두에 두고 방문객들을 위한 새로운 형태의 오락거리를 내놓는 임무를 맡은 특별위원회의 설립을 승인했다. 유럽의 미래와 관련한 많은 중대한 결정들이 정치가들이 먹고 마시며, 가벼운 치정 행각을 벌이는 사교 행사에서 이루어졌다. 오스트리아 정부는 셀 수 없이 많은 하녀와 짐꾼, 마부, 여타 하인들을 고용한 교묘한 첩보망을 이용해 외교 교섭 과정에서 유리하게 이용할 수 있는 정보를 하나라도 더 얻으려고 애썼다.[1]

나폴레옹에 맞선 투쟁에 가담한 동맹국들은 자신들의 이해관계에 가장 잘 맞아 보이는 시점에 동맹에 가담했다. 1813년 전역이 전개되는 과정에 그들은 전쟁 수행 능력을 조율하고 약속을 확실히 굳히고자 서로 간에 개별 조약들을 맺었다. 동맹 세력은 나폴레옹과 싸우는 데 엄청난 노력을 들였음에도 불구하고 막상 그를 타도한 뒤에 어떻게 될지에 관해서는 통 주의를 기울이지 않았다. 동맹 세력은 각자의 이해관계에 불가결하다고 여기는 정치적·영토적·경제적 양해 사항들—예를 들어 러시아의 폴란드 영유권 주장과 스웨덴의 노르웨이 영유권 주장, 그리고 프로이센과 오스트리아의 전전 지위 복원—에 관해 얼마간 논의하기는 했지만 그러한 목표들을 추구하는 데 필요한 메커니즘을 제시하지는 않았다. 이런 의미에서 1814년 쇼몽 조약의 체결은 매우 광범위한 결과를 가져왔다. 동맹 세력은 전쟁 목표를 명확히 하고 프랑스와 개별 강화조약을 맺지 않기로 한 약속을 재확인했을 뿐 아니라 장래 유럽 평화 정착을 위한 폭넓은 단서 조건들에 합의했다. 에스파냐와 스위스의 독립, 네덜란드의 복원과 확대, 독일연방의 수립, 이탈리아의 분할 등등이었다. 이 조약이 전후 유럽 질서의 재건(과 유지)에 불가결하다는 점은 그 기안자들에 의해 인정되는데, 그들은 조약이 "주도적인 열강 사이에 화합을 유지하는 체계적인 서약일 뿐 아니라 모든 약소국들, 특히 라인강에 위치한 국가들이 평화의 복귀와 함께 안전을 구할 때 프랑스와의 타협을 추구할 필요 없이 의지할 수 있는 수단"이 될 것이라고 주장했다.[2]

하지만 쇼몽은 여러 가지 결함을 안고 있었다. 무엇보다도 이전의 합의들에서 거론된 사안들에 대해 아무런 단서 조항도 포함되지 않은 것이 큰 문제였다. 그러므로 작센에 대한 프로이센의 여망이 쇼몽 조약에서는 다뤄지지 않았다. 오스트리아와 프로이센의 전전 지위 복원을 지지한다는 러시아의 약속은 언급되었지만 정확히 전전 그대로의 영토 형태는 아니었다. 조약은 더 나아가 동맹국들끼리 이미 스칸디나비아에서 고려한 영토상의 합의 내용, 즉 알렉산드르 황제가 스웨덴의 핀란드 상실에 대해 노르웨이 영유권 주장을 지지함으로써 보상하겠다는 약속을 반영하지 않았다. 마지막으로, 조약의 최대 수혜국은 해상 권리들에 대한 문제 제기를 성공적으로 배제한 영국이었다. 이로써 방대한 해외 영토들을 점유한 영국만이 그 영토들의 장래 지위를 결정하고 해상 관련 규정들을 해석할 수 있게 되었다.

쇼몽 조약의 단서 조항들은 유럽 동맹 체제의 주춧돌을 놓았고, 유럽의 전후 처리 문제를 논의하고 매듭지을 "전체 회의" 개최를 요청한 파리 조약에서 더욱 구체화되었다. "현 전쟁 어느 편에든 관여한 모든 열강"이 회의에 참석하도록 초대되었지만 파리 조약의 비밀 단서 조항에서 동맹 열강은 자신들이 "유럽 내 실제적이고 항구적인 권력 균형의 체제"를 결정할 수 있게 사실상의 의사 결정 과정은 자신들이 떠맡기로 합의했다.[3] 이류 열강은 이러한 합의 내용을 모르고 있었고 자신들에게도 새로운 유럽 질서에 기여할 기회가 주어질 것이라는 인상을 받았다.

1814년 9월 말에 이르자 대표단들이 빈에 도착하기 시작했다. 에스파냐, 교황령 국가들, 포르투갈, 스웨덴, 하노버, 바이에른, 뷔르템베르크와 다른 수십 개 군소국들에서 대표단이 파견되었다. 나폴리에서는 뮈라 국왕의 이해관계를 담당하는 대표단과 부르봉 왕가를 대리하는 대표단이 각각 따로 왔다. 에스파냐는 돈 페드로 고메스 데 라브라도르가 대표했고, 망명정부가 아직도 브라질에 있는 이웃 나라 포르투갈은 팔메라 백작 페드루 지소자 올스테잉이 자국의 이해관계를 옹호했다.

프랑스 외무대신 샤를-모리스 드 탈레랑 공은 프랑스 부르봉 왕가를 대표하여 파견되었다. 그는 누구보다 만만치 않은 과제에 직면했을 것이다. 바로 패전국의 국운을 되살리는 일이었다. 탈레랑은 프랑스의 동북 국경선을 그대로 유지하고 해외에서 추가적인 영토 상실을 최소화하길 바랐겠지만 그가 당면한 가장 중요한 과제는 강대국으로서 프랑스의 지위를 지키는 것이었다. 그러므로 그는 프로이센의 세력 확대가 프랑스의 이해관계에 직접적인 위협이 된다고 여기고 일정한 형태의 세력 균형을 선호했는데, 이는 장래의 정치적 합의에 관한 캐슬레이와 메테르니히 두 사람의 구상과도 부합하는 생각이었다. 실용주의의 달인인 탈레랑은 프랑스 혁명 이전에 가톨릭교회의 주교로 경력을 시작해 지난 15년에 걸쳐 모든 프랑스 정부에 빠지지 않고 참여했다. 탈레랑을 칭송하는 이들에게 그는 프랑스의 이해관계를 위해 고귀하게 봉직한 정치가였다. 그를 깎아내리는 이들에게는 순전히 자기 이익을 좇아 움직이는 사람이었다. 그가 돈을 밝히고 정치적 인맥을 이용해 막대한 부를 축재했다는 데는 양측 사이에 이견이 없었다. 혁명의 위대한 웅변가인 오노레 미라보는 탈레랑이 "돈을 위해서라면 기꺼이 영혼을 팔" 사람이며, "그리고 그렇게 하는 게 옳은 일일 게다. 똥을 황금과 교환하는 것일 테니까"라고 평가했다.[4] 심지어 난관 앞에서도 재기와 자신감이 넘치는 탈레랑은 1814~1815년의 정세 속에서도 잘나갔고, 외교가로서 그의 재능이 빈에서 9개월에 걸친 회의에서보다 더 밝게 빛난 적도 없었다.[5]

4대 강대국은 오랫동안 서로 간에 외교 업무를 처리해온 동일한 정치가들이 대표했다. 비록 오스트리아의 프란츠 황제가 회의를 주최하긴 했지만 그는 외교적 책무를 신료인 메테르니히에게 위임했고, 메테르니히는 오스트리아 부대표인 요한 필리프 프라이헤어 폰 베셀베르크를 비롯해 교섭에 정통한 일단의 관리들과 개인 비서인 프리드리히 폰 겐츠의 보좌를 받았는데, 겐츠의 생생한 편지와 일기는 이 시기에 관한 풍성한 정보원이다.[6] 프라이헤어 폰 빈더는 이탈리아 쟁점들에 관해, 요한 그라프 라데츠키 폰 라데츠는 군사 문제에 관해 자문했다.

메테르니히는 유능하고 노련한 외교가였고, 스스로 시인한 바에 따르면 "산발적 교전에는 약하지만 (…) 전역에는 성과가 좋은" 인물이었다.[7] 둘째가라면 서러울 기회주의자인 그는 자신의 정책들을 일단의 "원칙"들에 정초했는데, 그 가운데 어느 것도 "평형 상태"보다 더 큰 가치를 지니지 않았다. 그는 그 원칙을 대내외 정책에 지속적으로 적용했다. 메테르니히는 유럽 사회들이 일종의 균형에 기초하고 있으며, 그 균형이 프랑스 혁명과 나폴레옹의 정복전쟁들로 깨졌다고 믿었다. 그러므로 유럽에 다시 안정을 가져오려면 "정당한" 통치자들이 왕위에 복귀해야 하며 나폴레옹이 초래한 변화들의 전부는 아니라 해도 일부는 되돌릴 필요가 있었다. 정치적 평형 상태는 또한

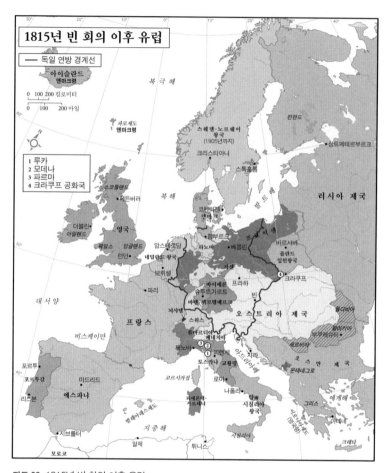

서부에서 프랑스를 억제하고 동부에서 러시아의 지배를 방지함으로 써 유럽에서 오스트리아의 입지를 수호하려는 메테르니히의 목표에 핵심적 성격을 부여했다. 오스트리아는 폴란드로부터 배제되는 것 (러시아가 주장한 대로)을 수용할 수 없었고 작센의 전유專有(프로이센이 바라는)도 승인할 수 없었는데, 둘 다 중유럽에서 세력 균형을 위협하 기 때문이었다. 이를 막고자 메테르니히는 독일 국가들을 러시아와

프로이센의 영향력에서 떼어놓으려고 수단과 방법을 가리지 않았고 이러한 목표를 이루기 위해서 다른 열강, 심지어 프랑스와의 관계 회복에도 마음이 열려 있었다.[8]

러시아 대표단에는 황제 알렉산드르 1세와 그의 자문들인 카를 네셀로데, 조반니 안토니오 카포 디스트리아, 샤를 앙드레(카를로 안드레오) 포초 디 보르고 등이 있었다.[9] 협상에 몸소 참가한 유일한 군주인 알렉산드르는 유럽에서 러시아의 입지를 강화할 길을 찾는 데 예리한 시각을 지닌, 지성과 상상력을 겸비한 인물로 드러났다. 1812~1813년의 커다란 성공들은 러시아 군주의 허영심과 종교적 신비주의를 부추겨서 그의 행동을 때로 예측하기 어렵게 만들었다. 알렉산드르는 말보다는 대포가 더 통하며, 나폴레옹을 무찌르는 데 러시아가 결정적 역할을 했으므로 전후 처리에서도 주도적 역할을 할 자격이 있다고 믿었다.

프로이센 사절단은 프리드리히 빌헬름 3세를 대리하는 재상 카를 폰 하르덴베르크가 이끌었다. 국왕도 빈에 오긴 했지만 직접적 외교 협상 과정에서는 대체로 빠졌다. 프로이센의 다른 주요 대표들로는 빌헬름 폰 훔볼트(평화 협상가들 사이에서 아마도 가장 쟁쟁한 지성인)와 카를 프리드리히 폰 뎀 크네제베크 장군, 요한 고트프리트 호프만(유럽에서 가장 뛰어난 통계 전문가 중 한 명), 하인리히 프라이헤어 폼 운트 춤 슈타인(하인리히 슈타인 남작)이 있었다. 프로이센 대표단은 불굴의 기개로 "전진 원수"라는 별명이 붙은 블뤼허의 군인다운 리더십과 무수한 프로이센 병사들의 희생에 적절한 보답을 기대했다. 비록 프로이센 대표단은 다른 어느 열강보다 더 많은 각서를 내놓았지만 외교적 토의 과정에서 프로이센은 대표단의 전문가적 능력을 발휘하지 못했다. 프로이센은 러시아-프로이센 동맹에서 여전히 하위 파트너로 여겨졌다. 프로이센 국왕은 폴란드 쟁점에 관해 러시아의 뜻을 따랐을 뿐 아니라 다른 정책 사안들에서도 러시아의 지시를 기꺼이 따를 태세였다. 한편 프로이센 장군들, 특히 블뤼허와 재능이 뛰어난 참모장 아우구스트 빌헬름 안토니우스 나이트하르트 폰 그나이제우도 나름대로 생각과 목표가 있었다. 그들의 시각은 그들이 모시는 군주보다 대체로 더 호전적이었고, 어떠한 양보로도 누그러뜨릴 길 없는 프랑스에 대한 식지 않는 혐오가 그 구심점이었다.

영국 대표단은 처음에는 외무장관 캐슬레이가 이끌었다(1815년 2월부터는 웰링턴 공작이 대행했다). 그는 이복동생인 찰스 스튜어트와 제2대 클랜카티 백작 리처드 르 포어 트렌치의 보좌를 받았다. 나폴레옹에 맞선 마지막 대불동맹의 핵심 설계자인 캐슬레이는 재능이 뛰어나지만 몹시 고독한 인물로, 그의 배경과 성격, 업적은 당대인들의 의견을 양분시켰다.[10] 1814년과 1815년 내내 그는 영국이 빈에서의 영토 합의 과정에서 결정적인 역할을 하게 하려고 단단히 작심했다. 섬나라이자 해군력의 초강국이라는 독특한 지위 덕분에 영국은 대륙에 아무런 영토적 야심이 없었고(이런 입장은 자신들이 점령한 식민지 영토를 거의 전부 되돌려주기로 한 결정으로 뒷받침되었다), 사심 없는 중재자라는 역할을 할 수 있었다. 해상과 통상 영역에서 영국의 국익이 안전하게 지켜지는 한 말이다. 다른 한편으로 빈 회의 시작 당시 영미 무력 분쟁이 이제 2년째에 접어들었으니 영국은 대형 전쟁에 여전히 발이 묶여 있는 유일한 동맹 열강이라는 불리한 처지에 있었다.

4대 주요 열강 대표들―메테르니히, 캐슬레이, 하르덴베르크, 네셀로데―은 1814년 9월 15일 첫 만남을 갖고 10월 1일 정식 개막

하는 회의의 절차 규정들을 채택했다.[11] 빈 회의의 본보기로 삼을 만한 선례가 없었기 때문에 이들의 결정은 회의를 조직하는 핵심 조치였다. "4대 강국"이라고 묘사할 수 있는 오스트리아, 영국, 프로이센, 러시아는 모든 대표들이 참가하는 총회 소집이라는 발상을 거부했다. 총회를 소집하면 너무 많은 행위자들이 개입하게 되고, 그들 중 다수는 캐슬레이가 총리에게 보낸 편지에서 표현한 대로 "사전의 온갖 어려운 문제들에 관해 이전에 협조한" 경험이 없었고 따라서 협상 과정을 복잡하게 만들었을 것이다.[12] 이러한 사전 협의 과정에서 나온 한 가지 중요한 결과는 '대' 열강과 '소' 열강을 구분한 것으로서, 4대 전승국이 전자 집단을 구성한 반면 나머지 유럽 국가들은 후자의 범주에 들어갔다. 9월 22일, 프로이센이 주장한 바에 따라 4대 강국은 자신들의 논의에 프랑스의 참여를 일체 배제하는 특별 의정서를 채택했다. 캐슬레이는 이제는 우호적인 부르봉 왕정 하에 있는 프랑스를 그렇게 가혹하게 취급하는 데 반대 목소리를 냈다. 그는 우호적인 태도를 바탕으로 프랑스 및 에스파냐와 관계를 맺어나가야 한다고 요청하는 특별 선언문을 추가하자고 주장했다.[13] 이는 6대 열강(영국, 러시아, 오스트리아, 프로이센, 프랑스, 에스파냐)의 감독 위원회를 구성하면서도 실제 의사 결정은 여전히 4개 강국의 내부 위원회로만 국한될 것이라는 뜻이었다.[14]

9월 23일 빈에 도착한 탈레랑은 동맹 세력의 9월 22일 합의를 불법적이고 부당하다고 규탄했다. 그는 프랑스는 소국들을 옹호하며, 모든 국가들이 회의에서 대표되고 따라서 논의에 참여해야 한다는 이해에 따라 행동할 것이라고 공언했다. 그의 행동은 동맹 세력 내에 분열의 쐐기를 박아 넣고 프랑스의 협상력을 높이려는 속셈이었다. 9월 30일, 그와 에스파냐 대표 라브라도르는 전권대표들의 예비 모임에 초대를 받았고, 거기서 4대 강국이 작성한 제안서가 제시되었다. 탈레랑은 즉시 이견을 제기하고 나섰다. 그가 프랑스 대표단 중에서 왜 자기 혼자만 초대되었느냐고 따지자 내각의 수반들만 초대되었다는 대답이 돌아왔다. 탈레랑은 하르덴베르크와 함께 동석한 훔볼트는 내각의 수반이 아니지 않느냐고 반박했다. 하르덴베르크는 귀가 안 들려서 훔볼트를 대동한 것이라는 답변에 한쪽 다리가 성치 않은 탈레랑은 "우리는 다들 몸이 불편한 데가 있으니 필요할 때면 언제든 써먹을 수 있는 법"이라고 쏘아붙였다.[15] 그리하여 탈레랑은 각 나라가 두 명의 대표를 참석시킬 수 있게 동맹 열강의 동의를 이끌어냈다. 이것은 언뜻 봐서는 사소한 양보였다. 그다음 그는 의정서에서 "동맹국들Allies"이라는 표현을 물고 늘어졌다. 나폴레옹이 이미 패배한 마당에 열강이 대체 누구에 맞서 한편이 된 것이냐는 물음에 그는 그 표현은 간결성 때문에 쓴 것이라는 답변을 들었다. 탈레랑은 "정확성을 대가로 지불해 간결성을 사들이면 안 된다"라고 응수했다. 그는 4국 동맹은 파리 조약 체결 이후 쓸모가 다했고, 나폴레옹 전쟁에 참여한 나라는 모두 회의의 진행 과정에 참석할 권리가 있다고 주장했다. 4대 동맹국은 자신들의 행위를 정당화해줄 법적 근거나 도덕적 근거가 없다. 탈레랑은 4대 강국이 전원 회의 없이 쟁점들을 논의할 권위를 인정하길 거부했다.[16]

탈레랑의 공개적 도전은 소국들에게 환영과 지지를 받았고, 4대 강국은 어쩔 수 없이 제안서를 철회해야 했다. 프랑스 외무대신은 그다음 파리 조약 서명국인 8대 강국의 감독 기구가 설립되어야 하고 총회를 열어 전원 회의가 그 권위를 인정해야 한다고 주장했다. 그리하여 그는 오스트리아, 프로이센, 러시아, 영국이 월권으로 스스로에게 부여한 권한을 축소하고 프랑스, 에스파냐, 스웨덴, 포르투갈을 주요 토의 과정에 포함시키는 데 성공했다. 더 나아가 탈레랑은 빈 회의의 모든 논의와 절차는 정당성과 공법의 원칙에 따라야 한다고 주장했다. 그다운 방식대로, 1815년 1월에 프랑스를 주요 행위자 집단에 끼워 넣는 데 성공하자 탈레랑은 이번에는 소국들을 저버리고 자신의 다음 목표들에 집중했다.

2개의 개별 기구가 회의를 관장했다. 8대 열강(프랑스, 영국, 오스트리아, 프로이센, 에스파냐, 포르투갈, 스웨덴, 러시아) 각료 협의회는 구체적인 쟁점을 다루는 10개의 개별 위원회를 조직했다. 위원회들은 구성과 지위가 제각각이었다. 독일위원회, 노예무역위원회(혹은 협의회), 스위스위원회, 국제하천위원회, 외교의전서열위원회, 통계위원회, 기안위원회, 토스카나에 관한 위원회, 사르데냐와 제노바에 관한 위원회, 부이용 공국에 관한 위원회 등등. 그와 동시에 동맹국 군주들은 자기들대로 매일 만남을 가졌고, 거기서 종종 자신들이 협상가들에게 내린 지침과는 반대로 쟁점들을 논의하고 합의해버리기도 했다. 이러한 비일관성은 당연히 예기치 못한 곤경을 야기했다.

가장 먼저 일어난 위기는 폴란드-작센 쟁점을 둘러싼 것이었다. 앞서 주목한 대로 나폴레옹은 1807년에 바르샤바 공국을 수립했고, 러시아는 폴란드 분할 당시 자국이 차지한 영토의 반환을 요구할 수도 있는 폴란드 국가의 부활 가능성에 위협을 느껴왔다. 1810년 알렉산드르는 폴란드가 결코 복원되지 않을 것이라는 약속을 프랑스로부터 받아내려고 애썼지만 성공하지 못했다. 1812년 나폴레옹의 역사적인 실패는 알렉산드르가 이 위협을 영구히 제거할 기회를 제공했다. 그는 폴란드 땅에서 더 많은 몫을 차지해 러시아의 서부 지방들을 안전하게 지킴과 동시에 유럽으로 더 깊숙이 권력을 행사할 심산이었다. 알렉산드르는 자신의 계획이 유럽에 미칠 파급효과를 잘 알고 있었는데, 다른 열강, 특히 오스트리아와 프로이센이 반대할 게 뻔했다. "폴란드에 관한 나의 의사를 밝히면 오스트리아와 프로이센은 틀림없이 프랑스의 품에 안길 것"이라고 그는 1813년 1월 13일에 말했다.[17]

자문들이 거의 한목소리로 반대했음에도 알렉산드르는 러시아 치하의 대大폴란드 왕국의 탄생을 밀어붙였다. 이것은 두 가지 근본적인 질문을 제기했다. 폴란드의 자치권은 어디까지인가? 그리고 폴란드의 새로운 국경은 어디까지인가? 폴란드 입헌 왕국을 수립하려는 러시아의 의도는 독일에서 프로이센의 영향력을 제한하고 중유럽에서 러시아의 팽창을 억제하려는 오스트리아의 안보 목표들과 충돌했다. 메테르니히는 새로운 폴란드 국가가 오스트리아가 지배하는 폴란드 영토에서 정치적 불안을 조장할 것이라고 걱정했다. 빈 회의가 개최되기 전인 9월 19일의 만남에서 그는 오스트리아 치하의 폴란드인들을 결집시키는 계기 역할을 하고 갈리치아 지방을 불안정하게 할까 봐 "폴란드"라는 표현 자체를 반대했다.[18] 빈이나 베를린 어느 쪽도 자국 국경 옆에 입헌적 정치체가 들어서는 전망에 신이 날리 없었는데, 그렇게 되면 자국의 신민들도 부추김을 받아 유사한 입헌적 양보를 요구하고 나올 수도 있었다. 궁극적으로 러시아의 제안을 강대국들이 반대하도록 몰아간 것은 부수적인 전략적·군사적 고려와 더불어 영토적·정치적 평형 상태의 문제였다. 알렉산드르는 러시아의 종주권 아래서의 폴란드 복원이란 폴란드인들을 위한 별도의 행정 조직과 대의 기구라고 주장했을지도 모르지만, 다른 열강들은 그 계획이 본색을 거의 감추지 않은 러시아 팽창주의라고 보았다. 오스트리아와 영국, 프랑스는 폴란드 국가의 복원을 전적으로 반대하지는 않았지만 그 대신 그 나라가 러시아에 독립적이길 원했다.[19]

그러므로 알렉산드르 황제는 프리드리히 빌헬름 3세만이 프로이센이 다른 지역에서 영토 보상을 받는 한 폴란드 분할 때 얻은 땅을 기꺼이 내놓을 의사가 있을 뿐, 자신이 거의 고립된 처지임을 알았다. 프로이센은 가급적 작센 영토로 보상을 받기 원했는데 작센 국왕이 나폴레옹을 지지했으므로 프로이센이 보기에 작센은 처벌받아 마땅했다.[20] 이 프로젝트가 정치적으로 얼마나 민감한 사안인지를 깨달은 알렉산드르 황제는 폴란드와 관련해 자신의 의사를 공식적으로 개진하는 것을 피하면서, 영국 사절들에게는 프로이센령 폴란드에 대한 영유권을 고집하지 않을 것이라고 약속하는가 하면 오스트리아에는 갈리치아 전부를 내주면 오스트리아가 프랑스로부터 알자스를 받아내는 것을 지지하겠다고 제안하는 등 수시로 입장을 바꿨다.[21] 이 모든 것은 폴란드가 러시아 치하에서도 자유를 계속 유지할 것이라는 러시아 쪽의 호언장담이 영 믿음이 가지 않는 영국과 오스트리아의 의혹을 증폭시킬 뿐이었다. 캐슬레이와 메테르니히 둘 다 폴란드 프로젝트 전체가 중유럽으로 러시아의 영향력을 확대하고 베를린과 빈을 타격할 수 있는 범위 안에 러시아 군대를 주둔시키려는 수작이라고 여겼다. 영국 대표단에게는 라인란트에서 프로이센의 팽창이라는 추가적 걱정거리가 있었는데, 그들은 이것이 영국의 안보에 결정적이라고 여기는 저지대 지방에 대한 프로이센의 더 큰 야심으로 이어지지 않을까 우려했다.

1814년 초에 동맹 세력이 폴란드와 작센의 지위를 놓고 합의를 보지 못한 것은 이 쟁점들이 빈 회의가 직면한 핵심 문제들 가운데 하나가 되었음을 뜻했다. 1814년 10월과 11월에 캐슬레이는 요구 범위를 줄이고 모종의 타협을 이루도록 알렉산드르를 설득하려고 최선을 다했지만 소용이 없었다. 러시아는 폴란드 영유권과 작센에서 프로이센에 대한 보상 요구를 굽히지 않았다. "정복의 권리란 정복한 땅을 다스릴 주권 획득에 대한 합법적 자격"이라고 러시아 측의 한 각서는 단언했다.[22] 중유럽에서 정치적 평형 상태를 유지할 필요성을 줄곧 의식하던 오스트리아는 더 이중적인 태도를 취했다. 메테르니히는 처음에 프로이센이 작센으로 팽창하는 것을 알렉산드르 황제가 막아준다면 오스트리아는 러시아의 폴란드 권리 주장을 지지할 것이라고 황제에게 언질을 주었다. 그와 동시에 그는 프로이센 대표 하르덴베르크에게 접근해 프로이센이 폴란드에서 러시아의 속셈에 반대한다면 작센에 대한 프로이센의 권리 주장을 지지할 것이라고 약속했다. 하지만 프로이센 대표단은 이 제의를 무시했다. 작센은 이미 러시아가 점령하고 있었으니 베를린은 러시아와 맺은 이전 조약들로부터 뭔가를 얻어낼 수 있으리라 확신했기 때문이다.[23]

협상 과정에서 긴장이 높아지자 탈레랑은 이런 상황을 이용해 강대국들 사이를 이간질하고자 했다. 그는 정당성의 원칙을 끌어와 러시아와 프로이센은 작센의 정당한 국왕으로부터 영토와 제위를 빼앗을 권리가 없다는 논리를 펼쳤다. 그는 "그런 견해가 정당하다고 인정하려면 국왕들도 판단의 대상이 될 수 있다는 것을, 국왕들이 그들의 소유물을 빼앗기를 원하고 또 그렇게 할 수 있는 이들에 의해 판단될 수 있다는 것을 (…) 주권이 정복이라는 단 하나의 사실로 상실

되거나 획득될 수 있다는 것을 (…) 한마디로, 가장 힘센 자에게는 모든 것이 정당하다는 것을 진리로 여겨야 할 것"이라고 썼다.[24] 정당성 원칙의 옹호자로 스스로를 내세움으로써 탈레랑은 실질적으로 프랑스를 패전국에서 러시아의 침략적 행위를 억지하고자 하는 누구에게나 소중한 파트너로 탈바꿈시켰다. 이는 당연히 영국과 오스트리아에는 듣던 중 반가운 소리였다.[25] 영국의 총리 리버풀 경은 이미 자국 정부가 그렇게 오랫동안 맞서 싸웠던 나라에 대한 입장을 재고하기 시작했다. 그는 "유럽 여러 나라의 궁정들에 관해 더 많이 이야기를 듣고 살펴볼수록 열강들 가운데 프랑스 국왕이 우리가 정말로 어떤 신뢰를 품을 수 있는 유일한 군주라는 확신이 든다"라고 말했다.[26]

1814년 막바지로 가면서 강대국들 간 만남은 갈수록 언쟁이 분분했다. 12월 30일 영국과 오스트리아가 타협하기를 거부하는 데 짜증이 난 프로이센 사절 하르덴베르크는 작센에 대한 프로이센의 권리를 인정하기를 더 미룰 경우 선전포고로 간주하겠다고 협박했다. 캐슬레이는 이렇게 나쁜 감정만 쌓여가면 차라리 당장 폐회하는 게 나을 것이라고 맞받아쳤다.[27] 이것은 화들짝 놀랄 만한 사태 전개였고, 혹자들은 이전 동맹국들 사이에서 전쟁이 터질지도 모른다는 우려를 나타냈다. 긴장이 급격히 고조되었다. 12월 후반에 이르자 덴마크 사절은 전쟁이 일어난다면 덴마크는 병력을 얼마나 투입할 수 있느냐는 캐슬레이의 물음에 깜짝 놀랐다. 프로이센 대사는 "제2의 전쟁이 필수적이며, 조만간 일어날 게 틀림없다"라고 확신했다.[28] 탈레랑은 이미 작센의 주권을 지지하기 위해 병력을 무려 30만 명 배치할 수 있다고 엄포를 놓고, 오스트리아는 동원 가능성에 대비해 자국의 병력을 점검하며 소집 방안을 마련하고 있었다. 강대국들이 칼을 빼들 태세이자 소小열강도 싸움에 뛰어들었다. 바이에른은 이웃나라 작센 편을 들었고, 바이에른을 대표하며 바이에른 군대 사령관이기도 한 브레데 공은 프랑스 대표단에게 4만 명 정도의 바이에른 병사들이 작센을 도우러 갈 준비가 되었다고 장담했다. 한편 덴마크는 어쩌면 노르웨이를 회복하고, 스웨덴과 러시아를 억지할 수 있을 거라는 기대에서 프로이센과 러시아를 상대로 한 새로운 전쟁 전망에 고무되었다.[29]

상황은 새해가 시작되면서 극적으로 변했다. 1월 첫 주에 영국과 미국이 전쟁을 끝냈다는 뜻밖의 소식이 들려왔다. "미국과의 강화 소식이 이곳에 포탄처럼 날아들었다"라고 빈에서 한 영국인 관찰자는 썼다. "아무도 예상하지 못했다." 탈레랑은 미영전쟁의 종식을 "스털링(파운드)화의 평화la paix sterling"라고 부르며, 이 일이 가져올 거대한 파급효과를 재빨리 감지했다.[30] 아닌 게 아니라 캐슬레이가 표현한 대로 "미국과의 전쟁이라는 맷돌에서 풀려나자" 영국은 이제 유럽에서 필요한 재정적·군사적 약속을 내놓을 수 있게 되었다.[31] 강화조약 체결의 효과는 즉각적이고도 광범위했다. 러시아-프로이센의 야심을 억제하기 위해 탈레랑과 메테르니히, 캐슬레이는 왕년의 대불동맹 일원들을 상대로 한 비밀 동맹에 합의했다. 그들은 러시아-프로이센의 요구에 굴복하기보다는 싸우겠다는 결의를 보여줄 작정이었다. 1815년 1월 3일에 서명된 협정문은 프랑스, 영국, 오스트리아 간의 비밀 군사동맹을 탄생시켰고 그에 따라 각국은 그들 가운데 어느 하나가 전쟁에 얽히게 될 경우 상호 지원하기로 약속했다. 프랑스와 오스트리아는 15만 명의 병력을 전장에 배치하기로 약속했고, 영국은 그들에게 자금을 대는 한편, 하노버나 저지대 지방에 대한 일체의 공격을 개전 사유로 간주하기로 했다. 그러므로 패배한 지 1년도 채 지나지 않아 프랑스는 빈 회의에서 중요한 역할을 맡는 데 성공하고 강대국들 간 분열을 이용해, 정치 동맹의 새로운 중심축을 탄생시켰다. 이것은 대단한 개가였다. "대불동맹은 와해되었습니다"라고 탈레랑은 희희낙락해 루이 18세에게 썼다. "프랑스는 더 이상 유럽에서 고립무원이 아닙니다."[32]

하지만 앞서 언급된 비밀 조약은 무지막지한 허풍이었다. 탈레랑은 나폴레옹이 패배한 지 1년도 지나지 않아 프랑스가 또 한 번 전쟁에 나설 처지가 아님을 잘 알고 있었다. 캐슬레이는 협정에 서명하면서 자국 정부의 지침을 거스르고 있었다. 리버풀은 이미 그에게 "현재 이 나라가 전쟁에 나서기는 전적으로 불가능할 것"이라고 경고했었고, 북아메리카에서 아직 전쟁을 치르고 있는 와중에 영국 의회가 유럽에서 새로운 무력 충돌에 동의해줄 리는 만무했다.[33] 오스트리아는 재정난에 시달리고 이탈리아 사안에 정신이 팔려 있었으므로, 빈이 러시아를 상대로 대규모 군사행동을 감행할 수 있을지는 의심스러웠다. 하지만 이 계책은 통했다. 동맹의 세부 내용은 비밀이었지만 동맹이 결성되었다는 소식이 조심스레 새나가자 러시아와 프로이센의 대표단은 깜짝 놀랐다. 유럽 전면전의 가능성에 직면하자 알렉산드르 황제도 프리드리히 빌헬름 국왕도 자신들이 이미 차지한 것을 걸고 도박을 할 각오는 없었고, 속담에서 말한 대로 두 사람 모두 수풀 속 새 두 마리보다는 수중의 한 마리를 택했다.[34]

위기는 2월에 이르자 사실상 끝났다. 오스트리아는 폴란드-작센 문제를 해소할 최종 합의의 기반이 되는 제안서를 내놓았다. 강대국들은 폴란드가 외견상으로 독립 왕국이지만 러시아의 보호령이 되는 데 동의했다. 프로이센이 바르샤바를 내놓았지만 포젠과 토른은 그대로 보유했고, 오스트리아도 갈리치아 지방을 계속 보유했으므로 이 폴란드 국가는 알렉산드르 황제가 원래 희망했던 것보다 크게 줄 어든 판본—12만 7천 제곱킬로미터 면적에 인구는 약 320만 명— 이었다. 크라쿠프는 오스트리아-프로이센-러시아의 공동 보호를 받 는 자유시로 선언되었다. 유사한 타협이 작센에서도 이루어져서 프 로이센은 작센 영토의 5분의 2를 (인구 약 90만 명과 함께) 받는 대신 나머지 영토는 그곳의 정당한 군주 프리드리히 아우구스투스 1세 아래 남았다. 프로이센의 고위 장교들은 이 합의에 실망한 기색이 역 력했고 프로이센 영토를 "30만 폴란드인과 그만한 수의 작센인들"로 교환한 것에 대해 느끼는 블뤼허의 좌절감과 분노를 공유했다. 블뤼 허가 보기에 작센인들은 "우리를 미워하며, 충실하고 자기를 희생하 는 이 형제들을 절대 대신할 수 없"었다.[35] 폴란드-작센 문제는 빈 회 의에서 논의된 다른 어느 쟁점보다 더 많은 에너지와 협상, 감정을 소모시켰다. 하지만 일단 해소되자 대표단은 다른 주제들에서 합의 에 상당한 진전을 보였다. 있을 수 없을 것만 같은 사건이 돌연 일어 나 회의가 중단되기 전까지는 말이다.

1815년 3월 나폴레옹은 프랑스로 대담한 귀환을 감행해 유럽을 기 절초풍하게 만들었다. 엘바섬의 축소판 왕국을 열심히 다스리던 열 달 동안 황제한테는 유럽 본토로부터 정보가 아낌없이 흘러들어왔 다. 따라서 그는 여기저기 불만이 팽배해 있으며 자신이 프랑스에서 여전히 인기를 누리고 있음을 알았다. 동맹 세력의 곤경들, 특히 프랑스 부르봉 왕가가 어려움을 겪는 모습을 지켜보는 것은 물론 즐거운 일이었다. 지난 사반세기를 망명지에서 보낸 루이 18세의 군주정은 악의에 차 있지도 전제적이지도 않았고, 프랑스 국민에게 평화와 안정을 되찾아주길 바랄 뿐이었다. 하지만 복귀한 왕정의 일부 지지자들이 보이는 일방적인 경향과 변화된 프랑스 사회의 현실을 화해시키는 데 애를 먹었다. 루이 18세는 나라의 상처를 치유하고 자신이 선언한 대로 "두 국민들을 하나로 융화"하려는 강한 열망을 품고 귀국했다. 프랑스는 정말이지 양쪽으로 쪼개져 서로 대립하는 나라였다. 많은 사람들이 왕의 귀환을 환영했다면, 그만큼 많은 사람들이 여전히 나폴레옹을 지지했다. 더욱이 막 귀환한 골수 망명 귀족들(극렬왕당파로 알려지게 된다)들은 혁명이 프랑스에 몰고 왔던 사회적·정치적 변화들을 싹 뒤집길 원했다. 하지만 국왕은 동맹 세력의 바람을 충족시키고 대중의 정서를 진정시키기 위해 1814년의 헌장을 수여하는 데 동의했다. 1814년 헌장은 자유주의적 헌법, 다시 말해 프랑스 혁명이 가져온 사회적 변화들과 나폴레옹의 행정 조직을 그대로 유지하고, 대의 정부와 내각 책임제, 시민적 자유와 권리의 보호를 약속하는 헌법이었다.[36] 그것은 "모든 정의는 국왕으로부터 나온다"라고 선언했지만 한편으로 나폴레옹 법전과 여타 법률 개혁들을 보전해, 사회 조직과 기회의 평등만 놓고 보면 프랑스가 보수적 이데올로기의 지배를 받는 유럽 대륙에서 빛나는 예외로 남게 만들었다.[37]

하지만 도저히 끝이 없어 보이던 전쟁의 종식에 깊은 안도감을 느끼면서도 프랑스인들은 한편으로 새로운 정부에 환멸을 느끼게 되었다. 실제로 부르봉 왕가는 누군가가 재치 있게 표현한 대로 "그들은 아무것도 안 배우고 아무것도 잊지 않았다"라는 것을 드러냈다. 극렬왕당파는 수는 적었지만 이전 권력과 재산을 되찾으려는 야심에 서는 목소리가 컸다. 그들이 혁명에 맞서 싸웠던 사람들을 기리는 의 례를 거행하겠다고 고집하자 신정부에 자리 잡고 있는 편견들에 관 해 심각한 의문이 제기되었다. 많은 이들이 삼색기에서 부르봉 왕가 의 백색기로 국기가 교체된 것을 못마땅하게 여겼고, 프랑스의 사안 에 간섭하는 동맹국 대리인들의 존재에 반발했다. 비록 국왕은 극렬 왕당파의 요구를 전부 들어주지는 않았지만 아직 국가 소유로 남아 있는 재산을 돌려주기로 한 결정에 이전 사반세기 동안 교회나 귀족 의 재산을 매입한 많은 프랑스 시민들이 불안해했다. 혁명기에 이루 어진 토지 처분이 뒤집히고 봉건적 부담과 교회의 세금이 되살아날 것이라는 소문이 농민들 사이에서 무성했다.

애초에 국민적 지지가 부족한 부르봉 군주정은 불가피하다고 는 해도 민심을 잃는 결정들을 잇달아 내놓으면서 상황을 더욱 악화 시켰다. 헌장을 부여하기로 한 결정도 역풍을 불러왔는데, 공화주의 자들과 보나파르트주의자들이 시민적 자유를 이용해 정부를 공공연 히 비판하고 나섰기 때문이다. 정부가 검열을 시행하자 항의의 목소 리가 심지어 과거 나폴레옹 반대파 지식인들한테서까지 쏟아져 나왔 다. 게다가 부르봉 왕정이 세금을 인상하고 제정의 전쟁 기구와 군사 자원들을 해체할 것이라는 점은 불가피했다. 둘 다 재정 위기, 전쟁 의 종식, 제국의 상실, 그리고 대륙의 나머지 국가들에 대한 프랑스 의 평화로운 노선 때문에 부득이한 일이었다. 전역당한 병사들과 봉 급이 절반으로 깎인 채 휴직당한 장교들 수천 명은 극렬왕당파가 정 부와 군의 고위직에 임명되는 모습을 지켜보며 당연히 울분을 느낄 수밖에 없었다. 불만에 찬 관리들과 병사들이 이내 부르봉 정부에 대한 증오의 씨를 뿌리고 나폴레옹 전설의 토대를 놓으면, 프랑스 여기저기로 퍼져나갔다. 민심과 괴리된 채 나이 지긋한 병약자가 다스리는 군주정과 대조적으로 나폴레옹은 다시금 행동하는 위인으로 빛났다. 제정의 잘못들은 금방 간과되었고 그 대신 대중의 초점은 과거의 영광들로 옮겨갔다. 병사들은 승승장구하던 전역들을 회상하면서 위안을 얻었다. 농민들은 여러 결점들에도 불구하고 나폴레옹 정권이라면 이전에 교회와 귀족의 소유였던 토지를 다시 내놓으라고 요구하지 않았을 것이라고 생각했다. 현실적으로 극렬왕당파가 이전의 토지와 특권적 지위를 되찾는 일은 불가능했겠지만 대중적 인식이 현실적 가능성보다 더 중요했다. 심지어 헌장은 국왕이 국민에게 내려준 "선물"이라는 표현도 문제가 되었다. 많은 이들이 자식이 없는 루이 18세 치하에서는 헌장이 무사하겠지만 그의 동생이자 후계자로서, 훨씬 더 보수적이고 사고가 편협한 아르투아 백작 샤를이 즉위하면 위태로워지지 않을까 걱정했다.[38]

엘바섬의 포르토페라이오 궁전에서 나폴레옹은 프랑스의 정세 변화는 물론 빈에서 전승 동맹국들 간 전리품을 둘러싼 격한 다툼을 면밀히 주시했다.[39] 1815년 2월 하순에 이르자 그는 국민들이 이제는 그저 그런 정부를 견딜 만큼 견뎠으니 자신을 다시 기꺼이 맞아줄 것이라고 생각하고 프랑스로 귀환하기로 결심했다. 또 이미 자기들끼리 치고받고 있는 동맹 세력은 고작 루이 18세를 왕위에 계속 앉혀주기 위해 또 한 번의 전면전을 감수할 리 없으리라는 판단도 귀환을 결행한 이유였다. "내가 무슨 역사적 선례에 자극받아 이런 대담한 모험에 나서는 건 아닐세"라고 그는 한 동행자에게 말했다. "그보다는 사람들을 사로잡을 충격, 국민의 정서, 동맹 세력에 대한 반감, 내 병사들의 애정, 한마디로 말하면 아름다운 우리 프랑스에 여전히 싹 트는 나폴레옹다운 모든 요소들을 고려했지."⁴⁰ 2월 26일, 참모들과 약 1천 명의 병사를 대동한 그는 엘바섬을 떠나 프랑스로 출항했다.

다음에 일어난 일—세간에서는 독수리의 탈출vol d'aigle이라고 부르던—은 확실히 역사상 가장 대담하고 손에 땀을 쥐게 하는 모험 가운데 하나였다. "독수리는 종탑에서 종탑으로 날다가 마침내는 노트르담의 첨탑에 당도하리라"라고 나폴레옹은 1815년 3월 1일 쥐앙만의 바닷가에 상륙해 발표한 포고문에서 약속했다.⁴¹ 그리고 현실은 약속대로 드러났다. 수도를 향해 나아가는 동안 나폴레옹은 전년도에 더 보수적인 지역들을 지나갈 때 겪었던 뼈아픈 경험들을 잊지 않아서 도피네 지방같이 더 동조적인 지역들로 발길을 돌렸고, 구체제가 되살아날지도 모른다고 진심으로 두려워하는 도시민들과 농민들의 열렬한 환호를 받았다. 군대도 그를 부르봉 왕가보다 훨씬 낫다고 여겼다. 장군들이 병사들을 국왕 편으로 규합하려고 하자 장교들은 "당신들이 '국왕 만세!'라고 외치면, 우리와 병사들은 '황제 만세!'라고 대답할 것"이라고 대꾸했다.⁴² 나폴레옹을 체포하러 파견된 국왕의 분견대는 라프레 마을에서 짜릿하고도 감정이 북받치는 조우를 통해 통째로 편을 바꿨다. 나폴레옹이 길을 가로막고 있던 병사들에게 다가가자 국왕에 충성하는 한 장교가 발포하라고 명령했지만 아무도 명령을 따르지 않았다. 그 대신 나폴레옹은 자신에게 머스킷총을 겨누고 있는 병사들을 향해 한 발 한 발 다가가면서 외쳤다. "제군들이여! 나는 제군들의 황제다. 나를 못 알아보겠는가? 자네들 중 어느 한 명이라도 자기가 모시는 장군을 기꺼이 죽이겠다면, 자 어서

쏘게." 여기에 "황제 만세Vive l'empereur !"라는 함성이 돌아왔고 병사들은 앞다투어 달려 나가 황제를 끌어안았다.[43]

지지가 쏟아지자 더욱 기운을 얻은 나폴레옹은 수도로 신속히 나아갔다. 위험천만하게 시작된 행진은 의기양양한 개선 행렬로 탈바꿈됐다. 그르노블에서는 군중이 도시 외곽으로 몰려나와 그를 맞이했고, 시장이 도시 성문 열쇠를 들고 달아나는 바람에 도시 정문들을 때려 부순 다음에 황제에게 도시를 바쳤다. 3월 10일, 나폴레옹은 리옹에 있었다. 거기서 그는 황제의 칙령을 내리기 시작하고 미셸 네 원수가 이끄는 병사들을 비롯해 국왕에 대한 충성을 팽개치고 그의 편으로 돌아선 병사들을 맞아들였다. 네는 앞서 국왕에게 나폴레옹을 "쇠창살에 가둬" 끌고 올 것이라고 장담했지만 이제는 만천하에 "부르봉 왕가의 대의는 영원히 끝장났다"라고 선언했다.[44] 열흘 뒤인 3월 20일에 나폴레옹은 파리에 입성했고 환희에 찬 군중의 등에 업혀 으리으리한 계단을 통과해 튈르리궁으로 들어갔다. 루이 18세와 궁정은 고작 몇 시간 전에 왕궁을 버리고 벨기에로 도망치고 없었다. 당대의 많은 이들에게 "독수리의 탈출"은 기적이나 다름없어 보였다. "이것은 신이 일으킨 가장 큰 기적이었다"라고 당시 열여섯 살이던 오노레 드 발자크는 외쳤다. "나폴레옹 이전에 과연 어떤 사람이 자기 모자만 보여주었을 뿐인데 제국을 얻은 적이 있을까?"[45] 유럽의 동맹군에게 패배했음에도 불구하고 나폴레옹은 모든 역경을 무릅쓰고 순전히 의지의 힘으로 단 3주 만에 제관을 되찾았다. 동맹 세력이 프랑스에 그렇게 부랴부랴 카드로 쌓아 올린 집은 무너졌다.

하지만 일단 파리에 들어오자 냉정한 현실이 찾아왔고, 나폴레옹은 자신의 귀환이 불러일으킨 뜨거운 국민적 감정 너머를 내다봐야 했다. 나폴레옹은 "국민은 나를 받아들였다. 그들이 다른 사람들은 떠나게 한 것과 마찬가지다"라고 말하며, 대중의 지지가 얼마나 변덕스러운지를 알고 있었다.[46] 그는 제정을 원상복구시킬 수 없다는 점을 이해했다. 상황이 예전과는 다른 뭔가를 요구했다. 그는 부르봉의 실정이 혁명적 이상의 활기를 되찾게 한 것을 알고서 깜짝 놀랐고, 재빨리 이 강력한 힘을 이용하려고 나섰다.[47] 나폴레옹은 혁명의 수호자를 자처했고, 봉건적이고 교권적인 반동으로부터 맞서 농민들의 방패막이 되고, 부르주아 계급이 자신의 치세 때 얻은 것들은 지켜주겠다고 약속하며, 자신의 화법을 청중의 성격에 맞춤했다.[48] 그는 자신을 일부 잘못도 저질렀지만 전쟁이라는 급박한 상황 때문에 그런 잘못을 저지른 통치자로 내세웠다. 그는 동포들에게 자신은 달라졌으며 더 이상 원대한 야심을 품지 않을 것이라고 안심시켰다. "사람이 나처럼 뚱뚱하면서 여전히 야심을 품을 수 있겠소?"라며 그는 두 손으로 자신의 배를 두드리며 농담을 던지기도 했다.[49]

파리에 도착한 지 이틀 뒤에 나폴레옹은 예전의 신하들에게 복귀하라고 청해 다시 정부를 꾸렸다. 그는 마르탱-미셸-샤를 고댕(재무부), 콜랭쿠르(외무부), 다부 원수(전쟁부) 같은 전문 인사들과 더불어 산전수전 다 겪은 노련한 조제프 푸셰(치안부)와 라자르 카르노(내무부) 같은 공화주의자까지 끌어들여 프랑스판 전쏘인재들의 내각을 구성했다. 또한 "나는 대제국이란 생각을 버렸다"라고 공언했다. "지난 15년은 그 제국을 세우는 시작 단계였을 뿐이다. 지금부터는 프랑스 제국의 행복과 강화가 나의 관심사가 될 것이다." 그는 더 대의적인 정부를 약속하고 자유주의 진영의 대표 중 한 명(이자 오랜 비판자)인 뱅자맹 콩스탕에게 제정 헌법에 부속법Additional Act을 기안해달라고 요청했다. 부속법안이 국민투표로 승인되면 자유롭게 선출되어 황제와 나란히 통치하는 양원제 의회가 탄생할 예정이었다. 헌정의 변화는 내각 책임제를 도입하고 검열을 폐지하며, 언론과 표현의 자유를 보호했다.[50] 자신 안에서 새롭게 발견한 혁명적인 이상의 신뢰성을 강조하기 위해 나폴레옹은 25년 전 연방제를 기리는 거대한 축제의 현장이었던 샹드마르스에서 열린 대중 집회를 지지하고, 1789~1791년의 연맹군 fédérés〔공화주의 성향의 국민방위대 자원병〕을 모델로 한 운동의 창립을 허용했다.[51]

나폴레옹의 인생 후기의 전향을 회의적으로 보지 않기란 어렵다. 대중적 열의를 이용하는 데는 열심이었지만 그는 공화주의에 초점을 맞춘 혁명 정신의 부활을 보고 싶지 않았다. 나중에 세인트헬레나섬에 유배되었을 때 그는 부속법을 수용한 일을 후회한다고 시인하는 눈치였고 전역을 승리로 이끌었다면 십중팔구 진짜로 부속법안을 유예하고 양원을 해산할 작정이었을 것이다. 자유주의적 의회가 "심의 기구는 다루기 끔찍한 것"이라고 믿은 나폴레옹과 오래 공존했을 리는 없다.[52] 그리고 부활한 양원으로부터 나온 첫 신호들은 고무적이지 않았다. 6월 초에 하원은 황제가 지명한 후보자를 거부하고 대신 나폴레옹에 반대한 오랜 전력을 자랑하는 과거 지롱드파 혁명가를 하원 의장으로 선출했다. 6월 11일에 황제는 이미 양원에 경고하고 있었다. "여러분, 사방에서 야만족의 침략에 시달리며 파성퇴가 로마시의 성문을 부수고 있을 때 추상적인 문제들을 논의함으로써 후대의 웃음거리가 된 (로마) 제국 말기의 사례를 따라 하지 맙시다."[53]

프랑스 어디서나 나폴레옹을 지지했다고 보기도 어렵다. 앙굴

렘 공작은 남프랑스에서 1만 명 정도의 병력을 끌어 모을 수 있었고 리옹으로 진군했다가 제정 군대에게 패했다. 5월 중순에는 브르타뉴와 방데 지방에서 공공연한 반란이 터져 나왔다. 더 우려스러운 것은 프랑스 남부와 서부의 많은 지역들—플랑드르, 아르투아, 노르망디, 브르타뉴, 방데, 랑그도크, 프로방스—에서 현지의 명사들이 대체로 나폴레옹의 명분을 지지하지 않았다는 사실이다. 내무대신 카르노는 지방의 관리들 다수를 해임하고 충성스러운 간부들을 대체할 수밖에 없었지만 새로 임명된 관리들도 현지의 주민들에게 그다지 신뢰를 주지 못하고 대중의 불만만 더할 뿐이었다. 하지만 백일천하가 나폴레옹 영웅 전설에서 그토록 굉장한 순간인 까닭은 나폴레옹이 궁극적으로 내부적 반대나 반란이 아니라 외세의 개입으로 무너졌기 때문이다. 전쟁이 없었다면 나폴레옹 정권은 복위가 야기한 즉각적인 도전들을 극복하고 살아남았을 것이다. 비록 수만 명의 프랑스인들이 복귀한 나폴레옹 정부에 심드렁한 태도를 보였지만, 혁명적 투지 élan와 호전적인 민족주의, 그리고 새로운 정권을 계속 밀고 나갔을 대중적 보나파르티즘도 전 국민적으로 강력하게 드러났었다.[54] 나폴레옹을 지지하기 위해 뭉친 많은 이들은 스스로 혁명의 유산을 수호하고 있다고 믿었고, 혁명의 유산이란 결국엔 엇갈리는 이해관계와 원칙의 문제였다.

나폴레옹의 귀환이 대단히 비범하긴 하지만 그가 엘바섬에 남았다면 나라에는 더 좋았을 것이다. 동맹 세력이 그를 무찌르기 위해 막대한 비용을 치러가며 10년 넘게 싸웠는데 이제 와서 그의 귀환을 순순히 묵인하리라는 희망을 나폴레옹이 진지하게 품었다는 사실이 놀라울 따름이다. 동맹 구성원들은 내부 분열로 고생했을지도 모르고 그런 입장 차이 중 일부는 깊이 뿌리박힌 것이라 해도, 무엇도 나폴레옹 제국과 상대해온 지난 과거를 잊게 할 수는 없었다. 3월 7일 아침 7시 반에 나폴레옹의 탈출 소식을 듣자마자 메테르니히는 당장 프란츠 황제에게 알렸고, 황제는 그 소식을 알렉산드르 황제와 프리드리히 빌헬름 국왕에게 전하라고 지시했다. 8시 반이 되자 오스트리아 외무대신은 두 동맹 지도자를 만났고, 두 군주는 즉시 병력 동원령을 내리는 데 동의했다. 메테르니히의 표현으로는 "그리하여 한 시간도 채 못 되어 전쟁이 결의되었다."[55]

나폴레옹 자신은 평화로운 의향을 품고 있을 뿐이라고 동맹 세력을 설득하려 했지만, 당연히 모든 외교적 채널은 막혀 있었고 어느 열강도 그의 제안을 고려할 의사가 없었다. 그 대신 그의 귀환 소식에 동맹 세력은 전기 충격이라도 받은 듯 정신을 차렸다. 빈에 모여 있던 8대 강국의 전권대표들은 루이 18세에 대한 지지를 천명하고 나폴레옹을 "세계의 평온을 해치는 적"으로 규정했으며, 1814년의 파리 조약을 깨뜨림으로써 스스로 무법자가 되었다고 규탄했다. 유럽 세계의 나머지 대다수도 동맹 세력을 지지했지만, 나폴리 왕위를 되찾을 꿈을 아직 버리지 않았던 뮈라 원수는 나폴레옹에 대한 지지를 선언했다. 뮈라의 행동은 중요한데, 오스트리아가 입장을 바꿀 수 있지 않을까 나폴레옹이 일말의 기대를 품었다 해도 뮈라가 교황령을 침공해 이탈리아인들에게 들고일어나 자신을 국왕으로 받아들이라고 호소한 순간 그 기대는 물거품이 되어버렸기 때문이다.[56]

나폴레옹이 파리에 입성한 지 닷새 뒤인 3월 25일에 이르자 8대 강국은 7차 대불동맹을 구성하기 위한 실질적인 문제들을 처리하고 있었다. 그들은 저마다 군대를 제공하고, 나폴레옹이 확실하게 패배해 동맹조약의 표현대로 "더는 말썽을 일으키는 게 절대적으로 불가능할 때까지" 무기를 내려놓지 않기로 서약했다. 동맹 세력은 12만 명에 가까운 프로이센군(블뤼허가 이끌었다)과 대략 10만 병력의 영국 연합군(웰링턴 공작 휘하)이 벨기에를 침공해 프랑스 북서부를 위협하는 사이, 20만 명이 넘는 오스트리아군(슈바르첸베르크 휘하)이 상上라인에 자리를 잡을 계획이었다. 한편 러시아 육군 원수 바르클라이 드 톨리는 중中라인으로 15만 명의 병력을 이끌고 오고 7만 5천 명의 오스트리아-이탈리아군(요한 프리몬트 장군이 이끌었다)은 프랑스 남동부 국경을 넘을 작정이었다. 변함없는 반反나폴레옹 은행인 영국은 대불동맹에 500만 파운드의 전비를 대기로 약속했다.

마지막 전역을 비춰볼 때 동맹군이 프랑스 국경을 넘어올 때까지 기다리는 것은 나폴레옹에게 군사적으로 또 정치적으로 대참사나 다름없었으리라. 나라는 분열되어 있고 불안을 감추지 못하는 데다 적은 무려 70만 명이 넘는 병력을 전장에 동원할 작정이었다. 나폴레옹이 바랄 수 있는 유일한 기회는 프랑스인을 하나로 결집시키고 대불동맹을 쪼갤 신속하고 압도적인 승리였다. 귀환한 지 석 달 만에 황제는 25만이 넘는 군사를 일으켰지만 왕당파 반란을 진압하고 남부와 남동부 국경을 방어하는 데 필요한 병력을 빼고 나면 라인강 방면에서 동맹군 침공에 맞서 나폴레옹이 동원할 수 있는 병력은 13만 명에 그쳤다. 1814년과 대조적으로 이번에는 다시 한번 제국의 독수리 군기 아래서 싸울 열의가 넘치는 역전의 용사들(포로로 잡혔다 풀려난 귀환병을 비롯해)이 많았던 반면에 구할 수 있는 장교들, 특히 장군들의 측면에서 선택지는 심하게 제한적이었다. 이전의 장군들 가운데 태반이 나폴레옹 편으로 넘어왔다. 그래도 상당수는 여전히 멀찍이 거리를 두거나 나폴레옹 편으로 넘어오길 거부했다. 마세나 원수와 맥도널드 원수는 군대를 지휘해달라는 제의를 거절했고, 다른 네명의 원수—빅토르, 마르몽, 오주로, 베르티에—는 루이 18세와 함께 프랑스를 떠나서 원수 명부에서 이름이 지워졌다. 나폴레옹은 누구보다 없어서는 안 될 베르티에가 돌아와 주길 바랐지만 지칠 대로 지치고 세상에 환멸을 느낀 베르티에 원수는 6월 1일, 밤베르크 자택 위층 창문에서 떨어져 죽었다. 남은 원수들 가운데 쉬셰는 알프스 지역을 맡은 한편, 어쩌면 원수들 가운데 가장 유능할 다부는 전쟁대신으로서 파리에 남으라는 요청을 받았는데, 지금도 많은 나폴레옹 애호가들이 안타까워하는 결정이다. 유능한 다부 대신 나폴레옹은 싸움터로 나가면서 세 원수, 즉 참모장으로서 경험이 없었던 니콜라 술트, 전역으로 점철된 지난 3년 동안 쌓인 심신의 긴장에서 완전히 회복하지 못해 힘들어 하던 미셸 네, 훌륭한 기병대 지휘관이지만 독자적인 지휘 능력은 검증된 바 없이 갓 원수로 진급한 에마뉘엘 그루시를 대동했다.

적대행위 발발 당시 전략적 상황을 보면 나폴레옹은 보몽 지역에 집결한 12만 8천 명의 병사와 함께 북프랑스에 있었다.[57] 그는 오스트리아와 러시아 군대는 7월 전까지는 프랑스 동부 국경에 도달하지 못한다는 것을 알고 있었다. 그의 즉각적인 상대는 네덜란드 남동부에 배치된 프로이센 군대—군대의 우두머리는 블뤼허였지만 실제 두뇌는 그나이제나우였다—와 프랑스 국경 바로 옆 샤를루아에 자리 잡고 있는 비프레히트 그라프 폰 치텐의 제1프로이센 군단(3만 병력)이었다. 북서쪽으로는 웰링턴이 영국, 네덜란드, 벨기에, 독일 병사들로 이루어진 10만 병력의 혼성 군대를 이끌고 브뤼셀 주변에 자리를 잡고 있었다. 나폴레옹의 작전은 프로이센군과 영국 연합군 사이에 자리를 잡고 이 중앙의 위치를 이용해 적군을 서로 떼어놓은 다음 하나씩 격파하는 것이었다. 프랑스 군대의 집결은 매우 효과적으로 구상되고 실행되어 블뤼허와 웰링턴 어느 쪽도 6월 14일에 프랑스군의 공세 개시를 알아차리지 못했다. 프랑스군은 양익(미셸 네와 그루시가 각각 지휘했다)과 예비 병력(나폴레옹이 친히 지휘하는 제국 근위대)으로 나뉘었는데 나폴레옹의 전략상·작전상 목표에 꼭 들어맞는 대형이었지만, 양익의 움직임을 조율하기 위해서는 효과적이고 시의적절한 참모 작업이 요구될뿐더러 무엇보다도 양익의 지휘관들이 나폴레옹의 의도를 명확하게 파악하고 있어야 했다.[58]

6월 15일에 이르자 전략적 상황은 분명히 프랑스군에 유리했다. 적군은 알고 보니 대응이 느렸다. 프랑스군의 공세 소식을 듣고 화들짝 놀랐을 때 웰링턴은 여전히 브뤼셀에 머물면서 리치먼드 공작부인의 유명한 무도회에 참석 중이었다. 적의 집결과 진군 속도에 충격을 받은 웰링턴은 "하느님 맙소사, 나폴레옹에게 속고 말았어!"라고 외쳤다고 한다.[59] 한편 블뤼허는 리니 부근에 병력을 집결시키기로 결정해 영국 연합군이 당도하기 전에 프랑스군이 자신들을 괴멸시킬 기회를 준 꼴이었다. 그에 따라 나폴레옹은 북부군을 이끌고 벨기에로 진격해 6월 16일 리니에서 블뤼허를 무찔렀다. 이 승리는 프로이센군 8만 명 가운데 5분의 1의 병력 손실을 안기고 하마터면 블뤼허의 목숨까지 앗아갈 뻔했다.[60] 하지만 리니는 나폴레옹의 원래 의도에는 한참 못 미쳐서 전략적 패배로 이어지는 전술적 승리의 으뜸가는 사례다. 프로이센군은 웰링턴이 평가한 대로 "빌어먹게 두들겨 맞았을지"도 모르지만 여전히 조직력을 갖춘 군대, 대오를 갖춰

질서정연한 퇴각을 수행할 능력이 충분한 유능한 장교들이 이끄는 군대였다. 나폴레옹은 프로이센군과 맞붙는 사이에 미셸 네에게 북서쪽으로 진군해 도로가 교차하는 요충지인 작은 마을 카트르브라에 적군이 있으면 제압한 다음 프로이센군의 우익을 에워싸라고 지시했다. 나폴레옹은 예비 병력을 이동시켜 프로이센군과 맞서고 있는 좌익을 지원한 다음, 서쪽으로 방향을 틀어 네와 합류해 브뤼셀로 진격할 작정이었고, 그랬다면 브뤼셀에서 영국 연합군은 패했을 것이다. 제대로 실행되었다면 그 작전은 십중팔구 개전 첫 주 만에 두 동맹 군대에게 패배를 안겼을 것이다.

하지만 작전은 틀어지고 말았다. 제대로 된 참모부를 세우지 못했고, 아리송한 문안으로 명령서를 작성해 보낸 술트의 잘못도 크지만 전체적 전략을 파악하지 못한 미셸 네의 무능력은 더 심각했다. 그는 쓸데없이 조심스럽게 브뤼셀 도로를 따라서 진격했고 강하게 밀어붙였다면 늦어도 아침 11시까지 카트르브라를 장악할 수 있었을 것이다. 그 대신 그는 오후까지 작전을 연기해, 허를 찔린 웰링턴이 교차 지점을 지키고 있는 네덜란드-벨기에 사단 소속 소규모 독일인 여단을 지원할 증원군을 급파할 시간을 허용했다.[61] 프랑스군이 공격을 개시했을 때는 적군이 이미 단단히 자리를 잡고 있어서 그냥 밀어붙일 수 없었다. 답답해진 미셸 네는 원래는 좌익에 배치되었지만 나폴레옹이 리니에서 프로이센군을 완파하기 위해 호출한 에를롱 백작 장-바티스트 드루에 장군의 군단을 카트르브라로 돌리고자 했다. 에를롱이 무슨 영문에선지 방향을 튼 것을 알게 된 네 원수는 카트르브라로 돌아오라는 급전을 보냈다. 결국 이렇게 서로 엇갈리는 명령이 내려와 에를롱은 어느 쪽 전투에도 참가하지 못한 채 그날 하루를 거의 카트르브라와 리니 사이를 왔다 갔다 하며 보내야 했고, 프랑스군이 결정적 승리를 거둘 기회는 날아가고 말았다.

　　그래도 다음 며칠 동안 전개될 만한 여러 상황들은 나폴레옹에게 순조롭게 보였다. 예비 병력의 전력을 고려할 때 나폴레옹은 프로이센군을 완전히 패주시키거나 브뤼셀부터 카트르브라까지 병력이 길게 배치되어 있는 웰링턴 쪽으로 고개를 돌릴 수도 있었다. 하지만 다음 12시간에 걸쳐 나폴레옹은 그답지 않게 우물쭈물하는 모습을 보이며 제대로 된 추격을 조직하지 못했고, 이튿날이면 프로이센군과의 접촉을 놓치게 되었다. 기강이 잘 잡힌 왕년의 군인은 온데간데없이 그는 늦잠을 잤고 이른 아침 시간의 이점을 허비해버렸다.[62] 나폴레옹이 그루시에게 3만 3천 명의 병사를 이끌고 프로이센군을 추격하라고 지시한 시각은 6월 17일 정오가 다 되어서였고, 그 사이 미셸 네는 완전히 간과되어서 웰링턴을 붙잡아두도록 공격을 재개하라는 새로운 지시를 받지 못했는데, 그랬다면 웰링턴은 나폴레옹에게 손쉽게 패배했을 수도 있다. 그러므로 황제가 카트르브라에서 네에게 합류할 때쯤이면 영국 연합군은 이미 전투에서 빠져나와 몽생장과 워털루라는 두 마을 방면으로 퇴각하고 있었다. 그곳에서 웰링턴은 최소한 프로이센 1개 군단이 도우러 갈 것이라는 블뤼허의 확약을 받고는 적과 싸우기로 결정했다. 나폴레옹은 후퇴하는 영국군을 쫓아갔지만 추격은 딱히 활발하지 않았다. 6월 17~18일 밤사이 폭우가 내려 이동이 쉽지 않았다.

　　1815년 6월 18일, 약 14만 명의 병사들이 오늘날의 벨기에에 있는 나른한 촌락들, 몽생장, 벨알리앙스, 우구몽, 플랑스누아, 워털루로 모여들었다.[63] 전 유럽 대륙까지는 아니라 해도 프랑스 제국의 미래가 걸려 있었다. 추후에 벌어진 전투에서 특이한 점은 그 협소한 범위인데, 수만 명의 병사들이 전투 개시 때 고작 5제곱킬로미터 면적 안에 복작복작하게 투입되었던 것이다. 전선의 길이는 아우스터리츠나 보로디노에서 10킬로미터였던 것과 비교해 3킬로미터 정도에 불과했다. 탁월한 방어형 지휘관인 웰링턴은 가장 좋아하는 입지를 골랐다. 그곳은 적군의 포격으로부터 아군의 보병을 엄호해줄 수 있는 비탈이 뒤에 있었다. 그는 병력을 배치할 때 크게 신경을 써서, 전투 경험이 부족한 네덜란드-벨기에 부대들을 다잡아주도록 든든한 영국군 사단을 곳곳에 나누어 배치했다.

반면에 나폴레옹은 상대방을 얕잡아봤고 반도전쟁을 오래 경험한 장군들이 그 영국군 지휘관과 영국 보병들의 화력에 관해 경고한 내용을 무시한 채 "웰링턴은 형편없는 장군이고, 영국인들은 별 볼 일 없는 병사들이며, 오늘 할 일은 아침을 먹는 것보다 더 어려울 게 없다"라고 큰소리쳤다.[64] 보로디노에서 했던 것처럼 적의 측면을 우회하는 포위 기동을 시도하는 대신 나폴레옹은 동맹군을 박살내어 돌파하는 정면 공격 전술을 택했다. 폭우로 땅이 물에 흠뻑 잠겨서 병력 이동이나 포격이 여의치 않았으므로 그는 프랑스군의 공격을 11시 반까지, 심지어 프로이센 병사들이 우익에 출현했다는 소식이 도착한 순간까지 늦췄다. 나폴레옹은 앞서 프로이센군은 최소 하루는 아무런 활동도 못 할 것이라고 보고 작전상의 고려에서 완전히 무시했고, 그루시가 임무를 완수해 블뤼허가 전장에 도착하지 못할 것이라 예상하고 있었다. "대포 소리"를 듣고 진군을 하지 않은 그루시를 탓하는 데 지금까지 많은 양의 잉크가 할애되어왔고, 나폴레옹 본인도 그 원수를 멸시하는 평가를 남겼다. 하지만 임기응변이 더 적절했을 시점에 하달된 명령을 문자 그대로 따른 복종심으로 독자적인 판단력의 결여를 만회한 그루시의 잘못은 나폴레옹 본인의 오류와 부정확한 명령들로 인해 더 심각해졌다.[65]

오후부터 프랑스군은 적의 대오를 무너뜨리기 위해 정면 공격을 거듭했다. 영국군과 네덜란드, 벨기에, 독일 연합군은 위치를 사수하면서 군건한 결의와 엄청난 화력의 집중을 결합해 공격을 격퇴했다. 이 전투에서 나폴레옹이 보여준 실력은 그다지 눈길을 사로잡지 못하며, 전술적 수준에서 전투의 운용을 미셸 네에게 일임하기로 한 결정은 네가 적의 움직임을 오해하고 영국군 보병을 향해 인상적이지만 완전히 비현실적인 기병 돌격을 지시하는 사태로 이어졌다. 돌격하던 기병들은 방진을 이룬 적군 보병 앞에서 추풍낙엽처럼 쓰러졌다. 나폴레옹이 우구몽에서 전투를 운용한 방식도 그만큼 비효과적이었는데, 원래 그의 의도는 적의 예비 병력을 이끌어내기 위한 분산 공격에 불과했지만 종국적으로는 30개가 넘는 대대(1만 4천 명 정도)가 투입되어 영국군의 방어를 돌파하려고 악전고투했다. 하지만 늦은 오후에 이르자 프랑스군이 라에상을 장악해 영국 연합군 진영의 중앙을 꿰뚫으려는 기미가 보였기 때문에 웰링턴에게는 위험천만한 상황이었다.

바로 이 결정적 순간에 프로이센군이 전장으로 줄줄이 들어오기 시작했다. 그루시를 붙잡아두기 위해 와브르에 군단 한 개를 남겨두고서 블뤼허는 5만 명가량의 나머지 군대를 이끌고 웰링턴을 지원하러 왔다. 프로이센군의 도착은 거듭된 공격에 시달리고 있던 영국 연합군의 사기를 끌어올렸고, 원래는 웰링턴의 중앙을 향해 투입되었을 나폴레옹의 예비 병력을 프로이센군 쪽으로 끌어냈다. 전세를 역전시키기 위한 마지막 필사적인 시도로서 나폴레옹은 정예부대인 제국 근위대를 언덕 등성이로 내보냈지만 심지어 명성이 자자한 이 역전의 용사들도 영국 연합군의 대오를 돌파하지 못하고 머스킷 총알과 포도탄 세례를 받았다. 근위대가 비틀비틀 되돌아오자 나머지 프랑스군 사이에서 한 외침이, 싸움으로 점철된 지난 근 15년 사이에 유럽의 전장에서 결코 들린 적이 없던 외침이 솟구쳤다. "제국 근위대가 후퇴하고 있다La Garde recule!"[66] 모든 것이 끝장났다. 프랑스군 전체가 공황 상태에 빠졌고, 수천 명의 병사들이 전장에서 달아나기 시작했다. 어둠이 깔리자 그때까지 죽거나 부상을 당하거나 생사 불명이 된 사람은 약 6만 5천 명(그중 3분의 2는 프랑스 병사들이었다)에 달했다.

워털루는 전술적 수준(여기서 나폴레옹은 사실상 자신의 권한을 부관들, 특히 정면 공격을 감행하는 것보다 더 나은 전술을 들고 나오지 못하는 미셸 네 원수에게 위임했다)과 작전적 수준(여기서의 실패는 보는 사람의 관점에 따라 리니 전투 이후 그루시의 행위로 초래되었거나 아니면 그로 인해 악화되었다) 모두에서 프랑스군의 총체적인 패배였다. 이런 측면에서 워털루 전투는 유럽에서 프랑스 패권의 종식으로서 마땅히 기려질 만하다. 하지만 영국의 국민적 자긍심에는 다소 기분 나쁘게 들릴지 몰라도 워털루는 새로운 한 세기를 연 전투가 아니었다. 유럽의 운명은 라이프치히의 굽이치는 언덕들에서 이미 결정되었고 빈의 무도회와 여러 경축 행사 와중에 굳어졌다. 역사 결정론처럼 들릴 위험을 감수하고 이 자리에서 주장하자면 나폴레옹은 첫 포탄이 발사되기도 전에 전략적 수준에서 이미 전쟁에 졌다. 사태가 어떻게 전개되었을지라도 동맹 세력이 그를 프랑스의 국가수반으로 받아들이는 상황은 도저히 상상하기 어렵다. 나폴레옹의 구애가 통할 가능성이 있었을지도 모르는 유일한 열강인 오스트리아는 기필코 그를 몰아내려고 벼르고 있었다. 일찍이 1815년 4월 9일에 메테르니히는 "열강은 나폴레옹 보나파르트를 받아들이지 않을 것(이고) 결판이 날 때까지 그와 전쟁을 할 것"이라고 말했다.[67] 1815년 6월에 이르면 대불동맹은 영국, 러시아, 오스트리아, 프로이센부터 네덜란드, 하노버, 포르투갈, 피에몬테-사르데냐, 양시칠리아 왕국, 스웨덴, 에스파냐, 스위스 연방, 나사우 공국, 브라운슈바이크 공국, 토스카나 공국까지 아울렀다. 이것은 나폴레옹이 도저히 전투를 통해 분쇄할 수 있는 동맹이 아니었다. 심지어 개전 전역에서 승리했다 해도 황제가 기정사실을 바꿀 수는 없었을 테고, 기정사실 중에는 그와 맞서 싸우겠다는 동맹 세력의 확고한 결의도 있었다. 워털루에서가 아니었다면 그는 라인란트나 프랑스 북동부의 어느 작은 촌락에서 패배를 맞이했을 것이다. 나폴레옹은 엘바섬을 떠나지 말았어야 했다. 엘바는 그의 비범한 생애에 덜 극적인 결말을 의미했겠지만 덕분에 프랑스의 처지는 더 나았을 것이다. 우리로서는 전쟁이 끝난 뒤에 "그의 천재성을 보여주는 일화들을 들려주다가 곧장 그의 통치에 비난을 퍼붓던" 프랑스의 참전군인들에게 공감하지 않을 수 없다. "그의 장교들은 황제로서는 그를 저주하고 싸움터에서는 (장군으로서) 흠모했다. (…) 어딜 가나 나폴레옹은 '좋은 장군이지만 나쁜 군주bon general, mais mauvais souverain'"[68]로 불렸다.

워털루에서의 참사에도 불구하고 나폴레옹에게는 얼마쯤 전의가 남아 있었다. 6월 21일 파리로 돌아온 그는 "아직은 끝나지 않았다"고 믿고 싸움을 이어가기 위해 30만 명가량의 새로운 군대를 일으킬까 고려하고 있었다.[69] 그루시에 대로했을지 몰라도 나폴레옹은 그루시가 와브르에서 성공적으로 퇴각했다는 소식을 반겼고, 그 퇴각 덕분에 3만 명가량의 프랑스군은 무사했다. 나폴레옹의 측근들은 심지어 그에게 권력을 장악하고 스스로 독재관임을 선언하라고 촉구했다. 하지만 그가 어떤 계획을 세우고 있었든지 간에, 이제는 전쟁에서 졌고 패전의 여파를 완화하기 위해 즉각 조치를 취해야 한다는 사실을 똑똑히 이해하고 있던 이들이 나폴레옹을 가로막았다. 치안대신 조제프 푸셰가 이 막후의 공작을 주도하는 핵심 인물로 부상해 특별위원회를 구성했다. 위원회는 나폴레옹은 제위에서 물러나야 하며 임시정부가 나라를 떠맡아야 한다고 주장했는데, 양원도 이러한 주장에 동의했다.

6월 22일, 나폴레옹은 네 살짜리 아들이자 로마 왕 나폴레옹 2세를 위해 다시 한번 퇴위했다. 하지만 한 당대인의 표현으로는 "사실상 섭정이자 모든 공작의 구심점"이 된 푸셰는 부르봉 왕가의 복귀를 주장했다.[70] 환멸을 느낀 의원들은 나폴레옹으로부터 벗어나고 싶은 마음에 양원을 해산하려는 일체의 시도를 막고자 국민방위군을 소집했다. 웰링턴과 블뤼허가 파리로 진격해오고 루이 18세가 "동맹군의 수송대에서" 뒤따라오고 있는 상황에서 나폴레옹이 더는 프랑스에 머물 수 없다는 점이 갈수록 분명해지고 있었다. 6월 29일 그는 대서양을 면한 해안으로 가서 나흘 뒤 로슈포르에 도착했고 거기서 미국으로 도피하는 방안을 고려했다. 영국의 해상 봉쇄로 그런 모험은 실현 가능성이 낮아 보였다. 그 대신 갈팡질팡하며 거의 2주를 보내다가 황제는 7월 15일, 영국의 섭정 왕세자에게 피난처를 구하며 쓴 유명한 편지를 들고 영국 전함 벨레로폰호의 프레더릭 루이스 메이틀

런드 함장에게 자신을 의탁했다. "나의 정치적 경력은 끝났습니다. 나는 테미스토클레스처럼 영국인들 한가운데 자리 잡고자 왔습니다. (…) 나의 적들 가운데 가장 막강하고, 변치 않고, 관대한 적에게."[71]

나폴레옹은 잉글랜드 시골의 신사로 안착할 의욕을 품고 있었던 모양이지만 그의 호소는 영국 정부를 난처한 처지에 빠뜨렸다. 권력과 변화를 그렇게 강력히 상징하는 인물이 다른 곳도 아닌 브리튼 제도에서 안식처를 찾는 것은 있을 수 없는 일이었다. 누구도 나폴레옹이 그냥 사적인 삶으로 물러날 거라고는 도저히 상상할 수 없었다. 나폴레옹 전쟁 말기에 영국에 나타났던 급진적 저류들을 고려할 때 그가 어떤 식으로든 공적인 사안에 연루되기라도 하면 심각한 위험 요소가 될지도 몰랐다. 더욱이 8월 2일, 승전 동맹국들은 나폴레옹이 전쟁 포로이며 그를 탈출할 수 없는 장소에 가둬야 한다는 결정을 내렸다. 동맹국들은 그런 장소를 찾는 과제를 영국에 일임했다. 신중하게 논의한 끝에, 영국 정부는 전쟁이 계속되면서 영국 대중이 나폴레옹을 부르게 된 이름으로 부르자면, "보니Boney"를 가장 가까운 아프리카 해안에서도 2400킬로미터 이상 떨어져 있고 프랑스에서는 7200킬로미터 정도 떨어진 남대서양의 황량한 섬 세인트헬레나로 보내기로 결정했다.[72] 영국 해군이 대서양을 지배했으므로 세인트헬레나에서 탈출하기는 사실상 불가능했다. 혹시라도 모를 가능성을 더욱 줄이고자 영국 정부는 거센 바람이 휘몰아치는 롱우드의 외딴 집에 사는 나폴레옹을 감시하기 위해 소규모 수비대를 주둔시켰다. 소수의 개인 수행원들에 둘러싸인 몰락한 황제는 생애의 마지막 6년을 자신을 억류한 영국인들과 티격태격하고, 그의 마지막이자 의심의 여지없이 가장 성공적인 전역, 즉 후대의 명성을 위한 전역을 치르며 보냈다.

평행 우주의 역사를 상상하는 것은 위험한 일이다. 그래도 나폴레옹 전쟁이 다르게 끝났다면 유럽이 더 좋아졌을까 하는 억측을 시도하지 않을 수 없다. 나폴레옹의 정복은 물론 착취와 더불어 지독한 탄압을 가져왔다. 하지만 프랑스 군대는 혁명의 이상들을 토대로 수립된 각종 개혁 조치들도 함께 가져왔다. 그들은 법적 평등과 개인적 자유, 재산권의 불가침성을 약속했다. 종교적 관용을 선포하고 행정과 사법 체계를 개혁하고, 도량형을 표준화했다. 그의 결점들이 무엇이었든지 간에 그리고 얼마나 많았든지 간에 나폴레옹은 유럽 대다수의 독재적인 통치자들보다 더 계몽된 인물이었고, 그의 패배는 근대 사회를 떠받치는 많은 이상들의 후퇴를 의미했다.

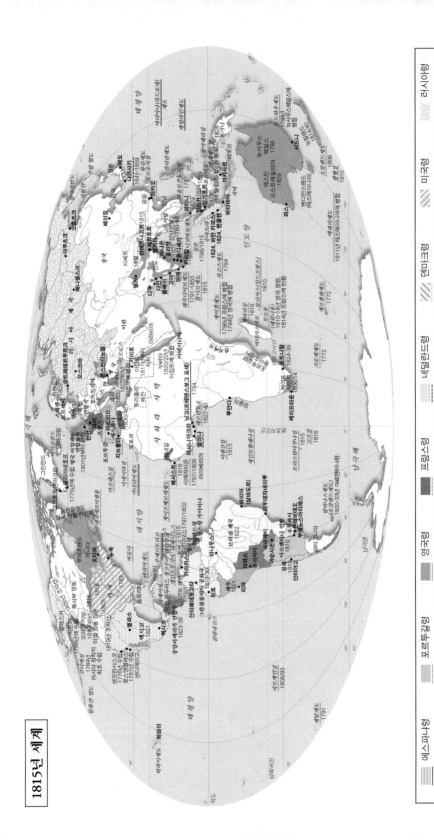

1815년 세계

지도 29 1815년 세계

에스파냐령 · 포르투갈령 · 영국령 · 프랑스령 · 네덜란드령 · 덴마크령 · 미국령 · 러시아령

24장

대전쟁의 여파

워털루 전투는 당대의 (특히 영국에서) 많은 이들이 대전쟁Great War이라고 여기게 된 전쟁의 마침표를 찍었다. 전투는 수십 년 동안 지속될 비교적 평화로운 시대의 개막을 알렸고 장기적 평화는 유럽이 혁명의 격랑과 참화로부터 회복하는 것을 도왔다. 새 시대를 향한 결정적 발걸음은 워털루 전투가 벌어지기 딱 9일 전 빈 회의가 유럽의 지도를 새로 그리는 작업을 완료하고 그 정치적 재편에 따른 중대한 변화들을 정리한 최종 의정서를 채택할 때 내디뎌졌다.[1]

빈 회의에서 도출된 나폴레옹 전쟁 이후 평화 정착은 네 가지 원칙을 토대로 했다. 첫째, 유럽 열강은 어느 한 나라가 유럽을 지배하는 상황을 막고 평화 유지에 협력적인 접근법을 장려함으로써 정치적·군사적 세력들 간의 국제적 평형 상태를 유지하고자 했다. 비록 강대국들의 이해관계는 수시로 충돌했지만 그들은 유럽 협조 체제Concert of Europe를 구축해 자신들의 주권을 잠재적 침략자(들)로부터 안전히 지키기에 충분한 상호 이해관계가 있었고, 유럽 협조 체제의 주요 목적은 평화와 안정이었다. 나폴레옹 전쟁이 유럽을 다소 불균형적으로 만들었기 때문에 이는 전통적인 의미의 세력 균형은 아니었다. 1819년, 프랑스의 대주교이자 제법 예리한 정치적 관찰자였던 도미니크 드 프라는 "두 거인이 이제 유럽에서 자리를 잡았으니, 영국과 러시아다. (…) 예전에 이 신질서가 도래하기 전에도 지배적 강국들이 존재했던 것은 사실이나 그때는 강국들이 배타적인 우위를 누리지 않았고 다른 나라들을 상대로 그렇게 과도하게 힘을 휘두르지도 않았다"라고 개탄했다. 프라는 유럽의 새로운 정치질서가 더는 세력 균형 원칙을 토대로 한 것으로 간주될 수 없으며 그보다는 영국과 러시아의 헤게모니를 반영한다고 결론 내렸다.[2] 대주교의 평가는 이노 크레이와 폴 슈뢰더를 비롯해 이후 많은 역사가들의 저술에서도 공명을 일으켰지만 탈나폴레옹post-Napoleonic 시대의 정세에는 그보다 미묘한 접근이 필요하다.[3] 영국과 러시아가 나폴레옹 전쟁 이후에 막강하긴 했어도 유럽 안보 체제는 반드시 양극적이지는 않았고 여전히 다른 국가들의 적극적인 개입을 허용하면서 계속해서 유동적이고 유연했다.[4] 러시아에 대한 균형추 역할을 할 수 있게 프랑스를 지나치게 약화시키지 않기로 하고, 프랑스에 맞선 보루가 될 수 있게 오스트리아와 프로이센을 전전의 지위로 복귀시키기로 한 동맹 세력의 결정에는 자국 이익의 추구와 정치적 균형에 관한 전통적인 관념들이 깔려 있었다. 빈 회의 이후로 거의 한 세기 동안 이 평형 상태를 유지하려는 욕구가 유럽 국제관계의 중요한 구성 요소였다. 그것은 나폴레옹 전쟁 이후 40년간의 평화를 가져온 한편, 19세기 후반기의 무력 분쟁들은 결코 더 커다란 전화戰禍로 탈바꿈하지 않았다. 사실상 모든 유럽 국가들이 빠짐없이 개입한 장기 무력 분쟁이 여러 차례 일어났던 18세기와 달리 탈나폴레옹 유럽의 무력 분쟁은 대체로 두 나라나 세 나라가 개입한 사건이었고, 2년 이상 지속된 적이 드물었다.

두 번째는 정당성의 원칙으로서, 이 원칙은 합법적인 군주정들을 복귀시키고 그리하여 대륙에서 전통적인 제도들의 보전을 외견상으로는 꾀했다. 프랑스 혁명 기간 동안 그리고 나폴레옹 치하에서 많은 군사적 승리에도 불구하고 기존의 귀족계급이 주관하는 군주제 국가들의 구질서는 살아남았고 궁극적으로 전쟁에서 승리했다. 하지만 자유주의의 주요 관념들—개인의 자유, 법 앞에서의 평등, 자유방임 경제—은 1815년에 결코 패배한 게 아니었다. 탈나폴레옹 시대에 자유주의가 중간계급과 동일시되면서 많은 지식인들과 더 큰 사회집단들은 자유주의 이데올로기가 자신들의 필요를 충족시켜줄 만큼 더 멀리 나아가지 않는다고 느꼈다. 군주제를 공화정으로 교체하길 열망한 새 세대의 급진주의자들은 더 큰 경제적·사회적 평등을 추구했고 이런 목표들을 달성하기 위해 폭력적 수단도 마다하지 않았다. 이들의 생각은 자유주의자들도 지지하기 어려운 매우 과격한 사상이었다. 보수 정권들에 맞선 투쟁에서 자유주의자들과 급진주의자들은 때로는 힘을 합쳤지만 딱 어느 정도까지였다.

프랑스 혁명이 폭발시킨 급진적 변화들은 프랑스와 더불어 저지대 지방, 이탈리아, 독일 가운데 나폴레옹이 자신의 제국으로 편입시켰던 지역들에 가장 심대한 충격을 미쳤다. 한편 경제적 자유주의는 영국에서 가장 열성적으로 수용되었다. 변화의 영향은 라인강 동쪽에서는 더 가벼웠고 대체로 농업 중심적인 동유럽 사회들에서는 제한적인 진전만 보였다. 프로이센의 진보적인 개혁들은 프랑스의 혁명적 영향보다는 내부—프랑스를 무찌르기 위해 나라를 근대화해야 한다고 확신한 프로이센 군부와 문민 관료들—에서 기인했다. 중유럽의 더 작은 나라들은 말할 것도 없고, 프로이센과 오스트리아에서 권위는 여전히 대중적 운동으로 군주제 질서가 전복되는 것을 막는 데 혈안이 된 귀족계급 수중에 있었다. 귀족계급은 보수주의에서 급진주의의 물결에 맞서 싸우는 데 유용한 정치·사회 철학을 찾아냈다.

보수주의 철학의 기틀은 1790년 영국의 정치 이론가 에드먼드 버크가 《프랑스 혁명에 관한 고찰》을 출간했을 때 닦였고, 도를 넘은 혁명적 행위들에 질겁한 후세대 보수적 작가들에 의해 가다듬어졌다. 이 작가들은 사회는 인민과 정부 간의 "사회계약", 즉 필요할 때면 다시 고쳐 쓸 수 있는 사회계약을 기반으로 한다는 주장을 일체 배격했다. 그들은 사회란 과거와 현재, 미래 세대 간 영구적인 동반자 관계, 다시 말해 러시아 보수주의적 작가 니콜라이 카람진의 표현을 빌리면, 수백 년에 걸쳐 진화해왔고 사멸하지 않으려면 과거로부터 결코 단절될 수 없는 살아 있는 사회적 유기체라고 주장했다.[5] 살아 있는 만물과 마찬가지로 국가는 신의 피조물이며, 어느 한 세대도 사회를 파괴할 권리는 없다. 그보다는 다음 세대로 물려주는 것이 한 세대의 도리다. 그러므로 새로운 권리와 자유라는 것도 자연법의 추상적 개념들에 토대를 둘 수 없고 이미 존재하는 권리와 전통으로부터 유래해야 한다.

나폴레옹 전쟁이 끝난 뒤에 보수주의자들은 나폴레옹 이전 정권들을 되살리려고 무진 애를 썼으니, 이 과정에는 전쟁 중에 타도된 "정당한" 군주들을 복위시키고 계약상의 권리와 용역, 의존관계를 토대로 한 체제를 부활시키는 것도 포함되었다. 열강 가운데 누구도 폐위된 군주를 전부 왕좌에 복귀시키거나 모든 군주를 정당한 군주로 취급해야 한다고 진지하게 고려하지 않았다. 그러므로 1815년의 "복원"을 1789년 당시 유럽으로의 복귀라고 간주해서는 안 된다. 보수적이었음에도 불구하고 빈의 정치가들은 그런 시도의 비현실성을 잘 알고 있었고 점진적 변화와 진화의 필요성을 이해했다. 현실적으로 그들은 정당성의 원칙을 일부 사례들에서는 존중되어야 하지만 다른 여러 사례들에서는 무시해도 좋은 일반적 이정표로 이용했다.

협력과 정당성에 대한 이 같은 초점의 배후에 있는 것은 다시한번 유럽을 전화戰火에 빠뜨릴 수도 있는 혁명과 격변에 대한 공포였다. 그러므로 정당성의 원칙에 긴밀하게 연관된 것은 나폴레옹 이후 평화 정착의 세 번째 기둥, 즉 개입이었다. 강대국들은 혁명 정신의 전염에 맞서 서로서로 그리고 유럽 일반을 보호하기로 뜻을 모았다. 한 나라가 동란으로 위협을 받을 때마다 열강은 기존의 조약에 의거하고 현행 영토상의 합의를 존중해, 그 나라에 개입해 합법적(이라고 쓰고 보수적이라고 읽는다) 질서를 옹호했다. 1820년대와 1830년대에 협력했을 때 열강은 자유주의 혁명들을 성공적으로 진압하고 당대의 보수적 질서를 유지했다.

마지막으로 앞의 세 가지 원칙은 네 번째 원칙, 상호 보상의 원칙으로 조절되었다. 유럽을 전체적으로 다시 짜면서 승전국들은 만일 한 나라가 영토를 내놓거나 특정 이익을 놓고 타협한다면 일정한 형태나 형식으로 보상받아야 한다는 데 합의했다. 앞서 본 대로 폴란드-작센 위기에서 강대국들은 상호 보상을 토대로 한 타협적 해법을 내놓았다. 빈 회의 폴란드로 더 잘 알려진 폴란드 국가가 러시아 제국 내부에서 부활해 외견상으로는 러시아 세습 영토의 어느 정부보다 훨씬 자유주의적인 입헌 정부가 부여되었다. 폴란드라는 이 새로운 실체를 구성하기 위해 러시아는 프로이센을 설득해 바르샤바 지역(하지만 포젠은 빼고)을 내놓게 했다. 그 대가로 프로이센은 작센 영토의 40퍼센트와 발트해에 마지막으로 남아 있던 길쭉한 스웨덴령 포메른, 베스트팔렌에 있는 이전 보유지 전부를 받았고, 여기에 라인강 서안의 넓은 땅덩어리가 추가되어 보상은 더 커졌다. 한편 오스트리아는 서부 갈리치아를 포기하고 크라쿠프가 자유시가 되는 것을 허용했지만 합스부르크가 비스와강 남쪽과 동쪽에서 병합한 폴란드 땅은 전부 계속 보유하고 러시아가 1809년에 차지했던 지역들을 회복했다.[6]

  하지만 그러한 보상들은 혁명전쟁과 나폴레옹 전쟁이 불러일으킨 민족자결의 정신을 정면으로 무시하는 처사였다. 내셔널리즘은 공통의 종족성과 언어, 관습, 종교, 문화적 유대로 결속된 한 공동체에 대한 소속감으로부터 생겨나는 정서였다. 그것은 사회·경제 발전이 일정 정도의 정치적 독립과 대중 교육, 정치에 대한 일반적 참여를 허용하는 사회에서 자극받고 번성할 수밖에 없다. 내셔널리즘은 공동의 이상과 제도에 대한 충성심을 바탕으로 정치적 비전을 공유함으로써 시민권이 내셔널리티의 준거가 되는 민족적 정체성을 발전시키지 못한 국가들에는 커다란 위협을 제기했다. 프랑스는 이러한 요소들을 끌어안은 최초의 민족이었고 나폴레옹의 군대는 그 요소들을 유럽 다른 지역들에 전파했다. 하지만 나폴레옹을 물리친 열강은 이러한 요소들을 결여했다. 결국 내셔널리티에 대한 의식이 여러 문화와 정체성과 뒤엉키게 되었다는 뜻인데, 유럽 대제국들의 경우에 그 문화와 정체성은 꽤 다양했다. 물론 오스트리아, 러시아, 오스만 제국의 신민들은 군주에 대한 유대와 하나의 전체로서 제국에 대한 충성심으로 결속되어 있었지만 시간이 흐르면서 그들―체코인이나 폴란드인이나 헝가리인이나 불가리아인이나 그리스인이나 다른 누구든 간에―은 점점 더 자신들의 문화적 고유성과 그 고유성을 보존하는 일을 의식하게 되었다. 이 민족적 개별성에 대한 의식은 민족자결로 가는 첫 단계였고, 민족자결은 제국들의 통합성(존재 자체는 아니라 해도)을 위협하고 빈 회의에서 재편된 유럽 정치 질서를 위험에 빠뜨렸다. 19세기 많은 기간 동안 자유주의와 내셔널리즘은 전복적인 두 힘을 대변했는데, 민족적 통합과 독립에 대한 염원은 자유주의적 변혁 없이는 불가능해 보였기 때문이다.

최종 의정서를 바탕으로 유럽 열강은 국경선을 다시 그리고 대륙에 장기적 안정을 만들어내는 작업에 착수했다. 나폴레옹의 1차 파리 조약 위반과 프랑스의 여러 지역에서 그가 받은 전폭적인 지지는 진작부터 관대함은 더 단호한 처분으로 대체되어야 한다고 주장해온 동맹 지도자들의 논변을 강화했다. 나폴레옹이 두 번째로 몰락한 뒤 특히나 프로이센 대표들은 프랑스 국민이 관대한 강화를 누릴 수 있는 모든 권리를 잃었다고 목소리를 높였다. 프로이센과 다른 나라들은 프랑스를 억제하고 약화시킬 더 가혹한 조건들을 요구했다. 캐슬레이는 프랑스에 엄한 조건들을 부과하면 프랑스 국내의 부르봉 왕가의 기반만 약화시킬 테고 정치적 불안정을 심화할 수 있으며, 나아가 빈 회의가 되살리고자 하는 아슬아슬한 세력 균형을 무너뜨릴 수도 있다고 지적하며 프로이센의 주장을 일축했다. "뭔가를 어떻게 보존할 수 있을지는 생각하지 않고 그것을 얻어내려고만 하는 만족할 줄 모르는 풍조를 보고 있노라면 참 신기하다"라고 캐슬레이는 어느 편지에서 썼다. "영국해협부터 지중해까지 프랑스와 국경을 맞대고 있는 나라들 가운데 제아무리 약소국일지라도, 안보와 국경 조정이란 구실로 모종의 영토 획득을 요구하지 않는 나라가 없다."[7] 1815년 6월에 빈 회의가 작업을 완료한 뒤에도 이어진 긴 협상 끝에 1815년 11월 20일 파리에서 동맹국들은 프랑스와 2차 파리 조약을 체결했다. 조약은 배상금과 군사 점령, 탈영병, 영토 조정, 프랑스에 대한 사적인 권리 주장들, 노예무역을 비롯한 핵심적인 전후 쟁점들을 다루는 여러 합의들로 구성되어 있었다.

이러한 합의들 가운데 가장 중요한 것은 1815년 11월 20일 파리에서 서명된 확정 조약Definitive Treaty으로, 프랑스와 동맹국들 간 최종 강화 내용의 골자를 담은 것이다. 이 합의는 1814년의 강화 조건보다 상당히 가혹했다. 즉 프랑스는 국경지대의 영토와 요새들을 추가적으로 할양해야 했고, 국경선도 1792년이 아니라 1790년의 국경선으로 축소되었다. 프랑스가 1814년에는 보유했었던 사보이, 오스트리아령 네덜란드(벨기에), 라인란트의 일부를 내놓아야 했다는 소리다.[8] 더욱이 확정 조약은 7억 프랑의 전쟁 배상금을 지불하고 최대 5년까지 동맹국 군대의 점령 비용을 부담할 의무를 프랑스에 부과했다. 점령군 주둔은 조약에서 기술된 대로 "그토록 여러 차례 난폭한 격변을 겪고, 특히 최근의 파국을 겪은 뒤 (…) 불안과 동요 상태"가 한동안 지속되리라 예상되는 나라의 질서와 안정을 유지하기 위한 것이었다.[9]

환멸, 분노, 국가적 굴욕감이 프랑스에 팽배했다. 승전국 대표들로 구성된 동맹국 위원회는 탈脫보나파르트화, 비무장화, 배상금 지불을 단기 목표로 삼았다. 위원회는 앞의 두 가지 목표는 전쟁 종식 2년 만에 대체로 달성했다. 나폴레옹은 세인트헬레나섬에 유배되었고 보나파르트 가문은 프랑스 입국이 금지되어 유럽 곳곳에서 면밀히 감시당했다.[10] 프랑스 정부와 군부에서 보나파르트주의자 관리와 장교들이 숙청되었고, 그들 중 다수는 북아메리카로 도망쳤다.[11] 루이 18세는 나폴레옹의 대육군을 해산해, 그 규모를 50만 명에서 20만 명이 조금 넘는 수준으로 감축했다. 감축 결정은 유럽의 평화와 국가 재정의 균형을 위해 필요한 일이었지만 당연히 구걸과 가난, 경범죄와 제도적 착취의 삶을 선고받은 수만 명의 나폴레옹 전쟁 참전 병사들 사이에 적잖은 분노를 자아냈다.

하지만 배상 문제는 여러 해 동안 프랑스의 어깨에 무겁게 얹혀 있었다. 동맹국들은 확정 조약에서 산정된 모든 배상 금액은 점령군이 철수하기 전까지 청산되어야 한다고 주장했다. 이러한 배상금은 크게 두 종류로 나뉘었다. 하나는 전쟁 배상금이고, 다른 하나는 사적인 시민들이 프랑스를 상대로 요구한 배상이었다. 하지만 동맹국은 부르봉 군주정이 나폴레옹 전쟁 동안 점령당한 지역들에서 과거 프랑스 정부가 약정했던 부채도 갚아주고 점령군 유지 비용도 부담하리라 기대했다. 그러므로 총 배상 비용은 무력 분쟁 해소의 역사에서 새로운 전기가 되었다. 승리한 쪽이 패한 쪽에게 전쟁의 특정 비용을 지불하라고 강요한 이전의 역사적인 사례들과 달리 1815년의 동맹국들은 배상금을 응징 수단으로 휘둘렀다. 경제사가 유진 N. 화이트의 표현으로는 "배상은 이제 새로운 유럽 질서를 위협한 잘못에 대한 벌금을 산정하고 장래의 (적대적인) 시도들을 억지하는 역할을 하며, 더 가혹한 강화 패키지의 일부가 되었다. 배상금 지불은 또한 인센티브이기도 했는데, 지불을 이행하면 프랑스는 유럽의 사안을 처리할 때 다시 강대국의 역할을 맡는 것이 허용될 예정이었다.”[12] 또 다른 혁신은 패전국으로부터 배상금을 받아내기 위한 군사 점령 체제의 운용이었다.

프랑스의 신임 수상 리슐리외 공작 아르망-에마뉘엘 드 비뉴로 뒤 플레시스는 이처럼 까다로운 교섭 과정에서 프랑스를 대표하기에 적임자였다. 쟁쟁한 프랑스 귀족 가문의 후손인 그는 프랑스 혁명 당시 국외로 이주해 러시아에서 봉직했고, 알렉산드르 황제는 그의 행정 능력을 높이 평가해 넓은 지방의 총독 자리를 맡겼다. 이제 프랑스로 돌아온 리슐리외는 재상 루이 에마뉘엘 코르베토의 지지를 받아 프랑스가 혁명기 동안 파산을 비롯해 대규모 재정 구조조정을 겪었으며, 나폴레옹은 국가 채무를 별로 남기지 않았다는 사실을 이용했다.[13] 알렉산더 베어링이 주도한 외국 은행 차관단의 도움을 받아 리슐리외는 저금리로 국채를 발행했다. 유럽 열강이 엑스라샤펠에서 회의를 열기 위해 만난 1818년에 이르면, 프랑스는 그때까지 총 3억 6800만 프랑을 지불했다. 엑스라샤펠 회의에서 리슐리외는 동맹국들을 설득해 남은 배상금 대신 2억 8천만 프랑의 일시 지불금을 수용하게 만들었다. 프랑스 정부가 절대적 수치 차원에서 근대 역사상 최대의 전쟁 배상금을 갚을 수 있었다는 사실은 심대한 중요성을 띠었다. 배상으로 프랑스 정부의 공적 신용은 회복되었고 프랑스는 더 낮은 금리로 투자를 유인할 수 있었다. 더 결정적인 사실은 배상금이 영국 은행들로부터 프랑스의 배상금을 받은 대륙 정부들로 자금이 이전되는 통로 역할을 하고, 그리하여 전후 유럽에서 경제 회복에 박차를 가하는 역할을 했다는 점이다.[14]

1815년 동맹 세력의 장기적 목표는 국제 문제에서 안정성과 항구성을 달성하는 것이었다. 역사적으로 프랑스가 영토적 야심을 자주 드러냈던 사실을 의식한 그들은 프랑스 주변으로 방어 장벽을 치기로 했다. 북쪽 끝에는 이전 오스트리아령 네덜란드와 네덜란드 연합주를 합쳐 새로 구성된 네덜란드 왕국이 들어섰다. 이 새로운 정치체는 오라녜 왕가에 맡겨졌다.[15] 프랑스의 북동부 경계선을 따라 라인강 좌안의 독일 국가들이 다수 있었고, 이곳에 프로이센이 새로 획득한 영토가 방벽을 강화했다. 프랑스로 접근하는 동쪽 통로는 새로 조직된 스위스 연방이 지켰다. 빈 회의 산하에 특별히 구성된 스위스 위원회는 개별 대표단을 파견했던 19개 스위스 칸톤의 미래를 논의하는 데 많은 시간을 보냈다. 궁극적으로 위원회는 취리히, 루체른, 베른이 번갈아 이끌며, 21개 칸톤으로 확대된 스위스 연방을 수립하는 데 뜻을 모았다. 그다음 5대 강대국이 스위스의 영구 중립을 인정했다.[16] 이런 방벽을 따라 지중해로 내려가면 이전 영토를 되찾았을 뿐만 아니라 리구리아(제노바도 포함)와 니스 그리고 사보이 일부도 추가되면서 확대 복원된 사르데냐-피에몬테 왕국이 있었다.[17] 마지막으로, 프랑스 남쪽에서는 페르난도 7세가 기쁨에 찬 백성의 환영을 받으며 마드리드에 입성한 가운데 에스파냐가 다시금 독립하여 부르봉 치하가 되었다.

동쪽으로 더 멀리 가면 프로이센 본국과 오스트리아, 독일 국가연방이 있었다. 프로이센은 앞서 본 대로 1806년 이전의 지위와 세력으로 복귀했을 뿐 아니라 포젠과 항구 도시 단치히를 보유하고 폴란드 땅을 내놓는 대가로 작센 일부를 병합하게 되었다. 오스트리아는 1792년 이후로 잃었던 모든 영토를 되찾았고 오스트리아령 네덜란드를 북이탈리아의 베네치아와 롬바르디아로 보상받았다. 합스부르크 왕가는 또한 아드리아해의 일리리아 자치주와, 1809년에 바이에른에 상실했던 잘츠부르크와 티롤 지방을 회복해 흡족했다.[18] 빈 회의가 가져온 가장 중요한 변화 가운데 하나는 독일 군소국가들의 미래와 관련한 것이었다. 이전 라인연방의 재편을 논의하기 위해 설립된 독일위원회는 오스트리아, 프로이센, 바이에른, 뷔르템베르크, 하노버 대표들로 구성되었지만 나중에 작센, 헤센-다름슈타트, 네덜란드, 덴마크 대표들까지 포함해 확대되었다. 독일위원회는 38개 국가와 4개 자유시로 구성된 느슨한 연합체 독일연방Deutscher Bund의 창설을 도왔고, 독일연방의 임무는 빈 조약에 의해 "독일의 내적·외적 안전과 연방 소속 국가들의 독립과 불가침성을 유지"[19]하는 것이라고 규정되었다. 연방 구성국 전원은 "독일 전체"뿐 아니라 연방의 개별 국가들도 수호하고, 서로 간에 전쟁을 벌이지 않기로 약속했다.[20] 창설된 연방에는 작센, 뷔르템베르크, 바이에른 같은 개별 독일 국가들은 물론 연방 소속이 아닌 국가(덴마크, 영국, 네덜란드, 오스트리아, 프로이센)의 군주들의 영지와 독일의 자유시들도 포함되었다. 하지만 프로이센령 폴란드 지방과 이제는 사라진 신성로마제국 경계 바깥 합스부르크 왕가가 다스리는 지역들, 즉 롬바르디아, 베네치아, 헝가리, 폴란드계 갈리치아는 배제되었다. 독일연방은 오스트리아를 의장국으로 한(오스트리아 황제는 여전히 독일의 전통적인 지도자로 간주되었다) 연방의회Bundestag를 통해 운영되었고, 프랑크푸르트에 설립된 연방의회는 연방의 법률과 규약들을 입안했다.[21] 비록 독일연방은 유럽 내 독일어 사용자 주민들을 거의 모두 아울렀고, 민족적 정치체라는 외양을 띠었지만 내셔널리즘이라는 이데올로기를 끌어안지는 않았고 중유럽 국가들을 조직하고 관리하는 방편에 불과했다.[22]

빈 회의는 중유럽 바깥의 주요 영토 조정에도 합의했다. 스웨덴은 앞서 본 대로 노르웨이를 얻을 요량으로 6차 대불동맹에 가담했고, 알렉산드르 황제는 1812년 8월에 아보에서 베르나도트에게 이를 약속했었다. 이 같은 영토 이전 약속을 이행하고자 동맹 세력은 덴마크 국왕 프레데리크 6세에게 킬 조약(1814년 1월)을 수용하도록 강요했고, 그에 따라 헬골란트는 영국에, 노르웨이는 스웨덴령 포메른과 교환되어 스웨덴에 넘겨졌다. 하지만 노르웨이인들은 킬 조약을 배격하고, 노르웨이 총독이자 덴마크와 노르웨이 왕위의 후계자인 덴마크의 크리스티안 프레데리크 왕자 휘하에 입헌 의회를 개최해 노르웨이의 독립을 선언하고 자유주의적 헌법을 채택했다. 크리스티안 프레데리크는 열강의 지지를 얻으려고 노력했지만, 누구도 그의 간청에 응답하지 않았다. 그 대신 그들은 짤막한 스웨덴-노르웨이 전쟁(1814년 7~8월) 동안 베르나도트를 지지했다. 스웨덴은 뜻밖에도 리에르, 마트란드, 랑네스에서 패배를 겪었지만 결국 수적 우위에서 밀린 노르웨이의 패배는 불가피했다. 빈 회의는 그러므로 스웨덴의 노르웨이 획득과 핀란드의 상실을 확정했다. 킬 조약에 따라 스웨덴이 덴마크에 할양한 포메른은 궁극적으로 프로이센으로 넘어간 대신 덴마크는 작은 작센-라우엔부르크 공국으로 보상받았다.[23]

이탈리아는 정치적 실체보다는 지리적 실체로 취급되었고, 나폴레옹 아래서 되살아난 통일에 대한 희망은 금방 찬물을 뒤집어썼다. 방벽(피에몬테-사르데냐와 오스트리아가 지배하는 롬바르디아와 베네치아) 너머에서 빈 회의는 여러 이탈리아 군주들을 복위시켰다. 피우스 7세는 교황령으로 귀환한 한편, 파르마, 피아첸차, 과스탈라 공국은 나폴레옹의 아내 마리-루이즈 황후의 종신 영지로 수여되었다.

나폴리와 시칠리아는 다시금 부르봉 왕가가 다스리는 양시칠리아 왕국으로 재통일된 한편, 합스부르크-로렌 가문은 토스카나와 모데나로 귀환했다.

영토 분할 외에도 빈 회의의 최종 의정서는 다른 중요한 쟁점들을 다뤘다. 예를 들어 영국은 노예제의 완전한 폐지를 추구했다. 1815년 2월 초에 노예무역위원회는 노예무역을 만장일치로 규탄하는 선언서를 채택했다.[24] 비록 나중에 최종 의정서에 포함되기는 했지만 선언서는 의정서에 서명한 열강을 구속하는 조항이 없었고, 노예무역이 언제 어떻게 폐지되어야 할지도 규정하지 않았다. 그러므로 영국은 결국 노예무역에 관여하는 나라들과 개별 협정을 체결했다. 독일 내 유대인 공동체는 프로이센 대표단에 로비를 벌여 유대인 권리 쟁점을 독일위원회 안건에 올리는 데 성공했다. 위원회는 일부 독일 국가들에서 유대인의 권리를 정식으로 확인해주고 다른 나라들에도 확대할 것을 권고했다.

1814년 12월 14일에 설립된 국제하천위원회는 유럽 내 주요 하천들의 항행 문제를 논의해 라인강, 모젤강, 네카르강, 뫼즈강을 비롯해 핵심 수로들을 자유롭게 항행할 수 있게 하기로 합의했다. 라인강위원회는 무역 장벽을 제거하고 강에서의 항행 규정과 치안 조례, 비상 상황 절차를 통일시키기 위해 설립되었다.[25]

빈 회의의 또 다른 항구적 업적은 외교 의전 서열을 정리한 것이다. 특정 국가를 대표하는 외교 사절의 서열은 공식적인 부임 통지 날짜를 기준으로 하기로 했다. 외교관들은 대사와 교황 특사, 전권공사, 상주공사, 대리대사라는 네 등급으로 구분되었다. 프랑스어가 국제 외교의 언어로 선정되어, 루이 14세 이래로 지속되어온 상황을

확인했다.[26]

나폴레옹 전쟁으로 가장 많은 것을 얻은 나라는 영국이라고 주장해도 무방하겠지만 빈 회의에서 영국이 거둔 성적이 전쟁에 들인 군사적·외교적·재정적 노력을 온전히 반영한 것은 아니다. 영국은 네덜란드 식민지 실론(스리랑카)과 데메라라(오늘날의 수리남인 가이아나에 있던), 케이프 식민지(아프리카 남해안)는 계속 보유하는 대신 전쟁 동안 정복한 나머지 해외 식민지들은 자발적으로 거의 모두 반환했다. 영국은 유럽 대륙의 어떤 영토도 병합하지 않았다. 더욱이 영국의 협상은 노예무역 폐지에 관한 합의를 이끌어내는 데 실패했고, 최종 의정서는 원칙적으로 노예 거래를 규탄하는 짤막한 선언만 담고 실제 단속 문제는 향후 협상 과제로 남겨두었다.

그러한 좌절(이란 표현을 써도 된다면)은 사실 영국이 얻어낸 꽤 상당한 이점들을 가렸다. 영국은 자국 해군의 패권을 이용해 세계 전역에서 영토를 획득했고, 이 가운데 전략적 이점이 큰 지역들만 보유하기로 했다. 여기에는 우선 지중해에서 가장 좁은 해역을 통제하며 영국에게 지중해 해역의 양측을 지배할 능력을 보장하는 몰타섬이 있었다. 또 북해의 헬골란트섬은 독일의 주요 강 2개(엘베강과 베저강)의 하구에 자리해 북서부 독일의 무역을 통제할 수 있는 탁월한 입지를 제공했다. 그리고 우리가 앞서 본 대로 남아프리카의 케이프 식민지는 유럽을 인도, 동아시아와 잇는 유일한 바닷길에 위치한 결정적인 기착지였고, 실론섬은 영국에 인도 남단 주변 교역로의 통제를 보장했다. 그와 동시에 카리브해의 세인트루시아, 토바고, 트리니다드, 인도양의 셰이셸제도와 로드리게스섬은 동반구와 서반구 양쪽에서 영국의 권력을 행사하고 경제적 이해관계를 보호하는 전략적인 기지

역할을 했다. 가장 결정적으로 영국 대표단은 유럽에 세력 균형의 외양을 그럭저럭 회복시켰다. 그것은 캐슬레이와 그 동료들이 회의 개막 때 희망했던 균형과 정확히 일치하지는 않았지만 결함이 있을지언정 새로운 국제 체제는 유럽의 평화를 유지하고 영국이 유럽에서 또 다른 헤게모니 강국과 홀로 맞서야 하는 상황을 맞지 않으리라는 약속을 제공했다.

빈 회의의 일부는 아니지만 그로부터 직접적으로 기인한 것은 자국을 다스리고 다른 나라들과 관계를 맺는 지도 원칙으로서 기독교 원칙들을 적용하겠다는 오스트리아, 프로이센, 러시아 군주들 간의 합의였다. 신성동맹Sainte Alliance으로 알려지게 되는 이 협정은 보수적 질서를 유지하기 위한 수단으로서 알렉산드르 황제가 제시한 것이었다. 캐슬레이는 이 제의를 듣고 "지고의 신비주의와 헛소리의 작품"이라고 묘사했고, 메테르니히는 유명하게도 "거창하게 들리는 무의미"라고 부르는 등[27] 일부 회의 참가자들은 그 적절성을 깎아내렸다. 그럼에도 불구하고 알렉산드르의 발상은 유럽의 군주들에게 지지를 받았고, 정식 조약이 1815년 9월 26일에 서명되었다. 오스트리아 황제 프란츠 1세와 프로이센 국왕 프리드리히 빌헬름 3세, 알렉산드르 1세는 모두 "사적인 사안들뿐만 아니라, 군주들의 자문회의에 직접적 영향을 미치고 그들의 모든 조치들을 지도해야 하는 저 신성한 신앙의 원칙들, 즉 정의, 기독교적 자비, 평화의 원칙들"[28]을 정치적 지침으로 채택하기로 뜻을 모았다. 서명한 군주들은 그다음 "끊으려야 끊을 수 없는 진정한 형제애로 유대"를 맺고, 유럽을 "신앙과 평화, 정의"를 의식하며 다스리고, 필요시에 "서로에게 도움과 원조를 제공"하기로 약속했다. 영국의 섭정 왕세자(신성동맹의 반동적 기운을 질타했다)와 교황 피우스 7세(기독교 원칙에 따라 행동하도록 보장하는 조약에 굳이 가담한 필요성을 못 느꼈다), 오스만 술탄을 제외한 유럽의 거의 모든 군주들이 결국에 가서는 신성동맹에 가담했다.

실질적인 측면에서 훨씬 더 중요한 조약은 11월 20일, 오스트리아와 영국, 프로이센, 러시아의 대표들이 전시 동맹을 갱신하기로 합의했을 때 서명되었다. 이 4국 동맹은 열강이 프랑스와 개별 강화를 하지 않고 나폴레옹이 항복할 때까지 군사적 동맹을 유지하겠다고 약속했던 쇼몽 조약(1814년 3월)에서 그 전례를 찾을 수 있다. 폴란드와 작센을 둘러싸고 발생한 외교 위기로 위협받던 이 조약은 백일천하 동안 되살아났고, 이제 다시금 비준되었다. 2차 파리 조약 서명과 같은 날 승인된 새로운 조약은 네 나라가 집단적 노력을 통해 유럽을 안전하게 유지하고, 향후 20년 동안 프랑스가 빈의 협정을 뒤집으려고 시도할 경우 각자 수만 명의 병력을 내놓겠다고 약속함으로써 4국 동맹을 공식화했다.

하지만 이 협정은 군사적 보장을 뛰어넘었다. 나폴레옹 이후 유럽은 혁명이 새로운 형태로 다시 나타날까 봐 두려워했고, 이를 방지할 조치를 취하고자 했다. 새로운 조약 제6항에서 동맹 세력은 "공동의 이해관계에 관해 상의할 목적으로 (…) 일정한 간격으로 모임"을 개최하기로 동의했다. 정기적인 회담을 개최하기로 동의함으로써 동맹 세력은 빈에서 정해진 정치적 합의 내용의 실행을 보장하고자 합동 군사 조치와 발맞춰 공동 외교를 펼칠 수 있었다. 이러한 조치는 대륙에서 평화와 안정, 질서를 유지하기 위해 고안된 새로운 국제 안보 체제를 수립하는 데 선구적인 접근법을 보여주었다. 하지만 이 안보에는 대가가 컸다. 이후 여러 해 동안 유럽 정부는 급진주의적 음모 위협에 대해 갈수록 편집증적인 태도를 보였는데, 이런 음모들이란 흔히 자기 이익만 따지는 첩자와 밀정들은 물론 더 많은 경비를 타내려고 혈안이 된 고위 행정 관료들에 의해서도 과장된 위협이었다. 이것은 역사가 애덤 자모이스키가 지적한 대로 많은 측면에서 "허깨비 공포"였지만 보수적인 국가들만이 아니라, 영국이 탈나폴레옹 시대에 억압적인 국가권력을 확대하고 시민의 자유를 제한한 데서 보듯이 대단히 자유주의적인 정권들한테까지도 영향을 준 공포였다. 새로운 유럽 안보 체제에는 국가 안보 관료제의 확대와 새로운 여권 관리 방식의 도입, 통신 연락 체계의 개선, '테러리스트' 도망자를 추적하기 위한 초국적인 치안 체계 등 일단의 새로운 통제 메커니즘의 탄생도 뒤따랐다. 유럽 국가들은 자국민을 의심의 대상으로 취급해 감시와 탄압을 정당화했고, 이런 조치가 대중의 저항을 불러일으키면 다시 감시와 탄압을 강화하는 순환 논리에 빠졌다. 이 피해망상증이 유럽 정부들로 하여금 행정적 통제를 중앙집권화하고, 치안을 전례 없는 수준으로 확대하고, 개혁 움직임을 틀어막도록 몰아갔다. 그리하여 근대적인 보안국가가 탄생했다.[29]

나폴레옹 전쟁은 어쩌면 종교개혁과 제1차 세계대전 사이 시기에 사회 변화의 가장 강력한 동인이었을 것이다. 전쟁은 유럽에서 주권의 성격을 근본적으로 변화시키고, 유럽 국가들이 장기화되고 파괴적인 무력 분쟁을 이어가기 위해 여러 수준의 사회적·군사적 동원을 달성하는 능력이 점차 성장했음을 입증했다. 18세기 말에 태어난 세대들에게, 나폴레옹 전쟁은 존재를 규정하는 사건이었다. 전쟁이 초래한 인명 피해는 어떤 의미로든 헤아릴 길이 없는데, 정부들이 보통은 온전한 희생자 규모에 관해 대중에게 공개하기를 꺼렸던 만큼(그리고 지금도 꺼리는 만큼) 군의 인명 피해 관련 문서들이 사라지고 없거나 그 내용이 의심스럽기 때문이다. 그보다 추산이 더 어려운 것은 민간인의 인명 피해다. 그러므로 전쟁이 야기한 희생에 관한 논의는 불가피하게 얼마간 개략적인 추산이 될 수밖에 없다.[30]

나폴레옹 전쟁은 유럽에서 통틀어 약 200만 명 병사의 목숨을 앗아갔을 것이다. 무수한 병사들이 부상을 당했는데, 어쩌면 그 가운데 15~20퍼센트는 평생 불구로 살았을 것이다. 이 수치는 혁명전쟁 기간 동안 군대의 인명 피해 수치와 더불어 민간인 피해까지 고려하면 더 늘어날 것이다. 대략적인 추정치에 따르면 1792년에서 1815년 사이에 유럽에서 무려 400만 명이 죽었는데, 당시 1억 5천만 명으로 추정되는 유럽 인구의 2.5퍼센트가 넘는 수치다. 이 가운데 약 150만 명의 프랑스인은 전 기간을 통틀어 부상이나 질병, 사고, 기아나 기타 원인으로 군사 활동 중에 사망했고, 이중 거의 50만 명은 제1제국 치하에서 목숨을 잃었다. 1786년에서 1795년 사이에 태어난 프랑스인 세대 가운데 3분의 1을 훌쩍 넘는 사람들이 전장에서 목숨을 잃었다.[31] 이처럼 나폴레옹 전쟁은 프랑스 사회에 깊은 상흔을 남겼고 거기서 회복되기까지는 오랜 세월이 걸렸다. 프랑스는 "구멍이란 구멍마다 피를 흘리고 있으며, 상중喪中인 거대한 가족처럼 보인다"라고 1815년 여름에 그곳을 방문한 한 영국인은 말했다. "마주치는 사람 다섯 명 중에 세 명꼴로 상복을 입고 있다." 발걸음을 뗄 때마다 전쟁의 흔적을 볼 수 있었다. 파리에서는 "합승마차의 마부, 카페 웨이터, 중년의 남자치고 전투에서 싸우거나 전역에 참가하거나 총알에 부상당하지 않은 사람이 거의 없었다." 프랑스를 찾은 방문객들은 국가적 분위기에 깊은 충격을 받았다. 사람들은 "전쟁을 당연한 것으로, 그 참상을 '전쟁의 숙명le sort de la guerre'으로 이야기했다. 마치 전쟁의 참상이 그 지역의 기후와 마찬가지로 대륙 국가들의 존재를 구성하는 일부인 것처럼 말이다. 청년 세대가 살아온 유혈의 환란이 옳고 그름에 대한 그들의 인식을 완전히 파괴해버리기도 한 듯 어떤 무감각이, 현실에 관한 어두운 운명의 관념이 있었다."[32]

다른 대륙 열강들도 심한 타격을 받았다. 러시아의 인명 피해는 50만 명을 넘었다. 프로이센과 독일, 오스트리아의 사상자 수치는 50만 명에 달한 한편, 폴란드와 이탈리아의 인명 피해는 20만 명에 달했다. 대륙의 싸움으로부터 비교적 차단되어 있던 영국도 30만 명 정도의 인명 피해를 입었는데, 영국군에서만 매년 2만 5천 명가량을 잃은 전쟁 말기에 인명 피해가 가장 컸다. 사실 나폴레옹에 맞선 싸움에서 영국은 전체 인구 대비로 100년 뒤 독일을 상대로 한 무력 분쟁에서 겪게 될 인명 피해와 같은 수준의 인명 피해를 입었다. 물론 이 전쟁에서 인명 피해는 훨씬 더 긴 기간에 걸쳐 있었다. 1805년에서 1813년 사이에 영국군은 전투와 질병, 사고로 거의 20만 명의 인명 피해를 입었다.[33] 해군은 10만 명에 가까운 인명을 잃었는데 절대다수는 질병으로 인한 사망이었다. 난파와 화재(폭풍으로 2천 명 이상이 목숨을 잃은 1811년 12월 23일 운명의 밤을 비롯해)는 1만 3천 명의 목숨을 앗아간 반면, 고작 6천 명의 선원만이 전사했다.[34]

반도전쟁을 통틀어 전사한 영국인 병사보다 더 많은 수의 영국인들이 서인도제도와 동인도제도에서 질병이나 사고로 죽었는데, 이베리아반도는 나폴레옹 전쟁의 다른 어느 무력 분쟁보다 높은 비율로 인명을 앗아간 전쟁터였다.[35] 프랑스, 에스파냐, 포르투갈이 이베리아반도 대다수의 인명 피해를 차지했는데, 프랑스는 20만 명, 포르투갈은 20만 명 이상이며, 에스파냐인은 최소 50만 명이 목숨을 잃은 것으로 추정된다. 당대 에스파냐의 추정치는 통틀어 100만 명이라는 사상자 수치를 제시하는데 이는 에스파냐 인구의 약 5퍼센트에 해당하며, 1936~1939년 처참했던 에스파냐 내전 당시의 인명 피해의 두 배에 달한다. 반도전쟁은 에스파냐 근대사에서 가장 유혈이 심한 전쟁으로 남아 있다. 이 전쟁에서 영국군의 사상자 수는 사망 8178명, 부상 3만 7765명(실종자 6천 명은 별도로 집계)인데, 전사가 인명 손실의 유일한 원인은 아니다. 사실 훨씬 더 많은 영국군 병사들이 병으로 죽었고, 근래의 한 연구는 영국군 병사 5만 5천 명 이상의 죽음(열한 군데의 교전권역에서 발생한) 가운데 3분의 2는 전투와 무관했다고 주장한다.[36]

나폴레옹의 1812년 러시아 침공과 독일 및 프랑스에서 벌어진 추후 전역들은 유혈이 낭자했다. 6개월간의 러시아 전역은 50만 명 이상의 목숨을 앗아갔는데 대육군이 희생자의 대다수를 차지했다. 보로디노 전투의 사상자 총수는 무려 7만 명에 달해 10시간의 전투 동안 분당 108명이라는 엄청난 수치를 기록했다. 모차이스크 지구에서만 현지 당국자들은 5만 2천 구 이상의 시신과 4만 1천 마리 이상의 말 사체를 수습했는데, 전염병 확산을 우려해 서둘러 집단 매장을 할 수밖에 없었다. 러시아는 이 전역으로 약 20만 명의 병사를 잃었는데, 러시아의 인명 피해에 대한 더 온전한 그림을 얻으려면 군사 활동뿐 아니라 질병과 영양실조로 인한 수천 명의 민간인 인명 피해도 고려해야 한다. 시체를 수습해 태우는 작업은 싸움이 끝난 뒤에도 몇 달 동안 이어졌다. 나폴레옹 전쟁의 마지막 1년 반 동안 발생한 인명 피해도 앞선 시기 못지않게 유혈이 낭자하다. 세 전투—뤼첸, 바우첸, 라이프치히—에서만 총 15만 명 이상의 사상자가 발생했다. 이중 병자와 경상자의 다수는 궁극적으로 원대에 복귀했겠지만 사망자는 전체 숫자 가운데 약 4분의 1을 차지했을 것이며 수천 명의 부상자들은 사지가 절단당하고 불구가 되었으리라. 1813년 10월에 라이프치히에서 벌어진 거대한 민족들의 전쟁은 나폴레옹 전쟁 최대의 전투로서 8만 명 이상이 죽거나 다쳤다. 정확한 추산을 더욱 어렵게 하는 것은 질병과 영양실조에 기인하는 수만 명의 민간인 인명 피해 규모다. 약 25만 명의 민간인—독일 인구의 약 1퍼센트—이 1813~1814년에 중유럽을 휩쓴 악성 장티푸스 유행병으로 사망했다.[37] 한편 발칸반도에서는 선페스트가 창궐해 수만 명의 목숨을 앗아갔다. 이후 선페스트는 1812년 러시아 남부에 도달해 오데사 주민의 거의 10퍼센트가 목숨을 잃었고, 1815년 이탈리아에서는 아드리아해 연안의 노자시에서 주민 일곱 명 가운데 한 명꼴로 목숨을 잃었다. 도시가 재빨리 봉쇄된 뒤 유행병은 수그러들었다.

이 수치들은 발칸반도와 도나우 공국들, 캅카스 지방, 중동, 인도, 북아메리카와 에스파냐령 아메리카의 무력 분쟁에서 발생한 인명 피해는 반영하지 않는다. 앞서 본 대로 이 분쟁들은 혁명전쟁, 나폴레옹 전쟁과 직접적으로 연결되어 있으며 여기서도 무수한 사람들이 목숨을 잃거나 부상당하거나 불구가 되었으므로 혁명과 나폴레옹 시대의 전 지구적인 희생의 규모는 십중팔구 600만 명이 넘을 것이다. 생도맹그에서만 12년간의 반란으로, 혁명과 나폴레옹 시대 전체를 통틀어 가장 격한 싸움이 이어져 전체 인구 가운데 대략 15만 명에서 20만 명이 목숨을 잃은 한편, 다수가 영구적인 부상을 입거나 불구가 되었다. 1812~1815년 미국과 영국의 전쟁 동안에는 2만 명이 넘는 병사가 죽었는데 절대다수는 전사가 아닌 병사病死였다. 미영전쟁의 민간인 희생 규모는 확실치 않지만 틀림없이 그만큼 심각했을 것이다.

수치는 계속 이어진다. 1804~1813년 세르비아 반란은 대략 25만 명의 인명 피해를 야기했다. 이집트와 아라비아에서는 1798년 프랑스 침공의 여파로 계속된 동란의 결과 인구가 크게 감소했다. 도나우 공국과 캅카스 지방에서 러시아-오스만의 군사작전은 아마도 10만 명 이상의 목숨을 앗아갔을 것이다. 1809년 5월 1일 러시아가 오스만 요새 브라일라를 공격했으나 실패했는데, 거의 5천 명의 사상자가 발생해(그중 절반이 목숨을 잃었다) 현지 주민들에게 심한 괴로움을 안겼다. 1810년에 이르면, 남동부 유럽에서 가장 비옥한 지역 중 하나였던 왈라키아는 극심한 혼란에 빠져 전 지역사회들이 기근을 겪고 있었고 현지 당국자들은 더 이상 러시아 군대의 수요를 채워 줄 수 없었다.[38] 훨씬 더 파괴적인 것은 1808년 나폴레옹이 에스파냐를 찬탈한 뒤 에스파냐령 아메리카에서 시작되어 17년 동안 중단 없이 이어진 폭력이었다. 비록 정확한 통계를 내기는 어렵지만 이 무력분쟁 동안 100만 명에 가까운 사람이 죽었다고 추정해도 크게 틀리지는 않을 것이다. 누에바에스파냐(멕시코)에서만 1810년부터 1821년 사이에 25만 명 이상이 사망한 한편, 베네수엘라는 20만 명, 전체 인구의 3분의 1을 잃었다.[39] 이웃의 누에바그라나다에서는 무려 25만 명이 그란콜롬비아의 독립을 이룩하는 과정에서 목숨을 잃었다.[40]

인명 피해 다음으로는 막대한 물적 손실이 있다. 군비가 국가 자원의 가장 큰 몫을 소모해, 각국 정부는 다른 부문에서 경비를 삭감하고 추가적인 자원을 뽑아낼 방법을 찾아야 했다. 군대가 현지에 기대어 살아가고 점령지에 장기간 주둔하는 경향이 커지면서 유럽의 많은 지역들이 괴로움을 겪었다. 포르투갈과 에스파냐에서는 군대와 게릴라들이 수시로 들이닥쳐 식량과 가축에게 먹일 풀을 남김없이 빼앗고 일대를 휩쓸고 간 탓에 많은 촌락과 읍이 쑥대밭이 되었다. 에스파냐의 에스트레마두라 지방은 인구의 15퍼센트를 잃었다. 1810~1812년 기나긴 카디스 포위전 동안 프랑스군에 점령당한 푸에르토레알은 건물과 가옥의 40퍼센트, 그리고 인구의 절반을 잃었다. 또 그곳 올리브나무의 4분의 1만이 여전히 멀쩡하게 남아 있었다. 러시아에서는 대육군의 침공 경로를 따라 수십 군데의 촌락과 읍이 연기가 피어오르는 잿더미가 되었다. 완전히 타버린 모스크바도 빠질 수 없는데, (9천 채가 조금 넘는 전체 가옥 중에) 6350채가 파괴되고, 수백 군데의 술집과 상점, 여관, 시장이 전소되었다. 1813년에 나폴레옹 제국의 운명이 결정된 곳인 독일에서는 수만 명의 프랑스군과 동맹군 병사들이 읍과 시골 지역에서 곡물과 마초, 가축을 남김없이 탈탈 털어갔다. 1814~1815년에는 수천 명의 외국 병사들이 프랑스 각지를 점령해 이미 피폐해진 지역들에 경제적 곤경을 야기했다. 한 러시아 장교는 프랑스의 시골 지역이 "지독히 가난하고 (…) 사람들한테 대다수의 생필품이 없는" 것을 보고 경악했다.[41]

자연은 탈나폴레옹 시대의 회복 과정을 더디게 할 뿐이었다. 1815년 4월에 숨바와섬(오늘날의 인도네시아에 있다) 탐보라 화산의 대형 폭발로 거대한 화산재와 먼지구름이 지구를 뒤덮으면서 세계 곳곳의 기상 패턴을 변화시켰다. 이 화산 폭발의 효과는 지구 한랭화에 기여한 앞선 화산 활동으로 더욱 심각해졌다.[42] 화산 폭발 1년 뒤에 파리 기상 관측소는 여름 기온이 평년보다 섭씨 3도 이상 낮다고 기록했다. "올 여름은 유난히 날씨가 습하다는 우울한 소식이 대륙 곳곳에서 들려오고 있다"라고 1816년 7월 하순에 《노픽 크로니클》은 보도했다. "네덜란드 여러 지방에서는 풀이 무성한 초지가 모두 물에 잠겨 있으며, 품귀 현상과 물가 폭등이 자연스레 점쳐지며 우려되고 있다. 프랑스에서는 내륙 지방이 홍수와 비로 큰 피해를 입고 있다." 헝가리에서는 1816년 겨울 동안 갈색 눈이 내렸고, 북이탈리아에서는 봄이 다 가도록 눈이 녹지 않고 그대로 남아 있었다. 기상 변화는 작황에도 영향을 미쳐서 유럽 전역에 식량 부족 사태를 야기했고 이는 다시 사회 불안, 참상, 죽음을 가져왔다. 잉글랜드와 프랑스 그리고 독일과 스위스 일부 지방들에서는 1816~1817년에 폭동과 소요 사태가 발생한 한편, 이미 피폐한 아일랜드에서는 기근(과 그에 동반한 티푸스 창궐)으로 수천 명이 목숨을 잃었다. 1817년, 워털루 전투 승전 2주년 기념식은 브뤼셀에서 식량 폭동이 광범위하게 벌어지는 계기가 되었다.[43] 크로아티아의 오지 마을 즈미니에서 교구 신부가 "치명적인 해"인 1816년에 잦은 비와 여타 악천후로 "심한 흉작이 들어 많은 시민들이 반년, 심지어 어떤 사람들은 두 달을 버틸 곡물도 마련할 길이 없다"라고 한탄했다. 이듬해는 상황이 더 나빴다. 3월에 이르자 "사람들은 흉흉한 기근에 영향을 받기 시작했다. 하지만 뭐라도 먹을 게 있는 한은 서로를 부양했다. (…) 그러나 그것도 잠깐이었다. (…) 지독히 비참한 상태로 전락한 그들은 이리저리 돌아다니다가 쓰러져 죽었다. 어떤 이들은 집에서, 어떤 이들은 길가에, 어떤 이들은 숲속에서."⁴⁴ 이 자연 재해는 유럽과 세계 여러 지역들이 나폴레옹 전쟁의 환란에서 막 회복하고 있을 때 들이닥쳤다. 흉작은 식량 가격, 특히 곡물 가격을 천정부지로 치솟게 만들며, 전후 재건을 어렵게 했다.

20년 이상 유럽 열강은 자국의 이익을 지키고 경쟁 세력의 경제를 약화시키고자 중상주의 정책에 의존했다. 그들은 또한 적국의 화물을 나를 수도 있는 중립국 선박에도 제재 조치를 취했다. 그 결과 국제 무역은 수시로 차질을 빚고 변동성이 심했는데, 프랑스가 대륙 봉쇄 체제를 도입한 한편, 영국은 추밀원 칙령을 통해서 자체적으로 해상 봉쇄를 유지한 1806~1812년 동안 특히 심각했다. 전시 화물 운임, 보험, 면허는 사업 비용을 급격히 증가시켰다. 예를 들어 1812년에 이 세 항목에 들어간 비용은 영국 밀 가격의 40퍼센트까지 차지했다.⁴⁵ 하지만 영국 경제는 전쟁과 해상 봉쇄에도 불구하고 계속 성장했다. 연안 해운, 운하, 유료 도로를 이용한 더 효율적인 운송 네트워크의 발전은 영국 내수 시장의 통합과 여러 지역들 간의 더 효율적인 특화를 촉진했다. 건전한 공공 재정과 금융업의 발전은 영국 제조업의 성장을 이끌었다. 하지만 영국의 지대地代는 나폴레옹 전쟁 말기로 가면서 상당히 상승해 지주들에게 두둑한 이윤을 안겼다. 전쟁이 끝난 뒤에도 지주들은 이렇게 챙긴 이윤을 놓치지 않으려 했고, 그 결과 정치적 로비를 통해 1815년 곡물법이 통과되어 외국산 곡물이 영국 시장에 들어오는 길이 막혔다. 곡물법은 그렇잖아도 노동자들을 먹여 살리기에 부족한 임금을 더 낮춤으로써 이윤을 극대화하고 싶어 하는 신흥 산업가 계급의 격렬한 반대에 부딪혔다.

전쟁은 서부 러시아, 북프랑스, 독일, 에스파냐, 포르투갈 전역을 휩쓸며 황폐화했다. 대서양 무역과 연계된 산업 부문들은 대륙 봉쇄 체제 동안 급격히 쇠락했고(수입 대체 산업 부문은 약간 성장하기는 했지만) 국제 무역의 전통적 중심지들은 식민 제국들이 붕괴함에 따라 쇠퇴했다. 프랑스는 루이지애나와 생도맹그를 상실하며 전쟁을 마감했다. 신세계에서 에스파냐 세력의 존재는 쿠바와 푸에르토리코로 축소된 한편, 포르투갈과 브라질 사이에는 균열이 점차 커지다가 급기야는 1822년 브라질의 독립으로 이어졌다. 네덜란드는 남아프리카, 실론, 서인도제도를 상실했다. 사실 암스테르담은 프랑스의 점령과 대륙 봉쇄 체제, 영국 해상 봉쇄의 효과가 합쳐지며 국제 무역의 중추라는 위상이 돌이킬 수 없게 약화되는 것을 지켜보았다. 다른 한편으로 전쟁이 끝날 무렵 영국은 세계를 지배하는 경제 강국의 지위를 확고히 다졌고 전쟁 직후 그 헤게모니의 범위는 전 세계 해운에서 영국이 차지한 비중을 보면 짐작할 수 있다. 영국이 세계 해운에서 차지하는 비중은 1780년 25퍼센트에서 1820년에 40퍼센트 이상으로 껑충 뛰었던 것이다.[46] 영국이 해군에 의한 패권을 누렸다는 사실은 19세기 나머지 기간 동안 넓게 보아 자유주의 국제 경제 발달의 결정적인 전제조건이 되었다.[47]

전쟁이 초래한 무역 효과는 유럽의 해안선을 훨씬 뛰어넘었다. 1812년 전쟁은 북아메리카 무역에 중대한 지장을 초래했지만 이것도 라틴아메리카의 경제 후퇴에 비교하면 아무것도 아니다. 아닌 게 아니라, 나폴레옹 전쟁이 야기한 가장 심대한 충격 가운데 하나는 서반구에서 유럽 제국들의 사실상 붕괴와, 대체로 경쟁적인 자체 통상 정책을 추구한 독립 국가들의 등장이다. 이전의 에스파냐 식민지들은 자국 경제를 보호하고자 지역적 무역과 통상에 커다란 영향을 미친 중상주의 정책을 추구했다. 남아메리카에서 등장하던 경제 현실의 핵심적 특징은 신생 독립국들과 영국 간 양자 무역이었다. 전전에 영국 공산품의 라틴아메리카 수출은 0.06퍼센트에 불과했지만 그 수치는 꾸준히 증가해 1804~1806년에 3.3퍼센트, 1814~1815년에는 6퍼센트 이상, 1820년대에 이르러서는 15퍼센트 정도에 달했다.[48] 멕시코의 은 산출량도 전시 해상 봉쇄와 에스파냐령 식민지들에서 일어난 정치적 혼란으로 타격을 받았다. 은 산출량은 1792~1806년 사이에 연평균 2천만 피아스터 이상이었다가 급속히 줄어들어 1807~1813년에는 1600만 피아스터, 1814년에는 1100만 피아스터, 이후 몇 년 동안은 900만 피아스터 미만에 불과했다. 멕시코산 은의 부족은 세계 무역에 중대한 결과를 가져왔다. 인도와 중국을 상대로 한 영국의 무역은 은 선적에 덜 의존하고 상품 수출에 더 의존하게 되어, 이 국가들 사이 경제관계에 중요한 변화를 알렸다. 사실 세계 무역의 대세를 거스르며 경제 성장을 경험한 유일한 지역은 동남아시아였다. 이 지역은 나폴레옹 전쟁의 영향으로부터 비교적 자유로웠다. 유럽으로 향하는 수출이 감소했지만 중국과 미국의 무역상들은 이 기회를 놓치지 않고 정향, 후추, 설탕, 커피를 확보해 본국 시장으로 운송함으로써 향신료 무역에서 이득을 보았다.[49]

국제 무역에 관한 논의에서, 나폴레옹 전쟁이 아시아에서 유럽의 전통적인 관행들에 미친 영향들도 빼놓을 수 없다. 나폴레옹 전쟁은 이 지역에서 중상주의에 바탕을 둔 유럽의 거대한 무역 독점 시대의 종식을 알렸다. 1780~1784년 영국-네덜란드 전쟁의 충격에서 여전히 회복 중이던 네덜란드 동인도회사는 1799년 12월에는 더 이상 존재하지 않았고, 동인도회사 소유의 영토 대부분은 이후에 나폴레옹 전쟁 동안 영국에 점령되었다. 한편 영국 동인도회사 역시 전시 경제의 영향에서 자유롭지 않았고, 1813년 대對인도 무역 독점을 상실했다.[50]

나폴레옹 전쟁이 대서양 노예무역에 지장을 주었다는 사실도 잊어서는 안 된다. 카리브 해역과 라틴아메리카가 혼란에 빠지면서 이 지역의 식민지들로 노예를 수송하는 게 갈수록 힘들어졌다. 더욱이 1807년 2월에 영국 의회는 아프리카와 영국 식민지 간 노예무역을 폐지하고 그리하여 다른 나라들도 영국의 방침을 따르도록 꾸준히 노력했다. 1808년에 신설된 영국 해군의 서아프리카 전대는 아프리카 해안을 수시로 순찰한 한편, 영국 외교관들은 보조금이라는 미끼를 이용해 다른 나라들도 노예무역을 폐지하도록 설득했다. 1810년 영국-포르투갈 간 조약으로 포르투갈은 노예제를 제한해야 했고, 1813년 영국-스웨덴 간 조약으로 스웨덴도 포르투갈의 뒤를 따랐다. 1814년 파리 조약으로 프랑스는 노예무역이 "자연적 정의의 원칙들과 양립할 수 없으며" 5년 내로 노예무역을 폐지하기로 영국과 합의했다. 같은 해에 영국-네덜란드 간 조약은 네덜란드의 노예무역을 종식시켰다. 미국은 1807년 노예무역을 폐지했지만 노예제 자체는 유지했으며, 1863년에 가서야 노예 해방령을 통해 폐지했다.[51]

동맹 세력에게 안정적인 정치·국제 질서의 유지는 탈나폴레옹 시대의 으뜸가는 목표였다. 그럼에도 불구하고 평시는 전시 못지않게 격동의 시대였다. 혁명의 격랑과 정복으로 얼룩진 사반세기 동안 유럽은 주요한 정치적·경제적 개조를 경험했고, 구체제를 구성했던 많은 요소들이 소멸했다. 오랜 사회적·정치적·경제적 속박들이 느슨해졌고(일부 경우에는 완전히 끊어졌다), 새로운 사회가 형성되고 있었다. 나폴레옹 제국의 몰락은 그러므로 이 과정의 급작스러운 역전이었으니, 구체제의 지배계급들이 권력을 되찾았기 때문이다. 승전국들은 유럽에서 보수적 정권을 보존하려고 진심으로 노력했고, 이런 열망은 적어도 단기적으로는 대륙에 전반적인 전쟁 피로감과 탈진에 힘입었다. 1815년에 파리 거리마다 울려 퍼진 "평화 만세vive la paix"의 외침은 "부르봉 만세Vive les Bourbons"보다 프랑스 대중의 일반적 분위기를 훨씬 잘 반영했다. 전쟁 피로와 경제 혼란을 겪은 유럽의 나머지 지역도 마찬가지였다. 많은 유럽인들에게 평화와 질서는 어떤 대가라도 치를 만한 가치가 있었다.

프랑스 혁명의 기억들은 유럽 지도자들에게 빈에서 도출된 전후 합의 체제를 허물어뜨릴 기미가 있는 민중적 이데올로기와 정치 운동에 대한 공포를 심어주었다. 하지만 그들도 한편으로는 경제적·사회적 변화의 힘들로부터 엄청난 압력을 받고 있었다. 산업화와 영농 개선, 경제활동의 고도화와 더불어 교통과 통신, 여타 분야에서 기술 향상은 유럽 사회를 변화시키고 있었고 정치 지도자들은 어떤 식으로든 행동에 나설 수밖에 없었다. 그러므로 우리는 그들을 변화에 적응하기를 완강히 거부하는 근시안적 반동으로 인식해서는 안 된다. 심지어 오스트리아와 러시아의 보수적인 정부들도 변화의 불가피성을 이해했고 사실 자신들의 통치 체제 내에 존재하는 약점들을 치유하기 위한 개혁을 주창했다. 하지만 그들은 어느 러시아 황제의 표현대로 일체의 변화는 아래가 아닌 위로부터 시작되어야 한다고 믿었다. 개혁 과정은 기존의 정치적·사회적 틀 안에서 질서정연한 방식으로 실행되어야 한다. 실제로는 모든 정부들이 변화의 필요성에 대한 이해와, 1790년 프랑스에서 일어났던 것처럼 변화가 자신들이 통제할 수 없는, 민중의 힘을 풀어헤칠지도 모른다는 공포를 조화시키고자 애썼다.

그들의 과제는 나폴레옹 전쟁의 종식이 경제 성장과 번영의 시대를 불러오지 않았다는 사실로 인해 더욱 어려워졌다. 오히려 평화는 공산품과 설비 물자에 대한 수요가 곤두박질치면서 전후 불황을 초래한 한편, 전 지구적인 기후 재앙은 한 세기 이상 만에 최악의 흉작을 야기해 식량 가격의 급등을 초래했다. 대륙 봉쇄 체제는 끝났지만 무역 개방을 되살리려는 진지한 시도는 뒤따르지 않았다. 그 대신 협소한 경제 민족주의가 활개를 쳤고, 유럽의 농업과 산업은 유럽 국가들이 세운 새로운 관세 장벽으로 어려움을 겪었다. 예를 들어 프로이센과 러시아의 곡물과 목재 수출은 영국의 보호 관세로 지장을 받았는데, 여기에는 더 저렴한 외국산 밀의 수입을 금지한 1815년 곡물법도 포함되었다. 한편 러시아와 오스트리아의 터무니없이 높은 관세는 프로이센의 주요 제조업 중심지 가운데 하나인 슐레지엔의 아마 산업을 심각하게 저해했다. 라인란트와 베스트팔렌의 제조업 지역들을 프랑스 경제 체제 안으로 통합하려 한 나폴레옹의 시도는, 프랑스가 내부 지향으로 선회하고 수입품에 관세를 부과하면서 전후에 현지 산업의 쇠락을 초래했다.

탈나폴레옹 시대의 농업과 제조업 경기의 후퇴는 수만 명의 귀환병들에게 제공할 일자리가 별로 없었음을 의미하는 한편, 빈곤층의 생활 조건은 대다수의 유럽 국가들에서 여전히 거의 절망적인 수준이었다. 당연히 이런 상황은 개인적 자유와 성문成文 권리 보장을 촉구하는 시위를 부채질하고 민주적 대의제와 공평한 부의 분배를 옹호하는 다양한 형태의 사회주의 출현에 기여했다. 탈나폴레옹 시대의 소요는 그러므로 근대 유럽의 탄생에 일조한, 변화의 힘들과 전통 사이에 벌어지는 더 큰 투쟁의 발로였다.

　　나폴레옹 전쟁이 몰고 온 정치적 격동은 이후로도 수십 년 동안 반향을 일으켰다. 1820~1821년, 1830년, 1848년에 일어난 주요 혁명들을 전후한 시기는 몇 가지 예만 언급하더라도 1819년, 1822년, 1825년, 1832년, 1834년, 1839년, 1844년에 일어난 더 작은 동란들로 얼룩져 있다. 이러한 위협들에 대처할 때 유럽 정부들은 나폴레옹 시대의 한 가지 중요한 유산으로부터 도움을 받았다. 전쟁이 낡은 행정적 결함과 부조리를 일소해버려서 유럽 정부들은 이제 관료제와 법 집행 과정, 과세를 더 단단히 통제할 수 있게 된 것이다. 그리하여 그들은 권력을 유지하고 억압적 조치를 시행할 수 있는 도구를 갖추게 되었다. 1819년, 유럽 곳곳에서 정치적 억압의 분위기가 조성되었고, 자유주의 확산에 놀란 독일의 정부들은 카를스바트 칙령을 부과해 정치적 자유를 틀어막았다. 영국에서는 전시 세금의 폐지, 계속되는 산업화(높은 실업률에 기여한 기계에 대한 의존 증가와 더불어), 유럽에서 전반적인 전후 경기 후퇴가 영국 역사상 사회 불안이 가장 극심한 시대를 불러왔다. 기후 재해가 나라 곳곳에 영향을 주면서 대대적인 소요 확산에 일조했다. 1819년 8월, 민심 이반은 수만 명의 시위자들이 단지 빵만 요구한 게 아니라 정치 개혁도 부르짖으며 맨체스터 바깥 세인트피터스 필드에서 모였을 때 최고조에 달했다. 영국 정부는 대륙의 정부들처럼 그러한 급진적 활동을 애국적이지 못하고 프랑스 '자코뱅주의'에 자극받은 것으로 매도했다. 정부는 시위를 진압하고자 강압적인 수단에 의존했다. 맨체스터의 평화로운 시위 집단은 폭력적으로 해산되었다. 이에 대해 지배 엘리트 계급은 극단주의에 대한 승리로 환영했지만, 급진주의자들은 5년 전 나폴레옹을 상대로 한 영국의 승리에 신랄하게 빗댄 표현으로서 "피털루 학살"이라고 규탄했다. 대륙 열강의 예를 따라서 영국 정부는 1820년대 내내 급진주의를 탄압했지만 들쭉날쭉한 경제 성장과 번영은 이후로도 여러 해 동안 계속해서 중대한 난관들을 야기했다.[52]

보수 지배 체제는 1820년, 민중 반란이 에스파냐와 나폴리 군주정을 위협했을 때 더욱 탄력을 얻었다. 유럽 열강은 이러한 혁명적 도전들에 대처하고자 세 차례 회의―트로파우(1820), 라이바흐(1821), 베로나(1822)―를 열었고, 그런 도전들을 처리하기 위해 빈 회의에서 내놓았던 원칙들에 의존했다. 러시아와 프로이센은 오스트리아가 나폴리와 피에몬테에 개입하는 것을 지지한 한편, 프랑스는 반동적인 부르봉 왕가가 에스파냐에서 권력을 탈환하는 것을 도왔다. 1825년은 러시아가 정치적 소요 사태를 경험할 차례였다. 일단의 군 장교들이 알렉산드르 황제의 죽음을 기회로 삼아 제한적이나마 입헌 정체로의 변화를 꾀했다. 데카브리스트 반란은 고작 하루를 간 뒤 차르 니콜라이 1세의 군대에 의해 진압되었다. 프랑스에서는 루이 18세가 혁명의 유산과 전후 과제들을 다루는 데 실용주의적 태도와 영리함을 과시했다. 그는 유능한 정치가들―몇 명만 거론하자면 엘리-루이 드카즈 공작, 리슐리외―의 도움을 받아 국가 파산을 막고, 막대한 전쟁 배상금을 물며, 이데올로기적 양 극단 사이에서 조심스레 중도를 걸었다. 15만 명에 달하는 동맹군이 프랑스를 아직 점령하고 있을 때 이런 일을 해냈다는 사실이 더욱 놀라울 수도 있지만, 동맹군이 계속 주둔하고 있는 상황에서 프랑스 군주정은 재정적 의무를 다하기 위해 시급한 개혁을 단행하지 않고는 달리 방도가 없었다. 점령은 탈나폴레옹 시대 프랑스의 경제와 정치의 재건 과정에서 결정적 역할을 했는데, 엄격한 재정 운용과 개혁으로 영향을 받은 집단들에서 격렬한 항의가 터져 나온 다음에야 재건이 이루어졌다는 것은 두말할 나위가 없다.[53] 루이 18세의 죽음과 그의 동생 샤를 10세의 즉위는 균형추를 반동적 당파 쪽으로 기울게 했고, 이들의 실책은 궁극적으로 1830년 혁명을 불러왔다.

탈나폴레옹 시대의 혁명들 가운데 남아메리카와 그리스에서 일어난 혁명만이 결국 성공했다. 하지만 성공의 이유는 달랐다. 그리스 혁명은 오스만튀르크의 지배에 대항하는 토착 종족 집단들(대체로 동방정교를 믿는 슬라브족과 그리스인)의 잇단 반란의 일환이었지만 그 원인과 타이밍, 결과는 오스만 제국 내부의 사회적·정치적 요인들만큼이나 유럽의 더 폭넓은 정세에 달려 있었다. 프랑스 혁명과 나폴레옹 전쟁은 지적·정치적 맥락을 형성하고 민족 해방 관념의 확산과 구체제 군주정들에 대한 투쟁에 기여했다. 여느 반오스만 봉기와 달리 그리스의 대의는 고전 그리스 문화와 역사에 영감을 받아 도움의 손길을 건네고 싶은 유럽 엘리트층—바이런을 비롯해—으로부터 널리 지지와 공감을 받았다. 그와 동시에 유럽 열강의 지도자들은 빈 회의에서 표방한 정당성의 원칙과 세력 균형에 위배되는 반란의 파급효과를 우려했다. 탈나폴레옹 시대의 보수주의와 반동의 기후에서 열강은 처음에는 정당한 오스만 권위를 무너뜨리는 반란자들을 지지하지 않으려 했다. 하지만 어느 정도는 저마다 상대방의 동기를 의심해서 또 어느 정도는 저마다 속셈이 있어서, 열강은 1827년 그리스인들의 편을 들어 이 갈등에 개입했다. 그리하여 1830년 완전히 자율적인 그리스 국가가 수립되었다. 이 과정에서 러시아는 가장 중심적이었다. 발칸반도의 기독교 주민들과의 유서 깊은 연계도 있었지만 러시아는 오랫동안 지중해로 더 자유로이 접근할 수 있기를 갈망해왔다. 역사가 매슈 앤더슨이 지적했듯이 오스만 제국의 운명에 대한 러시아의 이해관계는 나폴레옹 전쟁 이후 극적으로 커졌다. "흑해 스텝지대의 옥토 개발과 정착은 서유럽으로의 곡물 수출을 엄청나게 증대시켰다. 오데사는 이 무역의 최대 중심지로서 1810년대에 세계에서 가장 급속히 성장하는 항구였다. 이에 따라 러시아로서는 양 해협을 통과하는 자국 상선의 자유로운 항행권이 갈수록 중요해졌다." 1815년에 이르면 러시아는 오스만 제국으로부터 양 해협의 자유 항행권을 얻어냈으며, 이에 따라 5년 사이에 흑해 항구를 통한 러시아의 곡물 수출량은 급격히 증가했다. 하지만 1820년대 양 해협을 통한 러시아의 움직임을 제한하기로 한 오스만튀르크의 결정은 러시아 정계와 경제계에 상당한 걱정을 자아냈다. 또한 러시아 초기 산업화의 일환으로 설립된 수천 개의 공장은 피터 홉커크가 설명한 대로 "필사적으로 새로운 시장을 찾고 있었다."[54]

그리스 위기는 나폴레옹 전쟁 종식 이후 최초로 유럽 지도상에 중대한 변화를 알렸다. 이 위기는 빈 회의에서 도출된 전후 합의 체제를 심각하게 시험했는데, 유럽 열강에 위협이자 기회를 대변했기 때문이다. 주요 열강은 반란을 지지하는 것으로 비치고 싶지 않았지만 이 기회를 이용해 그 지역에서 더 많은 권력을 행사할 수 있다는 점도 이해했다. 그들은 이 갈등에 더 능동적인 역할을 하고, 노골적으로 이런저런 외세와 결탁한 그리스의 여러 분파들을 이용해 자신들의 이해관계를 보호하고자 했다. 그리스 독립전쟁의 여파는 그러한 상호 질시를 거의 누그러뜨리지 못했으니, 종국적으로 수립된 그리스 왕국에는 바이에른 출신 군주에, 프랑스 군사 자문관들, 영국 행정관들이 들어와 정부 지도부를 채웠기 때문이다. 러시아로 말하자면 아드리아노플 조약(1829)과 휜카르 이스켈레시 조약(1833)은 도나우 공국에서 러시아의 특권을 명시적으로 재확인하고 러시아 상선에 오스만 제국 내 자유 항행권을 부여했다. 그리스 혁명은 오스만 제국의 허약성을 노출시켰고 신생 발칸 국가들에 대한 열강의 간섭과 보호, 보장의 선례를 만들었다. 1829년 러시아가 술탄의 병사들을 무찌르자 유럽 각국의 수도는 오스만 제국의 붕괴를 점쳤고, 심지어 프랑스 외상 쥘 드 폴리냐크는 오스만 영토 분할을 논의하기 위해 러시아에 접근하기까지 했다. 오스만의 패배는 그러므로 그리스 분리 독립에 동원된 역사적·문화적 정당화 논거를 자신들의 민족적 운동에 끌어들이고자 하는 다른 민족 집단들의 야심을 자극했다.[55]

그보다 더 중요한 것은 앞서 본 대로, 독립전쟁의 첫 국면이 1815년에 종료된 남아메리카에서 벌어진 사건들이다. 1차 독립전쟁은 엇갈리는 결과를 가져왔다. 부에노스아이레스와 파라과이를 제외하면 모든 독립운동은 사실상 진압되었다. 그럼에도 불구하고 에스파냐 왕가의 권위가 휘청거리는 기색이 역력했다. 나폴레옹 프랑스의 몰락은, 에스파냐 근왕파가 소망한 것과 달리 반란의 즉각적 종식을 의미하지 않았다. 페루 부왕 호세 페르난데 데 아바스칼은 1815년 가을에, "코르시카 인간 혐오자"에 대한 동맹 세력의 승리에도 불구하고 "(나폴레옹의) 사악한 하수인들이 세상을 싹 뒤바꾸려고 퍼뜨리는 해로운 가짜 뉴스"로 인해 에스파냐 왕가의 권위에 대한 극심한 위협이 여전히 남아 있다고 불평을 토로했다.[56] 남아메리카에서 가장 넓은 지역을 정치적으로 관할하고 있는 아바스칼은 에스파냐 국왕 페르난도 7세의 복위와 1812년 헌법으로 제한되었던 국왕 대권의 복원을 기어코 고집하는 그의 태도가 본국의 왕실과 아메리카 식민지들 간 긴장관계를 악화시켰음을 잘 알고 있었다. 상당히 제한적인 범위이긴 해도 대의 정부를 이미 경험해본 크리오요들은 멕시코부터 칠레까지, 절대 지배 체제로의 복귀가 딱히 내키지 않았다. 식민지들과 에스파냐 간 "통합"을 유지하기 위한 시도로서 아바스칼은 반란 진압부터 나폴레옹적인 "가짜 뉴스"[57]를 반박하는 효과적인 선전 캠페인을 펼치는 것까지 광범위한 조치에 의존했다. 하지만 혁명의 기운은 향후 여러 해 동안 골치를 썩였다. 탈나폴레옹 시대에 에스파냐 식민지들의 역사는 내부적 격동과 유혈 사태, 억압의 역사다. 독립으로 가는 길은 길고도 험했다. 누에바에스파냐에서는 근왕파가 우세해졌지만 푸에블라에서 과달루페 빅토리아와 오악사카에서 비센테 게레로가 이끄는 두 주요 게릴라 집단은 1815년을 넘어서도 활동을 이어나갔다. 1821년 9월에 한 크리오요 의회가 독립을 선언하고 이듬해 아구스틴 데 이투르비데 휘하에 1차 멕시코 제국을 수립했다. 이것은 멕시코 최초의 탈식민 독립국가이자 에스파냐 식민지 가운데 독립한 뒤 군주정을 수립한 유일한 경우였다. 하지만 1차 멕시코 제국은 단명할 운명이었다. 1823년 멕시코는 공화국이 되었고 자결권을 끌어안아 중앙아메리카 연합주 구성을 위한 길을 닦았다. 미합중국을 본보기로 한 연방제 공화국인 중앙아메리카 연합주는 멕시코 외에도 1823년과 1840년 사이에 과테말라, 온두라스, 엘살바도르,

코스타리카, 니카라과를 망라했다. 누에바그라나다와 베네수엘라에서는 공화주의 애국파가 시몬 볼리바르, 프란시스코 데 파울라 산탄데르, 산티아고 마리뇨 등의 휘하에서 광대한 오리노코강 유역과 카리브 해안을 따라서, 종종 아이티에서 오는 물적 지원을 받아 버텨나갔다. 카라카스를 탈환하려고 여러 차례 시도했지만 실패한 뒤 볼리바르는 안데스산맥을 넘어 콜롬비아를 해방시킨 뒤 베네수엘라로 발길을 이어갔다. 공화파는 보야카 전투(1819년 8월 7일)에서 에스파냐 근왕파를 물리쳤고 얼마 지나지 않아 콜롬비아 수도 보고타를 함락했다. 콜롬비아를 안전히 확보한 볼리바르는 계속해서 1821년 6월 카라보보 전투에서 근왕파를 무찌르고 베네수엘라와 콜롬비아를 합친 그란콜롬비아 공화국의 독립을 선언했다. 볼리바르는 에콰도르의 공화파를 지원했고 에콰도르에서는 근왕파가 피친차 전투(1822년 5월 24일)에서 크게 패배했다. 1822년 7월 13일 에콰도르까지 편입시킨 그란콜롬비아는 이후 8년 동안 존속했다. 근왕파는 칠레에서 강력한 권위를 행사했지만 안데스산맥 너머로는 애국파가 리오데라플라타 연합주(오늘날의 아르헨티나)를 계속 지배했다.

독립운동이 1812~1815년에 입은 타격에서 회복하리라 예상한 사람은 거의 없었다. 하지만 산마르틴이 이끄는 아르헨티나 군대는 라틴아메리카 독립전쟁 역사상 가장 빛나는 위업을 세우며 안데스산맥을 넘어 베르나르도 오이긴스 휘하의 칠레 크리오요들에 합류했고, 이들은 1817년 2월 12일 차카부코 전투에서 근왕파 군대를 무찔렀다. 1년 뒤에 오이긴스는 칠레의 독립을 선언한 한편, 산마르틴은 칠레 병사 수천 명과 나폴레옹 전쟁이 끝난 뒤 혁명에 합류한 대규모 영국군 분견대의 지원을 받아 페루를 해방시키기 위해 북쪽으로 전역을 이어갔다. 페루 독립은 1820년 12월에 선언되었지만, 마지막 근왕파 근거지를 함락하고 공화파가 권력을 다지기까지는 6년이 더 걸렸다.

에스파냐령 아메리카와 비교할 때 브라질의 독립 여정은 비교적 평탄했다. 1807년 포르투갈에서 도망쳤던 주앙 6세는 나폴레옹 전쟁이 끝난 뒤에도 브라질에서 6년간 더 머물렀다. 1816년에 그는 브라질의 지위를 식민지에서 왕국으로 격상하고 상당한 양보 조치를 취했다. 주앙 6세가 리스본의 자유주의 혁명에 대처하기 위해 1821년 7월에 유럽으로 귀환했을 때 아들 돔 페드루는 브라질에 섭정으로 남았다. 포르투갈 코르테스(대표자 회의)가 브라질의 원래 지위를 복구하려고 하자 본국과 식민지의 관계는 재빨리 악화했다. 인생의 많은 기간을 리우데자네이루에서 보낸 페드루는 포르투갈로 돌아오라는 코르테스의 요구를 거부하고 그 대신 1822년 9월 7일 브라질의 독립을 선언했다. 유명한 "이피랑가의 외침Grito do Ipiranga"을 통해 페드루는 자신의 제복에서 포르투갈의 문장을 떼어내고 "독립이 아니면 죽음을!"이라고 선언했다. 그 결과 나폴레옹 전쟁에 참전했던 영국 군인들이 대거 입대해 신설된 브라질 군대와 포르투갈 병사들 간 전쟁은 브라질 군대의 승리로 끝났고, 포르투갈은 1825년 브라질의 독립을 공식 인정할 수밖에 없었다.

라틴아메리카의 격동은 빈 회의 이후 시대의 핵심적 쟁점을 조명했다. 다시 말해 유럽 열강에는 대서양 너머 식민지 사안에 간섭해 진행 중인 반란들의 결과를 뒤집을 능력이 있는가? 간섭에 개입되는 먼 거리와 해군력을 고려할 때 영국은 이 과정에서 불가결한 역할을 했다. 영국 정부는 진보주의자들이 핍박받고 수감되던 유럽 대륙의 반동적 정책들에 낭패감을 느꼈다. 에스파냐에서는 진보적 인사들 다수가 소름 끼치는 방식으로 처형당했다. 그러니 영국이 그러한 관행들에 가담하기를 거부하고 대륙 열강과 갈수록 거리를 두게 된 것도 무리는 아니었다. 1825년 영국은 여러 아메리카 공화국의 독립을 인정했다. 멕시코와 콜롬비아, 아르헨티나가 그 세 나라였다. 자신이 추진하는 정책의 도덕성과 정치적 건전성을 적극적으로 강조하고 싶었던 영국의 신임 외무장관 조지 캐닝은 "구세계의 균형을 바로잡기 위해 신세계를 탄생시켰다"라는 유명한 발언을 했다.[58] 하지만 그는 에스파냐령 아메리카가 계속 부르봉 왕가의 소유로 남아 있으면 영국 통상의 기회들이 불가피하게 제한되고 제약될 것이라는 사실도 이해했다.

서반구와 관련해 미국의 정책은 일반적으로 영국의 정책과 꽤 비슷했는데, 즉 그 지역에서 미국의 경제적 이해관계를 도모하고 유럽의 간섭을 방지하는 것을 꾀했다는 소리다. 그러한 미국의 열망은 영미 관계의 개선으로 한층 힘을 얻었다. 1812년 전쟁 이후 1817년부터 1825년까지 미국 국무장관을 역임한 존 퀸시 애덤스는, 미국과 더 우호적인 관계를 추구하고 공산품과 투자 자본을 맞바꿔 미국산 면화와 여타 물자에 접근하고 싶어 하는 영국의 바람을 십분 활용했다. 더 확대된 양국 협력의 신호로서 1817년 러시-배것 협정은 오대호에서 해군 군비를 제한하고 미국-캐나다 국경을 사실상 비무장화했다. 추후 1818년의 영미 합의는 1812년 전쟁 이후에도 미결로 남아 있던 여러 쟁점들을 해소했다. 영국은 캐나다 해안 앞바다에서 미국의 어업권을 인정하고, 오리건 준주의 합동 점령에 동의했으며, 캐나다와 접한 루이지애나 준주의 경계를 북위 49도선으로 확정했다.

북부 국경지대가 안정되자 미국은 남부에서 위력을 과시했다. 에스파냐가 나폴레옹 전쟁의 충격에서 헤어나기 위해 여전히 몸부림 치고 있고, 남아메리카의 독립운동에 얽매여 꼼짝 못하고 있음을 감안할 때 많은 미국인들은 플로리다반도와 태평양에서 팽창할 시기가 무르익었다고 생각했다. 앤드루 잭슨 장군 같은 사람들은 에스파냐의 플로리다 지배는 미국 남부 지역의 안보에 용납할 수 없는 위협이라고 믿고 에스파냐 영토에 대한 선제적인 점령을 주장했다. 1818년 봄에 잭슨은 에스파냐령 플로리다 침공을 이끌었는데 명목상으로는 미국과 에스파냐 국경지대에 걸쳐 살면서 이따금 인근 조지아주를 습격하는 아메리카 원주민 부족(세미놀족)의 야영지를 파괴하기 위한 군사 활동이었다. 하지만 잭슨은 이번 침공을 플로리다에 대한 미국의 영유권을 주장할 기회로도 보았다. 잭슨은 "어느 채널을 통해서든 제게 플로리다를 차지하는 것이 미국에 바람직하다는 점을 알려주십시오"라고 먼로 대통령에게 썼다. "그러면 60일 안으로 점령은 달성될 것입니다."[59] 비록 먼로 대통령은 잭슨이 월권행위를 저질렀다고 견책하고 원정군을 불러들였지만 국무장관 애덤스는 현지의 새로운 현실을 놓치지 않았다. 플로리다 침공은 나폴레옹 전쟁으로 약해진 에스파냐가 미국에 맞서 보복할 수단이 없다는 점을 만천하에 드러냈다. 그래서 애덤스는 에스파냐 관리들을 을러메고 구슬려서 양보 조치를 얻어냈다. 1819년 애덤스-오니스 조약으로 에스파냐는 미국의 앞선 웨스트플로리다 점령을 인정하고 이스트플로리다도 할양해 미국의 위협에 굴복했다. 한발 더 나아가 애덤스는 서부의 방대한 영토에 대한 미국의 지배권도 확보했는데, 이 조약이 루이지애나 준주와 에스파냐령 남서부 간 새로운 경계선을 그어 에스파냐로 하

여금 태평양 북서부에 대한 기존의 영유권을 전부 포기하게 만들었기 때문이다.[60]

이러한 성과에 힘입어 미국 정부는 인접한 국경 너머를 내다보기 시작했다. 미국의 성공의 중심에는 미국과의 대치 과정에서 영국이 간섭하거나 에스파냐를 지지하려 하지 않았다는 사실이 자리 잡고 있다. 심지어 플로리다 점령 기간에 잭슨이 영국 국적자 두 명을 처형하기로 한 결정도, 미국과의 긴밀한 경제적 연계를 유지하는 데 초점을 맞춘 영국의 공식 정책을 훼손하지 않았다. 더욱이 영국과 미국은 에스파냐의 식민지 재정복이 자신들의 경제적·정치적 이해관계에 불리함을 가져왔을 것이며, 유럽의 한 열강이 단일한 영역을 지배하는 것보다 복수의 신생 공화국이 존재하는 것이 훨씬 유리하다는 데 뜻이 같았다. 캐닝은 이러한 공통의 이해관계를 인식하고서 1823년 8월에 양국이 서반구에서 식민 권위를 회복하려는 유럽의 어떠한 시도에도 반대한다는 공동 선언문을 내자고 제의했다. 먼로 행정부는 이 제의를 거절했는데 여기에는 조건이 따라붙었기 때문이다. 바로 이전 에스파냐 영토 어디도 합병하지 않겠다는 약속이었다. 공동 선언 대신 1823년 12월에 먼로 대통령은 서반구에서 미국의 영토적 이해관계에 길이 남을 대목이 담긴 연례 교서를 발표했다.

먼로 독트린으로 더 잘 알려진 이 문서는 두 가지 개괄적이고 대담한 주장을 내놓았다. 첫째, 먼로 독트린은 알래스카부터 캘리포니아까지 태평양 연안을 따라 팽창하는 러시아에 대해 이의를 표명하고 "아메리카 대륙은 (…) 이제부터 일체의 유럽 열강에 의해 향후 식민화의 대상으로 간주될 수 없다"라고 천명했다. 두 번째 주장은 서반구에서 유럽의 간섭 문제를 다뤘다. 유럽 열강이 에스파냐령 아메리카에서 독립한 신생 공화국들에 반해 행동할 가능성을 거론하며 먼로는 경고를 내놨다. "미국과 저 열강들 간에 존재하는 우호관계와 공명정대함을 고려해 우리는 그들이 이 반구의 어느 부분에라도 자신들의 정치 체제를 확대하려는 일체의 시도를 우리의 평화와 안전을 위협하는 것으로 간주할 것임을 마땅히 선언하는 바다."[61] 미국은 신세계 자유의 수호자라는 특별한 지위를 자임했다. 비록 라틴아메리카에서 유럽의 개입을 막은 것은 미국 대통령의 발언보다는 영국의 해상력이라는 위협이었지만 말이다.

나폴레옹 전쟁은 19세기에 긴 그림자를 드리웠다. 전쟁은 군주제, 귀족제, 노예제 같은 제도들의 정당성과 전통적 생활방식을 뒤흔들었다. 또한 해소되지 않은 여러 쟁점들을 남겼다. 그러므로 후속 세대는 보수주의와 자유주의, 중앙집권화와 근대화, 공화주의와 군주정주의, 산업화와 급진주의의 유산들을 두고 씨름했다. 세인트헬레나섬에 유배된 나폴레옹은 정치적 전설이 자라나게 했고, 전설은 재빨리 그에 맞서 싸웠던 사람들의 후손들에 의해 기려지고 이상화된 자애로운 황제에 대한 강력한 신화로 진화했다.[62] 생전에 프랑스 작가 프랑수아-르네 드 샤토브리앙은 몰락한 황제에 관해 다음과 같이 썼다. "세상은 그의 손아귀에서 빠져나갔지만 그는 죽어서 그것을 손에 넣었다." 나폴레옹의 유산과 보나파르티즘—강력한 대중 국가 지도자를 중심으로 한 정치 이데올로기—은 당대 프랑스는 물론 유럽을 빚어내는 데 중요한 역할을 했다.

나폴레옹 전쟁은 무엇보다도 유럽 내 갈등이었지만, 유럽과 나머지 세계와의 관계를 형성했다. 이 무력 분쟁은 유럽 국가들이 개혁과 근대화라는 고통스러운 과정을 통과하도록 강요하고 촉진했으며, 그 과정에서 세계 여러 지역들 간 세력 균형을 변화시켰다. 유럽 역사 대부분의 기간 동안 유럽은 중국과 이슬람 세계의 더 선진적이고 세련된 문명들에 뒤처져 있었다. 하지만 나폴레옹 전쟁이 막을 내릴 때쯤 군사적 문제, 산업 발달, 기술력 측면에서 나머지 세계에 대한 유럽의 우위는 확연했다. 이는 대분기의 시작이었고, 이 전환의 엄청난 의미는 19세기가 흐를수록 더 분명해진다.